Rudolf Lantschbauer   Sepp L. Barwirsch

Weinland Österreich

Mit Beiträgen von:	Gerhard Redl, Retz
	Karl Bauer, Krems
	Robert Eder, Silberberg
	Herbert Pirker, Graz
	Josef Ertl, Gamlitz
	Annelies Gruber, Graz
	Peter Chalupka, Graz
Fotografien	Rudolf Lantschbauer
Illustrationen	Barbara Halsegger
Vorwort	Bundesminister Dipl.-Ing. Josef Riegler
Mitarbeiter	Astrid Grabensberger-Schüssler
	Barbara Halsegger
	Monika Wittmann
	Edith Klemmer
	Elisabeth Hölzl
	Karl Stranzinger
	Reinhold Forobosko
	Maximilian Ramsauer
	Martin Zupan

Vinothek-Verlag Graz

Impressum

Bei der Herstellung des Buches waren beteiligt:

Papier:
Magnoprint 135 g, Leykam Mürztaler AG.
Magnogloss 135 g, Leykam Mürztaler AG.

Reproduktionen:
Reproteam Graz
Interservice, R.O.C.

Satz (Datenkonvertierung):
Typographic Fotosatzges.m.b.H., Werner Koch, 8010 Graz, Moserhofgasse 49
Umbruch: Johann Merschak

Druck:
Druckerei Klampfer OHG, 8160 Weiz, Hans-Sutter-Gasse 9—13
Montage: Franz Kochauf, Alfred Wagner, Oliver Heil
Farbdruck: Franz Vorraber, Franz Weiß, Ernst Breitenberger, Erwin Neubauer

Bindung:
Karl Scheibe, 1030 Wien, Marxergasse 34

© 1989

VINOTHEK-VERLAG
A-8010 Graz, Tummelplatz 7, Österreich, Tel. 0316/84 24 07

ISBN 3-900582-08-4

Inhaltsverzeichnis

Zum Geleit

Als im Jahre 1985 ein bereinigendes Gewitter über die österreichische Weinwirtschaft niederging, konnte man nicht absehen, wie positiv sich dieser unrühmliche »Weinskandal« auf die Weiterentwicklung des österreichischen Weinbaus auswirken würde. Praktisch von einem Tag auf den anderen hatte sich die Trinkkultur der Österreicher geändert. Weine mit Restsüße wurden zu Ladenhütern, »trocken, fruchtig und spritzig« lautete von da an der neue Trend. Immer mehr Weinliebhaber begannen, sich auf breiter Ebene mit Weinsorten, Anbaugebieten und vor allem mit den Weinbaubetrieben genauer auseinanderzusetzen. Viele entdeckten erst durch die hitzige Diskussion die Weinqualitäten des eigenen Landes.

Auf Grund des »Weinskandals« wurde von der österreichischen Bundesregierung ein neues, strenges Weingesetz erlassen, das 1986 in kraft trat. Dieses Gesetz, der Wille und Arbeitseinsatz der Winzer, die gemeinsamen Bestrebungen der Weinbauschulen und Weinbauverbände, der einzelnen Landeskammern und der Österreichischen Weinmarketinggesellschaft haben dem österreichischen Wein zu einem neuen Höhenflug verholfen.

Von diesem neuen »Weinland Österreich« soll vorliegendes Buch berichten. Es stellt die einzelnen Weinbauregionen vor und bringt einen repräsentativen Querschnitt der dort arbeitenden Weinproduzenten. Die Auswahl erfolgte subjektiv, richtete sich aber nach den erzeugten Qualitäten. Das Buch erhebt nicht den Anspruch, eine umfassende Dokumentation des österreichischen Weinbaus zu sein. Nicht unerwähnt soll bleiben, daß dieses Buch gänzlich ohne Förderungsmittel oder Zuwendungen auch seitens der Weinwirtschaft, aufgelegt wurde.

Rudolf Lantschbauer

Sepp L. Barwirsch

Neuer Schwung in alten Kellern

S eit 2.000 Jahren — der Römerzeit — wird in Österreich Weinbau betrieben, seit 200 Jahren — unter Kaiser Josef den II. eingeführt — gibt es Buschenschanken, in denen die Weinbauern ihren Heurigen anbieten. Der Weinbau hat in Österreich Tradition, ist ein Kulturgut unseres Landes und bedeutsamer Wirtschaftsfaktor. Die Besonderheiten von Boden und Klima, die Kleinstruktur, sehr ambitionierte Weinbauern sowie Unternehmen der Weinwirtschaft bieten die Gewähr für einen österreichischen Qualitätsweinbau, der sich international sehen lassen kann.

Österreichs Weinbau und Weinwirtschaft haben sorgenvolle und aufregende Jahre hinter sich. Umfassende Initiativen von der Gesetzgebung über neue Marketingaktivitäten bis hin zur Tätigkeit in Weinbaubetrieben haben einen neuen Abschnitt in der Geschichte der österreichischen Weinwirtschaft eingeleitet. Die Chance des österreichischen Weines liegt in der Qualität des Produktes und im Vertrauen der Weinkenner zu den Weinbauern und der Weinwirtschaft. Ziel aller Bemühungen der Weinbauern, der Förderung, Information, Beratung und Kontrolle sowie der Organisationen und der Weinwirtschaft muß die Qualitätsproduktion von Wein in regionaler Vielfalt und geschmacklicher Ausprägung sein.

Die Bewahrung von Tradition und Kultur ist für Österreichs Weinwirtschaft Aufgabe und Verpflichtung. Wie diese wahrgenommen wird, zeigt das Buch »Weinland Österreich«. Die Autoren stellen mit dem vorliegenden Werk ihr Engagement und ihre Erfahrung in den Dienst des österreichischen Weines. Dem Buch wünsche ich eine gute Aufnahme, und seinen Lesern, daß sie vom neuen Schwung unserer alten Keller mitgetragen werden.

Dipl.-Ing. Josef Riegler
Bundesminister für Land- und Forstwirtschaft

Peter Chalupka

Die Entwicklung des Weinbaues in Österreich

Der Weinbau in Österreich kann im besten Sinn auf eine uralte Tradition verweisen. Mag sich das Bild der Weinkultur auch im Verlauf der Jahrhunderte manchen Veränderungen unterworfen haben, mögen Technik und modernste Analysemethoden in den Bereichen des Anbaues und der Kellerwirtschaft Einzug gefunden haben, so ist doch die Freude am Genuß dieses edlen Naturproduktes Wein stets die gleiche geblieben. Der Österreicher hatte immer ein besonderes Verhältnis zum Wein als Bestandteil seiner eigenständigen Kultur.

Die Weinrebe in grauer Vorzeit

Die Weinrebe als Wildpflanze gehörte bereits in erdgeschichtlicher Zeit zur Flora Europas. Sie war weitverbreitet, da die klimatischen Voraussetzungen in gewissen Wärmeperioden für sie besonders günstig waren. Sogar in Grönland hat man fossile Rebkerne und Weinblätter gefunden. Das mag zwar für unsere Betrachtung der heimischen Weinkultur ohne Belang sein, doch kann es als Beleg dazu dienen, daß die Rebe nicht erst in historischer Zeit aus dem Gebiet am Südrande des Kaspischen Meeres über Kleinasien und die Ägäis bei uns eingeführt wurde.
Bereits in tertiären Braunkohleflözen wurden Weinreben — zum Beispiel in Leoben in der Steiermark — gefunden. Natürlich sind diese Wildformen nicht als Grundlage des heimischen Weinbaues anzusehen. Die Kultur des Weinstockes hat wohl erst viel später ihren Weg von Osten nach Westen angetreten.

Schon vor den Römern

Nicht aber erst die Römer — wie es die landläufige Meinung ist — haben den Weinbau auf österreichischem Gebiet begründet. Es gibt konkrete Hinweise, daß bereits im 9. Jahrhundert vor der Zeitenwende — der Zeit der jüngeren Urnenfelderkultur — Weinreben als Kulturpflanzen im Gebiet um Sopron/Ödenburg gezogen worden sind. Es scheint, daß diese Reben nicht durch Kultivierung einheimischer Wildformen entstanden sind, sondern zusammen mit der nötigen Kultivationstechnik und den entsprechenden Trink- und Speisesitten aus dem Balkanraum, besonders aus dem nördlichen Makedonien, in das Gebiet von Ödenburg gelangt sind.

Weitere Funde von Rebkernen in Vorrats- und Abfallgruben und Gräberfeldern der Hallstatt- und La-Tène-Zeit in Niederösterreich und Burgenland, z. B. in einem Hügelgrab der Hallstattkultur von Zagersdorf bei Klingenbach (vor 2700 Jahren!), dokumentieren die Kontinuität des Weinbaues in Österreich. Weintrauben und Weingefäße als Grabbeigaben verdeutlichen die außerordentliche — unter anderem kultische — Bedeutung des Weines für die damalige Bevölkerung, obwohl auch damals schon soziale Unterschiede augenscheinlich waren. Wie uns ein Fürstengrab vom Dürrnberg bei Hallein zeigt, wußte man eine entsprechende gesellschaftliche Stellung durch geharzte Importweine aus dem mediterranen Bereich in prächtigen Metallgefäßen hervorzuheben; Wein also als Zeichen von Macht und Reichtum! Wer da nicht mitkonnte, hat sich mit einheimischen Produkten beholfen, wobei er schon unter einigen Rot- und Weißweinsorten wählen konnte.
Auch antike Schriftsteller geben uns Zeugnisse — wenn auch widersprechende — von der lustvollen Beziehung der keltischen Bevölkerung unseres Landes zum Wein. Diodor schreibt über die Kelten, »daß sie am Wein solch außergewöhnliche Freude haben, daß sie den von den Kaufleuten eingeführten unvermischt trinken. Von allzu vielem Trinken berauscht, verfallen sie in Schlaf und Wahnsinn. So kommt es, daß die Kaufleute, die, von Gewinnsucht geleitet, den Wein zu Schiff und zu Land auf Wagen einführen, für eine Amphore einen jungen Sklaven eintauschen«. Auch wenn uns diese Quelle nicht dazu verleiten darf, alle Kelten als maßlose Trunkenbolde anzusehen, so zeigt sie, daß hierzulande stets ein guter Tropfen entsprechend gewürdigt und auf das »Wassern« des Weines kein Wert gelegt wurde.
Natürlich wurde viel des edlen Saftes neben anderen Luxusgütern aus dem Süden eingeführt, doch ist es nicht einsichtig, daß die Kelten bei ihrer Vorliebe für »starke« Getränke — sie erfanden Bier aus Gerste und Hafer, erzeugten Met — nicht auch selbst den Weinstock gepflanzt haben sollten, da ja die klimatischen Verhältnisse, wie Strabo versichert, Weinbau erlaubten. Dieser berichtet weiter, daß in den Landstrichen nördlich der illyrischen Küste — gemeint kann die Südsteiermark sein — die Weinreben nur spärlich anzutreffen seien, aber er vergleicht den Weinbau hierzulande auch mit dem üppigen Anbau in Italien.
Als gesichert kann der Weinbau in Pannonien, zu dem ja das heutige Burgenland zählte, gelten, Cassio Dio hat dies als Augenzeuge bestätigt, obwohl er den pannonischen Landwein nicht gerade schätzte. Wie gesagt: Die Geschmäcker waren schon immer verschieden. Die Inschrift auf einer Haidiner Grablampe aus dieser Zeit

würde sich hier anfügen: Die Nahrung der Armen besteht aus Brot, Rettich und Wein.

Weinkultur in der Provinz

Wenn sich auch die Meinung, daß die Römer den Weinbau in Österreich eingeführt haben, nicht mehr halten läßt, so kommt ihnen unzweifelhaft ein besonderes Verdienst für die Entwicklung des heimischen Weinbaues zu. Überall, wo Römer als Eroberer hinkamen, brachten sie ihre Lebensart, ihre Sitten und ihre Kulturtechniken mit. Wenige Völker haben so sehr und so nachhaltig auf ehemals besetzte Gebiete eingewirkt und so deutliche Spuren hinterlassen. Nicht ohne Grund wurden die Römer lange Zeit als Begründer des österreichischen Weinbaues betrachtet. Ihre Rolle war auf diesem Gebiet bahnbrechend. Wenn Eugippius in seiner Lebensbeschreibung des Heiligen Severin berichtet, daß sich dieser in die Weinberge von Mautern an der Donau zur Meditation zurückgezogen hat, deutet das darauf hin, daß der Wein hier schon zur selbstverständlichen Kulturpflanze geworden war.

Hatten die Römer als Bauernvolk in der frühen Phase ihrer Ausbreitung noch vorrangig den Erwerb von Ackerland im Auge, kehrte sich schon in der späten Republik in Italien das Verhältnis von Weinbau und Kornbau um: Wein wurde exportiert, Getreide eingeführt. Schon Cato erklärte, daß der Weinbau die vorteilhafteste und gewinnbringendste Art der Bodennutzung sei. Diese geradezu stürmische Entwicklung blieb aber nicht nur auf die italische Halbinsel beschränkt. Die hohen Kosten für den Transport und die steigende Nachfrage begünstigten auch die Neuanlage von Weingärten, wo immer sich Römer aufhielten und wo immer die klimatischen Voraussetzungen es erlaubten. Der Römer war stets darauf bedacht, seinen ihm gewohnten Lebensstil aufrecht zu erhalten. Ein Vergleich mit dem späteren englischen Empire drängt sich auf, in dem englische Ladies und Gentlemen rund um den Erdball ihren nachmittäglichen Tee einnahmen.

Die Weinproduktion der Provinzen muß mit der Zeit so beträchtlich geworden sein, daß die einflußreichen italischen Weinproduzenten und Händler politische Maßnahmen zur Errichtung einer Art von Monopol ergriffen. Bereits Cicero erwähnt rechtliche Beschränkungen des provinzialen Weinbaues, von Kaiser Domitian wissen wir, daß er ein Gesetz erließ, mehr als die Hälfte aller Weingärten außerhalb Italiens zu roden, doch dürfte hier eher die Sicherung der Nahrungsmittelproduktion für die Bevölkerung seines Riesenreiches der treibende Grund gewesen sein, da auch in den äußeren Regionen des Staatsgebietes der lukrative Weinbau den Getreideanbau zu überflügeln drohte. Dirigistische Maßnahmen in der Landwirtschaft hat es also auch schon unter den Römern gegeben, politisch geführter Konkurrenz-

Bei Cilli gefundene bronzene Bacchusmaske aus der Zeit um Christi Geburt

kampf um Absatzchancen und Märkte ist ebenfalls keine Erfindung der Europäischen Gemeinschaft.

Gleichwohl haben diese Beschränkungen die Ausweitung des Weinanbaugebietes innerhalb der römischen Grenzen kaum behindern können. Wenn die landwirtschaftlichen Schriftsteller Columella und Saserna feststellten, daß der Anbau von Wein zu ihrer Zeit bereits in Gegenden erfolgte, die ursprünglich zu kalt und unwirtlich für diese Pflanze gewesen waren, kann man das nicht etwa auf eine plötzliche Klimaveränderung zurückführen, sondern die Ursache ist in der allmählichen Akklimatisierung der Reben und in der Verbesserung der Anbaumethoden zu suchen. Hatte sich im mediterranen Bereich der Weinbau mit der Verbreitung des Ölbaums gedeckt und war die Weinrebe im Süden voll in das landwirtschaftliche Ökosystem integriert, bildete sich im Norden eine neue Produktionstechnik im Weinbau heraus. Durch die härteren Witterungseinflüsse — speziell Frost — mußte eine verbesserte Form der Erziehung — Pfahlunterstützung — gefunden und der Arbeitseinsatz erhöht und rationalisiert werden. Die intensive Bodennutzung und der Bedarf an qualifizierten und spezialisierten Arbeitskräften führten zur Monokultur. Grundsätzlich hat es seit dem Ende des römischen Imperiums bis zum 19. Jahrhundert keine wesentliche Veränderung in der Kulturtechnik des Weinbaues in unseren Breiten gegeben.

Und trotzdem Probus

Das vorher erwähnte Gesetz des Domitian gegen den provinzialen Weinbau wurde unter Kaiser Probus endgültig aufgehoben. Probus wurde deshalb auch lange als Begründer des deutschen und pannonischen Weinbaues gefeiert. Zu Unrecht, wie aus den vorangegangenen Bemerkungen ersichtlich ist, doch hat dieser tüchtige Kaiser, der von 276 bis 282 regierte, diese angedichtete Ehre gar nicht nötig. Seine Meriten um die Förderung des Wein-

Kaiser Probus auf einer römischen Münze

baues in Pannonien und in der Südsteiermark sind unbestritten. Er initiierte nicht nur die Veredelung bestehender Kulturen und Neuanlagen, sondern setzte auch seine Soldaten zur Urbarmachung von Sümpfen und Rodung von Wäldern zur Gewinnung neuen Kulturlandes ein. Diese Kultivierung hatte auch einen ganz plausiblen militärischen Grund, stand doch jedem römischen Legionär ein bestimmtes Quantum Wein an Marschverpflegung pro Tag zu. Das Anlegen der Weinberge scheint nicht so recht nach dem Geschmack seiner Truppen gewesen zu sein, die Empörung der Legionäre soll groß gewesen sein. Ob diese »Winzerhilfe« — wie sich Dr. Franz Leskoschek ausdrückt — der Grund für seine Ermordung durch meuternde Truppen war, bleibt uns unbekannt, wäre aber durchaus möglich.

Aus archäologischer Sicht blieb uns einiges aus der Römerzeit in Verbindung mit Wein und Weinkultur erhalten. Zahlreiche Ortsmuseen im südlichen Niederösterreich und im Burgenland können römische Winzermesser vorweisen, das »Museum Carnuntinum« in Deutsch-Altenburg beinhaltet eine umfangreiche Sammlung von Römersteinen mit Motiven aus dem Bereich des Weinbaues. Bei Rettungsgrabungen in Carnuntum konnte ein Weingarten aus der 2. Hälfte des ersten Jahrhunderts nachgewiesen werden, der gerade in die Zeit des »Weinbauverbotes« Domitians (92) fiel.

Eine Fülle von Römersteinen in der Steiermark zeigt Weinstock und Rebe als ornamentales Motiv. Der Bacchuskult war hier ebenfalls bekannt, wie Opferaltäre zu Ehren dieses Gottes des Weines in den Römerstädten Poetovio (Pettau) und Celeia (Cilli) beweisen. In Pettau fand

*Saturn mit Winzermesser
(Ausgrabungen Wagna bei Leibnitz)*

man bei Ausgrabungen auch einen prachtvollen, sehr gut erhaltenen Opferaltar zu Ehren des Weingottes Liber. Die vielen gefundenen Gelübde- und Danksteine weisen sicherlich eher auf zufriedene Weingutbesitzer als auf fröhliche Zecher hin. Römische Winzermesser wurden in einem Grabhügel bei Hartberg gefunden. Im selben Grab befanden sich auch versteinerte Rebstücke. In einem Weinlager in Unter-Haidin bei Pettau konnten zwei römische Stechheber entdeckt werden. Pettau scheint durch seine Lage inmitten eines florierenden Weinbaugebietes bereits in römischer Zeit ein bedeutender Weinhandelsort gewesen zu sein, denn hier wurden die zur Lagerung benötigten Gefäße, große bauchige Tongefäße, die den Wein lange frisch hielten, fabriksmäßig erzeugt. Der Weinbau als Arbeitgeber des Gewerbes!

Europa war unterwegs

Die Völkerwanderung und ihre für die Bevölkerungsdichte verheerenden Folgen haben das von den Römern 488 aufgegebene Norikum besonders schwer getroffen. Brandschatzende und plündernde Horden durchzogen auf ihrer Suche nach Beute und neuen Wohnsitzen das Land und schädigten die Siedlungen und Kulturen der ehemals römischen Provinz sehr. Nachdem Justinian (526) Ufernorikum den Langobarden überlassen hatte, folgten diesen die Awaren nach, die jedoch als Wanderhirten für das heruntergekommene Gebiet keine Verwendung hatten. Sie überließen das dünn und unregelmäßig besiedelte Land den ihnen untertänigen Alpenslawen, die es von Süden her relativ rasch besiedelten, wie die Ortsnamen beweisen. Als Bauern bestellten sie sowohl altes Agrarland, schufen aber durch ausgedehnte Rodungen und Trockenlegungen von Sümpfen auch neuen Siedlungsraum.

Neben dem üblichen Getreideanbau wurde auch Weinbau betrieben, doch war die alte römische Agrarverfassung durch die Stürme der Völkerwanderung so nachhaltig zerstört, daß in den seltensten Fällen eine direkte Kontinuität des Acker- und Weinbaues hergestellt werden konnte.

Kaiser Karl der Große, Buschenschenke und »tote Hand«

Die karolingische Ostkolonisation nach dem Jahre 750 brachte in der Steiermark die Wende zu geregelteren Zuständen. Teilweise wurden diese Ansätze durch Ungarneinfälle wieder gestört. Erst die Schlacht auf dem Lechfelde (955) machte das südsteirische Gebiet zum Grenzland, in dem deutsche Grafen die Pettauer Mark verwalteten. In den letzten Jahren des 10. Jahrhunderts bekommt die Salzburger Diözese reiche Besitzungen im Pettauer Gebiet geschenkt; in diese Zeit fallen auch die ersten urkundlichen Erwähnungen des Weinbaues in der Steiermark. Marburg, der Sitz der Markgrafen, und Pettau werden zu Zentren einer zweiten Kolonisation. Die Christianisierung des Gebietes wurde abgeschlossen, ein Umstand, der sich für den Weinbau als sehr günstig erweisen wird.

Karl der Große war ein bedeutender Förderer der Weinkultur in seinem gesamten Herrschaftsbereich, der nicht nur Musterweingüter — sie sollten Vorbildfunktion erfüllen — von seinen Amtsleuten betreiben ließ, sondern auch Neuanlagen anordnete. Kronland (neuerobertes Gebiet) wurde aber nicht nur selbst verwaltet — dazu wäre es zu umfangreich gewesen — , sondern vor allem für geleistete Dienste als Lehen oder Schenkung weitergegeben. Davon profitierten besonders die kirchlichen Institutionen.

In Niederösterreich betraf der karolingische Kolonisationsvorstoß auf dem Gebiet des Weinbaues vor allem das Donautal mit seinen Seitentälern. Wiederum waren es vorzüglich die bayrischen Klöster, die sich hier Weinanlagen sicherten. Niederaltaich besaß schon zu Beginn des 9. Jahrhunderts Weingärten in Niederösterreich, vor allem in der Wachau. Andere Klöster folgten. Allein in der Umgebung der Stadt Krems hatten bis zum 16. Jahrhundert 42 Klöster Weingärten als Stiftungen bekommen oder gekauft. Für die bayrischen Klöster waren diese Besitzungen in mehrfacher Hinsicht günstig. Beste Lagen sicherten einen guten Ertrag, die Donau war ein angenehmer Transportweg zu den Mutterklöstern in

Bayern, Salzburg und Oberösterreich, außerdem besaßen sie in den größeren Weinbaugemeinden eigene Meierhöfe zur Verwaltung ihrer Güter, wo sie billig den Wein anderer Produzenten aufkaufen konnten. Zudem waren die kirchlichen Institutionen lange Zeit maut- und abgabenfrei; nicht umsonst gab es den Begriff der »toten Hand«: So wurde kirchlicher Besitz benannt, da er vor dem Zugriff der Steuerbehörde geschützt war. Auch im Burgenland hat sich unter Kaiser Karl der Weinbau erholt. In diese Zeit fällt auch die Einfuhr des im Burgenland und Niederösterreich so bekannten »Burgunders« aus dem alten karolingischen Weinbaugebiet. Wieder waren es Klöster und deren Lehensherren, die die alten Weinbaugebiete an der ehemaligen Bernsteinstraße reaktivierten. Die bayrische Besiedlung konnte sich auch in den Magyarenstürmen behaupten, obwohl das Land stark durch die Kämpfe verödete. Geblieben ist von der karolingischen Weinkultur aber die »Buschenschenke«, die auf eine Anordnung Karls zurückgeht, sogenannte »Straußwirtschaften« der Weingüter durch »Buschen« zu kennzeichnen. Es ist kaum zu glauben, daß sich gerade im Burgenland — ganz am Rande des ehemaligen Siedlungsgebietes des karolingischen Reiches — dieser Rest frühmittelalterlicher Weingesetzgebung gehalten hat.

Obwohl die Magyaren in der Schlacht auf dem Lechfelde besiegt worden waren, kam das Burgenland nach der Christianisierung dieses Reitervolkes unter Stefan I. zum ungarischen Königreich. Dadurch nahm das Burgenland als Teil Ungarns auch im Weinbau eine eigenständige Entwicklung. 1203 schenkte König Imre dem Zisterzienserorden von Heiligenkreuz einen Streifen Land zwischen den nördlichen Ufern des Neusiedler Sees und der Leitha. Die Mönche waren in der Lage, Bodenuntersuchungen durchzuführen und leistungsfähige Entwässerungsanlagen zu bauen. Sie brachten aus ihrer französischen Heimat den »Pinot gris«, bei uns als Ruländer bekannt, mit, der in Ungarn — wegen der grauen Reisekleidung der Zisterzienser — »Grauer Mönch« genannt wird; der Rheinriesling wurde ebenfalls von ihnen im Burgenland eingeführt.

Was für das nördliche Burgenland die Zisterzienser waren, waren für den Süden die Familien der Lutzmannsburger, der Seifride von Burg und

Die biblischen Kundschafter, Verduner Altar in der Leopoldskapelle im Chorherrenstift Klosterneuburg, 1181

der Güssinger Grafen. Die Weinberge in der Gegend von Lutzmannsburg, Rechnitz, Neckenmarkt, Mattersburg und Eisenstadt gehen auf sie zurück.

Der früheste urkundliche Beweis für den steirischen Weinbau ist kurioserweise eine Fälschung! So absurd es klingt, eine angebliche Urkunde König Arnulfs vom 20. November 890 bestätigt einen Besitz der Kirche von Salzburg in Pettau. Die Urkunde muß vor 977 in Salzburg gefälscht worden sein, da eine echte Bestätigungsurkunde im selben Jahr ausgestellt worden war. Doch zur Beruhigung: Das war damals eine durchaus gängige Praxis. Außerdem ist anzunehmen, daß diese Fälschung auf eine echte verloren gegangene Urkunde zurückgeht.

Die Ausbreitung des Christentums war für den steirischen Weinbau von außerordentlicher Bedeutung. Ohne die kirchlichen Besitzungen hätte er keine so günstige Entwicklung genommen, bis in die Neuzeit waren die besten Weinberge im Besitz von Klöstern und Pfarren. Für den Gottesdienst war Naturwein notwendig, deshalb versuchte man ihn möglichst im eigenen Weingarten zu produzieren, selbst wenig geeignete Lagen wurden zur Auspflanzung herangezogen. Dieses »Wuchern« — im positiven Sinne des Wortes — hatte zur Folge, daß im Laufe des Mittelalters etwa zehnmal soviel Rebfläche bebaut wurde als heute; man stelle sich das zum gegenwärtigen Zeitpunkt vor!

In der Steiermark war bereits im 9. Jahrhundert das Erzbistum Salzburg, die bayrische Hauptkirche, der hauptsächliche Nutznießer der kaiserlichen Schenkungen. Es hatte Weingärten im Enns-, Palten-, Liesing- und Murtal, im Pettauer und Leibnitzer Feld, im Hengestgau, im Sulm- und Lafnitztal, an der Sottla, im ganzen Raabgelände, und um Radkersburg. Salzburg konnte seinen Besitzstand ganz ordentlich mehren. Einen ähnlichen Weg gingen auch andere Klöster. Kirche und Weinbau waren in der Steiermark untrennbar verbunden. Die Zisterziensermönche des Stiftes Rein widmeten sich ebenfalls neben der Waldarbeit in besonderem Maße dem Weinbau, was auf den ersten Blick etwas verwunderlich erscheint, da die strenge Ordensregel dieser Gemeinschaft den Wein als Genußmittel seinen Mitgliedern nur in Ausnahmefällen gestattet. Einzelne Wohltäter des Stiftes mußten erst die Genehmigung des Visitators einholen, daß den Mönchen an bestimmten Tagen der gestiftete Rebensaft aufgetischt werden durfte! Man kann aber daraus auch die große wirtschaftliche Bedeutung des Weinbaues erkennen. Bedingt durch den Umstand, daß Wein auch bei längerer Lagerung nicht verdarb, war Wein schon im Mittelalter eine wichtige Handelsware, die wesentlich mehr pro Hektar einbrachte als alle anderen Agrarprodukte.

Neben dem wirtschaftlichen Aspekt war aber der eigene Verbrauch der Konventherren und Hausleute der Klöster nicht gering. So weist der Visitationsbefund des Stiftes Rein von 1450 einen Verbrauch von 82 Halben Wein aus, was 21.562 Litern entsprach. Dem Abt stand

Petrus de Crescentiis 1507, Weinlese

ein Faß besten Luttenbergers zu. Die ursprüngliche Ordensregel dürfte in der Folge doch nicht mehr so streng gehandhabt worden sein. Interessant ist es auch, in diesem Zusammenhang die »Weinreformation« des Abtes Valentin Abel (1545 — 1568) aus dem Benediktinerstift Admont zu betrachten, der aus Gründen der Sparsamkeit den anscheinend zu starken Weinkonsum seines Klosters einschränken wollte.

Wein für den Landesfürsten

Den weitaus größten Besitz an Weingärten in der Steiermark besaß aber im Mittelalter der Landesfürst, im Verhältnis viel mehr als in anderen Gebieten Österreichs. Grundlage bildeten die Besitzungen der Babenberger und Ottokars II. von Böhmen, die schließlich den Habsburgern zufielen. Dieser Reichtum wurde in der Folgezeit vermehrt, besonders durch den Anfall der Cillier Herrschaft an das Haus Habsburg. Dieser ausgedehnte Komplex wurde durch eine Anzahl von Ämtern (officia) verwaltet, denen Amtleute (officiales) vorstanden, Unterbeamte (Suppane) unterstützten sie. Infolge der chronischen Finanznot der Habsburger, vor allem unter Friedrich III., fiel ein nicht unbeträchtlicher Teil durch Verpfändung und Verkauf in die Hände Privater. Kaiser Maximilian ließ aber wieder im Zuge einer

Petrus de Crescentiis 1507, Winzer beim Keltern

Verwaltungsreform des Kammergutes den landesfürstlichen Besitz sichten und in sogenannten »Stockurbaren« aufzeichnen, um die wirtschaftlichen Erträge zu vermehren. Die Weingüter wurden von Kellermeistern, Bergmeistern und Schlüßlern, einer Art Weinbergverwalter, betreut. Daß sich der Weinbau für den Landesherren ausgezahlt hat, mögen folgende Zahlen beweisen: Während die Babenberger als Bergrechtrente etwa 102.310 Liter einnahmen, belief sich der Ertrag nach den Stockurbaren des 15. Jahrhunderts auf 421.566 Liter Wein; die Menge hatte sich vervierfacht! Zählt man landesfürstliche, kirchliche und weltliche Weinholde zusammen, kommt man auf die erkleckliche Anzahl von 17.000 im Weinbau Beschäftigten.

Trotz der nicht unbeträchtlichen wirtschaftlichen Größe des Weinbaues gab es in der Steiermark wie in Niederösterreich keine reine Weinkultur. Zwischen den Weinstöcken wurden Linsen und Kürbisse angebaut, ebenso wechselten Obstbäume mit Rebbeständen ab. Die wirtschaftliche Grundlage der Bauern war der Getreideanbau, Weinbau wurde, wo es ging, nebenher betrieben und lieferte den Zehent. Der Winzer hatte keine besondere soziale Position, Wein war zwar wichtiges Handelsgut, aber keine Lebensgrundlage breiter Bevölkerungsschichten. Hörige bearbeiteten fremde Gärten, deren Eigentümer der besitzenden Schicht angehörten. Ausnahmen könnten die »Weinstädte«

Pettau und Marburg gewesen sein, die sich im 16. Jahrhundert einen Wirtschaftskampf lieferten, der in einen regelrechten »Weinkrieg« ausartete.

Weinbau total

Gesamtösterreichisch muß das Weinbaugebiet des Mittelalters wesentlich größer veranschlagt werden als heute. Nicht nur die Hauptanbaugebiete wie Niederösterreich, Steiermark, Wien und das damals ungarische Burgenland verfügten über wesentlich ausgedehntere Anbauflächen, auch die anderen Bundesländer, die heute nur kleine oder gar keine Weinbaugebiete aufweisen, wurden genutzt. Sogar in Salzburg waren Nonn- und Mönchsberg von Weingärten bedeckt, wie Urkunden des 11. und 12. Jahrhunderts beweisen. Die Schätzungen gehen bis zum Zehnfachen der heutigen Rebfläche! Auch wenn man weit geringere Hektarerträge in Rechnung stellt, muß der Pro-Kopf-Verbrauch an Wein weit über unseren Trinkgewohnheiten gelegen sein. Freilich war die Bierbrauerei auch in Bayern noch recht selten, und ein gewisses koffeinhaltiges Erfrischungsgetränk hatte auch noch nicht seinen Siegeszug um die Welt angetreten. Große Mengen an Wein wurden auch exportiert, und zwar nach Böhmen und Mähren, Norddeutschland, Polen, England, in die Nordischen und Baltischen Staaten.

Interessant ist das Verschwinden des Weinbaues aus Oberösterreich und aus dem Semmeringgebiet. Im letzteren können noch immer die alten Terrassenanlagen gesehen werden. Oberösterreich weist die ältesten Weinbauorte der Karolingerzeit auf, etwa Rohrbach bei St. Florian, urkundlich bereits 772 erwähnt. Bis ins 19. Jahrhundert wurde in diesem Bundesland Wein angebaut. Begründet wird der dann einsetzende Rückgang durch klimatische Veränderungen.

Das Vordringen eines trockenen und wärmeren Klimastromes aus dem pannonischen Raum begünstigte vorerst die Expansion des Weinbaues. Diese Klimawelle überschritt um 1600 ihren Höhepunkt, anschließend war diese Entwicklung rückläufig, und um 1900 schlug sie wieder um. Wer weiß, vielleicht kommen in absehbarer Zukunft auch die westlichen Bundesländer zu eigenen Weingärten?

Als Blütezeit des österreichischen Weinbaues kann das Ende des 16. Jahrhunderts angesehen werden. 1582 schrieb Johann Rasch sein berühmtes Weinbuch, in dem er zum Beispiel Niederösterreich in fünf Weinbaugebiete einteilte. Er würdigt besonders die Stellung Wiens als Zentrum des besten Weingebietes. Auch Enea Silvio de Piccolomini, der spätere Papst Pius II., wußte die Stellung des Weinbaues für die Stadt Wien zu schätzen. Der Sekretär von jenem Friedrich III., der immer in finanziellen Nöten war, interessierte sich vor allem für den finanziellen Gewinn, der sich aus den Einnahmen des Weinbaues für den Landesfürsten ergab.

Das 1. österreichische Weinbuch wurde 1582 von Johann Rasch herausgegeben. Es beschreibt die Arbeit im Weingarten und die Kellerwirtschaft.

Besonders beeindruckten ihn aber die riesigen Kelleranlagen der Stadt, die ihm größer als das oberirdische Wien erschienen.

Johann Rasch führt in seinem Werk noch die Wachau, das Tullnerfeld, das Steinfeld und das Gebiet um Wiener Neustadt an. Interessanterweise fehlt das Weinviertel in dieser Aufzählung, obwohl es bereits früh ein Weinbaugebiet war und nach zeitgenössischen Berichten gute Weine produzierte. Weniger gut im Urteil der damaligen Zeit kam dagegen die Wachau weg. »Sauer wie die Wachauer« war ein von Abraham a Santa Clara formuliertes Wortspiel, das einer gewissen Wahrheit nicht entbehrte. Begünstigt durch die gute Transportmöglichkeit auf der Donau, begnügten sich die Wachauer damals mit größerer Quantität als Qualität und kamen auch so auf ihre Kosten.

Retz — ein Fallbeispiel

Niederösterreich war im 16. Jahrhundert in erster Linie ein Agrarexportland, wobei Wein noch vor Getreide an Wert gehandelt wurde. Man profitierte bis zur Jahrhundertwende von den steigenden Weinpreisen, dann fielen diese aber wieder bis zur Mitte des 17. Jahrhunderts. Die nächsten 30 Jahre waren von heftigen Konjunkturschwankungen des Weinmarktes bestimmt. Erst ab 1700 zogen die Preise wieder etwas

an. Die Ursachen für die ungünstige Marktsituation sind durch den Verlust von traditionellen Absatzmärkten und Verengung des nördlichen Exportmarktes in Böhmen zu sehen, wo der 30-jährige Krieg zu einem Rückgang der Bevölkerung geführt hatte. Auch das Konkurrenzprodukt Bier beginnt im süddeutschen Raum und in Böhmen eine Rolle zu spielen.

Die Veränderungen des Marktes hatten auch gesellschaftliche Bewegungen zur Folge, die am Beispiel Retz sehr gut nachzuvollziehen sind. Drei soziale Schichten lassen sich in der Gesellschaftsstruktur des niederösterreichischen Weinbaugebietes unterscheiden: das Stadtbürgertum, die Grundherren und die Dorfbevölkerung. Die Stadt Retz erlebte im 16. Jahrhundert ihre Blütezeit. Ab der Mitte des 15. Jahrhunderts bis zum Ende des nachfolgenden hatte sich die Häuserzahl verdoppelt. Die gute wirtschaftliche Stellung der Retzer Bürgerschaft gründete sich einerseits auf ihren Weingartenbesitz, andererseits auf das Weinhandelsprivileg, das nur Retzer Bürgern erlaubte, Wein in den Burgfrieden der Stadt zu bringen, der die umliegenden 9 Dörfer umfaßte, und nur ihnen gestattete, Wein in den umfangreichen Stadtkellereien einzulagern. Der Handel mit Wein war den Dörfern auch untereinander untersagt, nur der eigene Wein der Dorfbewohner durfte an fremde Händler verkauft werden. Diese Regelung hatte für die abhängige Dorfbevölkerung gravierende Konsequenzen. Ähnliche Regelungen und Privilegien finden sich weitgehend im gesamten österreichischen Raum, deshalb kann das Beispiel Retz als exemplarisch gelten.

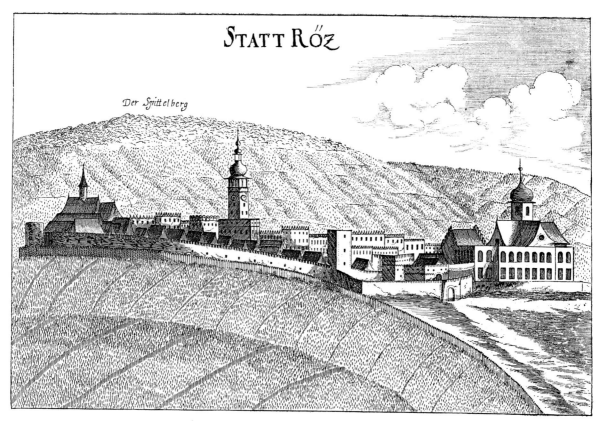

STATT RÖZ

Der Spittelberg

Stadt Retz im Jahre 1672. Original von G. M. Vischer.

Die Gärten der Retzer Bürger wurden gegen Geldlohn von Hauern der umliegenden Dörfer bebaut, die sich in Hauerzechen zum Schutz vor unqualifizierten Arbeitskräften organisierten. Im Zusammenhang mit der schlechten Konjunkturentwicklung, dem weiteren Verfall der niederösterreichischen Städte, Auswirkungen von Kriegen und der außergewöhnlich hohen Besteuerung bürgerlichen Vermögens wurde der mit Lohnarbeitern betriebene Weinbau immer unrentabler. Der Retzer Wein wurde fast ausschließlich durch böhmische Händler nach Böhmen ausgeführt, die Bürger hatten sich, auf ihr Privileg gestützt, verstärkt auf den Zwischenhandel verlegt. Im Zuge der absolutistischen Wirtschaftsreformen erlosch dieses aber 1769.

Die Grundherren führten bis ins 16. Jahrhundert ihre Weingärten, indem sie diese von Untertänigen und anderen Hauern gegen Lohn bebauen ließen. Die Robot war dagegen bedeutungslos, was offenbar mit den hohen fachlichen Anforderungen im Weinbau zusammenhängt. Im 17. Jahrhundert wurden diese Löhne aber »eingefroren«, jedoch expandierten die grundherrlichen Weinbaubetriebe nicht. Offenbar ist es den niederösterreichischen Gutsherren nicht wie ihren ungarischen Standesgenossen gelungen, ein Marktmonopol für Wein gegen städtisches Bürgertum und Dorfbewohner durchzusetzen.

Im Verlauf des krisenhaften 17. Jahrhunderts wird das Retzer Gebiet bäuerlich, die Dorfgemeinschaft stabilisiert sich, die Hauer werden mit dem Rückzug der Bürgerschaft aus dem Weinbau zu Kleinbesitzern. Ein Großteil der Häuser wird im 17. und 18. Jahrhundert vererbt und nicht, wie früher, verkauft.

Ruster Trauben anno 1891

Rust hat eine lange und namhafte Tradition unter den österreichischen Weinorten. Diese Stellung verdankt der Ort seinem schon von altersher berühmten Wein, dem Ruster Ausbruch. Bereits im 14. Jahrhundert begann der kometenhafte Aufstieg des kleinen Ortes, der 1470 zum Markt erhoben wurde, 1681 sich aus der Grundherrschaft befreite und 1681 königliche Freistadt wurde, eine Position, die Rust lange nur mit Eisenstadt teilte. Matthias Corvinus gewährte bereits 1479 den Rustern ein besonderes Privileg. Er verbot seinen Steuereintreibern, von den Rustern den »Dreisigst« bei der Ausfuhr von Wein einzuheben. Wenn man bedenkt, welche Summen der streitlustige Kriegsherr für seine Kriegszüge benötigte, war das mehr als eine noble Geste.

Die Hauptrebsorte in Rust war der Furmint, eine sehr spät reifende Sorte, die sehr gut gedieh. Er bildet im Spätherbst die typischen Trockenbeeren, die »Mangerln«; die nötige Überreife erreicht er durch die einmaligen klimatischen Verhältnisse. Man unterschied früher drei Arbeitsgänge bei der Lese, deren Erträge nicht miteinander verschnitten werden durften. Die erste

Lese der ganzen Trockenbeerentrauben erbrachte die »Essenz«, die zweite den erwähnten »Ausbruch« — schöne Trauben mit »Mangerln« gemischt. Zuletzt wurde das »Geschlachte« gelesen, weniger wertvolle Traubensorten.

Stets wurden auch Rotweine in Rust angebaut, doch blieb der Ausbruch der Ruster Markenartikel.

Es gibt eine sehr detaillierte Beschreibung des Ruster Weinbaues von Paul Ludwig von Conrad aus dem Jahre 1819. Alle Arbeiten im Weinberg werden sehr anschaulich und erstaunlich klar aufgeführt und beschrieben. Schädlinge und Klima werden ebenso besprochen wie auch die Topographie der Stadt und ihrer Weinberge. Ein Kapitel möchte ich aber besonders herausgreifen, das sich mit den damals in Rust angebauten Rebsorten beschäftigt und den Versuch einer Systematik darstellt. Die Auswahl der Rebsorten ist für Conrad neben der Berücksichtigung des Bodens und selbstverständlich sorgsamer Arbeit im Weingarten ein wichtiger Punkt für die Gewinnung eines guten Weines. Voraus schickt er eine Würdigung an die Vorväter, die bereits weise ihre Wahl getroffen und so den Grundstein für den Ruhm des Ruster Weines gelegt hatten, den sie ihren Nachkommen hinterlassen haben, zum Vorteil, aber auch zur Verpflichtung. Er fährt dann fort: »Die für die Verhältnisse höchst notwendige Sorge, diesen Ruhm nicht zu verlieren, spornt den Bürger an, nicht nur alle mögliche Aufmerksamkeit zu diesem Zweck in der Weinlese anzuwenden; sondern auch die guten Traubensorten durch Gruben oder Pelzen allmählich bis auf die beste zu vereinzeln. Diese ist die Zapfner. — Alle übrigen werden mit dem Namen das Geschlachte belegt.«

Anschließend skizziert er die Schwierigkeiten, die bei der Bestimmung der einzelnen Sorten auftreten können, da selbst das Weinblatt je nach Lage und Bodengüte in Farbe und Form täuschen kann. Den Einsatz des Mikroskops lehnt er wegen der Unbrauchbarkeit im täglichen Leben ab, man erkennt also den Praktiker. Noch schwieriger sei die Unterscheidung durch die Reben, wo doch schon einzelne Blätter vom selben Stock selbst den Kenner unsicher machen könnten.

Nun folgt eine eingehende Beschreibung der einzelnen Sorten: zuerst das Blatt nach Form und Farbe — mit eventuellen Abweichungen — , dann das Holz und die Traube, Bodenverträglichkeit des Stockes etc.

Selbstverständlich beginnt er mit dem »Zapfner«, wie der Formint in Rust genannt wird: »Beym Zapfner, der unsere Weingärten erfüllt, ist das Blatt oder Laub dreyspitzig, zu welchem es die zwey zackichten untern Ausschnitte, welche von der Verlängerung des Blattes an der mittelsten, und den zwey nächsten Hauptadern entstehen, machen... Die Oberfläche ist bald dunkelgrün, bald lichtgrün, wegen des durchscheinenden Gelbes, mit flachliegenden Blatttheilchen;....«. Es werden vier Spielarten des Zapfners unterschieden: der gelbe, der rote, der grüne und der grobe. Auch die Beschreibung der einzelnen Beeren wird zur Unterscheidung herangezogen, man spürt förmlich die Begeisterung des Autors

für den Wein, der Rust berühmt gemacht hat, heraus. Die nächste Sorte ist die Augsterrebe, die auch als Tafeltraube Verwendung fand. Als Einschub wird eine Anleitung zur Lagerung von Tafeltrauben für den Winter geboten, eine Fertigkeit, die in Zeiten ohne Südfrüchte aus dem Supermarkt für den ganzjährigen Vitaminbedarf nicht unwichtig gewesen ist.

Die »Griechische« kommt bei seiner Beschreibung nicht gut weg: »Der Wein wäre, weil es die Traube nicht ist, auch nicht gut, sie gibt überdiess nicht viel Most.« Ein vernichtendes Urteil!

»Weirer, die schmeckende« wird als gute Tafeltraube beschrieben, der Wein werde stark, verursache aber Kopfweh. Weniger geschätzt wird die »Silberweisse«, der Wein sei einer von den schlechten.

Die »Blaue« findet schon eher Beifall, das gekelterte Produkt aber nur als junger Wein. Eine der ersten Tafeltrauben ist die »Weisse Gaisdutte«. Der Wein der »Grünen Raiflertraube« soll etwas stark sein, aber keinen angenehmen Geruch aufweisen. Bei der »Kolm Raifler« hebt er den süßen Geschmack hervor, die »Zierfandler« ist »eine der süssesten, aber ohne Geist...«.

Grüne Muskateller: »Der Wein ist sehr gering....«, ein Kommentar erübrigt sich. Der »Weissen« wird zwar Süße und Stärke zugesprochen, aber der Geschmack und der Geruch seien unangenehm. »Goldlaagler« und »Grüne Laagler« kommen zwar nicht an die »Zapfner« heran, schneiden aber in der Bewertung ausgezeichnet ab. Dagegen werden die »Zollner« und »Kremler« wieder vernichtet. Die »Rote Muskateller« ist der »Weissen« ähnlich, ohne deren widerlichen Geschmack zu haben. Das Schlußlicht im doppelten Wortsinne bleibt für v. Conrad die »Grossmannische«: »Eine von den schlechtesten zum Speisen, folglich wird sie auch sehr schlechten Wein geben.«

Es ist schade, daß wir nicht mehr die Gelegenheit haben, zusammen mit diesem Weinexperten die alten Ruster Rebsorten und ihre Weine zu verkosten.

Älteste Darstellung eines Grinzinger Weinhauers bei der Arbeit. Holzschnitt, etwa 1570, Historisches Museum der Stadt Wien

Wien und Wein — mehr als ein Wortspiel

Daß Wien bereits vor und während der Römerzeit mit dem Weinbau eng verbunden war, kann unbesprochen bleiben, es gibt auch so genug zu sagen. Wohl in keiner anderen europäischen Hauptstadt ist der Begriff der Weinkultur im doppelten Sinn des Wortes so lebendig wie in Wien. Nirgendwo ist der Wein und alles, was sich in seinem Umfeld befindet, so vielfältig in Kunst und Lebensgefühl einer Stadt eingebunden worden. »Heuriger« und »Schrammelmusik« sind zu Begriffen geworden, die weit über die Grenzen unseres Landes verstanden werden.

Diese emotionale Liebe zum Rebensaft hatte neben seiner ausgezeichneten Qualität auch einen ganz nüchternen Hintergrund. Noch vor Handwerk und Gewerbe waren der Weinbau und der damit verbundene Weinhandel die Quelle für Reichtum und Ansehen der Stadt. Wien war nicht nur von ausgezeichneten Lagen umgeben, bis ins 16. Jahrhundert gab es noch in der Stadt selbst große Weingärten.

Am Kärntner Tor, vor dem Schottentor, in Ottakring, in Dornbach, in Sievering, in Nußdorf — der »Nußberger« war einer der berühmtesten Sorten — , und in Gumpendorf, in … — die Reihe ließe sich beliebig fortsetzen — befanden sich ausgedehnte Rebflächen, die den Wiener Bürgern gehörten. Die Wien umgebenden Berge, wie etwa der Kahlenberg, der Hermannskogel und der Latisberg, trugen im Mittelalter ebenfalls Reben.

Um diesen Reichtum der Wiener zu schützen, wurden genaue Rechtsmaßnahmen und Weinbauordnungen geschaffen.

Das Bergrecht war ein Sonderrecht neben dem Land- und Stadtrecht und regelte das Verhältnis zwischen Bergherrn und Berggenossen. Bergherr war der Grundbesitzer eines Weinberges, welcher das Bergtaiding einberief, ein Gericht, bei dem die Berggenossen bei Strafandrohung dreimal jährlich zusammenkommen mußten. Zwar war der Bergherr Gerichtsherr über die Weinberge, doch hatten seine Berggenossen — sie waren ihm zinspflichtig — starke Rechte. Der herzogliche Bergmeister übte im Berghof — beim Hohen Markt — das Weinbergrecht aus und hob den landesfürstlichen Weinzehent ein.

Landesfürstliche Satzungen regelten seit 1352 Lohn und Arbeitszeit aller im Weinbau Beschäftigten. Drakonische Strafen bedrohten selbst die kleinste Nachlässigkeit, Faulheit konnte mit dem Verlust der Hand bestraft werden. Daß solche Strafandrohungen den Wiener Bürgern nicht ganz geheuer waren, läßt sich verstehen. Deshalb versuchten sie früh, den Bergherren deren Sonderrechte zu entreißen.

Um 1412 dehnte die Stadt ihre Gerichtsbarkeit über die Stadtgrenzen aus und ließ eine neue Weingartenordnung in Kraft treten. Wesentliche Bestandteile dieser Ordnung waren das Verbot der Verpachtung von Weingärten, Ordnungen für Lese und Weinmeister, Festsetzung gewisser Höchstertragsgrenzen für Weingärten und dergleichen mehr; in ihr sind die wesentlichen Gesetze der alten Ordnung enthalten, man hat also auf Bewährtes zurückgegriffen, Überholtes verbessert.

Das Zimentamt benannte sich nach dem Ziment, einem zylindrischen Hohlgefäß für die jeweilige Maßeinheit. Es hatte die Aufgabe, auf die Echtheit und die Einhaltung der Gewichte und Maße zu achten. Für den Wein war die Maßeinheit der Eimer, der 32. Teil eines Eimers betrug eine Maß oder zwei Halbe oder vier Quartl. 30 Eimer waren ein Fuder, doch wurde 1434

Das »Anstrudeln«. Die Schrammeln in Ottakring im Januar 1886. Zeitgenössische Federzeichnung.

eine für ganz Österreich verbindliche Maßeinheit eingeführt, der Wiener Eimer, 32 Eimer für das Fuder. 1876
wurde dann das Litermaß zur neuen Einheit, wobei ein
Eimer 56 Liter faßte. Der Leser kann, wenn er will, ein
paar Umrechnungen im Kopf machen. Wieviel Fuder
sind ein 1/4 Liter?
Eigenschank ist die älteste Form der Ausschank in Wien
und war, da von Abgaben befreit, die wichtigste
Erwerbsform des Weingartenbesitzers und wichtiger
als die Ausfuhr! Bestimmte Speisen durften vorerst
verkauft werden, doch wurde streng darauf geachtet,
daß keine »freien Töchter« als unlautere Werbeträger
auftraten. Nach der Verkostung durch den Weinkoster
ging der Weinrufer mit einem grünen Tannenreisig
durch die Straßen, um den Heurigen anzupreisen. Die
Benennung »Heuriger« für diese Art von Ausschank ist
erst um 1800 belegt.

So hat sich um die Wende zum 19. Jahrhundert die
moderne Form des »Heurigen«, wie wir ihn kennen,
entwickelt. Mit dem Anwachsen Wiens zu einer modernen Metropole des Vielvölkerstaates der Donaumonar-
chie verdrängte die rasch wachsende Verbauung die
Felder und Gärten an den Stadtrand. Man begab sich
gerne wieder aus der Großstadt ins »Grüne«, es entsprach dem neuen Lebensgefühl der Romantik. Das
Revolutionsjahr 1848 und sein bedauerlicher Ausgang
warfen diese Bewegung wieder zurück, doch mit dem
Fall der Stadtmauern 1858 war der Damm gebrochen.
Wien dehnte sich aus, Massenverkehrsmittel — von
der Pferdebahn über die Dampftramway bis zur »Elektri-
schen« — konnten nun den Menschenstrom der Wiener
in ihren freien Stunden zum »Heurigen« bringen. Die
Anzahl der Lokale und Gaststätten schwoll bis zur Jahrhundertwende zu einer nie mehr erreichten Höhe an.

Zum Heurigen gehört auch die echte Musik, wie sie auch zum Wein gehört. Sie hat eine lange, wohl weit ins Mittelalter hineinreichende Tradition. Sänger und Spielleute, die in Weinschenken aufspielten, führten sie fort. Der »liebe Augustin« — historisch zwar nicht greifbar — ist sicher jedermann ein Begriff. Harfenisten und Volkssänger, Leierkastenmann und Stehgeiger sorgten für ihre Weiterentwicklung. Das Wiener Lied wurde zur teils wehmütigen, teils gesellschaftskritischen Kunstform, die alle Gesellschafts- und Sprachbarrieren überbrückte: Ausdruck der Wiener Lebensphilosophie.

Den Höhepunkt der Entwicklung der Heurigenmusik bildete Ende des 19. Jahrhunderts die Schrammelmusik. Die eigentlich aus dem Waldviertel stammenden Brüder Josef und Johann Schrammel traten zuerst mit dem Gitarristen Anton Strohmayer auf und waren in kurzer Zeit die Lieblinge der Wiener. Als bald der Klarinettist Georg Dänzer mit seinem »picksüßen Hölzl« dazutrat, war das Quartett komplett. Der »Heurige« hatte seine letzte notwendige Ausstattung erhalten.

Es war die Blütezeit dieser typischen Wiener Form der Gastlichkeit. Der Schrecken der beiden Weltkriege zerstörte für längere Zeit diese besondere Art Wiener Lebensgefühls — aber ein »echter Wiener« geht bekanntlich nicht unter!

Der Buschenschank — mehr als ein grammatikalisches Phänomen

Für jeden echten Weinliebhaber ist »der« Buschenschank ein Ort bodenständiger Weinkultur, wo er direkt beim Erzeuger seinen Lieblingstropfen zusammen mit einer ordentlichen und deftigen »Bretteljausn« genießen kann. In dieser natürlichen und gemütlichen Umgebung schmeckt der Wein besonders, hier kann man die Hetzjagd des Alltags vergessen und mit der Seele baumeln. Der Buschenschank hat also auch einen besonderen gesellschaftlichen Stellenwert. Er ist ein unverzichtbarer Bestandteil einer gewachsenen Lebensart. Für den Weinbauern

Sebastian Grünbeck,
ein alter Weinschänker in Hernals, gest. 1884

ist diese Form der Weinvermarktung wichtiges — manchmal unverzichtbares — finanzielles Standbein. Der direkte Verkauf und die selbständige Ausschank seines Produktes sind oft die einzige Einnahmequelle, vor allem kleinerer Betriebe, denen andere Formen des Vertriebes aus Kostengründen nicht möglich sind. Ob Buschenschank oder Heuriger, ob in Niederösterreich oder im Burgenland, ob in der Steiermark oder in Wien, diese direkte und traditionelle Form der Vermarktung des Konsumgutes Wein ist ein wichtiger Wirtschaftsfaktor.

Die Auswirkungen auf dem Sektor des größten Devisenbringers Fremdenverkehr sind gar nicht hoch genug anzusetzen. Wo sonst kann der ausländische Gast so unverfälscht österreichische Gastfreundlichkeit kennenlernen? Ein Heurigenbesuch gehört zum Wiener Städtetourismus ebenso dazu wie eine Führung durch die Hofburg. Im Buschenschank und beim Heurigen lernt man wirklich Land und Leute kennen, die sozialen Kontakte werden bei einem guten Tröpferl eben schneller geknüpft!

Das Recht der Bauern, ihren Wein selbst auszuschenken, geht auf sehr alte Traditionen zurück. Bereits unter den Karolingern und Ottonen im Frühmittelalter war dieses Privileg im bairischen und fränkischen Raum bekannt. Man könnte sogar Kaiser Karl den Großen als Schirmherr aller mit »Buschen« ausgezeichneten Schenken heranziehen. Sein »Capitulare de Villis« (Kapitular für die Krongüter und Reichshöfe) aus dem Jahre 795 enthielt ganz genaue Anweisungen über Weinbau, Weinpflege und Weinrecht. Wir haben aus dem Burgenland auch die entsprechenden Belege aus dieser Zeit, wohl als Ausfluß der karolingischen Besiedlung Österreichs.

Die moderne Geschichte der Gesetzgebung in diesem Bereich beginnt mit der Josefinischen Zirkularverordnung von 1784. Aus der Grafschaft Görz wandten sich Wirte an den aufgeklärten Monarchen, denen ihr Herr vorschreiben wollte, daß sie nur Wein seiner Güter auszuschenken hätten. Darauf legte Josef II. fest, daß den Bauern das Recht zustehe, ihre Erzeugnisse an jedermann zu verkaufen. Daher auch die Gepflogenheit, selbstgebackenes Brot und Fleischwaren eigener

Schlachtung zum Wein anzubieten. Natürlich wurde die Palette mit der Zeit immer reichhaltiger.

1845 wurden die Bestimmungen der Zirkularverordnung durch ein Hofkanzleidekret erneuert, 1883 wurde die Ausschank anzeigepflichtig und mußte von den Bezirksbehörden kontrolliert werden; der Fiskus wollte auch zu seinem Recht kommen, der Amtsschimmel durfte zufrieden wiehern.

Eigene Landesgesetze der vier Bundesländer Wien, Niederösterreich, Burgenland und Steiermark haben die zentralstaatlichen Verordnungen heute abgelöst, um besser auf die regionalen Traditionen und Bedürfnisse eingehen zu können. So kann sich der hungrige Gast beim »Heurigen« einen warmen Schweinsbraten genehmigen, im steirischen »Buschenschank« wird er zur kernigen Bretteljause greifen.

Das Wichtigste aber wird immer der Wein sein, von seiner Güte und den menschlichen Qualitäten des Bauern im Umgang mit seinen Besuchern wird die Existenz dieser Form von Gastronomie abhängen. Man kann sich eigentlich nicht vorstellen, daß es jene individuelle Art der Weinvermarktung nicht mehr geben sollte. Hoffen wir, daß sie durch keine »Modernisierungen« und »Verbesserungen« in ihrer Freiheit beschränkt und »verwässert« wird.

Die Katastrophe aus Amerika

Man kann ohne Übertreibung von einer ökologischen und ökonomischen Katastrophe für den europäischen — und damit auch für den österreichischen — Weinbau sprechen, wenn man die furchtbare Reblausplage der Neuzeit betrachtet. Eingeschleppt wurde dieser Schädling durch die Einfuhr amerikanischer Reben, von denen man sich erhoffte, daß sie gegen das Oidium immun seien. Wie so oft trieb man den Teufel mit dem Beelzebub aus.

Obwohl nicht alle amerikanischen Rebsorten gegen die Reblaus resistent sind, ist das Insekt in seiner angestammten Heimat nicht als nennenswerter Schädling aufgefallen. Die Weinstöcke der alten Welt müssen es ihm aber angetan haben. Nach und nach hat die Reblaus ein Weingebiet nach dem anderen — bis auf kleine Reste auf sandigen Böden — völlig zerstört.

Ende der fünfziger Jahre des vorigen Jahrhunderts in Frankreich aufgetaucht, konnte die Reblaus und ihre Folgen etwa ab 1870 schon in Österreich beobachtet werden.

Besonders tragisch ist der Umstand, daß gerade eine der bedeutendsten Persönlichkeiten des österreichischen Weinbaues, Freiherr von Babo, der erste Direktor der Klosterneuburger Weinbauschule, zur Bekämpfung des Mehltaus verseuchte Reben eingeführt hat. Ein Weinbaupionier, der sehr viel für den österreichischen Weinbau getan hatte, wurde so zum mittelbaren »Ver-

Langenloiser »Steckenmarkt«, um 1920

Die Trauben wurden 1920 sofort gemaischt

ursacher« der wirtschaftlichen Katastrophe für viele Weinbauern.

Verzweifelt versuchte man, Methoden zu entwickeln, um der Plage Herr zu werden, mit wechselndem Erfolg: Reine Sandböden — wie etwa in Illmitz im Burgenland und in einigen Teilen der Wachau — blieben reblausfrei. Also brachte man Sand in die Weingärten ein und setzte die Anlagen im Frühjahr unter Wasser — beide Bekämpfungsarten sind aufwendig und nicht überall durchzuführen.

Besser bewährt hat sich das Einspritzen von Schwefelkohlenstoff in den Boden, was aber wiederum eine Kostenfrage ist. Kreuzungsversuche amerikanischer Wildreben mit europäischen Edelsorten trafen zwar das Problem, aber nicht den Geschmack des Konsumenten: Resistenz und Qualität ließen sich nicht auf einen

Einmal im Jahr war Markttag

Rebveredelung anno 1920

Professor Dr. Lenz Moser ist undenkbar. Der 1978 verstorbene große Weinbaupionier aus Rohrendorf bei Krems hat bewiesen, daß Wirtschaftlichkeit und höchster Qualitätsanspruch nicht in Widerspruch stehen müssen.

Seine von ihm in den zwanziger Jahren entwickelte Anbaumethode der Hochkultur hat den Weinbau in unseren Gebieten revolutioniert. Erstmals wurde der Einsatz von Maschinen zur Bodenbearbeitung möglich, der Arbeitsaufwand im Weingarten wesentlich gesenkt. Durch die breiteren Reihen gegenüber der Stockkultur kann auch die Schädlingsbekämpfung und die Düngung effektiver durchgeführt werden. Im Ertrag leistet die Hochkultur ebenfalls einiges mehr, der Weinbauer aber muß auf Mengenbeschränkung achten, um die entsprechende Qualität zu erzielen.

Die günstigere Arbeitshöhe erleichtert auch die manuelle Arbeit im Weinberg. Bis zu 60% beträgt die Arbeitsersparnis bei dieser Erziehungsform. Man kann daraus ermessen, was dieser Mann für den modernen österreichischen Weinbau geleistet hat.

Nenner bringen. Laliman, ein Franzose, wies den Weg zu einer vernünftigen Lösung. Er stellte als erster Veredelungsversuche mit amerikanischen Unterlagsreben an, auf die er europäische Edelreben pfropfte. So konnten die Vorzüge beider Sorten vereinigt werden. Natürlich haben auch Österreicher auf diesem Gebiet Hervorragendes geleistet, wie zum Beispiel Karl Vetter, dem in Gols ein Denkmal gesetzt wurde.

Wirtschaftlichkeit mit Qualität

Eine historische Betrachtung des österreichischen Weinbaues ohne die Erwähnung von

Verwendete Literatur

Friedrich von BASSERMANN-JORDAN, Geschichte des Weinbaus, zweite wesentlich erweiterte Auflage, Frankfurt 1923, Nachdruck 1975, Bd I u. II.

Martha BAUER, Der Weinbau des Nordburgenlandes in volkskundlicher Betrachtung, Wissenschaftliche Arbeiten aus dem Burgenland, Heft 1, Eisenstadt: Burgenländisches Landesmuseum.
Paul Ludwig von CONRAD, Beschreibung des Ruster Weinbaues, Abschrift 1819.

DAS ÖSTERREICHISCHE WEINBUCH, herausgegeben unter der Patronanz des Bundesverbandes der Weinbautreibenden Österreichs, Wien: Austria Press 1962.

Wissenschaftliche Erforschung des Neusiedler Sees 1954.

DÜRNSTEIN, Richard I. Löwenherz von England (1189 — 1199), Wien 1966.

1000 JAHRE KUNST IN KREMS, Ausstellungskatalog, Krems an der Donau 1971.

Franz LESKOSCHEK, Geschichte des Weinbaues in der Steiermark, Graz: Kienreich Heft I 1934, Heft II 1935.

PROBLEME DES NIEDERÖSTERREICHISCHEN WEINBAUES IN VERGANGENHEIT UND GEGENWART, Skriptum des Neunten Symposion des Niederösterreichischen Institutes für Landeskunde, Retz 1988.

Marietheres WALDBOTT, Burgenländisches Weinbuch, mit Bildern von Gottfried Kumpf, Eisenstadt — Wien: Edition Rötzer 1983.

Retzer Weinchronik seit dem Jahre 1057

Die lange Geschichte des österreichischen Weinbaus mit allen seinen Höhen und Tiefe ist aus dieser Zusammenstellung ersichtlich. Im »Niederösterreichischen Winzerbüchlein« von 1898 wurde eine Chronik der Retzer Weinernten von 1057 bis 1866 abgedruckt. Dieses Register wurde aus dem Buch »Denkwürdigkeiten der Stadt Retz von Puntschert« übernommen.

Jahr	Preis fl.	β	kr.	Anmerkung
1057	—	—	—	Harter Winter mit viel Schnee, welcher besonders die Weingärten verwüstete.
1065 bis 1068	—	—	—	Mißjahre für den Wein.
1074	—	—	—	Strenger Winter,
1079	—	—	—	Strenger Winter,
1088	—	—	—	Großer Mißwachs, Wein schlecht.
1089	—	—	—	Großer Mißwachs,
1092	—	—	—	Hungersnoth, sehr strenger Winter noch im April, schlechter Wein.
1108	—	—	—	Große Kälte, schlechter Wein.
1113	—	—	—	Sehr strenger, schneereicher Winter, sehr heißer Sommer.
1128	—	—	—	Sehr strenger Winter, der den Wein verdirbt.
1137	—	—	—	Sehr fruchtbares Jahr.
1138	—	—	—	Sehr fruchtbar, ergiebiges Weinjahr.
1146	—	—	—	Hungersnoth.
1148	—	—	—	Sehr kalter Winter.
1150	—	—	—	Sehr kalter Winter, Hungersnoth.
1168	—	—	—	Sehr kalter Winter, Hungersnoth.
1187	—	—	—	Sehr harter Spätwinter bis in den Juni, so daß die meisten Weingärten zugrunde giengen. Großer Mangel und Hunger.
1197	—	—	—	Hungersnoth.
1206	—	—	—	Hungersnoth.
1211	—	—	—	Sehr kalter, langer und schneereicher Winter in Österreich.
1214	—	—	—	Sehr harter Winter.
1217	—	—	—	Hungersnoth.
1224 bis 1226	—	—	—	Sehr kalte Winter.
1237	—	—	—	Sehr schlechte Weinernte.
1238	—	—	—	Strenger, schneereicher Winter.
1244	—	—	—	Sehr trockenes und unfruchtbares Jahr.
1254	—	—	—	Wein-Mißernte.
1255	—	—	—	Wein-Mißernte.
1257	—	—	—	Harter Winter, ein sehr stürmisches Jahr.
1260	—	—	—	Sehr heißer Sommer, gutes Weinjahr.
1265	—	—	—	Sehr trockener Sommer, sehr reiches Weinjahr.
1266	—	—	—	Sehr fruchtbares Jahr.
1269	—	—	—	Sehr kalter Winter.
1273	—	—	—	Sehr fruchtbares Jahr, jedoch schlechtes Weinjahr.
1275	—	—	—	Sehr nasses Jahr, schlechter Wein, unter Schnee gelesen, fast ungenießbar, so daß die Leute, welche den Wein tranken, Grimmen im Leibe und andere Krankheiten bekamen.
1277	—	—	—	Sehr schneereicher Winter, sehr getreidereiches Jahr.
1282	—	—	—	Harter Winter und mehr Schnee, als man sich seit 30 Jahren erinnerte, Heuschrecken, Viehseuche.
1284	—	—	—	Langer, sehr heißer Sommer, viele Wolkenbrüche.
1286	—	—	—	Harter Winter.
1289	—	—	—	Sehr warmer Winter, die Blumen blühten noch vor Weihnachten, der Weinstock im Jänner, schlechtes Weinjahr wegen häufigem Hagel.
1292	—	—	—	Sehr harter, schneereicher Winter.
1294	—	—	—	Sehr heißer Sommer, gutes Weinjahr.
1296	—	—	—	Sehr kalter Winter, häufige Ungewitter.
1297	—	—	—	Gutes Weinjahr.
1302	—	—	—	Sehr schlechter Wein, wie anno 1275.
1303	—	—	—	Sehr gutes Weinjahr.
1304	—	—	—	Sehr trockener Sommer, man konnte die Donau an vielen Stellen durchwaten.
1310	—	—	—	Sehr kalter Winter. Das Getreide verdarb gänzlich, die Käfer fraßen die Bäume und Weinstöcke ab.
1311	—	—	—	Sehr wenig, fast gar kein Wein wegen der Käfer.
1312	—	—	—	Regen und Hagel verwüstete Felder und Weingärten, Theuerung in Österreich.
1313	—	—	—	Fruchtbares Jahr, sehr guter Wein.
1316	—	—	—	Die seit drei Jahren anhaltende Hungersnoth erreichte den höchsten Grad; fast Alles verschmachtete. Allgemeine Seuchen, großes Sterben. Kein Wein.
1317	—	—	—	Harter Winter, unerhörter Mangel und Hunger. Gänzlicher Getreidemangel.
1321	—	—	—	Schlechtes Weinjahr.
1323	—	—	—	Der Frost am 24. Mai zerstörte Wein und Gedreide.
1328	—	—	—	Wein von seltener Güte.
1332	—	—	—	Ein sehr fruchtbares Weinjahr, so daß man die Fässer zum Füllen nicht auftreiben konnte.
1335	—	—	—	Viel Regen, schlechte Ernte und Weinlese.
1338	—	—	—	Viele Heuschrecken.
1342	—	—	—	Heftige Stürme.
1343	—	—	—	Schlechtes Weinjahr.
1346	—	—	—	Kalter Frühling und Sommer, schlechtes Weinjahr.
1347	—	—	—	Sehr schlechter Wein, wie anno 1275.
1349	—	—	—	Fruchtbares Jahr, auch im Wein.
1352	—	—	—	Gute Ernte, strenger Winter, darauf heißer Sommer.
1360	—	—	—	Große Kälte.
1362	—	—	—	Fruchtbares Jahr.
1363	—	—	—	Strenger und langer Winter. Futtermangel. Das Vieh mußte mit dem Stroh der Dächer gefüttert werden.
1366	—	—	—	Sehr trockenes Jahr, viele Heuschrecken und Mäuse.
1369	—	—	—	Kalter und feuchter Sommer, fruchtbares Jahr.
1378	—	—	—	Langer rauher Winter, schlechter Wein wie anno 1275.
1381	—	—	—	Großes Sterben.
1384	—	—	—	Sehr guter Wein.
1385	—	—	—	Gutes Getreide – aber schlechtes Weinjahr.
1386	—	—	6 9	Sehr gutes Weinjahr; der Eimer kostete 6 Pfennig.
1389	—	—	—	Kalter Winter, wuchs fast gar kein Wein.
1391	—	—	—	Schlechtes Weinjahr.
1392	—	—	—	Schlechtes Weinjahr, schlechter saurer Wein.
1404	—	—	—	Nasser Sommer, worauf dreijährige Theuerung.
1417	—	—	—	Sehr strenger Winter.
1419	—	—	—	Sehr unfruchtbares Jahr, sehr schlechter Wein wie anno 1275.
1420	—	—	—	Sehr milder Winter, das Getreide war Mitte April reif und die Bäume trugen zweimal Obst; sehr fruchtbares Jahr, aber wenig Wein.
1424	—	—	—	Sehr fruchtbares Weinjahr.
1425	—	—	—	Sehr fruchtbares Weinjahr.
1430	—	—	—	Schlechtes Weinjahr.
1431	—	—	—	Sehr viel Wein.
1434	—	—	—	Schlechtes Weinjahr, der Frost zerstörte den Wein.
1436	—	—	—	Schlechtes Weinjahr.
1441	—	—	—	Große Kälte, wenig Wein.
1442	—	—	—	Sehr gutes Weinjahr, sehr guter Wein.
1443	—	—	—	Sehr wenig Wein.
1448	—	—	—	Sehr heißer Sommer, der Reif verdirbt den Wein. Mangel an Viehfutter.
1453	—	—	—	Schlechtes Weinjahr wegen früher Kälte.
1459	—	—	—	Schlechte Ernte. Es erfror ein großer Theil der Weinreben. Thom. Ebendorfer bei Pez II, 896. Huber, Oesterr. Gesch. III, 152.

24

Jahr	Preis fl.	β	kr.	Anmerkung
1460	—	—	—	Schlechtes Weinjahr.
1462	—	—	—	Große Wohlfeilheit.
1463	—	—	—	Sehr viel Getreide und Wein.
1465	—	—	—	Sehr reiche Ernte, jedoch schlechte Weinlese.
1473	—	—	—	Kalter Winter, zeitliches Frühjahr, heißer Sommer, große Fruchtbarkeit; es war ein gutes Weinjahr, der Wein von besonderer Stärke.
1482	—	—	—	Sehr heißer Sommer, sehr reiche Ernte und Weinlese, ein Faß Wein gab man für ein Ei hin.
1483	—	—	—	Reiche Weinlese.
1484	—	—	—	Hungersnoth; der Strich Korn kostete 107 fl. Reiches Weinjahr, der Wagen Wein kostete 1 fl.
1485	—	—	—	Mißwachs.
1486	—	—	—	Mangel an Wein, aber sonst Überfluß.
1499	—	—	—	Schlechtes Weinjahr.
1491	—	—	—	Schlechtes Weinjahr.
1494	—	—	—	Sehr milder Winter.
1490	—	—	—	Sehr schlechtes Weinjahr.
1506	—	—	—	Strenger Winter, noch Ende Juni schuhhoher Schnee.
1520	—	—	—	Häufige Überschwemmungen.
1521	—	—	—	Pest.
1523	—	—	—	Bis August sehr kalter Sommer, so daß man noch im Juli einheizen mußte, dann sehr heißer Sommer, viele Stürme und Hagel.
1525	—	—	—	Sehr kalter Winter.
1526	—	—	—	Unfruchtbares Jahr.
1529	—	—	—	Schlechter Wein und Getreide.
1530	—	—	—	Wohlfeiler Wein.
1534	—	—	—	Strenger Winter, sehr gutes Weinjahr.
1539	—	—	—	Sehr gutes Weinjahr.
1540	—	—	—	Sehr heißer und trockener Sommer, vom 1. Februar bis 29. Juli regnete es nur einmal. Sehr frühe Ernte, sehr guter Wein und sehr stark.
1541	—	—	—	Pest.
1542	—	—	—	Sehr trockener Sommer, schlechtes Weinjahr.
1553	—	—	—	Wegen häufigen Reifes schlechtes Weinjahr (sogenannter „stinkender Wein").
1554	—	—	—	Schlechtes Weinjahr.
1556	—	—	—	Dürrer Sommer, schlechtes Weinjahr.
1559	—	—	—	Schlechtes Weinjahr wegen Reif, große Theuerung.
1560	—	—	—	Gänzlicher Mangel an Wein.
1561	—	—	—	Sehr fruchtbares Wein- und Getreidejahr.
1564	—	—	—	Harter Winter, Weinstöcke und Obstbäume verdarben.
1565	—	—	—	Schlechtes Weinjahr (sehr neblich), „gfrür Schaden".
1569	—	—	—	Theuerung.
1570	—	—	—	Pest.
1571	—	—	—	
1572	—	—	—	Nicht schlechte Ernte, Theuerung „wegen Wassergüß".
1599	—	—	—	Guter Wein.
1601	8	4	—	Rothwein.
1616	—	—	—	„Schauer-Schaden."
1623	—	—	—	„Langes Geld."
1627	—	—	—	Weinfehljahr, „durch Käfer verderbt".
1628	—	—	—	Weinfehljahr.
1629	—	—	—	Weinfehljahr.
1638	—	—	—	Sehr trockenes und dürres Jahr, die Weingärten wurden sehr stark, der Stock sogar in seinem Holze arg geschädigt.
1644	—	—	—	Guter Wein.
1645	3	12	—	Der beste alte Wein kostete 4 fl., schlechter Wein.
1647	—	—	—	„gfrier Schaden."
1651	—	—	—	Guter Wein.
1654	—	—	—	Viel Wein.
1655	—	—	—	Schlechter Wein.
1656	3	—	—	
1657	4	—	—	
1660	2	—	—	
1661	1	30	—	
1662	—	—	—	„gfrür Reiffen."
1665	—	—	—	„Mitterer Wein."
1667	—	—	—	Schlechter Wein.
1669	—	—	—	Guter Wein.
1673	5	—	—	
1674	—	—	5	Wenig und schlechter Wein.
1675	1—3	30	—	Schnee zur Lesezeit, die Trauben mußten aus dem Schnee ausgeschaufelt werden, wenig und schlechter Wein.
1676				
	4	—	—	
1678	3	—	—	Guter Wein.
1679	3	—	—	Im ganzen Land Wein im Überfluß (sogenannter „stinkender Wein"), wegen des großen Sterbens (Pest) hatte er keinen Preis. Man schenkte den Wein weg, um nur leere Gefäße zu bekommen. Um Retz starker Hagel; 10 Eimer Faß 9 fl., der Wein wurde um 6 Pfennig verleutgebt.
1680	9			Ist viel und guter Wein gewachsen; die Laidt Maisch hat im Anfang des Lesens 6.30 fl. gekostet, im Fasching der 10 Eimer Wein 9 fl., im Sommer 13—14 fl.
1681	—	—	—	Waren dieselben Weinpreise.
1682	—	—	—	Wie anno 1680.
1684	2	—	—	Schlechtes Weinjahr, wenig Wein.
1685	4	—	—	Schlechter und wenig Wein.
1686	—	—	—	Guter Wein.
1687	2	30	—	
1688	3	30	—	Guter Wein.
1689	2	—	—	
1691	2	18	—	
1693	—	—	—	Guter Wein.
1694	—	—	—	Wenig und schlechter Wein.
1695	—	—	—	„große gfrür" und schlechter Wein.
1699	—	—	—	Mittelmäßiger Wein.
1701	—	—	—	Guter Wein.
1703	—	—	—	Guter Wein.
1704	—	—	—	Großes Lesen.
1705	—	—	—	Schlechter Wein und mittelmäßiges Erträgnis.
1706	—	—	—	Guter und viel Wein.
1707	—	—	—	Mittelmäßiger Wein und wenig.
1708	—	—	—	Guter und viel Wein.
1709	—	—	—	Schlechter Wein und wenig.
1710	—	—	—	Mittelmäßig in Allem.
1711	—	—	4	Mittelmäßig in Allem.
1712	—	—	—	Ein gutes Weinjahr, aber wenig Wein.
1713	—	3—5		Schlecht und wenig.
1714	—	—	—	Sehr schlecht und wenig.
1715	20	—	—	Gut, aber wenig.
1716	20	—	—	Wenig Wein, ist auch nicht reif geworden wegen des kalten Sommers.
1717	30	—	—	Der Hagel schadet stark dem Weine, ist aber dennoch guter und viel Wein gewachsen.
1718	30	—	—	Sehr guter Wein, seit Mannes Gedenken war noch kein so guter Wein gewachsen, doch mittlere Fechsung wegen der großen Hitze.
1719	15	—	—	Guter Wein und auch viel, doch große „Fäulnis".

Jahr	Preis fl.	kr.	Anmerkung
1720	15	30	Sehr guter und viel Wein.
1721	20	—	Mittelmäßige Ernte, wenig wegen der vielen Fröste.
1722	20	—	Guter Wein, doch nur mittlere Fechsung.
1723	19	—	Schlechter und wenig Wein, wegen Schauer im Monat April.
1724	20	—	Ein sehr guter Wein, auch viel.
1725	12	—	Schlecht und wenig wegen der vielen Regengüsse.
1726	22	—	Sehr guter und auch viel Wein.
1727	10	30	Guter Wein, „großes Lesen".
1728	9	—	Guter Wein, wie anno 1727.
1729	7	—	Guter Wein, wie anno 1727.
1730	16	—	Schlechter Wein wegen des kalten Sommers und vieler Regengüsse.
1731	18	—	Wenig und schlecht „wegen vielen Regens".
1732	15	—	Mittelmäßig und wenig.
1733	20	—	Mittelmäßig in Allem.
1734	19	—	Schlecht und wenig.
1735	20	—	Mittelmäßig und wenig.
1736	30	—	Sehr schlecht und wenig wegen der vielen Regengüsse.
1737	20	—	Guter Wein.
1738	18	—	Guter Wein.
1739	10	—	Gut, aber mittelmäßiges Lesen.
1740	12	—	Weinfehljahr wegen des kalten Sommers.
1741	21	—	Mittelmäßig und wenig.
1742	20	—	Etwas besser, wie anno 1741, aber wenig.
1743	25	—	Guter Wein.
1744	20	—	Guter Wein.
1745	25	—	Guter Wein.
1746	22	—	Sehr gut, mittelmäßige Fechsung wegen der Trockenheit, die vom 1. Mai bis in den Juli hinein gedauert hat.
1747	20	—	
1748	15	—	Gutes Weinjahr.
1749	13	—	
1750	19	—	Gutes Weinjahr.
1751	13	—	
1752	20	—	
1753	19	—	
1754	10	—	Mittelmäßige Weinjahre.
1755	18	—	
1756	19	—	
1757	16	—	Sehr guter Wein, aber wenig.
1758	14	—	Mittlerer Wein.
1759	13	—	Mittlerer Wein.
1760	18—20	—	Sehr guter Wein, doch geringe Fechsung.
1761	20—23	—	Mittelmäßiger Wein.
1762	16	—	Schlechter Wein. Ruhr.
1763	27	—	Der am 9. Mai eingetretene Frost richtete großen Schaden an, weshalb nur sehr wenig Wein wuchs.
1764	20	—	Sehr viel, aber mittelmäßiger Wein.
1765	18—20	—	Saurer Wein.
1766	25—60	—	Sehr guter Wein, aber wenig.
1767	20	—	Guter Wein.
1768	23—24	—	Der Frost am 28. Mai verübte großen Schaden, es wuchs wenig und mittelmäßiger Wein.
1769	18—20	—	Viel und mittelmäßig.
1770	22	—	Wenig Wein.
1771	25	—	Kein besonderes Weinjahr.
1772	27—30	—	Guter Wein.
1773	22	—	Sehr viel und gut.
1774	17	—	Mittelmäßiger Wein, aber viel.
1775	15—16	—	Saurer Wein und auch wenig.
1776	16—17	—	
1777	18—19	—	Mittelmäßiger Wein.
1778	15—16	—	
1779	17—18	—	Sehr guter Wein, aber wenig.
1780	14	—	Sauer und wenig.
1781	15—16	—	War ein sehr guter Wein, so daß seit zehn Jahren kein solcher gewachsen war, wegen der Süße des Weines ist aber viel verdorben, der Eimer stieg bis 7 fl.
1782	16—27	—	Mittlerer Wein, wenig „wegen Schauer".
1783	13—14	—	Guter Wein, sehr wenig wegen „Wintergfröhr".
1784	15—16	—	Wuchs nach sehr strengem Winter ein mittelmäßiger Wein.
1785	14—15	—	
1786	25	—	Mittelmäßiger Wein und wenig, da der Frost vielen Schaden verursachte.
1787	30	—	Saurer Wein.
1788	26—50	—	Sehr guter Wein.
1789	28	—	Sehr gut, aber wenig, da der Hagel schadete.
1790	26	—	Sehr guter Wein.
1791	25	—	Sehr trockenes Jahr.
1792	32	30	
1793	18	—	
1794	20	—	Sehr guter Wein.
1795	21	30	
1796	22	—	
1797	27	—	Sehr guter Wein.
1798	30	—	

Jahr	Preis fl.	kr.	Anmerkung
1800	50	—	Wenig Wein; der gute alte Wein kostete 8 fl. per Eimer.
1801	80	—	Wenig Wein; der alte Wein kostete 10—12 fl. per Eimer.
1802	90	—	Sehr gut, aber wenig, der alte Wein 11 fl. per Eimer.
1803	90	—	Sehr wenig.
1804	14—20	—	Wenig und sauer.
1805	16	—	Überaus schlecht, alter Wein 20 fl., 1779er 7 bis 8 fl. per Eimer.
1806	Alter Wein 18—25	—	Guter Wein.
1807	Alter Wein 20	—	Wenig, guter Wein.
1808	Alter Wein 21	—	Sehr gut.
1809	24—40	—	Wenig, mittelmäßige Qualität.
1810	40—52	—	Gut, 1773er Wein kostet 95 fl. — Löserdürre.
1811	60	—	Vorzüglicher Wein, Extra-Wein 80—85 fl., im August Extra-Wein 185 fl., Rothwein 190 fl., Essig 60 fl.
1812	Groschen 35	—	Quantität noch nie erreicht.
1813	Alter Wein 17—20	—	Ordinärer Wein 12 fl., ganz guter alter Wein 27 fl., 1808er Wein 25 fl., Essig 10 fl.
1814	25	—	Alter Wein 45 fl., 1802er Wein 51 fl.
1815	Alter Wein 75	—	1788er Wein 90 fl. — Fehljahr.
1816	40	—	Mittlerer Wein 60 fl., Extra-Wein 70 fl., 1812er Wein 40 fl.
1817	47	—	Rother 1808er 69 fl., 1788er 102 fl., 1794er 100 fl., 1811er 90 fl.
1818	20	—	Wenig Wein, 1808er 45 fl., 1811 70 fl., 1802er und 1804er Wein 57 fl. W. W.
1819	19	30	Sehr gut, aber wenig.
1820	17—24	—	Minderer Wein.
1821	12	—	Schlecht.
1822	32	—	Vorzüglich aber Mittelernte; Essig 23 fl.
1823	20	—	Mittelmäßige Ernte.
1824	—	—	Schlecht und wenig, 1823er 24 fl.
1825	20	—	Wenig.
1826	20	—	Wenig.
1827	15—20	—	Sehr gut und viel.
1828	—	—	Mittlere Qualität und Quantität.
1829	3—5	—	Sehr sauer und viel.
1830	5—6	—	Gut.
1831	5—6	—	Mittelmäßig.
1832	2—5	—	Nothreif.
1833	8	—	Mittelmäßig.
1834	13—18	—	Sehr viel und sehr gut, Qualität noch nie erreicht.
1835	8	—	Gute Ernte, leichter Wein.
1836	8	—	Abgefroren, im Gebirge gut.
1837	8	15b 30	Mißernte.
1838	8	—	Mißernte.
1839	8—10	—	Gut, mittlere Ernte.
1840	5	—	Sehr sauer.
1841	Wr. Währ. 10—12	—	Vorzüglich gut, aber wenig.
1842	8	—	Gut und viel.
1843	5—6	—	Sehr sauer, aber viel.
1844	5—6	—	Sehr sauer und wenig.
1845	10—15	—	Mittelmäßig, aber wenig.
1846	Conv.-M. 3—5	—	Seit dem Jahre 1812 die reichste Ernte.
1847	4	—	Viel, aber mittelmäßig.
1848	5—6	—	Sehr gut, aber mittelmäßige Ernte.
1849	5—6	—	Mittelmäßige Qualität und Ernte.
1850	8	—	Gut und wenig.
1851	5	—	Minder und wenig.
1852	12	—	Sehr gut, mittlere Ernte, 1834er Wein kostet der Beste 80 fl.
1853	4—5	—	Mittelmäßige Qualität, gute Ernte.
1854	8	—	Besser als der vorjährige Wein, aber wenig.
1855	8	—	Wie anno 1854.
1856	8	—	Guter, aber wenig Wein.
1857	8—9	—	Sehr guter, aber wenig Wein.
1858	Öst. Währ. 4—5	—	Sehr gute Ernte, Qualität gut.
1859	8—10	—	Sehr guter Wein, mittlere Ernte.
1860	5—6	—	Gute Ernte, mittlere Qualität.
1861	12	—	Sehr wenig, aber gut.
1862	8	—	Sehr gut, mittlere Ernte, sehr trockenes Jahr.
1863	7	—	Sehr gut, mittlere Ernte, frieren die Weingärten aus.
1864	2—4	—	Sehr schlechte Ernte, theilweise ungenießbarer Wein.
1865	10—12	—	Schlechte Ernte, guter Wein, sehr trockenes Jahr.
1866	10—12	—	Gut, sehr schlechte Ernte infolge der Maifröste.

Rudolf Lantschbauer

Weinbau in Österreich — heute

Vier Grundkomponenten bestimmen die Qualität des Weines: Das Klima, der Boden, die Rebsorte und die Kunst des Winzers, der die Rebe im Weingarten pflegt und den Wein im Keller keltert. Die ersten beiden Komponenten bedingen, daß Weinbau nur in bestimmten Gebieten betrieben werden kann. In Österreich gedeiht die Rebe hauptsächlich am westlichen Rand des pannonischen (Niederösterreich, Burgenland und Wien) und illyrischen Klimaraumes (Steiermark). Klimatisch gedeiht die Rebe überall dort, wo Obstbäume wie Marille und Pfirsich wachsen.

Sonnenschein und Regen

Das richtige Zusammenspiel von Temperatur, Feuchtigkeit und Sonnenschein ist für das Gedeihen der Rebe überaus wichtig. Die besten Verhältnisse für den Weinbau befinden sich zwischen dem 35. und 51. Breitengrad der nördlichen Halbkugel. Die österreichischen Weinbaugebiete liegen geradezu ideal, Klöch in der Steiermark im Süden bei 46,5 Grad, und Retz in Niederösterreich im Norden am 49. Breitengrad. Optimal für den Weinbau sind jährlich 1.900 Stunden Sonnenschein, und eine durchschnittliche Sommertemperatur von 20° Celsius. Die Jahresniederschlagsmenge soll um 750 mm liegen, und die Wintertemperatur soll im Durchschnitt nicht viel unter 0° C betragen.

	Regen	Sonnenstunden	Sommertemp.	Wintertemp.
Retz	461 mm	1.870	18,5° C	0,6° C
Krems	446 mm	1.844	18,6° C	0,1° C
Gumpoldskirchen	685 mm	1.805	19,2° C	0,6° C
Rust	775 mm	1.955	19,2° C	0,5° C
Klöch	854 mm	1.956	19,3° C	0,3° C

Weiters braucht die Rebe ein frühzeitig anbrechendes Frühjahr und lange Sommer. Ein milder trockener Herbst ermöglicht hohe Reifegrade, und im Winter soll das Thermometer selten unter — 20° abfallen. Durchschnittlich dauert eine Vegetationsperiode, die vom Austrieb bis zu den ersten Herbstfrösten, bei denen die Verfärbung und der Blattfall beginnt, 180 bis 190 Tage. Die Niederschläge sind jahreszeitlich verschieden zu beurteilen. Der Regen während der Austriebsperiode im zeitigen Frühjahr bringt rasches Wachstum, während der Blüte im Juni soll es trocken sein, da die Nässe einen ungleichmäßigen Beerenbesatz bewirkt (Verrieseln der Trauben). Im Hochsommer fördern zuviel Feuchtigkeit und Wärme die Verbreitung des gefürchteten Peronosporapilzes, der alle grünen Teile der Rebe befällt. Im Spätherbst, wenn die Trauben reif werden, bewirken lange Regenphasen ein Aufplatzen der Trauben und dadurch eine nichtgewollte Traubenfäule.

Eine höhere Luftfeuchtigkeit wirkt sich jedoch günstig auf den Weinbau aus. Die Wachau mit der Donau oder die Gegend rund um den Neusiedlersee profitieren von den großen Wasserflächen.

Der ideale Boden

Wesentlich für die Weinbaueignung einer Riede ist neben der Bodenbeschaffenheit ihre Neigungsrichtung und ihr Neigungswinkel. Deshalb gibt es auch innerhalb einer Weinbauregion unterschiedliche Anbaubedingungen, von erstklassigen bis eben normalen Lagen. Wie überall, so sind auch in Österreich die Südlagen am günstigsten. Die Südwest- und Südostlagen zählen auch zu den Qualitätsrieden. In West- und Ostlagen wird auch Wein wachsen, aber bestimmt keine Spitzenqualität. In Nordlagen, im Volksmund »Winterleiten« genannt, fehlt es an der für den Weinbau nötigen Wärme. Die Rebe liebt den sonnenreichen Hang. Sobald die Lichtstrahlen auf die Erdoberfläche auftreffen, erwärmen sie den Boden. Helle Böden erwärmen sich dabei weniger intensiv, als dunkle Erdböden, da helle Farben die Strahlen stärker reflektieren. Dunkler Schieferboden, auch in steilen Lagen ist besonders günstig für den Weinbau. Die Terrassenlagen der Wachau oder der extreme Bergweinbau in der Südsteiermark liefern dafür zahlreiche Beispiele höchster Weinqualität. Aber auch in der Ebene gedeihen hochwertige Gewächse (Horitschon, Großhöflein oder im Seewinkel im Burgenland).

Im Weinbau unterscheidet man grundsätzlich Quantitäts-, und Qualitätsböden. Die Menge wächst meist auf Schwemmlandböden, aber auch auf humusreichen und lehmigen Böden. Qualitätsböden sind mager, für Wasser und Luft überaus durchlässig und sehr erwärmungsfähig. Die Art des Bodens beeinflußt wesentlich das Geschmacksbild des Weines. Die regional sehr unterschiedlichen Klima- und Bodenverhältnisse ergeben gebietstypische Weine.

Weinbau heute

Im Jahre 1988 wurden insgesamt 58.123 ha Rebfläche im österreichischen Bundesgebiet bearbeitet. Das größte weinbautreibende Bundesland ist Niederösterreich mit 33.609 ha (57,8%), gefolgt vom Burgenland mit 20.969 ha (36,1%) Rebfläche. Die Steiermark hat einen Anteil von 2.835 ha (4,9%), und Wien 704 ha (1,2%). In Kärnten, Tirol und Vorarlberg gibt es fast keinen Weinbau. Die Gesamtrebfläche in diesen drei Bundesländern beträgt sechs Hektar.

Die Namen der Weinbaugebiete wurden durch das Weingesetz 1985 geändert. Grundsätzlich werden keine Ortsnamen mehr verwendet.

Die Weinbaugebiete Österreichs sind:

Weinbauregion Niederösterreich 33.609 ha (57,8%)

Wachau 1.358 ha
Kamptal-Donauland 6.537 ha (bis 1985: Krems und Langenlois)
Donauland-Carnuntum 4.398 ha (bis 1985: Klosterneuburg)
Weinviertel 18.214 ha (bis 1985: Retz und Falkenstein)
Thermenregion 3.103 ha (bis 1985: Gumpoldskirchen und Vöslau)

Weinbauregion Burgenland 20.969 ha (36,1%)

Neusiedler-See 11.220 ha
Neusiedler-See-Hügelland 7.186 ha (bis 1985: Rust-Neusiedlersee)
Mittelburgenland 2.105 ha
Südburgenland 458 ha (bis 1985: Eisenberg)

Weinbauregion Steiermark 2.835 ha (4,9%)

Südsteiermark 1.558 ha
Weststeiermark 277 ha
Süd-Ost-Steiermark 1.000 ha (bis 1985: Klöch-Oststeiermark)

Weinbauregion Wien 704 ha (1,2%)

Wien 704 ha

Zwischen den Jahren 1960 und 1980 hat die Weinbaufläche in Österreich stark zugenommen. Die weitere Ausdehnung wurde allerdings durch gesetzliche Maßnahmen eingeschränkt. Doch haben sich die Produktionsmethoden gewandelt. Die heutige im Weingarten und -keller entscheidende junge Generation von Weinhauern ist durch die Weinbaufachschulen und Weinbau- und Kellerwirtschaftskurse umfangreich ausgebildet.

Im Weingarten hat sich österreichweit die Lenz-Moser-Hochkultur als Erziehungsmethode für Weinstöcke durchgesetzt. Es gibt zwar kleine Anteile mit mittelhohen Kulturen und der Eindrahterziehung, doch sind bereits 91 % Hochkulturen. Durch die verbesserten Anbaubedingungen und besseres Pflanzengut und dem neuen Weingesetz hat die Qualität der Weinernten Österreichs zugenommen. Die Durchschnittserträge schwanken witterungsbedingt. Temperaturen bis −35° im Winter 1984/85 haben in verschiedenen Regionen zu starken Ernteeinbußen geführt. Im Zehnjahresdurchschnitt dürfte die jährliche Erntemenge bei ca. 2,8 Millionen Hektoliter liegen.

Österreichs Weinernten in den letzten 15 Jahren (Angaben in Hektolitern)

1974	1,664.924	1982	4,905.651
1975	2,704.467	1983	3,697.985
1976	2,901.040	1984	2,518.918
1977	2,594.021	1985	1,125.655
1978	3,366.278	1986	2,229.845
1979	2,773.006	1987	2,183.623
1980	3,086.422	1988	3,402.047
1981	2,085.186		

In den weinbautreibenden Bundesländern Niederösterreich, Burgenland, Steiermark und Wien bearbeiten rund 45.000 Betriebe die Weingartenflächen. Davon leben fast 30.000 Unternehmen ausschließlich von den Einnahmen aus dem Weinbau. Diese gliedern sich in Vollerwerbs- und Nebenerwerbsbetriebe. Letztere verkaufen zum größten Teil die von ihnen produzierten Trauben weiter.

Über 80 Prozent der jährlichen Produktion entfallen klimabedingt auf Weißwein, der Rotweinanteil beträgt nur 19,2 Prozent.

Zu Beginn der 70er Jahre begann eine deutliche Veränderung der Geschmacksgewohnheiten der Konsumenten. Wurden früher hauptsächlich schwere, liebliche bis süße Weine getrunken, so begann damals die »trockene« Zeit des Weinausbaus. Heute werden trockene, fruchtige und feinsäuerliche Weine bevorzugt, wobei aber gerade in der letzten Zeit wieder ein leichter Trend zu halbsüßen Prädikatsweinen festzustellen ist. Auch haben sich die Trinkgewohnheiten der Österreicher geändert. Ein Trend hin zur Qualität ist feststellbar und der Anteil der Qualitätsweine in 0,7-Liter-Bouteillenflaschen steigt von Jahr zu Jahr.

Von der Gesamtjahresproduktion werden 60% über die Gastronomie und dem Lebensmittelhandel verkauft. Fast die Hälfte der 36% des in Haushalten konsumierten Weines wird direkt vom Weinproduzenten bezogen. Die Zahl dieser Selbstvermarkter (Weinbaubetriebe, die ihre Produkte direkt ab Hof verkaufen) ist im Steigen.

Die Weinbauregionen Österreichs

Niederösterreich

Nach dem Weinbaugesetz 1985 wird das Bundesland Niederösterreich in fünf Weinbaugebiete unterteilt. Die Weine, die gekeltert werden, sind so unterschiedlich wie das Land. Vom flachwelligen Hügelland bis zu den steilen Terrassen der Wachau findet man alle Geländeformen. Auch sind die Bodenstrukturen entsprechend unterschiedlich. Urgesteins-, Sand-, Schotter-, Lößböden, aber auch schwere Kalk-Lehmböden sind zu finden. Kultiviert werden fast alle österreichischen Rebsorten, doch gerade beim Riesling, Grünen Veltliner und Weißen Burgunder werden Jahr für Jahr internationale Spitzengewächse gekeltert. Der Grüne Veltliner ist die Hauptsorte dieser Region, und er steht in 48% aller niederösterreichischen Weingärten. Hauptsächlich wird Weißwein angebaut, aber auch Rotweine von hervorragender Qualität tragen die Herkunftsbezeichnung »Wein aus Niederösterreich.« Vor allem in der Region Bad Vöslau, Retz und Haugsdorf wachsen diese Cabernet Sauvignon-, Merlot- und Blauen Portugiesertrauben.

Die fünf Weinbauregionen Niederösterreichs sind:

Weinbaugebiet Wachau

Die Wachau ist das westlichste Weinbaugebiet Niederösterreichs. Zwischen Melk und Krems gelegen, umfaßt dieses kleine Gebiet 1.358 ha Weingärten.

Joching und Spitz; am rechten Donauufer Mautern, Rossatz und Arnsdorf. Die Hauptrebsorten sind Riesling, Grüner Veltliner, Müller Thurgau und Neuburger. Die warmen Hänge am Donauufer liefern die typischen frischen und fruchtigen Wachauer Rieslinge. Diese bauen sich langsam aus und erreichen erst nach einigen Jahren ihre volle Reife.

Kamptal-Donauland

Geographischer Mittelpunkt ist die alte Weinstadt Krems. Aus dieser Gegend liegen die ersten schriftlichen Aufzeichnungen über Weinbau aus dem Jahre 450 n. Chr. vor. Schon im Mittelalter erlebte diese Region ihre erste Hochblüte. Regional erstreckt sich dieses Weinbaugebiet donauabwärts bis Hollenburg und in nördlicher Richtung bis Schönberg. Langenlois und das Straßer Tal zählen zu dieser Region, die 6.537 ha Weingartenfläche aufweist. Die Hauptsorte ist der Grüne Veltliner mit 58% Anteil, gefolgt vom Müller-Thurgau und Riesling. Bei den Rotweinsorten ist der Blaue Zweigelt am stärksten verbreitet. Die Reben profitieren vom Kleinklima der Flußtäler und den Löß- und Urgesteinsverwitterungsböden.

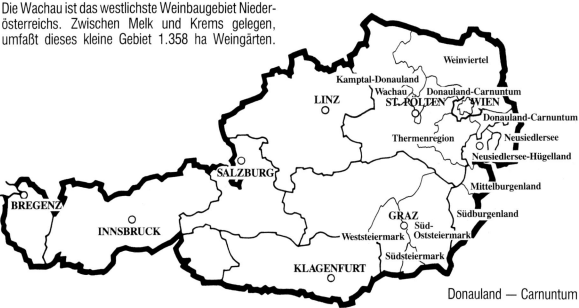

Diese entlang der Donau gelegene Tallandschaft wird oft als eine der schönsten der Welt bezeichnet. Die wichtigsten Weinbauorte am linken Donauufer sind Ober- und Unterloiben, Dürnstein, Weißenkirchen,

Donauland — Carnuntum

Dieses Weinbaugebiet beginnt im Westen bei Krems, folgt dem Lauf der Donau, wird durch die Bundeshauptstadt Wien geteilt und reicht bis zur tschechoslowakischen und ungarischen Grenze. Traismauer, Göttelsbrunn, Prellenkirchen und Klosterneuburg sind

Oggau am Neusiedler See

schon seit der Römerzeit berühmte Weinbauorte in dieser Region. Der Grüne Veltliner ist auch hier die Hauptrebsorte, Müller Thurgau und Weißburgunder haben große Anteile an den Rebflächen. Vor allem um Prellenkirchen werden erstklassige Blaufränkische gekeltert.

Weinviertel

Das Weinviertel ist mit 18.214 ha flächenmäßig das größte Weinbaugebiet Österreichs. Weitläufig ist die Landschaft, Weingärten und Ackerlandschaft wechseln sich ab. Im Westen, hart an der tschechischen Grenze, liegen die Städte Retz, Haugsdorf und Mailberg. Vom milden Klima begünstigt, gedeihen dort besonders fruchtige Blaue Portugieser, St.Laurent und Cabernet Sauvignon.
Flächenmäßig ist jedoch der Blaue Zweigelt führend, bei den Weißweinsorten der Grüne Veltliner. Vor knapp 100 Jahren wurde diese Rebsorte in Poysdorf wiederentdeckt. Im östlichen Weinviertel, der Brünnerstraße, wird sehr viel Welschriesling und der Müller Thurgau angepflanzt.

Thermenregion

Südlich von Wien liegt die Thermenregion, die entlang der Südbahnstrecke bis unter Wiener Neustadt reicht. Gumpoldskirchen, Thallern, Sooß, Baden und Traiskirchen sind durch ihre Weine weltbekannt geworden. Zierfandler und Rotgipfler sind die Spezialitäten dieser Region. Durch die milden Temperaturen und die schweren, steinigen Kalkböden erreichen auch Sorten wie Weißburgunder, Neuburger und Traminer hier eine schöne Reife. In Baden und Vöslau wachsen die klassischen, samtigen Rotweinsorten wie Blaufränkisch, Blauer Portugieser, St.Laurent und Cabernet Sauvignon.

Die Weinbauregion Burgenland

Das jüngste Bundesland kann als Rotweinhochburg Österreichs bezeichnet werden. Durch das heiße, pannonische Klima und den Neusiedler See, dem drittgrößten See Europas, gedeiht hier nicht nur Quantität, sondern auch hervorragende Qualität. Das Land erstreckt sich über 200 km weit von Norden nach Süden, ist aber an der engsten Stelle knapp fünf Kilometer breit. Vor allem mit den Prädikatsweinen aus dem Seewinkel konnten bei Welt-Weinwettbewerben oftmals die Sieger gestellt werden. Die Region ist in vier Weinbaugebiete unterteilt:

Neusiedler See

Am Nord- und Ostufer des Neusiedler Sees liegt diese Region. Mit 11.220 ha Rebfläche ist sie das größte Weinbaugebiet des Burgenlandes. Es umfaßt alle Gemeinden des Bezirkes Neusiedl/See über die Ortschaften Weiden, Gols, Mönchhof, Halbturn bis zum südlichsten Punkt des Seewinkels mit den Ortschaften Podersdorf, Illmitz, Apetlon, Andau und Pamhagen. Das Treibhausklima des Neusiedler Sees läßt hier auf durchlässigen Sandböden Weine mit vollem kräftigen Geschmack wachsen. Bedingt durch frühe Reife und sonnenstarke, trockene Herbsttage ist der Ernteanteil an Prädikatsweinen sehr hoch. Über 80% der Weingartenflächen sind mit Weißweinsorten wie Welschriesling, Grüner Veltliner, Müller Thurgau, Muskat-Ottonel, Neuburger, Bouvier und Traminer bepflanzt. Bei den Rotweinsorten sind der Blaue Zweigelt und der Blaufränkische die häufigste Rebe.

Neusiedler See — Hügelland

Die Weinbaugemeinden der Bezirke Eisenstadt, Mattersburg, sowie die Freistädte Eisenstadt und Rust gehören zu diesem Weinbaugebiet, das 7.186 ha Rebfläche umfaßt. Am Westufer des Neusiedler Sees sind die Städte Mörbisch, Oggau, Donnerskirchen, Purbach und Breitenbrunn, die auch wesentlich vom Seeklima profitieren. Die Orte Kleinhöflein und Großhöflein sind eigentlich Vororte von Eisenstadt, aber der Weinqualität wegen, werden sie eigenständig geführt. Am Ausläufer des Leithagebirges gelegen wächst ein fruchtiger Welschriesling, Weißburgunder und Sauvignon blanc. Die ganze Region ist bekannt für ihre Rotweine, vor allem Blaufränkische und Chardonnay aus Oggau, Zagersdorf und Pöttelsdorf zählt zu den besten.

Mittelburgenland

Im Mittelburgenland wechselt die Landschaft. Sie wird hügeliger und stärker bewaldet. Es wird auf 2.105 ha Weinbau betrieben. Zwei Drittel davon ist mit Rotweinsorten bepflanzt, hauptsächlich Blaufränkisch und Blauer Zweigelt. Der Grüne Veltliner ist am stärksten verbreitet, gefolgt vom Müller Thurgau und Welschriesling. Die wichtigsten Weinbaugemeinden sind Horitschon, Deutschkreuz, Neckenmarkt und Lutzmannsburg.

Südburgenland

Der Eisenberg und Deutsch-Schützen sind die Mittelpunkte der südlichsten burgenländischen Weinbauregion. Etwas abseits der großen Tourismusströme gelegen, sind die Orte wegen ihrer Ursprünglichkeit besonders reizvoll. Beim Weißwein ist der Welschriesling und bei den Rotweinsorten ist der Blaufränkische die Hauptrebsorte.

Die Weinbaugebiete der Steiermark

Mit 4,9% Anteil an den österreichischen Rebflächen ist die Steiermark das zweitkleinste weinbautreibende Bundesland Österreichs. Über 4.000 Weinbauern bewirtschaften die 2.843 ha Rebfläche. Mit einer Durchschnittsgröße von 0,6 ha kann man fast von »Weinschrebergärtnern« sprechen. Doch in den extrem steilen Lagen (zwei Drittel der Flächen weisen eine Hangneigung von über 26% auf, teilweise sogar bis 60%), wachsen die Trauben, die von den Winzern

zu besonders fruchtigen, spritzigen Weinen verarbeitet werden. Die Steiermark ist ein ausgesprochenes Weißweinland, Sauvignon blanc, Chardonnay, Weißburgunder, Traminer, Muskateller, Ruländer und nicht zuletzt der Welschriesling überzeugen durch ihr feines Bukett. Bedingt durch die kleinen Mengen wird der steirische Wein viel zu früh getrunken. Zwei Grundnahrungsmittel braucht der Steirer zum Leben: Schilcher und Kernöl. Der Schilcher ist eine Weinspezialität der Weststeiermark, das Kürbiskernöl als Salatdressing. Die Steiermark ist in drei Weinbauregionen unterteilt:

Südsteiermark

Dieses 1.558 ha große Gebiet gliedert sich in zwei Teile. Der größere Teil ist das Grenzlandweinbaugebiet zwischen Ehrenhausen und Leutschach. In dieser Region wachsen die kräftigen und bukettreichen Sauvignon blanc, Chardonnay, Weißburgunder (mit seiner Spielart, dem Morillon), Muskateller und Traminer. Die Hauptrebsorte der Steiermark ist aber der Welschriesling. Mit 350 ha ist das Sausal der kleinere Teil der Südsteiermark. Dort am Demmerkogel und auf den Bergen rund um Kitzeck gibt es die steilsten Hanglagen Österreichs. Die Weingärten der Südsteiermark liegen zwischen 250 und 650 m Seehöhe.

Weststeiermark

Westlich von Graz gelegen, genauer zwischen Ligist und Eibiswald, befindet sich die »Schilchergegend.« Der Blaue Wildbacher, »Schilcher« genannt, ist hier beheimatet. Die genauen Eigenschaften von Land, Leute und Wein lassen sich am besten vor Ort bei einer Brettljause und einem Glas Schilcher selbst erkunden.

Die Südsteirische Weinstraße bei Gamlitz

Süd-Ost-Steiermark

Links von der Mur, zwischen St.Peter am Ottersbach, Klöch und Hartberg liegt diese Weinregion. Hier ist die Übergangszone zwischen dem trockenen, pannonischen und dem feuchten Mittelmeerklima. Vor allem Klöch ist für seine auf vulkanischem Gestein wachsenden Traminer und Gewürztraminer berühmt (zumindest für die, die noch nicht aufgegeben und ausgerissen wurden). Welschriesling, Rheinriesling, Müller Thurgau, Weißer Burgunder, Ruländer und Blauer Zweigelt gedeihen hier in Spitzenqualität.

Die Weinbauregion Wien

Wien und Wein läßt sich nur schwer trennen. Mit 704 ha Rebfläche ist es das kleinste weinbautreibende Bundesland, aber gleichzeitig Hauptstadt und Weinbauregion. Wien hat sicherlich die längste Wein-, und vor allem Heurigenkultur Österreichs. Nußberger, Grinzinger, Sieveringer und Stammersdorfer Weine sind nicht nur Wienern bekannt. Obwohl beim Wiener Heurigen hauptsächlich ein »Gemischter Satz« getrunken wird, werden ausgezeichnete Rieslinge, Grüne Veltliner, Chardonnay und Weißburgunder, aber auch Traminer und Neuburger gekeltert.

Salon Österreichischer Wein 1988

Dem »Salon Österreichischer Wein« bzw. der »Österreichischen Bundesweinmesse« sind jeweils Landesweinbaumessen in den Bundesländern Niederösterreich, Burgenland, Steiermark und Wien vorangegangen. Noch nie war das Interesse an derartigen Bewerben so groß wie 1988. Waren es 1987 noch rund 1.500 Weine, die sich der Bewertung bei der »Bundesweinmesse« unterzogen, so sind 1988 im Rahmen der Landesweinbaumessen mehr als 4.000 (!) Weine den einzelnen Kostkommissionen präsentiert worden. Jedes weinbautreibende Bundesland erhielt ein Kontingent an Weinen zugesprochen — die in den »Salon Österreichischer Wein« gewählt werden können —, das sich nach den jeweiligen Weinanbauflächen richtet. So war der Anteil Niederösterreichs mit 115 Weinen festgesetzt, der des Burgenlandes mit 70 Weinen, der der Steiermark mit 10 Weinen und Wien kann mit 5 Weinen vertreten sein. Jedes Weinanbaugebiet bewertete im Rahmen seiner Landesweinbaumesse die typischsten Weinsorten (in Blindverkostung) selbst. Damit wurde einer langjährigen Forderung der Weinwirtschaft Rechnung getragen und eine Bewertung nach dem Motto vorgenommen »Die besten der für das Anbaugebiet typischen Sorte«.

Aus den 200 besten Weinen des Landes, die im »Salon Österreichischer Wein« vertreten sind, werden jährlich die besten 14 Österreichsieger gekürt. Eine unabhängige Kostkommission, die sich aus Vertretern der heimischen Weinwirtschaft, Weinjournalisten und Weinexperten aus dem Ausland, die die österreichischen Verhältnisse gut kennen, zusammensetzt, nimmt die Wahl der Österreichsieger vor. Pro Kategorie gibt es einen Österreichsieger (Bundesweinsieger).

Die Kategorien sind:
- Grüner Veltliner
- Welschriesling
- Riesling
- Weißburgunder bzw. Chardonnay (Morillon)
- Neuburger, Zierfandler, Rotgipfler, Spätrot-Rotgipfler
- Muskat Ottonel, Traminer, Sauvignon blanc, Muskateller, Ruländer
- übrige Weißweine
- Schilcher, Roséweine
- Blaufränkisch
- Blauer Portugieser
- übrige Rotweine
- Spätlese, Auslese
- Beerenauslese, Eiswein, Ausbruch, Trockenbeerenauslese
- Sekt

Die österreichischen Bundessieger der einzelnen Kategorien sind:

Grüner Veltliner 1987, Qualitätswein
Weinbau Josef Leberwurst, 2191 Höbersbrunn, Ringstraße 12
A: 11,5 Vol.%; S: 6,5; Z: 0,5
Grünlich — gelb; ausgeprägtes, fruchtiges Sortenbukett; alkoholleicht, spritzig, leicht pfeffrig und von ausdrucksvoller Würzigkeit.

Grüner Veltliner 1986, Spätlese
Weinbau Alois Zimmermann, 3494 Theiß, Obere Hauptstraße 20
A: 13,9 Vol.%; S: 5,8; Z: 2,7
Lichtes Goldgelb; gut entwickelter Geruch, fruchtig und würzig; vollmundiger, sehr gehaltvoller Veltliner.

Weißer Burgunder 1987, Kabinett
Weinbau Heinrich Weixelbaum, 3491 Straß, Weinbergweg 196
A: 12,1 Vol.%; S: 7,6; Z: 0,5
Goldgelbe Farbe; duftige Geruchsnote; vollmundig und fruchtig-frisch.

Riesling, Smaragd 1986, Qualitätswein
Winzergenossenschaft Wachau, 3601 Dürnstein
A: 12,4 Vol.%; S: 7,4; Z: 2,3
Lichtes Goldgelb; finessereiches Bukett; feine Pfirsicharomen, aromatisch-würzige Fruchtfülle, konzentriert und lang im Nachgeschmack.

Zweigelt blau 1986, Spätlese
Weinbau Horst Kolkmann, 3481 Fels/Wagram, Flugplatzstraße 12
A: 12,3 Vol.%; S: 5,2; Z: 2,3
Dunkles Rubin; Duft nach Himbeeren; körperreich, lang anhaltend beim Abgang.

Müller Thurgau, Hohenwarther Riesling-Sylvaner 1987, Qualitätswein
Weingut Robert Donner, 3472 Hohenwarth, Hohenwarth 43
A: 11,8 Vol.%; S: 6,3; Z: 2,3
Heller, grünlich-gelber Farbschimmer; leicht ausgeprägter Muskatton in Duft und Aroma; frischer, süffiger, feinfruchtiger, milder Geschmack.

Österreichischer Weinsalon

Neuburger 1986, Qualitätswein
Gumpoldskirchner Winzergenossenschaft, 2352 Gumpoldskirchen, Jubiläumsstraße 43
A: 12,0 Vol.%; S: 6,4; Z: 10,7
Helles bis mittleres Gelb; fruchtiges, frisches Bukett; kräftig, vollmundig, neutral, mild.

Blauer Portugieser 1986, Qualitätswein
Weinbau Anton Maierhofer, 2632 Wimpassing, Ferdinand-Hanusch-G. 1
A: 12,5 Vol.%; S: 4,8; Z: 3,7
Mittlere Farbtiefe; fein-fruchtiger Geruch; mild und ausdrucksvoll.

Weißer Burgunder 1984, Trockenbeerenauslese
Weingut Josef und Gertrude Gangl, 7142 Illmitz, Schrändlgasse 50
A: 10,0 Vol.%; S: 7,0; Z: 206,2
Edles Goldgelb; charakteristischer Geruch; wertvolle Trockenbeerenauslese von imposanter Struktur.

Welschriesling 1987, Kabinett
Weingut Leopold Sommer, 7082 Donnerskirchen, Johannesstraße 26
A: 11,5 Vol.%; S: 6,5; Z: 1,2
Helles Goldgelb; frisch, zart-duftiges Pfirsicharoma; würzig-trocken ausgebaut, mit pikanter Fruchtsäure und fein prickelnder natürlicher Kohlensäure.

Blaufränkisch, Morandell Private Cuvee 1986, Qualitätswein Horitschon
Weingroßkellereien Morandell & Sohn, 6300 Wörgl, Wörgler Boden 13—15
A: 12,5 Vol.%; S: 5,1; Z: 0,8
Tiefes Rubinrot; feines, fruchtbetontes Bukett; kräftig und körperreich, geschmeidig, harmonischer Säure- und Gerbstoffspiegel, mit zarter Holznote.

Sauvignon blanc 1987, Kabinett
Weinbau Strablegg, 8471 Spielfeld, Graßnitzberg 58
A: 11,2 Vol.%; S: 6,4; Z: 1,3
Hellgrün; ausgeprägtes Sortenbukett; fruchtig, jung, würzig, schöne Reife.

Blauer Wildbacher, Weststeirischer Schilcher 1987, Qualitätswein
Weinbau Maria Müller, 8551 Wies, Etzendorf 5
A: 11,2 Vol.%; S: 9,7; Z: 0,3
Rötlich schillernde Farbe; charakteristischer Duft; fruchtig, spritzig, mit hoher Säure und einem sortentypischen Bukett.

Gumpoldskirchner Königssekt 1986
Sektkellerei Karl Inführ KG, 3400 Klosterneuburg, Albrechtstraße 127
Glänzendes, lichtes Gelbgold; volles Bukett, reifer Duft; edel, charaktervoll und körperreich, typisch für die Herkunft, langanhaltendes feinperlendes Mousseux.

Besonders trockene Weißweine (Restzucker bis 2,0 g/l)

Sorte	Qual.-Stufe	Säure g/l	Alk. %	Jahr	Produzent Hersteller
Welschriesling	QU	8,5	11,0	1987	Terra Galos Weingüter 7122 Gols, Obere Hauptstraße Neubau
Welschriesling	QU	7,9	11,0	1987	Weinbau Peter Schandl 7071 Rust, Josef-Haydn-Gasse 3
Welschriesling	QU	7,8	11,3	1987	Weingut Franz Hutter 8330 Feldbach, Reiting 2
Welschriesling	QU	7,5	10,7	1987	Weinbau Johann Jaunegg 8453 St.Johann i.Sggt., Trautenburg 160
Welschriesling	QU	7,5	11,0	1987	Weingut Hans Neumayer 7082 Donnerskirchen, Johannesstraße 32
Welschriesling	QU	7,5	12,5	1987	Weingut Hermann Kraus 2123 Schleinbach, Kronberg 38
Welschriesling	QU	7,3	12,1	1987	Weinbau Fam. Stefan Wellanschitz 7311 Neckenmarkt, Lange Zeile 28
Welschriesling	KAB	7,1	12,5	1986	Weingut Herbert Kramer 2162 Falkenstein, Falkenstein 150
Welschriesling	QU	6,9	11,9	1987	Weinbau H.u.M. Gmall 7122 Gols, Untere Hauptstraße 129
Welschriesling	QU	6,9	12,1	1987	Weinbau Johann Herist 7471 Rechnitz, Badergasse 34
Welschriesling	KAB	6,7	11,6	1987	Weinbau Allacher 7122 Gols, Neubaugasse 5
Welschriesling	QU	6,6	11,6	1987	Weinbau Heinrich Lunzer 7122 Gols, Obere Hauptstraße 6
Welschriesling	KAB	6,6	11,9	1987	Weingut Familie Lass 7132 Frauenkirchen, Josefistraße 8
Welschriesling	KAB	6,5	11,5	1987	Weingut Leopold Sommer 7082 Donnerskirchen, Johannesstraße 26
Welschriesling	QU	5,5	12,0	1987	Weinbau Engelbert Geissler 2224 Niedersulz, Niedersulz 83
Chardonnay	KAB	8,4	11,8	1987	Weingut Ing.Wieninger 1210 Wien, Stammersdorfer Straße 78
Chardonnay	KAB	8,4	12,3	1987	Weinbau Paul Triebaumer 7071 Rust, Neue Gasse 18
Grüner Veltliner	KAB	8,5	11,3	1987	Weingut Taubenschuß 2170 Poysdorf, Körnergasse 2
Grüner Veltliner	QU	8,0	11,5	1987	Weinbau Josef Seifried 2023 Oberstinkenbrunn, Oberstinkenbrunn 25
Grüner Veltliner	KAB	7,5	11,5	1987	Weingut Anton Eitzinger 3550 Langenlois, Kremser Straße 50
Grüner Veltliner	KAB	7,5	11,8	1986	Weinbau Familie Holzer 3471 Gr. Riedenthal, Gr. Riedenthal 30
Grüner Veltliner	QU	7,4	10,5	1987	Winzerhof Otto Kletzer 2170 Wetzelsdorf-Poysdorf, Parkstraße 90
Grüner Veltliner	QU	7,4	11,0	1987	Weinbau Leopold Strell 3704 Gr. Wetzdorf, Gr. Wetzdorf 27
Grüner Veltliner	QU	7,4	11,9	1987	Weinbau Josef Zens 2024 Mailberg, Mailberg 33
Grüner Veltliner	KAB	7,2	11,4	1987	Weinbau Josef Strell 3710 Ziersdorf, Radlbrunn 138
Grüner Veltliner	QU	7,2	12,2	1987	Weinbau Nagel-Rosner 3491 Straß im Straßertal, Talstraße 116
Grüner Veltliner	SPL	7,2	12,5	1986	Weinbau Johann Spatzierer 2193 Erdberg, Europastraße 24
Grüner Veltliner	QU	7,1	11,8	1987	Weinbau Alfred Zeilinger 3472 Hohenwarth, Hohenwarth 26
Grüner Veltliner	KAB	7,0	11,0	1987	Weinbau Franz Wannemacher 2213 Bockfließ, Hauptstraße 99
Grüner Veltliner	QU	7,0	11,5	1987	Weinbau E.u.V.Winter 7093 Jois, Bundesstraße 12
Grüner Veltliner	QU	6,9	11,0	1987	Weinbau Ing. Josef Pleil 2120 Wolkersdorf, Adlergasse 32
Grüner Veltliner	SPL	6,9	12,0	1986	Weinbau Johann Schrammel 2245 Velm-Götzendorf, Hauptstr. 209
Grüner Veltliner	QU	6,8	11,8	1987	Weinbau Reinhard Herzinger 3133 Nußdorf, Nußdorf 33
Grüner Veltliner	SPL	6,8	13,3	1986	Weingut Christian Eigl 3610 Weißenkirchen, Joching 19
Grüner Veltliner	QU	6,5	11,5	1987	Weinbau Josef Leberwurst 2191 Höbersbrunn, Ringstraße 12
Grüner Veltliner	KAB	6,2	12,4	1986	Weinbau Heinrich Weixelbaum 3491 Straß, Straß im Straßertal 196
Grüner Veltliner	KAB	6,0	11,0	1987	Weinbau Franz Leuthner 3491 Straß im Straßertal 254
Grüner Veltliner	KAB	5,8	11,6	1987	Weinbau Johann Daschütz 3470 Kirchberg, Mitterstockstall 40
Grüner Veltliner	SPL	5,8	13,0	1986	Weinbau Karl Wannemacher 2102 Hagenbrunn, Hauptstraße 41
Grüner Veltliner	SPL	5,8	13,1	1986	Weingut Walter Lehensteiner 3610 Weißenkirchen, Joching 27
Grüner Veltliner	SPL	5,5	12,8	1986	Weinbau Heinrich Salomon 2162 Falkenstein, Falkenstein 24
Müller-Thurgau	QU	7,0	11,5	1987	Weingut Johann Setzer 3472 Hohenwarth, Hohenwarth 28
Müller-Thurgau	QU	6,6	12,5	1987	Weinbau Josef Seifried 2023 Oberstinkenbrunn, Oberstinkenbrunn 25
Müller-Thurgau	QU	5,6	11,9	1987	Weinbau Franz Hellmer 3474 Kollersdorf, Kollersdorf 49
Muskat Ottonel	QU	6,1	12,0	1987	Weingut Erbhof 7082 Donnerskirchen, Hauptstraße 50
Muskateller	QU	6,8	11,1	1987	Weinbau Familie Bäuerl 3601 Oberloiben 28, Dürnstein
Neuburger	KAB	7,2	11,8	1987	Weingut Franz Leth 3481 Fels, Kirchengasse 6
Riesling	KAB	8,0	11,5	1987	Weinbau Irmgard Kirschner 7123 Mönchhof, Quergasse 47
Riesling	SPL	7,7	13,0	1986	Weinbau Rudolf und Elisabeth Hick 3621 Mitterarnsdorf 58
Riesling	QU	7,6	11,8	1987	Weinbau Heinrich Weixelbaum 3491 Straß, Weinbergweg 196
Riesling	KAB	7,4	11,0	1987	Weingut Ing. Franz Mayer 1190 Wien, Grinzinger Straße 74
Riesling	QU	7,4	11,5	1987	Weinbau Franz Leuthner 3491 Straß, Straß im Straßertal 254
Riesling	QU	7,3	12,0	1987	Weinbau und Kellerei Ebenauer 2170 Poysdorf, Laaerstraße 5
Riesling	KAB	6,7	12,4	1986	Domäne Chorherrenstift Klosterneuburg 3400 Klosterneuburg, Am Renninger 2
Riesling	QU	6,4	12,0	1987	Weinbau Karl Wannemacher 2102 Hagenbrunn, Hauptstraße 41
Ruländer	KAB	7,9	11,8	1987	Weingut Familie Umathum 7132 Frauenkirchen, St. Andräer Straße 7
Sauvignon blanc	QU	8,8	10,2	1987	Weinbau Ernst Triebaumer 7071 Rust, Raiffeisenstraße 9
Sauvignon blanc	QU	7,4	11,8	1987	Weingut Kummer — Ing. Schuster 7131 Halbturn, Erzherzog-Friedrich-Str. 9
Sauvignon blanc	KAB	6,4	11,2	1987	Weinbau F.u.E. Strablegg 8471 Spielfeld, Graßnitzberg 58

35

Sorte	Qual.-Stufe	Alk. %	Säure g/l	Zucker g/l	Produzent / Hersteller
Weißer Burgunder	SPL	9,1	12,5	1987	Weingut Herbert Schilling 1210 Wien, Langenzersdorfer Str. 54
Weißer Burgunder	KAB	7,9	10,8	1987	Weinbau Familie Neustifter 2162 Falkenstein, Falkenstein 143
Weißer Burgunder	KAB	7,7	12,0	1987	Weingut Albert 8442 Kitzeck, Reblandstraße 19
Weißer Burgunder	QU	7,7	12,1	1987	Weinbau Martin Reiter 3714 Sitzendorf, Ziersdorferstraße 4
Weißer Burgunder	KAB	7,6	12,1	1987	Weinbau Heinrich Weixelbaum 3491 Straß, Weinbergweg 196
Weißer Burgunder	QU	7,5	11,7	1987	Weinbau und Kellerei Ebenauer 2170 Poysdorf, Laaerstraße 5
Weißer Burgunder	SPL	7,5	12,2	1986	Weinbau Familie Schuster 3471 Großriedenthal, Hauptstraße 61
Weißer Burgunder	KAB	7,4	10,8	1987	Weinbau Christian Kugel 8471 Spielfeld, Graßnitzberg 42
Weißer Burgunder	KAB	7,3	10,7	1987	Weinbau Melitta und Matthias Leitner 7122 Gols, Quellengasse 33
Weißer Burgunder	KAB	7,3	11,5	1987	Verband NÖ Winzergenossenschaften 1110 Wien, Simmeringer Hauptstr. 54
Weißer Burgunder	KAB	7,3	11,8	1987	Weinbau Herbert Brauneis 2061 Untermarkersdorf 32
Weißer Burgunder	KAB	7,1	12,2	1987	Weinbau Georg Stiegelmar 7122 Gols, Untere Hauptstraße 60
Weißer Burgunder	SPL	7,0	12,7	1986	Weinbau Josef Strell 3710 Ziersdorf, Radlbrunn 138
Weißer Burgunder	KAB	6,7	11,6	1987	Weingut Feiler-Artinger 7071 Rust, Hauptstraße 3
Weißer Burgunder	QU	6,7	12,0	1986	Weingut Malat-Bründlmayer 3511 Palt/Krems, Lindengasse 27

Junge, alkoholarme, trockene Weißweine
Jahrgang 1987, Alkoholgehalt bis 11,5 Vol. %, Restzucker bis 4,0 g/l

Sorte	Qual.-Stufe	Alk. %	Säure g/l	Zucker g/l	Produzent / Hersteller
Frühroter Veltliner	QU	11,5	6,9	4,0	Weinbau Fritz Hagenbüchl 3472 Hohenwarth, Hohenwarth 54
Grüner Veltliner	QU	10,5	7,4	1,4	Winzerhof Otto Kletzer 2170 Wetzelsdorf-Poysdorf, Parkstraße 90
Grüner Veltliner	QU	11,0	7,4	0,3	Weinbau Leopold Strell 3704 Groß Wetzdorf, Groß Wetzdorf 27
Grüner Veltliner	KAB	11,0	7,0	1,3	Weinbau Franz Wannemacher 2213 Bockfließ, Hauptstraße 99
Grüner Veltliner	QU	11,0	6,9	1,6	Weinbau Ing. Josef Pleil 2120 Wolkersdorf, Adlergasse 32
Grüner Veltliner	KAB	11,0	6,0	0,9	Weinbau Franz Leuthner 3491 Straß i. Straßertal 254
Grüner Veltliner	KAB	11,3	8,5	0,3	Weingut Taubenschuß 2170 Poysdorf, Körnergasse 2
Grüner Veltliner	KAB	11,4	7,2	0,5	Weinbau Josef Strell 3710 Ziersdorf, Radlbrunn 138
Grüner Veltliner	QU	11,5	8,0	0,5	Weinbau Josef Seifried 2023 Oberstinkenbrunn 25
Grüner Veltliner	KAB	11,5	7,5	0,4	Weingut Anton Eitzinger 3550 Langenlois, Kremser Straße 50
Grüner Veltliner	KAB	11,5	7,4	3,6	Weingut Karl Schober 3470 Kirchberg am Wagram, Dörfl 2
Grüner Veltliner	QU	11,5	7,3	2,3	Weinbau Julius Karner 7082 Donnerskirchen, Badstraße
Grüner Veltliner	QU	11,5	7,0	1,3	Weinbau E.u.V. Winter 7093 Jois, Bundesstraße 12
Grüner Veltliner	QU	11,5	6,9	3,2	Verband NÖ Winzergenossenschaften 1110 Wien, Simmeringer Hauptstr. 54
Grüner Veltliner	QU	11,5	6,5	0,5	Weinbau Josef Leberwurst 2191 Höbersbrunn, Ringstraße 12
Müller-Thurgau	QU	11,2	7,3	3,3	Weinbau Anton Walkerstorfer 3491 Straß i. Straßertal, Bahnstr. 187
Müller-Thurgau	QU	11,5	7,0	1,4	Weingut Johann Setzer 3472 Hohenwarth, Hohenwarth 28
Muskateller	QU	11,1	6,8	1,1	Weinbau Familie Bäuerl 3601 Ober-Loiben 28, Dürnstein
Riesling	KAB	11,0	7,4	0,9	Weingut Ing. Franz Mayer 1190 Wien, Grinzinger Straße 74
Riesling	KAB	11,5	8,0	1,3	Weinbau Irmgard Kirschner 7123 Mönchhof, Quergasse 47
Riesling	QU	11,5	7,4	1,4	Weinbau Franz Leuthner 3491 Straß, Straß im Straßertal 254
Sauvignon blanc	QU	10,2	8,8	0,9	Weinbau Ernst Triebaumer 7071 Rust, Raiffeisenstraße 9
Sauvignon blanc	KAB	11,2	6,4	1,3	Weinbau F.u.E. Strablegg 8471 Spielfeld, Graßnitzberg 58
Weißer Burgunder	KAB	10,7	7,3	1,2	Weinbau Melitta u. Matthias Leitner 7122 Gols, Quellengasse 33
Weißer Burgunder	KAB	10,8	7,9	0,3	Weinbau Familie Neustifter 2162 Falkenstein, Falkenstein 143
Weißer Burgunder	KAB	10,8	7,4	1,6	Weinbau Christian Kugel 8471 Spielfeld, Graßnitzberg 42
Weißer Burgunder	KAB	11,4	7,3	2,5	Weingut Erich Machherndl 3610 Weißenkirchen, Wösendorf 1
Weißer Burgunder	KAB	11,5	7,3	1,4	Verband NÖ Winzergenossenschaften 1110 Wien, Simmeringer Hauptstraße 54
Welschriesling	QU	10,0	7,2	3,2	Weingut Paul Braunstein 7083 Purbach, Hauptstraße 18
Welschriesling	QU	10,0	6,5	2,3	Weinbau Lorenz Limbeck 7122 Gols, Obere Hauptstraße 62
Welschriesling	QU	10,7	7,5	1,9	Weinbau Johann Jaunegg 8453 St. Johann i.Sggt., Trautenburg 160
Welschriesling	QU	11,0	8,5	0,9	Terra Galos Weingüter 7122 Gols, Obere Hauptstraße Neubau
Welschriesling	QU	11,0	7,9	1,0	Weinbau Peter Schandl 7071 Rust, Josef-Haydn-Gasse 3
Welschriesling	QU	11,0	7,5	1,5	Weingut Hans Neumayer 7082 Donnerskirchen, Johannesstraße 32
Welschriesling	QU	11,3	7,8	1,1	Weingut Franz Hutter 8330 Feldbach, Reiting 2
Welschriesling	QU	11,5	6,5	1,2	Weingut Leopold Sommer 7082 Donnerskirchen, Johannesstraße 26

Trockene Kabinettweine weiß
Zucker bis 4,0 g/l, Säure ab 7,0 g/l

Sorte	Jahr	Zucker g/l	Säure g/l	Alk. %	Produzent Hersteller
Chardonnay	1987	0,4	8,4	11,8	Weingut Ing. Wieninger 1210 Wien, Stammersdorf Str. 78
Chardonnay	1987	1,4	8,4	12,3	Weinbau Paul Triebaumer 7071 Rust, Neue Gasse 18
Chardonnay	1987	4,0	7,5	11,7	Weinbau Thometitsch 7063 Oggau, Setzweg 31
Grüner Veltliner	1987	0,3	8,5	11,3	Weingut Taubenschuß 2170 Poysdorf, Körnergasse 2
Grüner Veltliner	1987	0,4	7,5	11,5	Weingut Anton Eitzinger 3550 Langenlois, Kremser Straße 50
Grüner Veltliner	1987	0,5	7,2	11,4	Weinbau Josef Strell 3710 Ziersdorf, Radlbrunn 138
Grüner Veltliner	1987	1,3	7,0	11,0	Weinbau Franz Wannemacher 2213 Bockfließ, Hauptstraße 99
Grüner Veltliner	1986	1,8	7,5	11,8	Weinbau Familie Holzer 3471 Gr. Riedenthal, Gr. Riedenthal 30
Grüner Veltliner	1987	3,6	7,4	11,5	Weingut Karl Schober 3470 Kirchberg am Wagram, Dörfl 2
Neuburger	1987	1,4	7,2	11,8	Weingut Franz Leth 3481 Fels, Kirchengasse 6
Riesling	1987	0,9	7,4	11,0	Weingut Ing. Franz Mayer 1190 Wien, Grinzinger Straße 74
Riesling	1987	1,3	8,0	11,5	Weinbau Irmgard Kirschner 7123 Mönchhof, Quergasse 47
Riesling	1986	2,7	7,5	12,0	Weingut Franz und Rosa Grolly 2073 Obermarkersdorf 75
Riesling	1986	2,8	7,3	11,7	Winzergenossenschaft Krems 3500 Krems, Sandgrube 13
Ruländer	1987	0,9	7,9	11,8	Weingut Familie Umathum 7132 Frauenkirchen, St. Andräer Straße 7
Weißer Burgunder	1987	0,3	7,9	10,8	Weinbau Familie Neustifter 2162 Falkenstein, Falkenstein 143
Weißer Burgunder	1987	0,5	7,6	12,1	Weinbau Heinrich Weixelbaum 3491 Straß, Weinbergweg 196
Weißer Burgunder	1987	1,2	7,3	10,7	Weinbau Melitta u. Matthias Leitner 7122 Gols, Quellengasse 33
Weißer Burgunder	1987	1,4	7,3	11,5	Verband NÖ Winzergenossenschaften 1110 Wien, Simmeringer Hauptstr. 54
Weißer Burgunder	1987	1,4	7,1	12,2	Weinbau Georg Stiegelmar 7122 Gols, Untere Hauptstraße 60
Weißer Burgunder	1987	1,6	7,4	10,8	Weinbau Christian Kugel 8471 Spielfeld, Graßnitzberg 42
Weißer Burgunder	1987	1,6	7,3	11,8	Weinbau Herbert Brauneis 2061 Untermarkersdorf 32
Weißer Burgunder	1987	1,6	7,7	12,0	Weingut Albert, Familie Cramer, 8442 Kitzeck, Reblandstraße 19
Weißer Burgunder	1987	2,2	7,2	12,6	Weingut Erich Heinrich 7122 Gols, Wassergasse 2
Weißer Burgunder	1987	2,5	7,3	11,4	Weingut Erich Machherndl 3610 Weißenkirchen, Wösendorf 1
Welschriesling	1986	1,0	7,1	12,5	Weingut Herbert Kramer 2162 Falkenstein, Falkenstein 150

Trockene Prädikatsweine weiß
Zucker bis 4,0 g/l

Sorte	Qual.-Stufe	Jahr	Zucker g/l	Säure g/l	Alk. %	Produzent Hersteller
Grüner Veltliner	SPL	1986	0,3	7,2	12,5	Weinbau Johann Spatzierer 2193 Erdberg, Europastraße 24
Grüner Veltliner	SPL	1986	0,5	5,8	13,0	Weinbau Karl Wannemacher 2102 Hagenbrunn, Hauptstraße 41
Grüner Veltliner	SPL	1986	0,7	5,8	13,1	Weingut Walter Lehensteiner 3610 Weißenkirchen, Joching 27
Grüner Veltliner	SPL	1986	1,1	5,5	12,8	Weinbau Heinrich Salomon 2162 Falkenstein, Falkenstein 24
Grüner Veltliner	SPL	1986	1,3	6,8	13,3	Weingut Christian Eigl 3610 Weißenkirchen, Joching 19
Grüner Veltliner	SPL	1986	1,5	6,9	12,0	Weinbau Johann Schrammel 2245 Velm-Götzendorf, Hauptstraße 209
Grüner Veltliner	SPL	1986	2,2	6,0	12,8	Weingut Erich Machherndl 3610 Weißenkirchen, Wösendorf 1
Grüner Veltliner	SPL	1986	2,7	5,8	13,9	Weinbau Alois Zimmermann 3494 Theiß, Obere Hauptstraße 20
Grüner Veltliner	SPL	1986	2,8	7,5	13,1	Weinbau Josef Zens 2024 Mailberg, Mailberg 33
Grüner Veltliner	SPL	1987	3,2	5,6	12,3	Weinbau Josef Strobl 2170 Poysdorf, Laaerstraße 13
Riesling	SPL	1986	0,7	7,7	13,0	Weinbau Rudolf u. Elisabeth Hick 3621 Mitterarnsdorf, Oberarnsdorf 58
Riesling	SPL	1986	2,8	7,2	12,7	Kelleramt Chorherrenstift Klosterneuburg 3400 Klosterneuburg, Am Renninger 2
Riesling	SPL	1986	3,1	7,5	12,3	Weinbau Josef Zens 2024 Mailberg, Mailberg 33
Traminer	SPL	1987	4,0	5,8	12,6	Weinbau Alfred Ziniel 7161 St. Andrä, Hauptstraße 47
Weißer Burgunder	SPL	1986	0,9	7,0	12,7	Weinbau Josef Strell 3710 Ziersdorf, Radlbrunn 138
Weißer Burgunder	SPL	1987	1,3	9,1	12,5	Weingut Herbert Schilling 1210 Wien, Langenzersdorfer Str. 54
Weißer Burgunder	SPL	1986	1,7	7,5	12,2	Weinbau Familie Schuster 3471 Großriedenthal, Hauptstraße 61
Welschriesling	SPL	1986	2,2	6,6	12,2	Weinbau Daurer-Schodl 2170 Poysdorf, Brunngasse 12

Österreichischer Weinsalon

Halbtrockene bis süße Prädikatsweine weiß
Zucker ab 4,0 g/l

Sorte	Qual.-Stufe	Jahr	Zucker g/l	Säure g/l	Alk. %	Produzent Hersteller
Bouvier	SPL	1987	47,3	6,8	10,2	Weinbau Tobias Fuhrmann 7141 Podersdorf, Seestraße 17
Bouvier	BA	1984	78,2	9,6	13,2	Weingut Georg Allacher 7122 Gols, Neustiftgasse 48
Bouvier	BA	1969	129,0	7,0	12,0	Weingut Moorhof 7062 St. Margarethen, Hauptstraße 106
Frühroter Veltliner	SPL	1987	5,1	7,2	13,1	Weingut Edwin Hofbauer 2074 Unterretzbach, Unterretzbach 135
Gemischter Satz	TBA	1981	220,6	7,0	8,7	Bgld. Winzerverband 7071 Rust am See, Am Rusterberg
Gewürztraminer	SPL	1986	24,6	5,1	12,5	Weingut DI Ladislaus Török 7071 Rust, Conradplatz 13
Grüner Veltliner	SPL	1986	5,2	6,0	13,2	Kelleramt CH Klosterneuburg 3400 Klosterneuburg, Am Renninger 2
Grüner Veltliner	SPL	1986	5,2	7,4	12,2	Weinbau Georg Detz 2170 Poysdorf, Brunngasse 59
Grüner Veltliner	SPL	1986	6,1	7,6	12,6	Weingut Hagn 2024 Mailberg, Mailberg 164
Grüner Veltliner	SPL	1979	7,0	6,1	12,0	Winzergenossenschaft Krems 3500 Krems, Sandgrube 13
Grüner Veltliner	SPL	1986	13,3	6,3	11,8	Winzergenossenschaft Krems 3500 Krems, Sandgrube 13
Grüner Veltliner	SPL	1986	14,2	6,2	11,8	Winzergenossenschaft Krems 3500 Krems, Sandgrube 13
Grüner Veltliner	SPL	1983	39,3	6,7	11,5	Weingut Osberger 3491 Straß, Straß 94 bei Krems
Müller-Thurgau	TBA	1983	197,2	8,7	10,7	Weingut Osberger 3491 Straß, Straß 94 bei Krems
Neuburger	SPA	1983	19,4	6,9	12,1	Gumpoldskirchner Winzergenossenschaft 2352 Gumpoldskirchen, Jubiläumsstraße 43
Riesling	SPL	1986	4,6	6,5	12,4	Weinbau Alois Zimmermann 3494 Theiß, Obere Hauptstraße 20
Riesling	SPL	1985	7,7	7,5	12,0	Winzergenossenschaft Krems 3500 Krems, Sandgrube 13
Riesling	SPL	1983	8,2	6,7	12,8	Weingut Osberger 3491 Straß, Straß 94 bei Krems
Riesling	SPL	1981	11,8	7,5	12,9	Winzergen. Dinstlgut Loiben 3601 Unter-Loiben, Unter-Loiben 51
Riesling	SPL	1983	13,5	6,0	12,5	Hofkellerei d. Fürsten von Liechtenstein 2193 Wilfersdorf
Riesling	SPL	1977	16,0	7,2	11,8	Winzergenossenschaft Krems 3500 Krems, Sandgrube 13
Rotgipfler	AL	1986	17,0	7,2	14,5	Weinbau Franz und Antonia Kurz 2352 Gumpoldskirchen, Neustiftgasse 13
Rotgipfler	AL	1986	33,7	7,0	12,8	Weingut Manfred Biegler 2352 Gumpoldskirchen, Wiener Straße 16-18
Spätrot-Rotgipfler	SPL	1983	21,2	6,5	12,2	Gumpoldskirchner Winzergenossenschaft 2352 Gumpoldskirchen, Jubiläumsstraße 43
Spätrot-Rotgipfler	SPL	1983	24,0	6,0	12,3	Deutsch-Ordens-Schloßkellerei 2352 Gumpoldskirchen, Kirchenplatz 4
Traminer	AL	1979	22,9	4,9	15,0	Weingut Ing. Franz Mayer 1190 Wien, Grinzinger Straße 74
Traminer	SPL	1987	34,6	7,2	11,1	Weinbau Michael Kast 7100 Neusiedl am See, Obere Hauptstr. 39
Traminer	AL	1987	42,7	5,3	12,0	Weingut Stefan Tschida 7142 Illmitz, Obere Hauptstraße 58
Weißer Burgunder	AL	1983	50,0	5,6	12,8	Weinkellerei Hans Kirchmayr 3351 Weistrach, Weistrach 123
Weißer Burgunder	BA	1984	107,8	8,9	11,4	Weingut Rosenhof 7142 Illmitz, Florianigasse 1
Weißer Burgunder	TBA	1984	206,2	7,0	10,0	Weingut Josef u. Gertrude Gangl 7142 Illmitz, Schrändlgasse 50
Weißer Burgunder-Ruländer	AL	1987	27,5	6,4	13,2	Weinbau Georg Preisinger 7122 Gols, Neubaugasse 26
Welschriesling	BA	1983	114,7	7,1	11,1	Weingut Stefan Schneider 7142 Illmitz
Welschriesling	TBA	1981	163,2	7,9	12,5	Weingut Martin Haider 7142 Illmitz, Seegasse 16

Trockene Rotweine
Zucker bis 4,0 g/l

Sorte	Qual.-Stufe	Jahr	Zucker g/l	Säure g/l	Alk. %	Produzent Hersteller
Blauburger	KAB	1987	2,7	6,3	11,4	Weinbau Josef Strell 3710 Ziersdorf, Radlbrunn 138
Blauburger	QU	1987	2,1	4,7	11,5	Weinbau Heinrich Gehringer 2023 Nappersdorf, Weikersdorf 9
Blauburger	QU	1986	2,2	6,1	11,5	Weingut Seewinkelhof 3495 Rohrendorf, Untere Wiener Straße 1
Blauburger	QU	1987	1,4	4,9	11,8	Winzerhof Meinhard Forstreiter 3506 Krems-Hollenburg, Krems-Hollenburg 13
Blauer Burgunder-Blaufränkisch	QU	1986	1,3	5,7	12,4	Haus Marienberg 7063 Oggau, Antonigasse 1
Blauer Burgunder	QU	1987	2,0	5,7	11,4	Weinhandel Hans Jörg Kogler 6200 Jenbach/Tirol, Schalserstr. 17

Sorte	Qual.-Stufe	Jahr	Zucker g/l	Säure g/l	Alk. %	Produzent Hersteller
Blauer Burgunder	QU	1985	1,4	4,7	11,6	Weinbau Josef Auer 2522 Oberwaltersdorf, Trumauer Straße 28
Blauer Burgunder	QU	1987	1,6	5,4	12,0	Schloßkellerei Halbturn 7131 Halbturn, Parkstraße 4
Blauer Portugieser	QU	1987	2,7	5,1	11,4	Weinbau Franz Frotzler 2075 Schrattenthal, Schrattenthal 10
Blauer Portugieser	QU	1987	3,4	5,5	11,5	Verband NÖ Winzergenossenschaften 1110 Wien, Simmeringer Hauptstr. 54
Blauer Portugieser	QU	1987	1,5	5,5	11,8	Weingut Familie Gruber 2070 Retz, Obernalb 163
Blauer Portugieser	QU	1987	2,3	7,3	11,9	Weinbau Hans Steiner 2500 Sooß, Hauptstraße 67
Blauer Portugieser	QU	1986	3,4	4,5	12,5	Weingut Karl Bauer 2053 Jetzelsdorf, Jetzelsdorf 34
Blauer Portugieser	QU	1986	3,7	4,8	12,5	Weinbau Anton Maierhofer 2632 Wimpassing, Ferdinand-Hanusch-Gasse 1
Blauer Portugieser	QU	1987	1,6	6,3	12,8	Weingut Gerhard Fegerl 2051 Deinzendorf, Deinzendorf 54
Blaufränkisch	KAB	1987	1,4	6,2	10,7	Weinbau Rudolf Beilschmidt 7071 Rust, Weinberggasse 1
Blaufränkisch	QU	1986	1,4	6,1	11,5	Winzerhof Karl Freitag 7092 Winden, Kirchengasse 1
Blaufränkisch	QU	1986	1,2	5,2	11,7	Weingut Paul Iby 7312 Horitschon, Hauptstraße 34
Blaufränkisch	KAB	1987	1,1	6,7	11,8	Weinbau Hermann Krutzler 7474 Deutsch-Schützen, Deutsch-Schützen 84
Blaufränkisch	KAB	1985	1,0	5,8	11,9	Weinbau Hans Rohrer 7361 Lutzmannsburg, Hauptstraße 67
Blaufränkisch	QU	1987	2,4	6,1	11,9	Weinbau Hans Moser 7000 Eisenstadt-St.Georgen, Hauptstraße 13
Blaufränkisch	KAB	1986	1,1	5,1	12,0	Weingut Moorhof 7062 St. Margarethen, Hauptstraße 106
Blaufränkisch	QU	1987	1,2	5,8	12,0	Weinbau Maria Klikovits 7011 Zagersdorf, Hauptstraße 43
Blaufränkisch	QU	1986	2,6	5,6	12,1	Weinbau Gerhard Amminger 7312 Horitschon, Günserstraße 8
Blaufränkisch	QU	1986	0,8	5,1	12,5	Weingroßkellereien Morandell & Sohn 6300 Wörgl, Wörgler Boden 13-15
Blaufränkisch	QU	1986	1,3	5,6	12,5	Weinbau Stefan Wieder 7311 Neckenmarkt, Lange Zeile 17
Blaufränkisch	KAB	1986	1,8	6,1	12,5	Weinbau Hans Igler 7301 Deutschkreutz, Langegasse 49
St. Laurent	QU	1983	1,3	4,8	11,5	Kelleramt Chorherrenstift Klosterneuburg 3400 Klosterneuburg, Am Renninger 2
Zweigelt blau	QU	1987	2,2	4,5	10,6	Weinhauerei Antonia Deim, 3562 Schönberg am Kamp, Kalvarienberg 8
Zweigelt blau	KAB	1986	1,2	6,2	11,0	Weinbau Karl Thaller 8263 Groß-Wilfersdorf, Maierhofberg 24
Zweigelt blau	KAB	1987	1,7	6,1	11,0	Winzerhof Bründlmayer 3483 Feuersbrunn, Neufang 31
Zweigelt blau	QU	1986	1,7	6,0	11,4	Weingut Josef Pöckl 7123 Mönchhof, Baumschulgasse 12
Zweigelt blau	KAB	1987	2,7	6,7	11,5	Hofkellerei d. Fürsten von Liechtenstein 2193 Wilfersdorf
Zweigelt blau	QU	1987	1,4	5,2	12,0	Weinbau Josef u. Purgi Leidl 7083 Purbach am See, Sätzgasse 13
Zweigelt blau	QU	1987	3,2	5,1	12,0	Weingut Karl Völker 3550 Gobelsburg, Hauptstraße 45
Zweigelt blau	SPL	1986	1,1	6,3	12,3	Weinbau Richard Jauk 2162 Falkenstein, Falkenstein 54
Zweigelt blau	SPL	1986	2,3	5,2	12,3	Weinbau Horst Kolkmann 3481 Fels/Wagram, Flugplatzstraße 12
Zweigelt blau	QU	1987	1,1	6,7	12,6	Weinbau Walter Glatzer 2464 Göttlesbrunn, Göttlesbrunn 76

Angabe der Qualitätsstufe:

QU	Qualitätswein
KAB	Kabinett
SPL	Spätlese
AL	Auslese
BA	Beerenauslese
AB	Ausbruch
TBA	Trockenbeerenauslese
EIS	Eiswein

Angabe des Zuckers:

von 0 bis 4 g/l	»trocken« oder »für Diabetiker geeignet«
über 4 bis 9 g/l	»halbtrocken«
über 9 bis 18 g/l	»halbsüß« oder »lieblich«
über 18 g/l	»süß«

Angabe der Säure:

Der Säuregehalt des Weins setzt sich aus verschiedenen Säureanteilen zusammen und ist als geschmackliche Komponente unbedingt erforderlich. Der Säuregehalt wird in g/l Weinsäure angegeben und bewegt sich zwischen 5 g/l und 9 g/l. Weine mit einem niedrigen Säuregehalt werden als »mild«, mit einem mittleren als »frisch« und mit einem hohen als »resch« empfunden.

Robert Eder, Weinbauschule Silberberg (Stmk)

Weinbauausbildung heute

Zuversicht und Interesse für den Wirtschaftszweig Weinbau und das Kulturgut Wein nehmen deutlich zu. Das traditionsreiche Produkt Wein findet immer mehr Freunde in den verschiedensten Bevölkerungskreisen. Reicht er doch in einer enormen Vielfalt vom einfachen, kräftigen Trunk bis hin zu höchsten Spezialitäten für ganz besondere Anlässe — gleichermaßen genossen vom »einfachen Volk« wie von seinen ersten Vertretern, wo er auch »hohe Politik« machen kann.

Aber noch viel zu wenig Menschen wissen Bescheid über das Warum und Woher dieser höchst erstaunlichen Unterschiedlichkeiten von Wein zu Wein. Der Mensch in seiner Probierlust und Neugierde hat auch hier, wie in allen nur denkbaren Lebensbereichen, sich die Möglichkeiten der Natur zu seinem Wohle zunutze gemacht. Seit gut zehn Jahrtausenden kennt die Menschheit Ackerbau und Getreide sowie Bier und Wein. Sie brachte es zu hoher Meisterschaft der Weinwirtschaft und Weinkultur bei den alten Persern, Phöniziern, Ägyptern, Griechen und Römern. Sie alle sind und waren uns Vorbild, als nach den Jahrhunderten der Völkerwanderung unsere Vorfahren vor mehr als tausend Jahren sich in unseren Landen ansiedelten.

Klöster und Adelige pflegten den Anbau und die Auswahl immer besserer Rohsorten. Traditionen entwickelten sich über Generationen. Mit der Erfindung des gedruckten Buches wurde das Wissen um Weinbau und Wein schlagartig erweitert. Der »moderne« Weinbau entstand. Nach dem dreißigjährigen Krieg verstärkte sich diese Tendenz. Weingärten und Weinberge mit Stockkultur wurden allgemein üblich.

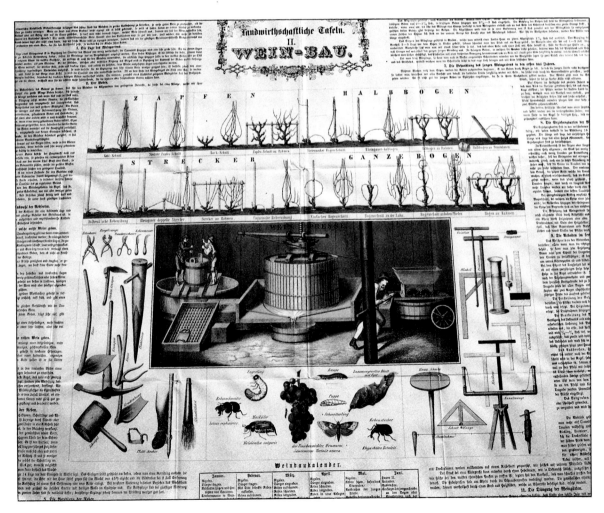

Lehrkarte der Weinbau-Wanderlehrer um 1890

Sortenpflege und »gemischte Sätze« für große Weine ließen berühmte Lagen entstehen. Das Denken nach auffallenden Weinjahrgängen entwickelte sich parallel dazu. Damit waren Vorbilder für das Streben nach Meisterschaft bei der Erzeugung von Qualitätswein geschaffen.

Bis zum neunzehnten Jahrhundert war eine gefestigte, traditionsreiche Weinwirtschaft entstanden. Die aufstrebenden Naturwissenschaften befaßten sich nun auch forschungsmäßig mit dem Weinbau. Erste Weinbauschulen wurden mit dem Ziel tätig, vorhandenes Wissen zu sammeln, zu vermehren und weiterzugeben. In diesem Zeitabschnitt vor mehr als hundert Jahren fällt das Auftreten von Krankheiten, wie Mehltau und Schädlingen, insbesondere der verheerenden Reblaus. Nun erlebte die Weinbauernschaft, daß Erfahrung und Tradition nicht mehr ausreichten. Schulisches Lernen wurde unumgänglich. 1860 wurde die zentrale Weinbauschule Klosterneuburg gegründet. Noch im vorigen und danach auch in unserem 20. Jahrhundert erfolgte die Errichtung weiterer solcher Weinbauschulen.

Neues Denken, neues Verhalten prägte von da an den Weinbau. Mit dem neuen Jahrhundert kommt auch ein neuer Aufschwung für den Wein; seine Liebhaber nehmen zu. Die Weinkultur erlebt eine Blüte. Die Weinbauernschaft bezieht ihr Wissen und Können aus der Mitarbeit und dem Ablauf des Weinjahres im elterlichen Betrieb, aus der Erfahrung, angereichert durch Ausbildung und Hilfestellungen seitens der Schulen.

Nach zwei Weltkriegen entsteht mit einer völligen Neuentwicklung der Gesamtwirtschaft auch eine grundlegende Umgestaltung und Ausweitung der Fachausbildung für Weinbau und Kellerwirtschaft in Österreich. Die Ausbildung an der Höheren Lehr- und Versuchsanstalt in Klosterneuburg bei Wien dauert jetzt fünf Jahre lang. Nach der Matura und gehobener fachlicher Tätigkeit kann der Fachtitel »Ingenieur« erreicht werden.

Daneben bestehen mehrere mittlere Fachschulen in Niederösterreich, Burgenland und in der Steiermark. An diesen Schulen kann die landwirtschaftliche Berufsschulpflicht erfüllt werden. Diese Landesanstalten bilden aber vor allem die künftigen Hoferben zu Betriebsführern heran. Um diese Aufgaben möglichst gut erfüllen zu können, wurde in diesen Jahren ein erweitertes vierstufiges Schulmodell eingeführt. Die Schülerinnen und Schüler absolvieren ihre Ausbildung gewöhnlich im Alter von vierzehn bis achtzehn Jahren. Dabei werden theoretischer und praktischer Unterricht gleichwertig und im Zeitausmaß ähnlich dargeboten. Umfassende Ausbildung und ganzheitliche Formung der jugendlichen Persönlichkeiten sind dabei gleich wichtig!

Nach Grundstufe, Fremdpraxis, Heimpraxis und Betriebsführerstufe erfolgt die Lehrabschlußprüfung zum Gehilfen für Weinbau und Kellerwirtschaft. Die Absolventen sind somit befähigt, am elterlichen Hof fachlich qualifiziert mitzuarbeiten, ihn zu übernehmen oder führend in Weinbau- und Kellereibetrieben tätig zu

Die Ausbildung beginnt im Weingarten

Jeder einzelne Schritt der Weinbereitung wird praktisch erprobt

Von der Lese über die Anlieferung der Trauben zur Weiterverarbeitung in den Keller

Sorgfältig werden die Trauben gerebelt

Das Rebeln des Traubengutes

Pressen mit modernen Horizontalpressen

*Technisches Verständnis und viel Gefühl sind
Grundvoraussetzungen für die Qualitätsweinproduktion*

Einführung in zeitgemäße Kellertechnologie

sein. Nach drei Jahren einschlägiger beruflicher Tätigkeit — somit ab einem Alter von 21 Jahren — kann der Absolvent an der Weinbauschule einen Meisterkurs besuchen und nach bestandener strenger Prüfung den Titel eines Meisters für Weinbau und Kellerwirtschaft erlangen.

Außerdem sehen es die Weinbauschulen als ihre Aufgabe an, der Weinbauernschaft und den Weinliebhabern in Weiterbildungskursen zu dienen. So gibt es Weinbau-, Kellerwirtschafts-, Betriebswirtschafts- und Marketingkurse, aber auch Weinbewertungen, Weinuntersuchungen und Versuchstätigkeiten.

Geplant werden stets Kurse für neu auftretende Fragestellungen, wie Informationskurse für interessierte Laien, Sommelierkurse, Diskussionstagungen über weinrechtliche Fragen und gebietsübergreifende Neuentwicklungen.

Die österreichischen Weinbauschulen wollen durch eine gediegene Ausbildung der Weinbauernjugend, durch vielfältige Dienstleistungen für die Weinbauernschaft und durch eine bunte Palette von Aktivitäten für alle am Wein interessierten Personenkreise tätig sein.

Karl Bauer, Weinbauschule Krems, NÖ.

Österreichische Rebsorten

Die Vitis vinivera L. var. sativa, die europäische Edelrebe, hat von allen Vinifera-Arten die größte Bedeutung erlangt. Im österreichischen Weinbaugebiet gedeihen davon rund 200 verschiedene Sorten, wovon manche in verschiedenen Formen vorkommen. Für den Qualitätsweinbau wird jedoch nur eine kleine Auswahl davon verwendet, jene Rebsorten, die im langjährigen Durchschnitt qualitativ und quantitativ beste Ergebnisse erzielen. Zur Herstellung von Qualitätswein dürfen nur die 33 Sorten verwendet werden, die im österreichischen Weingesetz verankert sind.

Weißweinsorten:

Bouvier

Die hauptsächlich im Burgenland verbreitete, sehr frühreife Sorte hat nur eine geringe Anbaubedeutung. Sie benötigt gute, fruchtbare Böden und ist auch für späte Lagen geeignet. Die Trauben sind klein bis mittelgroß und lockerbeerig. Die Beeren besitzen eine dicke Schale und muskierten Geschmack und erreichen einen hohen Zuckergehalt. Die Erträge sind gering und unsicher (Wuchsrückgang, peronosporaanfällig, chloroseempfindlich). Der Bouvier baut sich rasch aus, ist ein voller, milder Wein mit feinem Muskatgeschmack, doch geringer Haltbarkeit. Wegen der frühen Reife wird er oft zur Sturmerzeugung in Heurigenbetrieben verwendet.

Chardonnay (Morillon)

Die Chardonnay-Rebe gehört zu den edelsten und besten Weißweintrauben der Welt. Sie stellt keine allzu großen Ansprüche an den Boden, benötigt jedoch gute Lagen und bringt mittelhohe Erträge. Sie besitzt mittelgroße, wenig gelappte Blätter mit nackter Stielbucht. Die Traube ist mittelgroß, lockerbeerig, und die Beeren sind bei Vollreife gelb gefärbt. Der Reifezeitpunkt ist mittelspät, und die Ernte erfolgt Anfang Oktober. Die Sorte liefert elegante, fruchtige, volle und sehr körperreiche Weine mit stahliger Säurenote. Chardonnay-Weine von guten Jahrgängen eignen sich bestens für eine längere Lagerung. Erst nach mehreren Jahren wird der Reifehöhepunkt erreicht.

Frühroter Veltliner (Malvasier)

Diese Sorte ist wenig verbreitet und hauptsächlich in Österreich anzutreffen. Sie stellt geringe Ansprüche an Boden und Lage. Die Erträge sind hoch, aber unregelmäßig (winterfrost- und spätfrostempfindlich, peronosporaanfällig, Blüte empfindlich). Die Sorte wächst kräftig, besitzt große fünflappige Blätter, geschulterte große Trauben mit hellroten, dickschaligen Beeren und reift früh (Mitte bis Ende September). Die Weine sind voll, extraktreich, säurearm und bukettneutral mit raschem Weinausbau.

Grüner Veltliner

Der Grüne Veltliner ist die wichtigste Rebsorte von Österreich (ca. ein Drittel der österr. Anbaufläche). Sie ist eine fruchtbare Sorte, die auf mageren wie auch auf fruchtbaren Lößböden (frühe bis mittelfrühe Lagen) gedeiht. Sie hat mittelgroße, fünflappig und tief gebuchtete Blätter. Die Traube ist sehr groß, kegelförmig geschultert mit großen gelbgrünlichen bis fuchsigen Beeren, die mittelspät (Anfang bis Mitte Oktober) reifen. Der klassische Grüne Veltliner-Wein hat ein ausgeprägtes, fruchtiges Sortenbukett, ist spritzig, leicht pfeffrig und von ausdrucksvoller Würzigkeit. Er hat qualitativ eine große Bandbreite (Tafelwein bis Auslesen). Weine von guten Jahren erreichen erst nach 2 bis 5 Jahren ihren geschmacklichen Höhepunkt.

Müller Thurgau (Riesling x Sylvaner)

Diese Sorte ist eine der erfolgreichsten Neuzüchtungen der Welt. Sie benötigt tiefgründige Böden und ist auch für späte Lagen geeignet. Die Sorte wächst sehr kräftig und besitzt große Blätter mit einer verdrehten Mittellappe. Die Trauben sind groß, lockerbeerig und reifen früh (ab Mitte September), die Beeren haben einen muskierten Geschmack. Die Erträge sind hoch und regelmäßig. Die Sorte ist aber winterfrostempfindlich und sehr anfällig gegenüber Peronospora, Oidium, Beeren- und Stielfäule. Der typische Wein ist spritzig, mild mit einem leichten Muskatton in Duft und Aroma. Der Wein entwickelt sich rasch und soll nicht lange gelagert werden.

Muskat Ottonel

Die in Österreich recht beliebte Sorte ist hauptsächlich im Burgenland vertreten. Die Sorte benötigt fruchtbare Böden mit wenig Kalk, wächst mittelstark, die Trauben sind mittelgroß und reifen früh. Die gelben Beeren besitzen einen feinen Muskatgeschmack. Die Erträge sind gering und unsicher (Blüte sehr empfindlich, chloroseempfindlich, Nässe und Kälte), trotzdem übersteht sie gut Winterfröste. Der Wein hat meist ein sehr intensives, jedoch feines würziges Muskatbukett, er schmeckt jung und frisch am besten.

Neuburger

Diese österreichische Sorte ist im Burgenland und in Niederösterreich verbreitet. Sie stellt nur geringe Standortansprüche an Boden (nährstoffarm, schwer, kalkreich) und Lage. Die Sorte wächst sehr kräftig und besitzt große Blätter, die Trauben sind mittelgroß, dichtbeerig und reifen mittelfrüh. Die Erträge sind mittelhoch, aber unsicher (Blüte sehr empfindlich, sehr spätfrostempfindlich, hohe Winterfrostempfindlichkeit, botrytisanfällig). Der Wein hat ein fein-zartes, an Nüsse erinnerndes Bukett, kann aber auch geruchsneutral sein, mild, mit anhaltendem Nachgeschmack. In guten Jahren ist der Wein lagerfähig.

Riesling

Der Riesling (Rheinriesling) wird als die »edelste« Weißweinrebe der Welt bezeichnet. Sie wächst mittelstark, besitzt derbe Blätter und kleine bis mittelgroße Trauben, die spät reifen (Ende Oktober). Sie benötigt die besten Lagen und leicht erwärmbare Böden (Urgestein). Die Erträge sind mittelhoch. Die Sorte ist frostwiderstandsfähig, die Blüte ist empfindlich und die Traube stiellähme-, stielfäule- und botrytisanfällig. Der Wein ist von feiner Rasse und Eleganz und von hoher Qualität, er baut sich langsam aus und erreicht erst nach mehreren Jahren seinen Höhepunkt.

Ruländer (Pinot gris)

Die Sorte ist in allen österreichischen Anbaugebieten anzutreffen, sie benötigt warme, tiefgründige und nährstoffreiche Böden. Sie besitzt kleine walzenförmige, dichtbeerige Trauben mit kleinen, grauroten Beeren, die mittelfrüh reifen (Anfang Oktober). Sie bringt mittelhohe und regelmäßige Erträge. Die Sorte besitzt ein delikates, unaufdringliches Sortenbukett von guter Beständigkeit (extraktreich) und eignet sich sehr gut zur Prädikatsweinerzeugung. Bei guter Reife und ausreichendem Säuregehalt sind die Weine gut haltbar.

Roter Veltliner

Die Sorte hat nur in einigen Gebieten von Niederösterreich Bedeutung. Sie stellt an den Boden nur mittlere, aber an die Lage hohe Ansprüche (hohe Winterfrostempfindlichkeit, späte Reife, Blüte empfindlich, botrytis- und peronosporaanfällig). Sie wächst kräftig und besitzt sehr große Trauben mit fleischfarbenen Beeren. Die Erträge sind hoch, aber unsicher. Die Weinqualität wird stark von der Lage und der Ertragshöhe beeinflußt. Unter guten Bedingungen können jedoch fruchtige, feinwürzige und extraktreiche Weine gewonnen werden. Gute Weine bauen sich langsam aus und benötigen eine längere Flaschenreife.

Rotgipfler

Der Anbau dieser Sorte ist fast nur auf die Thermenregion beschränkt. Die Sorte benötigt die besten Lagen (winterfrostempfindlich) und bevorzugt wüchsige, warme Böden. Die Trauben sind mittelgroß, sehr dichtbeerig (botrytisanfällig), mit grünlichgelben, sehr saftigen Beeren, die spät reifen (Mitte Oktober). Die Erträge sind gut und auch regelmäßig. Der Wein zeichnet sich durch seine frische und würzige Art und angenehme Säure aus, er ist sehr extrakt- und meist auch alkoholreich. Vielfach wird die Sorte gemeinsam mit dem »Zierfandler« ausgebaut. Der Wein baut sich nur langsam aus und erreicht erst nach längerer Lagerung seine volle Reife.

Sauvignon blanc (Muskat-Sylvaner)

Die Sorte wird nur in geringem Umfang gepflanzt, hauptsächlich in der Steiermark und im Burgenland. Sie benötigt warme, frühe Lagen mit höherer Luftfeuchtigkeit und einen fruchtbaren, aber nicht zu trockenen Boden. Sie wächst kräftig, besitzt kleine, walzenförmige, dichtbeerige Trauben mit grünlichgelben, dickschaligen Beeren, die spät reifen. Die Erträge sind mittelhoch, aber unregelmäßig (winterfrostempfindlich). Die Weinqualität hängt außerordentlich stark vom jeweiligen Jahrgang und Standort ab. Bei guter Reife sind die Weine körperreich und haben einen unnachahmlichen grasigen Duft und Geschmack.

Sylvaner

In Österreich ist der Anbau dieser Sorte in den letzten Jahrzehnten stark zurückgegangen (winterfrostempfindlich, anfällig gegen Botrytis, Peronospora, Oidium und Chlorose). Die Sorte wächst schwach und ist daher für die Hochkultur nicht geeignet. Sie besitzt kleine, dichtbeerige Trauben mit grünen Beeren, die mittelspät reifen (Anfang bis Mitte Oktober). Die Weine sind geruchsneutral, mild, feinfruchtig und werden in der Regel jung getrunken. Der meist niedrige Säuregehalt gestattet keine lange Lagerung.

Traminer

Der Traminer bekommt durch seine außergewöhnlichen Qualitätseigenschaften wieder mehr Bedeutung. Seine größte Verbreitung hat die Sorte im Burgenland. Qualitativ hochwertige Traminer wachsen in der Steiermark. Die Sorte stellt hohe Ansprüche an den Boden (tiefgründig) und an die Lage. Sie besitzt kleine, runde Blätter, die Trauben sind klein, dichtbeerig, und die Beeren erreichen einen hohen Zuckergehalt (mittelspäte Reife). Die Erträge sind klein bis mittelhoch (Blüte empfindlich, stiellähme- und stielfäuleanfällig). Die Weine sind von goldgelber Farbe, säurearm und besitzen ein typisches Sortenbukett (würzig, aromatisch) mit hohem Alkohol- und Extraktgehalt. Der Wein baut rasch aus und ist mindestens 15 Jahre lagerfähig.

Weißer Burgunder (Pinot blanc)

Diese aus der Burgund stammende Sorte wird in allen weinbautreibenden Bundesländern kultiviert und gewinnt zunehmend an Bedeutung. Sie stellt an Boden und Lage hohe Ansprüche, da für eine gute Qualität ein Mostgewicht von 17 Grad KMW erreicht werden muß. Sie besitzt mittelgroße, dichtbeerige Trauben (fäulnisanfällig) mit dünnschaligen, grünlichen Beeren, die mittelspät reifen. Die Weine sind grüngelblich, bukettneutral, gehaltvoll, extraktreich, mit mittlerem Alkoholgehalt und besitzen eine pikante Säure. Reife Weine schmecken nach frischem Brot und lassen sich gut lagern. Sie erreichen meist nach drei Jahren ihren Reifehöhepunkt.

Welschriesling

Der Welschriesling ist eine der wichtigsten Sorten Österreichs und wird in allen weinbautreibenden Bundesländern angebaut. Die Sorte braucht tiefgründige, warme, nährstoffreiche Böden und eine frühe Lage. Die Traube ist mittelgroß, walzenförmig und hat kleine, saftige Beeren, die spät reifen (Ende Oktober). Der Ertrag ist hoch und regelmäßig und ergibt rassige Weine mit höherem Säuregehalt und fruchtigem Bukett. Der Welschriesling ist ein charaktervoller und vielseitiger Weißwein mit einer großen Qualitätsspanne. Die Weine werden vielfach als junge Weine getrunken. In guten Jahren und bei entsprechender Traubenreife werden höchste Qualitäten erreicht, die auch eine ausgezeichnete Lagerfähigkeit aufweisen.

Zierfandler (Spätrot)

Die Sorte besitzt nur eine geringe Anbaufläche und ist fast ausschließlich in der Thermenregion anzutreffen. Sie stellt an den Boden geringe Ansprüche, verlangt aber die allerbesten und wärmsten Lagen. Der Zierfandler wächst in Form einer walzenförmigen Traube, mit großen fleischfarbenen Beeren, die erst Mitte Oktober reifen. Die Erträge sind mittelhoch und unregelmäßig (winterfrostempfindlich und botrytisanfällig). Die Weine sind alkohol- und extraktreich, mit angenehmer Säure und feinem sortenspezifischem Fruchtbukett. Die Weine werden meist mit der Sorte »Rotgipfler« verschnitten und sind sehr gut lagerfähig.

Goldburger

Diese Neuzüchtung (Welschriesling x Orangetraube) gewinnt langsam in Österreich an Bedeutung. Sie wächst mittelstark und besitzt scharf gezähnte Blätter mit nackter Stielbucht. Die Trauben sind mittelgroß, dichtbeerig (fäulnisanfällig), und die kleinen, sehr saftigen Beeren reifen spät (Ende September bis Anfang Oktober). Die Sorte stellt keine besonderen Ansprüche an Boden und Lage, ist aber chloroseempfindlich und besitzt nur eine geringe Winterfrosthärte. Die Erträge sind hoch und regelmäßig. Die Weine haben kein ausgeprägtes Charakteristikum, es werden alle Qualitätsstufen erreicht. Diese fruchtigen, neutralen Weine haben, je nach Reifegrad, eine unterschiedliche Lagerfähigkeit.

Jubiläumsrebe

Diese Neuzüchtung ist aus zwei Rotweinsorten (Blauer Portugieser x Blaufränkisch) entstanden und wurde anläßlich der 100-Jahr-Feier der HBLA Klosterneuburg vorgestellt. Aus den Trauben werden Weißweine gewonnen. Nicht nur durch Edelfäulebefall, sondern durch ein frühzeitiges Schrumpfen der rotbraunen kleinen Beeren werden sehr hohe Zuckergrade erreicht, die durchschnittlich über 24 Grad KMW liegen. Die Jubiläumsrebe ist eine Spezialsorte für Prädikatsweine. Sie stellt zwar nur geringe Ansprüche an den Boden, sollte jedoch nur in den besten Lagen angebaut werden. Die Trauben reifen normal früh. Für die Prädikatsweinerzeugung wird erst spät gelesen. Die Weine zeichnen sich durch einen deutlichen Ausbruchcharakter aus, sind mild, süß, alkoholreich und gut lagerfähig.

Gelber Muskateller

Der Muskateller zählt zu den ältesten Rebsorten der Welt und spielt im österreichischen Weinbau eine untergeordnete Rolle. Die Sorte wächst stark, die Blätter sind tief gebuchtet, die großen Trauben sind länglich. Sie besitzen gelbe, hartschalige, fleischige Beeren, die spät reifen. Die Sorte stellt geringe Ansprüche an den Boden, benötigt aber warme, luftige Lagen. Die Erträge sind mittelhoch, aber unregelmäßig (Blüte empfindlich, oidium- und fäulnisanfällig). Die Weine haben ein ausgeprägtes Muskatbukett und sind sehr lange lagerfähig.

Scheurebe (Sämling 88)

Diese ältere Neuzüchtung (Sylvaner x Riesling) hat in Österreich nur geringe Verbreitung erlangt. Die Sorte wächst kräftig und hat mittelgroße, dichtbeerige Trauben, die spät reifen. Sie stellt geringe Bodenansprüche, benötigt aber zumindest mittelfrühe Lagen. Der Ertrag ist mittelhoch. Die Sorte ist anfällig gegen Peronospora, Oidium und Botrytis. Die Weine besitzen ein eigenartiges, aber feines, kräftiges Bukett. Bei unreifen Weinen ist der Geruch und Geschmack aufdringlich, man spricht vom typischen »Sämlingston«. Nur bei guter Reife werden edle, stahlige, harmonische, duftige und körperreiche Weine gewonnen, die auch gut haltbar sind.

Rotweinsorten:

Blauburger

Diese österreichische Neuzüchtung hat in den letzten Jahren starke Verbreitung erlangt. Die Sorte stellt keine besonderen Ansprüche an Boden und Lage. Sie wächst kräftig und hat große, dichtbeerige Trauben mit schwarzblaubereiften Beeren, die früh reifen. Sie bringt hohe und regelmäßige Erträge, ist aber winterfrostempfindlich, oidium- und botrytisanfällig. Die Sorte liefert sehr dunkel gefärbte Weine (Deckrotwein), sie sind samtig, extrakt- und alkoholreich, kräftig und wuchtig im Geschmack. Ihre Reifespanne hängt stark von der Güte des jeweiligen Jahrganges ab. Bei entsprechender Ertragsbegrenzung werden wertvolle, gut lagerfähige Weine gewonnen.

Blauer Burgunder (Pinot noir)

Diese aus der Burgund stammende Sorte hat in Österreich zunehmende Bedeutung erlangt. Die Sorte stellt hohe Ansprüche an Klima, Boden und Lage. Die Trauben sind mittelgroß mit kleinen, dünnschaligen, saftigen Beeren (botrytisanfällig), bei mittelspäter Reife (Anfang Oktober). Die Erträge sind mittelhoch und regelmäßig. Die Weine sind leuchtend rubinrot gefärbt, haben ein eigenständiges, sortentypisches Bukett, sind im Geschmack samtig und rund und haben einen feinherben Abgang. Der Blaue Burgunder liefert hochwertige Rotweine (»König der Rotweine«) mit einer guten Lagerfähigkeit.

Blauer Portugieser

Der »Blaue Portugieser« ist flächenmäßig die verbreitetste Rotweinsorte in Österreich. Sie wächst kräftig, hat große, dichtbeerige Trauben mit schwarzblaubereiften Beeren, die früh reifen (Mitte bis Ende Sept.). Die Sorte stellt weder an den Boden noch an die Lage besondere Ansprüche. Sie ist aber winterfrostempfindlich, sehr oidium-, peronospora- und sehr botrytisanfällig. Die Erträge sind hoch und regelmäßig (außer in winterfrostgefährdeten Lagen). Bei später Lese werden farbstoffreiche, milde, süffige, fruchtige und neutrale Weine gewonnen. Der Wein baut rasch aus, nur gute Jahrgänge können länger gelagert werden.

Blaufränkisch

Ist die dominierende Rotweinsorte des Burgenlandes. Sie stellt mittlere Ansprüche an den Boden, bevorzugt jedoch fruchtbare Lößböden. Sie benötigt aber warme, windgeschützte, südliche Hanglagen. Sie wächst kräftig, die Trauben sind groß, verästelt, locker und haben kleine, dickschalige Beeren, die spät reifen (Anfang bis Mitte Oktober). Der Ertrag ist mittelhoch, aber unsicher (Blüte empfindlich, oidium-, peronospora- und stielfäuleanfällig). Die Weine sind meist dunkelrubinrot und zeichnen sich durch ein feinfruchtiges Bukett aus und sind frisch, rassig und feinsäuerlich im Geschmack. Der Blaufränkische zählt zu den besten österreichischen Qualitätsrotweinsorten. Infolge seines langsamen Weinausbaues erlangt der Wein als Altwein höchste Qualität.

St. Laurent

Österreich ist das größte Anbauland dieser zur Burgundergruppe zählenden Sorte. Sie stellt an den Boden keine besonderen Ansprüche, benötigt aber frühe Lagen. Die Trauben sind klein bis mittelgroß, walzenförmig mit kleinen schwarzblauen Beeren, die früh reifen. Die Erträge sind mittelhoch, aber unsicher (spätfrostempfindlich, Blüte empfindlich). Die Weine sind kräftig dunkelrot gefärbt und haben ein feines, fruchtiges Bukett. Als Jungwein ist er herb und säurereich, deswegen benötigt er eine längere Reifezeit. Als Altwein schmeckt er samtig, trocken, vollmundig und angenehm gerbstoffhaltig.

Blauer Zweigelt (Rotburger)

Flächenmäßig ist diese Neuzüchtung eine der bedeutendsten Rotweinsorten Österreichs. Gezüchtet wurde diese Sorte von Prof. Fritz Zweigelt in Klosterneuburg. Sie wächst sehr kräftig und hat große, kegelförmige, dichtbeerige Trauben mit schwarzblauen Beeren, die mittelfrüh reifen (Mitte bis Ende September). Die Sorte bringt hohe und regelmäßige Erträge. Die Weine sind kräftig, rubinrot gefärbt und haben ein ausgeprägtes fruchtig-würziges Bukett. Die Weine schmecken voll, kräftig und sind körper- und gerbstoffreich. Gute Qualitäten erreichen erst nach einigen Jahren ihren Reifehöhepunkt.

Blauer Wildbacher (Schilcher)

Der Anbau dieser Rebsorte ist auf die Steiermark beschränkt. Aus diesen Trauben wird der »Schilcher« gekeltert. Es gibt frühreife, mittelreife und spätreifende Sorten. Die Trauben sind klein, dichtbeerig und fäulnisanfällig. Die Erträge sind mittelhoch, aber unsicher (Blüte empfindlich). Je nach Ortschaft sind die Weine zwiebelfarben, rötlich schillernd bis hellrubinrot. Der Geschmack ist leicht grasig, trocken, fruchtig, spritzig und immer mit einer kräftigen Säure. Der Schilcher ist ein einjähriger Wein und schmeckt zwischen Februar und Juli am besten.

Merlot

Die Auspflanzung wurde erst 1986 gestattet und hat daher noch geringe Anbaubedeutung. Die Sorte stellt keine besonderen Ansprüche an Boden und Lage. Frostgefährdete Lagen sind aber unbedingt zu meiden. Wächst kräftig, hat mittelgroße, konische Trauben mit schwarzblauen Beeren, die mittelfrüh reifen. Die Erträge sind mittelhoch, aber unregelmäßig (sehr winterfrostempfindlich, Blüte empfindlich, botrytisanfällig). Die Weine sind rubinrot gefärbt und haben ein typisches, grasiges Bukett — im Geschmack sind sie trocken, süffig, weich, mit wenig Säure. Die meisten Weine schmecken jung und frisch am besten und sollen nicht lange gelagert werden.

Cabernet Sauvignon

Er zählt zu den edelsten Rotweinsorten der Welt und darf auf Grund der Verordnung von 1986 auch in Österreich gepflanzt werden. Die Sorte hat keine besonderen Ansprüche an den Boden, stellt aber an die Lage hohe Ansprüche. Die Trauben sind klein bis mittelgroß, konisch, meist dichtbeerig, schwarzblau, stark beduftet und reifen spät. Die Erträge sind mittelhoch und unregelmäßig (winterfrostempfindlich, Blüte empfindlich). Die Weine sind granatrot bis tiefdunkelrot gefärbt und haben ein kräftiges Sortenbukett. Der Jungwein ist rauh, hart (gerbstoffbetont) und unharmonisch, mit zunehmendem Alter wird er immer samtiger und ausgewogener.

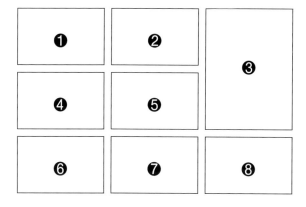

❶ Schwellende Knospe mit Beiauge

❷ Öffnen der ersten Blätter, »Mausohrstadium«

❸ Junger Trieb mit zwei Gescheinen und Ranken

❹ Geschein mit geschlossenen Käppchen knapp vor der Blüte

❺ Vollblüte, fast alle Käppchen sind abgeworfen

❻ Unreife, wachsende Traube Anfang August

❼ Weichwerden der Traube, Einfärbung und Reifebeginn

❽ Vollreife ausgefärbte Traube vor der Lese im Oktober

Der »Bio-Trick« der Weinhauer bei der Rebenvermehrung

Durch die sehr lange Entwicklungszeit der Reben (60 Millionen Jahre, Gattung Vitis) in der Erdzeitgeschichte haben sich verschiedenste Reben in den Verbreitungsgebieten entwickelt. Die sehr große Vielfalt von Ordnungen, Familien und Gattungen hat sich durch natürliche Selektion und Kreuzung unterschiedlich entwickelt, u.a. Anpassung an Boden und Klima, an vorhandene Krankheiten und Schädlinge. Die europäischen Rebsorten waren nicht — über Millionen Jahre hinweg — mit der Reblaus , dem echten (Oidium) und falschen Mehltau (Peronospora) konfrontiert. Durch die Einfuhr von amerikanischen Reben nach Frankreich und etwas später nach Österreich wurden die oben genannten Schadorganismen — wie bereits erwähnt — eingeschleppt. Dieser Schädling und die Pilzkrankheiten verbreiteten sich sehr rasch, und der Weinbau erlitt einen enormen wirtschaftlichen Schaden, da man erst Bekämpfungsmaßnahmen finden mußte.

Die eingeführten amerikanischen Reben hatten eine schlechte Weinqualität, aber auch gute Eigenschaften: Die Widerstandskraft der Wurzeln gegen die Reblaus und der Blätter gegen Peronospora und Oidium. Bald erkannte man, daß das Zerstörungswerk der Wurzellaus nicht durch eine direkte chemische Bekämpfung gestoppt werden konnte. In Frankreich versuchte man deshalb, die altbewährten europäischen Rebsorten auf die reblausfeste Wurzel von Amerikanerreben zu veredeln. Die Weinbaupraxis nahm diese Möglichkeit sehr rasch auf, obwohl es anfänglich zu großen Problemen betreffend guter Amerikanerreben kam. Erst eine gezielte Züchtung mit Amerikanerreben (Unterlagszüchtungen) brachte geeignete Unterlagsreben. Heute werden weltweit auf Millionen Hektaren Weingärten die alten, klassischen europäischen Rebsorten, die am Blatt — im Gegensatz zu den amerikanischen Arten — von der Reblaus nicht befallen werden, auf Amerikanerunterlagen veredelt, die ihrerseits an der Wurzel von der Laus nicht geschädigt werden. Die Bekämpfung der Reblaus erfolgte nicht mit Giftstoffen, sondern mit einem biologischen Trick. Mit der Umstellung des Weinbaues auf veredelte Reben hatten die Weinhauer in der gesamten Geschichte des Kulturpflanzenbaues das erste klassische Beispiel einer biologischen Schädlingsbekämpfung vorexerziert, lange bevor die heutige Bio-Bewegung einsetzte.

Wie entsteht ein veredelter Rebsetzling (Pfropfrebe)?

Die Unterlagsreben werden in eigenen Schnittrebanlagen gewonnen. Die einjährigen Triebe der Unterlagsreben werden 30 cm lang zugeschnitten und geblendet (Entfernen der Augen). Diese unbewurzelten Schnittreben werden mit einem kurzen Trieb der Edelsorte in Verbindung gebracht. Dazu hat man früher einen sogenannten Kopulationsschnitt mit Gegenzunge an beiden Veredelungspartnern gemacht und zusammengesteckt. Heute wird diese sehr zeitaufwendige Arbeit mit einer Veredelungsmaschine (Omega-Veredelung) wesentlich vereinfacht. Diese im Winter oder zeitigem Frühjahr hergestellten Veredelungen werden am oberen Ende in Veredelungswachs getaucht, um die Veredelung vor Austrocknung zu schützen. Anschließend werden die Veredelungen in Kisten (mit Sägemehl oder Torf) gepackt. Gegen Ende April werden die künftigen Edelreiser in Kisten vorgetrieben. Für eine ausreichende Verwachsung der beiden Veredelungspartner ist eine Temperatur von 25 bis 28 Grad Celsius und hohe Luftfeuchtigkeit notwendig. Nach ca. 14 Tagen ist ausreichend Wundkallus an der Veredelungsstelle entstanden, und am Fußende der Unterlage hat die Wurzelbildung begonnen. Anschließend wird die Temperatur abgesenkt, um die vorgetriebenen Veredelungen an die Außentemperaturen in der Rebschule zu gewöhnen. In der Zeit zwischen dem 15. und 25. Mai werden die vorgetriebenen und abgehärteten Veredelungen in der Rebschule eingeschult. Um die

Zuschneiden der Edelreiser vor dem Veredeln

Querschnitt durch eine gut verwachsene Veredelungsstelle mit Omegaschnitt

Die rotparaffinierten Veredelungen zeigen den ersten Austrieb in der Vortreibkiste

Entwicklungsbedingungen der Pflanzen zu verbessern, werden heute einige Zeit vor dem Aussetzen schwarze Mulchfolien verlegt. Diese Mulchfolien verhindern den Unkrautwuchs, halten die Bodenfeuchtigkeit gleichmäßig und erhöhen die Bodentemperatur um 4 bis 6 Grad Celsius. Diese höhere Bodentemperatur führt zu einer sehr raschen Faserwurzelbildung der Veredelung. Dies ist die Voraussetzung für die Entwicklung eines kräftigen Rebsetzlings. Im Spätherbst werden die Rebsetzlinge gerodet, anschließend sortiert, im Einschlag oder Kühlhaus überwintert und im folgenden Frühjahr im Weingarten ausgepflanzt.

Vollständiger Austrieb am Ende der Vortreibzeit

Öffnen der Vortreibkiste

Junge Rebe vor dem Einschulen

Rebschule mit Mulchfolie im Sommer

Zurichten und Sortieren vor dem Setzen

Von Weinliebhabern wird auch öfters die Frage gestellt, ob durch die amerikanische Unterlage wichtige Eigenschaften der Edelsorte oder sogar Art und Charakter des Weines verändert werden. Dazu sei bemerkt, daß die Unterlagsrebe bestenfalls die Wuchskraft und in geringem Umfang auch die Ertragsfähigkeit der Edelsorte beeinflußt. Mit bestimmten Unterlagen wird die Traubenreife positiv gelenkt — also eine qualitative Verbesserung erreicht. Unterlagen, mit ihren verschiedenen Eigenschaften, ermöglichen eine bessere Anpassung des Rebstockes an die gegebenen Bodenverhältnisse. Dies wäre durch wurzeleigene Edelsorten nicht möglich. Die Edelsorte bleibt in ihrem gesamten Erscheinungsbild und all ihren Eigenschaften sich selbst gleich. Der sortenspezifische Weincharakter und die Weinqualität werden durch die amerikanische Wurzel nicht verändert.

Eine neue Sorte entsteht (Kreuzungszüchtung)

Während der jahrtausendelangen Entwicklung der Rebe sind unbewußt, durch natürliche Kreuzungen und Auslese durch den Menschen, neue Sorten entstanden. Vor über 100 Jahren begann man systematisch vorzugehen. Die Aufspaltung bei der geschlechtlichen Vermehrung (Samen) zu verschiedenen Formen wird bei der Kreuzungszüchtung bewußt herbeigeführt. Es werden bekannte Vater- und Muttersorten planmäßig, nach ihren Eigenschaften und deren möglicher Vererbung, ausgewählt. Die Blüten der Muttersorte müssen vor der Blüte kastriert werden. Dabei wird mit einer Pinzette das Käppchen der Blüte und die Staubgefäße (männliche Blütenorgane) entfernt. Die kastrierten Blüten eines Gescheines müssen, z.B. mit einem Pergaminsäckchen, gegen eine unkontrollierte Bestäubung geschützt werden. Ist der Pollen der Vatersorte reif, wird er in einem Säckchen gesammelt und über die kastrierte Muttersorte gestülpt und geschüttelt. Die sich daraus entwickelnden Trauben werden eigens geerntet und deren Traubenkerne gewonnen. Um dem gewünschten Zuchtziel möglichst nahe zu kommen, muß eine große Anzahl von Samen gewonnen werden, um aus der enorm hohen Kombinationsvielfalt auswählen zu können. Außerdem ist die Keimfähigkeit der Rebkerne sehr schlecht. Im Jänner werden die Samen in feuchten Sand gesät. Erst durch eine mehrwöchige kühlfeuchte Lagerung in gequollenem Zustand (sog. Stratifikation) erlangen sie die Keimbereitschaft. Anfang April keimen die Samen im Gewächshaus. Die Keimblätter lassen noch keine Ähnlichkeit mit den späteren Rebblättern erkennen. Die Sämlinge werden nun aus dem Sand herausgenommen und in kleine Töpfe pikiert. Jeder Sämling könnte theoretisch eine neue Sorte werden. Aber schon zu diesem Zeitpunkt erfolgt eine Vorselektion der Sämlinge. Nur entsprechend kräftige und gesunde Sämlinge werden umgetopft und im Glashaus weiter kultiviert. Das Glashaus ermöglicht eine raschere Entwicklung und nach entsprechender Selektion werden die Rebstöcke im

Weingarten ausgepflanzt. Erst nach vier Jahren wird die volle Ertragsfähigkeit erreicht. Viele Rebstöcke müssen aber nachträglich ausgeschieden werden. Die gewonnenen kleinen Traubenmengen (Einzelstöcke) müssen einer Reihe von Prüfkriterien entsprechen. Wichtigstes Prüfkriterium ist die Qualität des Weines. Es muß eine große Anzahl kleiner Mostmengen zu Wein ausgebaut werden. Nach einigen Jahren bleiben einige wenige Stöcke übrig, die für eine weitere Prüfung wertvoll sind. So vergehen mindestens 20 Jahre von der Kreuzung bis zum Versuchsanbau einer neuen Sorte in einer Weinbauschule. Bei dieser praktischen Prüfung auf mehreren Standorten muß die neue Sorte gegenüber den alten Sorten bestehen und entsprechende Vorteile aufweisen. Wenn die Sorte in das Bundessortiment aufgenommen wird, kann sie von allen Weinhauern ausgepflanzt werden.

In Österreich beschäftigt man sich an der Höheren Bundeslehr- und Versuchsanstalt für Wein- und Obstbau (Rebzuchtstation Götzhof, Langenzersdorf) mit der Kreuzungszüchtung. Unter der Leitung von Prof. Dipl.-Ing. Herwig Kaserer und Frau Dr. Gertrude Maier werden jährlich eine Vielzahl von Kreuzungen durchgeführt. Pilzwiderstandsfähige Rebsorten von guter Weinqualität sind das Ziel. Diesem Ziel ist man schon sehr nahe gekommen. Mit der Praxiserprobung einiger Sorten wurde bereits begonnen. Bei diesen Sorten wird man auf eine Bekämpfung von Pilzkrankheiten fast zur Gänze verzichten können. Da es sich bei diesen Sorten um Mehrfachkreuzungen handelt, ist noch ein längerer Zeitaufwand erforderlich.

Im österreichischen Rebsortiment sind mehrere Neuzüchtungen der Höheren Bundeslehr- und Versuchsanstalt Klosterneuburg aufgenommen worden. Dies sind die Sorten »Blaue Zweigeltrebe« (St.Laurent x Blaufränkisch),»Jubiläumsrebe« (Blauer Portugieser x Blaufränkisch), »Blauburger« (Blauer Portugieser x Blaufränkisch), »Goldburger« (Welschriesling x Orangetraube). Diese Qualitätssorten ergaben eine sehr wertvolle Ergänzung des österreichischen Rebsortimentes. Die Sorten haben bei den Winzern in Österreich, aber auch im Ausland, großen Anklang gefunden.

Die in österreichischen Weinbaugebieten angebauten Qualitätswein-Rebsorten

Die Vitis vinifera L. var. sativa, die europäische Edelrebe, hat von allen Vinifera-Arten die größte Bedeutung erlangt. Im österreichischen Weinbaugebiet gedeihen davon rund 200 verschiedene Sorten, wovon manche in den unterschiedlichsten Formen vorkommen. Für den Qualitätsweinbau wird jedoch nur eine kleine Auswahl davon verwendet, und zwar jene Rebsorten, die im langjährigen Durchschnitt qualitativ und quantitativ beste Ergebnisse erzielen. Zur Herstellung von Qualitätsweinen dürfen nur jene 33 Sorten verwendet werden, die im österreichischen Weingesetz verankert sind.

Blauer Portugieser

Blauburger

St. Laurent

**Blauer Zweigelt
(Rotburger)**

**Blauer Burgunder
(Pinot noir)**

Blauer Wildbacher
(Schilcher)

Merlot

Blaufränkisch

Cabernet Sauvignon

Gerhard Redl, Weinbauschule Retz (NÖ)

Die Weinbereitung

Es gibt Zeitgenossen, vornehmlich in Österreich, die meinen, die einzige Voraussetzung für guten Wein sind reife Trauben. Der Rest sei einfach, mehr eine Sache des Rezeptes, etwa nach dem Grundsatz: »Möglichst wenig, am besten gar nicht eingreifen. Der Wein entwickelt sich ohnehin von selbst. Man braucht nur einen Keller, eine Presse, ein paar Fässer und Geduld.« So einfach ist es leider nicht! Viele Fehler, die manchen Wein ruinieren, werden immer noch im Keller gemacht. Der Wein verlangt eine individuelle Behandlung, er verträgt kein Schema. Es gehört viel Erfahrung, Fingerspitzengefühl, viel Fleiß und manchmal auch ein wenig Glück dazu, um Erfolg zu haben. Vor allem aber auch Liebe zum Wein.

Die folgenden Absätze mögen dem interessierten Weinliebhaber einen kurzen Überblick geben, wie in Österreich Wein bereitet wird. Durch die große Vielfalt an Produktionsbedingungen, angefangen von der südlichen Steiermark bis in das nördliche Weinviertel, vom östlichen Burgenland bis in die Wachau, gibt es natürlich regionale Unterschiede, aber im grundsätzlichen doch Übereinstimmung. Nicht zuletzt durch ein strenges Weingesetz, das einen Rahmen vorgibt, der für alle gleich ist.

Die erste Entscheidung (und sie ist weitreichend), die getroffen werden muß, ist das Festlegen des Lesezeitpunktes. Hier die optimale Wahl zu treffen, ist nicht immer leicht. Eine Reihe von Kriterien sind ausschlaggebend. Die wichtigsten sind

• der Reifezustand der Trauben
• die Gesundheit der Trauben
• der Weintyp, der angestrebt wird
• die Witterung
• die Betriebsorganisation
• das Weingesetz

Um mit dem letzten Punkt zu beginnen: In dem Augenblick, wo die Traube abgeschnitten worden ist, liegt unwiderruflich auch schon die amtliche Qualitätsstufe des späteren Weines fest. Das Gesetz nimmt ausschließlich den natürlichen Zuckergehalt der Trauben als Maßstab. Für jede Qualitätsstufe ist ein Mindestwert an Zucker (bei der Stufe Kabinett auch ein Höchstwert) vorgeschrieben und gleichlautend für alle Weinbaugebiete (siehe Tabelle 1). Der Zuckergehalt wird heute fast ausschließlich mit Hilfe eines optischen Gerätes (Handzuckerrefraktometer) gemessen. Dazu genügt der Saft einer einzigen Beere. Maßeinheit ist das im Gesetz verankerte »Grad Klosterneuburger Mostwaage« abge-

Sorgfältige Handlese ist Grundvoraussetzung für hohe Qualität

Der Buttenträger trägt die Weintrauben aus dem Weingarten

*Rotweine müssen grundsätzlich gerebelt werden,
Weißweine ca. 80%.*

Stiele und Kämme nach dem Rebeln.

kürzt Grad KMW. Ein Grad KMW entspricht 1 Gewichtsprozent Zucker. Die Zuckerkonzentration des Traubensaftes in Grad KMW wird auch Mostgewicht genannt. Ein höheres Mostgewicht des Traubensaftes muß aber nicht unbedingt auch gleich bedeuten, daß der zukünftige Wein von höherer geschmacklicher Qualität sein wird. Von Prädikatsweinen aus überreifen Trauben einmal abgesehen, wird der Zucker während der Gärung fast immer vollständig in Alkohol umgewandelt. Viel Zucker ergibt also viel Alkohol, was nicht unbedingt gleichbedeutend ist mit besserem Wein. Der harmonische Zusammenklang aller im Wein degustierbaren Inhaltsstoffe ist das Ziel. Und dieses wird bei unseren Weißweintrauben oft bei geringerem Zucker eher erreicht als bei höherem. Geradezu eine ideale Reife wäre erreicht, wenn das natürliche Mostgewicht bei Weißweinsorten zwischen 17 bis 19 Grad KMW und bei Rotweinsorten zwischen 18 und 20 Grad KMW liegt. Dies ist aber nicht jedes Jahr möglich, muß aber durch richtige Standort- und Sortenwahl, sowie Ertragsbegrenzung angestrebt werden. Die Hauptlese spielt sich bei uns ab Ende September, meist aber im Oktober ab, und ist derzeit zum allergrößten Teil noch Handarbeit. Der Einsatz von Lesemaschinen wird sich aber nicht aufhalten lassen. Sind die weißen Trauben schließlich im Preßhaus, werden sie gerebelt (von Stielen und vom Traubengerüst getrennt) und gequetscht. Das Produkt heißt nun Maische. Diese Maische bleibt nun entweder einige Stunden stehen oder wird sofort gepreßt. Die meisten Weinpressen sind heute automatische Maschinen in der Form von liegenden, drehbaren Zylindern (Horizontalpressen). Wichtig ist ein rasches und schonendes Auspressen ohne hohen Druck. Pneumatische Systeme arbeiten besonders gut. Der nun gewonnene Saft wird Most genannt, die Preßrückstände Trester. Der frische Most muß bis zum Beginn der Gärung gegen Luftsauerstoff und Verderben (Essigsäurebildung) geschützt werden. Dies geschieht durch eine kleine Gabe schwefeliger Säure. Nun wird das endgültige Mostgewicht und die Säure ermittelt. Reicht der Zucker für einen harmonischen Mindestalkoholgehalt bzw. für die Stabilität des Weines nicht aus, kann korrigiert werden (Siehe Tabelle 2). Das Gesetz erlaubt höchstens 4,5 kg Zucker für 100 Liter Most, was ca. 3,3 Grad KMW oder 2,4 Vol.% entspricht. Es darf jedoch nur bis 19 Grad KMW aufgebessert werden. Die Zuckerung sollte jedoch sparsam und als Ausnahme in schlechten Erntejahren angewendet werden (bei Rotwein bis 20 Grad KMW). Ab der Qualitätsstufe Kabinett ist sie ohnehin verboten. Dasselbe gilt für die Korrektur einer zu hohen Säure. Sie ist immer ein Zeichen mangelnder Reife.

Zwei Dinge sind vor der Gärung noch zu tun. Sehr trubhältiger Most wird vorgeklärt und anschließend Reinzuchthefe zugesetzt. Der sich nun rasch vermehrende Hefepilz spaltet den Zucker mit Hilfe seiner Enzyme in

Romantisch ist das Pressen mit einer Baumpresse.

Viel Mühe bereiten die einzelnen Arbeitsschritte.

Der Preßbaum wird herabgelassen.

Die Hebelwirkung durch das Gewicht des Steines bewirkt den Druck auf die Maische.

Der frische Most rinnt aus dem Preßkorb.

einem komplexen biochemischen Prozeß in Alkohol, Kohlendioxid (Gärgas) und Wärme. Ein Ansteigen der Temperatur über 30 Grad Celsius schadet der Hefe und dem Wein. Große Behälter müssen daher gekühlt werden. Nach ein bis zwei Wochen ist der Zucker verbraucht, die Gärung zu Ende, die Hefe beginnt sich abzusetzen. Aus dem Most ist Jungwein geworden. Die Fässer werden nun aufgefüllt und mit einer weiteren kleinen Menge Schwefel stabilisiert. Nach einer gewissen Zeit der Klärung wird schließlich abgezogen und der Wein zum Ausbau im Tank oder im Faß gelagert. Nun muß er einige Monate Ruhe haben, bevor er auf die Flasche gezogen wird.

Guten Rotwein herzustellen, ist in allen Phasen anspruchsvoller, risikoreicher und aufwendiger. Die Trauben brauchen viel Sonne und Wärme, höchste Reife, ausgeglichene Säure und dabei absolute Gesundheit. Letzteres ist deshalb von besonderer Bedeutung, weil die roten Farbstoffe und alle wichtigen, sortenspezifischen Bukettstoffe in den Zellen der Beerenhaut liegen und nicht im Saft. Fäulnis würde diese empfindlichen Substanzen zerstören. An trüben, feuchtkühlen Herbsttagen werden zu wenig Farbstoffe gebildet, die Apfelsäure wird zu langsam abgebaut, und es wird zu wenig Weinsäure und Zucker erzeugt. Rotwein braucht für einen sicheren Faßausbau und als Gegengewicht zum hohen Gerbstoff mehr Alkohol als Weißwein. Bei weniger als 11 Vol.% befriedigt er selten. Es sind daher 18 Grad KMW als Untergrenze anzusetzen (siehe Tabelle 2). Führende Rotweinerzeuger, und solche gibt es in allen Weinbauregionen, vornehmlich aber im Burgenland, sind sich darüber völlig im klaren, daß diese Bedingungen, diese hohen Ansprüche an die Trauben nur bei entsprechend geringen Hektarerträgen erreichbar sind, und dies gilt nicht nur bei uns in Österreich.

Nun die wichtigsten Stationen der Verarbeitung:
Die gerebelte rote Maische wird sofort mit etwas schwefeliger Säure geschützt und mit Reinzuchthefe möglichst rasch in Gärung gebracht, vielleicht noch unterstützt durch ein Anwärmen auf 15 bis 18 Grad Celsius. Die Gärung der Maische ist zur Gewinnung der Farb- und Extraktstoffe notwendig. Ein sofortiges Pressen wie beim Weißwein würde bestenfalls einen Roséwein ergeben. Es gibt auch Heißweinverfahren ohne Maischegärung. Diese sind aber bei uns wenig in Verwendung. In einem speziell eingerichteten Gärtank wird mehrmals täglich Maische oder Most in Bewegung gebracht, um den aufschwimmenden Tresterhut zwecks Auslaugung neu zu benetzen. Dies muß alles unter Luftabschluß geschehen. Große Maischeoberfläche, geringe mechanische Belastung und niedrige Gärtemperatur werden angestrebt. Nach einigen Tagen, wenn die Hauptgärung vorbei ist, wird der Jungwein abgelassen und die Trester vorsichtig abgepreßt.

Für die Aufbesserung gilt dasselbe wie für Weißwein, nur daß durch Zucker eine mangelhafte Reife noch viel weniger ausgeglichen werden kann. In einem normalen Gärbehälter, möglichst in einem temperierten Raum, vollendet der gepreßte Rotwein seinen Zuckerabbau und, wenn gewünscht, anschließend die mikrobielle Apfelmilchsäuregärung (Säureabbau). In einem kühlen Lagerkeller tritt sie allerdings nicht regelmäßig ein. Ist dieser Abschnitt beendet, wird nach einer Konservierung mit schwefeliger Säure bald abgezogen, geklärt und der Wein zum Ausbau endgültig in den Keller gebracht. Das Ausbaufaß sollte nur zum Reifen Wein aufnehmen und nicht auch als Gärbehälter verwendet werden. Die Reifezeit ist recht unterschiedlich und immer länger als bei Weißwein. Sehr gute Qualitäten benötigen eine längere Flaschenreifung. Sie wird selten unter einem Jahr liegen. Tisch- und Landweine werden naturgemäß viel früher getrunken.

Nun gibt es allerdings noch eine weitere Variante des Ausbaues. Sie hat in Österreich noch wenig Tradition. Es ist die Lagerung in kleinen, neuen Eichenfässern (Barriques, 225 Liter), aus denen der Wein Tannin auslaugt. Dieser Gerbstoff läßt ihn anfangs sehr rauh erscheinen, kann ihm aber nach einiger Zeit eine zusätzliche Dimension mit großer Komplexität verleihen. Außerdem wird seine Haltbarkeit um viele Jahre verlängert. Für diesen teuren Ausbau ist viel Erfahrung notwendig. Nur ein Wein von bester Qualität, körperreich, robust, mit viel Frucht und genügend Alkohol ist geeignet. Eine Durchschnittsqualität geht im Barrique unter.

Roséweine werden aus blauen Trauben hergestellt. Die Maische wird nach kurzer Standzeit gepreßt und sonst

Gerhard Redl bei »seinen« Barriques

wie bei Weißwein verarbeitet. In seiner Ausprägung liegt dieser Wein irgendwo zwischen Rot- und Weißwein, mehr dem letzteren zugeneigt. Er hat in Österreich eher weniger Beachtung gefunden, mit einer Ausnahme: dem steirischen Schilcher. Dieser hat ein durchaus eigenständiges und markantes Profil, ist extrem säurebetont und von einer Farbe, die von heller Zwiebelschalenfarbe bis zum leuchtenden Ziegelrot reichen kann. Er wird nur in der Steiermark aus der Lokalsorte Blauer Wildbacher gekeltert. Gut gekühlt und jung schmeckt er am besten.

Prädikatsweine:
Darunter versteht man alle Weine, die aus überreifen Trauben unter besonders strenger gesetzlicher Kontrolle hergestellt werden (siehe Tabelle 1). Sie sind besonders mühsam, risikoreich und nur in kleinen Mengen zu gewinnen. Ab der Stufe Auslese enthalten die Trauben soviel Zucker, daß er nicht mehr vollständig vergoren werden kann. Der Zucker über 19 Grad KMW wird nicht mehr durch die Rebe produziert, sondern entsteht durch Konzentration nach Wasserverdunstung. Diese wieder ist möglich, weil der Edelfäulepilz Botrytis die schützende Beerenhaut zerstört hat. Großartige Weine dieser Art wachsen vor allem im Burgenland. Diese raren Kostbarkeiten können sich getrost mit den Besten der Welt messen.

Tabelle 2: Maximaler Alkohol bei optimaler Vergärung

Zucker in Gesamtalkohol in Vol.%

°KMW	Weißwein	Rotwein*
13	8,0	7,5
13,5	8,3	7,9
14	8,7	8,2
14,5	9,1	8,6
15	9,5	9,0
15,5	9,8	9,3
16	10,2	9,6
16,5	10,6	10,0
17	11,0	10,4
17,5	11,3	10,7
18	11,7	11,1
18,5	12,1	11,4
19	12,5	11,8
19,5	12,8	12,1
20	13,1	12,4

*Beim Rotwein können sich durch unterschiedliche Gärverfahren Abweichungen ergeben.
Quelle: Versuche 1986, Weinbauschule Retz

Tabelle 1: Qualitätsstufen (Übersicht)

° KMW	Bezeichnung	Bemerkung
13°—15°	Tafelwein, Tischwein, Landwein	Aufbesserung erlaubt, nicht in 0,7 l Flasche
15°—19°	Qualitätswein	Aufbesserung erlaubt, nur aus Qualitätsreben, nur aus einem Weinbaugebiet
ab 17°	Kabinett (bis 12,7 Vol.%)	wie Qualitätswein, aber keine Aufbesserung
ab 19°	Prädikatsweine:	später Lesetermin
19°	Spätlese	keine Aufbesserung
21°	Auslese	strenge Kontrolle
25°	Beerenauslese	Überreife
27°	Ausbruch	Edelfäule
30°	Trockenbeerenauslese	
25°	Eiswein (aus gefrorenen Trauben)	

Das Etikett ist die Visitenkarte des Weines

Es ist darüber hinaus ein sehr aufschlußreiches Dokument über den Lebenslauf des Weines. Das Weingesetz schreibt eine Vielzahl von Angaben vor, andere sind verboten. Nur Qualitäts- und Prädikatswein darf in eine 0,7-l-Flasche gefüllt werden.

Folgende örtliche Herkunftsbezeichnungen dürfen angeführt werden: Name von Weinbauregion, Weinbaugebiet, Großlage, Gemeinde, Ried oder Weinbauflur in Verbindung mit dem Namen der Gemeinde (Gemeindeteil), in der diese liegt. Voraussetzung ist die 100%ige Herkunft aus dem angegebenen örtlichen Bereich.

Qualitätsweine müssen auf dem Etikett die Bezeichnung »Qualitätswein mit staatlicher Prüfnummer« tragen. Außerdem muß die verliehene Prüfnummer selbst enthalten sein.

Auf jedem Etikett müssen Name und Standort des Abgebers, Abfüllers oder des Erzeugers angegeben sein.

Das Etikett muß über den Gehalt des vorhandenen Alkohols informieren.

Die Flasche muß mit einer Banderole mit registrierter Nummer versehen sein. Die Banderole kann auch in die Flaschenkapsel, im Kronenkork oder in die Etikette integriert sein. Die Banderole ist nur bei 100% österreichischem Wein rotweiß-rot, sonst weiß.

Jeder österreichische Wein muß die Bezeichnung »Österreichischer Wein«, »Wein aus Österreich« oder »Österreich« tragen. Diese Bezeichnung dürfen nur solche Weine tragen, deren Trauben ausschließlich in Österreich erzeugt worden sind.

Eine Sorten- oder Jahrgangsbezeichnung, wie z. B. Grüner Veltliner 1985, darf nur verwendet werden, wenn der Wein zumindest zu 85% (wie z. B. in Frankreich) aus der genannten Sorte oder dem genannten Jahrgang stammt.

Auf dem Etikett muß eine Qualitätsstufe des Weines angeführt sein. Zum Beispiel: Tafelwein, Qualitätswein etc.

Auf jedem Etikett muß der Gehalt an unvergorenem Zucker im Wein angegeben sein: »Trocken« oder »für Diabetiker geeignet« bei einem Restzuckergehalt von höchstens 4 Gramm je Liter. »Halbtrocken« bei einem Restzuckergehalt von 4 bis höchstens 9 Gramm je Liter, »halbsüß« oder »lieblich« bei einem Restzuckergehalt von 9 bis höchstens 18 Gramm je Liter. »Süß« ist als Bezeichnung für einen höheren Restzuckergehalt anzuführen.

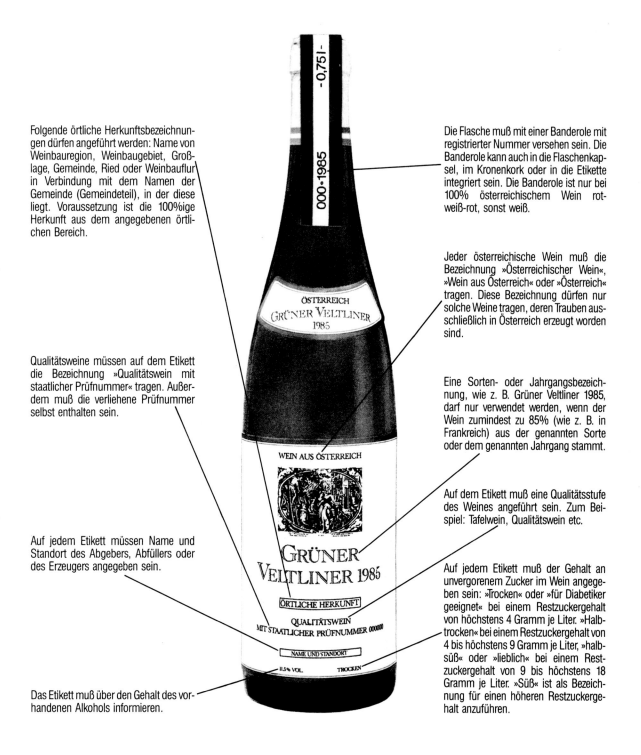

Wachau

Stift Melk

Leiben

Lehen

Burgruine Weitenegg

Westautobahn

Melk

Maria Laach am Jauerling

Schönbühel

Aggsbach-Markt

Aggsbach-Dorf

Jauerling 957 m

Ruine Aggstein

Willendorf

Burgruine Hinterhaus

Maria Langegg

St. Johann

Schwallenbach

Spitz

St. Michael

Arnsdorf

Wösendorf

Weißenkirchen

Dunkelsteiner Wald

Rossatz

Ruine Dürnstein

Dürnstein

Loiben

Mautern a. d. Donau

Furth b. Göttweig

Stift Göttweig

Stein

Krems
a. d. Donau

Hollenburg

Langenlois

Hadersdorf-Kammern

Die Wachau

Wachau. Malerisches, enges Tal der Donau in Niederösterreich, zwischen Melk und Krems und den Schloßruinen Aggstein, Spitz und Dürnstein. Über dem linken Ufer erhebt sich der aussichtsreiche Jauerling (961 m). — So steht es kurz und bündig im »Meyers großes Konversationslexikon« aus dem Jahre 1909. Aber das trifft die Realität nur zum Teil. Der strittige Punkt ist Krems. Keine Frage ist, daß dort die Wachau zu Ende ist, aber kann Krems wirklich noch zur Wachau gezählt werden? Noch in der 1895 anläßlich der 900-Jahr-Feier der Stadt Krems herausgebrachten Festschrift des städtischen Museums wird die Wachau als »Stromstrecke zwischen Melk und Dürnstein« definiert.

Topographisch läßt sich der Begriff Wachau genau abgrenzen. Er bezeichnet das Durchbruchstal der Donau in der Böhmischen Masse. Den Eingang der Wachau markiert recht eindrucksvoll der Donaufelsen von Melk bzw. die Ortschaft Emmerdorf am linken Ufer. Am Ende der 32 km langen Talenge fällt linksseitig der Pfaffenberg hinter dem Förthof zum Donaubett ab, am anderen Ufer haben wir den Donaufelsen bei Hundsheim als Orientierungshilfe. Das linke und rechte Donauufer der Wachau werden durch zwei Brücken, eine in Krems und eine in Melk, verbunden. Zwischen diesen Brücken kann die Donau nur auf Rollfähren überquert werden, so zum Beispiel auf der Auto-Rollfähre Spitz — Arnsdorf, Weißenkirchen — St. Lorenzi oder auf der Personen-Rollfähre zwischen Dürnstein und Rossatzbach.

Die »schöne blaue Donau«, Europas zweitlängster Strom nach der Wolga, ist heute, bedingt durch die Regulierungsmaßnahmen und Kraftwerke, ein behäbiger, ruhiger Fluß. Dies war nicht immer so. In früheren Zeiten war der Schiffsverkehr ein gefährliches Unternehmen. Viele Probleme wie Stromschnellen, Wirbel, Eisstöße oder schlechtes Wetter und auch die schwierigen geographischen Gegebenheiten mußten bewältigt werden. Die Schiffe transportierten hauptsächlich Holz, Eisen und Salz stromabwärts und waren auf dem Rückweg vorwiegend mit Wein beladen. Um einen guten Einblick in das oft harte Leben der Schiffsleute zu erhalten, lohnt sich der Besuch des Schiffahrtsmuseums in Spitz.

Die Schilder »Bundeseigener Treppelweg«, die uns auf der Fahrt entlang der Donau immer wieder begegnen, erinnern ebenso an die mühevolle Aufgabe der Vorreiter eines Schiffszuges donauaufwärts. Sie mußten einen trittsicheren Weg, Treppelweg genannt, für die nachfolgenden Zugpferde finden. Dies war wegen der zahlreichen Mündungen von Nebenflüssen besonders wichtig.

Trotz der vielen Gefahren, die der Fluß barg, war er ein wichtiger Verkehrsweg, den schon die Kreuzritter und die sagenhaften Helden aus dem Nibelungenlied als Reiseroute wählten.

Heute wird der Strom vornehmlich von Ausflugsdampfern belebt, die auf ihrer Reise von Wien nach Passau in den lieblichen Orten der Wachau Fahrtunterbrechungen einlegen.

Wachau

Die Wachau zählt zu den ältesten Kulturlandschaften Österreichs. Funde aus der Vorgeschichte, darunter Faustkeile sowie Steinklingen, Schaber und Knochenwerkzeuge geben Zeugnis davon. Der bedeutendste Fund aus der Steinzeit ist die weltberühmte »Venus von Willendorf«. Jene nackte Frauengestalt ohne Gesicht, dafür aber von praller Leibesfülle, die wohl gleichermaßen das Schönheitsideal des urgeschichtlichen Künstlers darstellt, als auch ein Sinnbild von Fruchtbarkeit symbolisieren soll. Die schöne Venus ist im Wiener Naturhistorischen Museum ausgestellt, aber weil sie Willendorf weit über die Grenzen Österreichs hinaus bekannt gemacht hat, haben ihr die Willendorfer 1978 an der Fundstelle ein Denkmal gesetzt. Die im Jahre 1908 gefundene Venus hat übrigens noch eine »Schwester«; 1927 wurde in Willendorf eine zweite, grob aus Mammutelfenbein geschnitzte Frauenfigur gefunden.

Forscht man nach dem Anfang des Weinbaus in der Wachau, so geht dieser sicherlich auf die römische Besetzungszeit Österreichs zurück. Der römische Kaiser Probus war es, der zwischen den Jahren 276 — 282 n. Chr. in Pannonien und wahrscheinlich auch im Ufer-Noricum die ersten Weinpflanzungen mit italienischen Reben anlegte, um seine Soldaten nützlich zu beschäftigen. Zweifellos waren diese Pflanzungen in der Nähe jener Orte gelegen, in denen größere Truppeneinheiten stationiert waren. Also in der Umgebung von Colonien, Municipien und Castellen in Niederösterreich, in der Gegend von Carnuntum, Hainburg, Petronell, Vindobona (Wien), Aquae (Baden), Comagena (Tulln) bis hinauf nach Arelate (Pöchlarn). Als nach dem Sturz Carnuntums, im Jahre 375 n. Chr., die Römerherrschaft im Lande an der Donau zu wanken begann, wurde der Weinbau von der ackerbautreibenden Bevölkerung übernommen. Als nun die Römerherrschaft 488 n. Chr. vollends zusammenbrach und die letzten römischen Provinzialen auf Befehl König Odovacars nach Italien zogen, besetzten die deutschen Könige, die nördlich der Donau saßen, die südliche Ufergegend und nahmen den dortigen Weinbau unter ihren »Schutz«. Dies alles ereignete sich zu einer Zeit, aus der uns nur sehr wenige Aufzeichnungen erhalten geblieben sind. Die Vilkina-Sage aus dieser Zeit berichtet vom Markgraf Rüdiger von Bechelaren, der in Pöchlarn Hof hielt. Ebenso hatte der Rugenkönig Feva von seiner Residenzstadt Chremisa (Krems an der Donau) die Römerstadt Favianis (Mautern an der Donau) besetzt. Diese germanischen Könige waren keine Verwüster, sondern pflegten und erhielten den Weinbau. So wanderte die Weinkultur nördlich der Donau langsam in die Täler der Krems und des Kamp bis nach Retz hinauf.

Im Jahre 791 vertrieb Karl der Große die Awaren endgültig aus seinem Reich, und das Donautal kam unter bayrische Herrschaft.

Im Jahre 860 wird der Name »Uuachauua«, wie die Wachau damals genannt wurde, erstmals urkundlich erwähnt. Im 11. und 12. Jahrhundert schlossen sich die Orte Weißenkirchen, Joching und St. Michael als Pfarrsitz mit Wösendorf zusammen und führten den Namen »Thal Wachau«.

Im zweiten Jahrtausend vermehrte sich das Urkundenmaterial über den Weinbau. Das Geschlecht der Babenberger hatte die Verwaltung der Ostmark übernommen, und nach Beendigung zahlreicher Kriegshandlungen begannen sie die Landwirtschaft, insbesondere den Weinbau, zu fördern. Der Wein war ein wichtiger Ausfuhrartikel, der Geld ins Land brachte. Die damaligen Träger der Kultur, die Klöster, begannen sich vermehrt um den Weinbau zu kümmern. Die Bischöfe von Passau, Regensburg und Freising wählten die alte Nibelungenstraße an der Donau, um in der Ostmark neue Pfarren anzulegen. Mit der Pfarrgründung war selbstverständlich auch die Gründung neuer Kolonien und die Urbarmachung des Bodens verbunden. Der fruchtbare Boden war in erster Linie die Nahrungsquelle. Da die Kirche von altersher dem Weinbau wohl gesonnen war, begann auch bald hier ein neuer Aufschwung. Die Stifte Melk, Herzogenburg, Heiligenkreuz, Göttweig, Zwettl und Lilienfeld beschäftigten sich intensiv mit dem Weinbau. Doch schon bald wetteiferten der Klerus mit dem Adel, wer beim Weinbau wohl die besseren Erfolge erziele. In den Bibliotheken der Stifte werden die Urkunden und Handschriften dieser Zeit aufbewahrt.

Das Barockstift Melk birgt auch eine sehenswerte Bibliothek. Tausende Handschriften wurden im Laufe der Jahrhunderte gesammelt.

Die Burgruinen von Aggstein, Dürnstein und Hinterhaus in Spitz sind Zeugen einer düsteren und bedrohlichen Zeit unter der Herrschaft der Kuenringer, die sicherlich in die Kategorie »Raubritter« einzuordnen sind. Sie hatten eine hervorragende Aussicht auf die Donau und damit auch auf ihre begehrten Beuteobjekte, die herannahenden Schiffe. Schier unzählig sind die Klagen der Beraubten, ein Beispiel aus dem Jahre 1469: »Am Pfinztag (Donnerstag) nach St. Gilgentag, klagt der Korneuburger Bürger Wolfgang Mollner, vor dem Landmarschall wider Jörg Scheckh vom Wald, der ihm vom Schlosse Aggstein aus, am Freitag nach Barthelmä 1467, mit Gewalt wegnehmen ließ, eine auf Schiffe stromauffahrende Ladung Wein, bestehend aus neunzehn Dreiling und Halbfuder in großen und kleinen Fässern und bares Geld, außerdem 170 Pfund Pfennige.« Über den Ausgang dieser Klage ist zwar nichts bekannt, doch ist sie sicherlich fruchtlos geblieben.
Nicht zuletzt erlangten die Kuenringer Berühmtheit, als sie den englischen König Richard Löwenherz auf ihrer Burg in Dürnstein gefangenhielten.
Überhaupt hat man das Gefühl, daß in der Wachau die Geschichte immer gegenwärtig ist. Natürlich sind die Wachauer schon aus fremdenverkehrspolitischen Gründen darauf bedacht, ihre vielfältige Vergangenheit zu wahren und zu nutzen. Doch in den engen, verwinkelten Gassen der kleinen Orte, die zum Teil ihren mittelalterlichen Charakter bewahrt haben, fällt es einem nicht schwer, sich gedanklich in vergangene Zeiten zu versetzen.
Die Flußlandschaft der Wachau ist gegenüber seinem Umland klimatisch begünstigt. Die fruchtbaren Böden eignen sich vorzüglich zum Anbau von Obst und Wein. Im Obstanbau dominiert eindeutig die Marille. Es ist besonders lohnend, der Wachau während der Zeit der Marillenblüte einen Besuch abzustatten.
Zwar ist die Anzahl der Besucher so groß, daß in dieser Zeit sogar im Rundfunk vor Stauungen in der Wachau gewarnt wird, doch entschädigt der Anblick der Blüten-

Bild links: Die Ruine Aggstein, eine der Zeugen der bewegten Geschichte der Wachauch

pracht einige Mühen. Der Weinbau wird hier auf Urgesteinsverwitterungsboden und hauptsächlich auf Terrassenanlagen betrieben, die das Bild der Landschaft eindrucksvoll prägen. Durch die Enge des Tales war die Terrassenform die einzige Möglichkeit der Kultivierung von Reben. Selbst auf den Hängen, die entlang der Donau bis zur Straße herankommen, wird wirklich jedes freie Plätzchen zum Weinanbau genützt. Das linke Donauufer ist durch die längere Sonneneinstrahlung begünstigt und daher für den Weinbau bedeutender. Heute zählen die Weine aus der Wachau nicht nur zu den besten Tropfen Österreichs, sondern fraglos auch zu den besten Weinen Europas. Doch nicht nur wegen des Weines kommen so viele Besucher in die Wachau. Es sind viele Komponenten die sich zu einem Ganzen fügen: die Landschaft, der Wein und, nicht zu vergessen, eine Häufung von erstklassigen Restaurants und unzählige Buschenschenken. Bereits in den Historien kann man über die Wachauer Gastlichkeit lesen. In den Melker Stiftsarchiven sind Rechnungen für den kulinarischen Aufwand eines eintägigen Besuches der Kaiserin Maria Theresia aufbewahrt. Als die sonst sehr sparsame Kaiserin am 3. Juli 1742 das Stift besuchte, machte der klösterliche Küchenmeister eine »Spezifikation deren zur Bewürthung ihrer Majestät der Königin und dero Suite gemachten Unkösten«. Die Küche benötigte u.a. »587 Pfund Rindfleisch, 743 Pfund Kälbernes, neun Kalbsköpfe, 40 Kälberfüß, 33 kälberne Brüstel, 56 Pfund Schweinefleisch, 78 Pfund Schöpsernes, 13 Lämpl, vier Pfund Ochsennieren, vier Pfund Mark und vier Ochsenzungen«; zur Verpflegung der königlichen Stalleute brauchte man zusätzlich 214 Pfund Rindfleisch und für die Soldaten 54 Pfund Rindfleisch. Außerdem benötigte die Küche »sechs Pfund Kaffee, 32 Hasen, eine erkleckliche Menge Federwildbret, elf Achtel Schmalz, 1405 Eier, 15 Forellen, sechs Pfund Karpfen, acht Pfund Zibeben, sechs Pfund Weinberl, neun Lot Zimt, sieben Stück Rehböck, ein Stück Gemsen, zwei Stück Hirschkälber, 1175 Stück Krebsen und fünf neue Bratspieß vom Meister Schlosser«. Diese eintägige »königliche« Verköstigung kostete dem Stift insgesamt 2 505 Gulden und 8,5 Kreuzer. Zum Vergleich: Das

Wachau

Stift gab zwischen den baufreudigen Jahren 1702 und 1740 jährlich rund 1 700 Gulden an Baukosten aus! Die Mengen Wein und Bier, die an diesem Tag getrunken wurden, sind nicht bekannt.

Heute sind die Portionen in den Wachauer Gaststätten nicht mehr so üppig wie seinerzeit, doch wird überall überdurchschnittliche Qualität angeboten. Die Zusammenarbeit der Weinhauer untereinander spielt im gemeinsamen Auftreten eine bedeutende Rolle. Es wird nicht leicht ein vergleichbarer Landstrich zu finden sein, in dem die dort lebenden Weinbautreibenden ohne Brotneid und Eifersüchteleien miteinander auskommen. Die Wachauer Winzer wissen, was sie den Weinkennern schuldig sind, und blieben daher auch vom unseligen Weinskandal des Jahres 1985 unbelastet.

Die Wachauer Winzer achten auf den guten Ruf ihrer Weine und kontrollieren einander gegenseitig. Der 1983 konstituierte Schutzverband der Wachauer Winzer mit dem Namen »Vinea Wachau Nobilis Districtus«, kurz Vinea Wachau genannt, hat seinen Vereinssitz in Weißenkirchen. Als »Vinea Wachau Nobilis Districtus« bezeichnete Leuthold I. von Kuenring/Dürnstein, der »Oberste Schenk in Österreich« (1260 — 1312), das Kernstück seiner Besitzungen. Dieses Gebiet ist deckungsgleich mit dem heutigen gesetzlich abgegrenzten Weinbaugebiet »Wachau«.

Die Wachauer Winzer haben diesen Verband gegründet, um Qualität und Ansehen des Wachauer Weines zu fördern. Derzeit zählt die Vinea Wachau an die 100 Mitglieder und kontrolliert rund 75 Prozent der Wachauer Rebflächen. Die Mitglieder verpflichten sich verbindlich, der Wachauer Weinkultur zu dienen und ausschließlich Weine aus der Wachau zu führen. Zukäufe von Weinen und Trauben aus anderen Weinbaugebieten sind den Betrieben verboten. Die Vinea Wachau kontrolliert auch den Ausbau der Weine und deren Qualität. Von jedem Wein werden Musterflaschen hinterlegt, die jederzeit eine weitere Kontrolle gestatten. Die Weine der Wachau werden vom Schutzverband in drei Kategorien klassifiziert: In »Steinfeder«, »Federspiel« und »Smaragd«.

»Steinfeder« ist der Name der leichten, duftigen Weine der Wachau. Sie können aus allen Wachauer Qualitätsweißweinsorten erzeugt werden. Der Alkoholgehalt dieser Weine beträgt maximal 10,7 Vol.%, ist also niedrig.

»Federspiel« heißen die Wachauer Weine im Kabinettbereich, mit einem Alkoholgehalt von maximal 11,9 Vol.%. Diese Weine sind ausnahmslos trocken vergoren und stellen Spezialitäten dar, die nur in guten Lagen und Jahrgängen erreichbar sind. Federspielweine ab dem Jahrgang 1986 schließen an die Steinfeder-Kategorie an und können aus allen Qualitätsweißweinsorten erzeugt werden, die in der Wachau heimisch sind.

»Smaragd« ist die erstmals für Weine des Jahrgang 1986 eingeführte Bezeichnung der besten und wertvollsten Weine der Wachau. Vorher wurden die »Smaragdweine« als »Honivogl« bezeichnet; dieser Name wurde allerdings wegen einer Namensgleichheit geändert. Diese Weine reifen nur in den sonnigsten Rieden und können auch dort nur in sehr guten Jahrgängen gewonnen werden. Diese besonderen Weine, mit einem Mindestalkoholgehalt von 12 Vol.%, stammen aus nichtaufgezuckerten Mosten und wurden nach alter Wachauer Tradition bis zum natürlichen Gärstillstand vergoren. Halbsüße oder süße Weine sind von der Bezeichnung Smaragd ausgeschlossen. Smaragdweine eignen sich vorzüglich zum Sammeln. Auch nach 25 und mehr Jahren richtiger Lagerung sollen diese Weine viel Freude bereiten. Qualitätsweißweinsorten mit der Bezeichnung Smaragd dürfen erst nach einem bestimmten Zeitpunkt des auf die Lese folgenden Jahres auf den Markt kommen. Riesling und Weißburgunder ab 1. Juli, alle anderen Sorten schon ab 1. Mai.

Mitgliedsbetriebe der »Vinea Wachau« sind:

Agis Hermann 3601 Unter Loiben 42
Altmann Hans Mag. 3610 Joching 45
Alzinger Leopold 3601 Unter Loiben 11
Amon Johann 3610 Weißenkirchen 92
Bauer Friedrich 3601 Dürnstein 102
Bäuerl Johann 3610 Joching 16
Bayer Arnold 3610 St. Michael 4
Bergkirchner Josef 3621 Mitterarnsdorf 1
Böck Ferdinand 3610 Weißenkirchen 109
Böhmer Hermann 3601 Ober Loiben 44
Böhmer Leopold 3601 Dürnstein 22
Bodenstein Anton Dipl.Ing. 3610 Weißenkirchen 48
Denk Walter jun. 3610 Weißenkirchen 150
Donabaum Josef 3620 Spitz, Laaben 16
Eder Leopold 3512 Hundsheim 7
Ernsthofer Josef 3610 Wösendorf 52
Ettenauer Anton 3601 Ober Loiben 38
Fischer Anton 3602 Rossatzbach 15
Fischer Josef 3602 Rührsdorf 7
Frischengruber Heinrich 3602 Rossatz 77
Frischengruber Heinrich 3602 Rührsdorf 19
Frischengruber Rudolf 3602 Rührsdorf 8
Fröschl Erich 3601 Dürnstein 49
Fügerl Willibald 3601 Dürnstein 3
Gattinger Adolf 3610 Weißenkirchen 252

Gebetsberger Ferdinand 3620 Spitz, Obere Gasse 10
Geith Josef 3610 Wösendorf 41
Glatzenberger Leopold 3601 Ober Loiben 5
Graf Gerald 3512 Mauternbach 14
Granner Emmerich 3610 Ober Loiben 19
Gritsch Franz 3620 Spitz, Kirchenplatz 13
Gritsch Josef 3620 Vießling 21
Gritsch Rupert 3620 Spitz, Radlbach 11
Grossinger Anton 3620 Spitz, Rote Torgasse 2
Haiminger Karin 3610 Weißenkirchen 69
Hick Franz 3602 Rossatz 129
Hick Josef 3621 Mitterarnsdorf 61
Hinterholzer Gottfried 3601 Ober Loiben 1
Hirtzberger Anton 3610 Wösendorf 10
Hirtzberger Franz sen. 3620 Spitz, Kremserstraße
Hirtzberger Franz jun. 3620 Spitz, Kremserstraße 8
Höfinger Josef 3620 Spitz, Auf der Wehr 2
Högl Max 3620 Spitz, Vießling 31
Hofbauer Karl 3602 Rossatz 150
Holzapfel Karl 3610 Joching 36
Hutter Friedrich sen. 3512 Mautern, St. Pöltnerstr. 66
Hutter Fritz jun. 3512 Mautern, Silberbichlerhof
Hutschala Josef 3602 Rossatz 64
Jäger Manfred 3610 Weißenkirchen 1
Jamek Josef 3610 Joching 45
Kendl Leopold 3602 Rührsdorf 24
Knoll Emmerich 3601 Unter Loiben 10
Knoll Josef 3601 Unter Loiben 7
Koppensteiner Helmut 3601 Unter Loiben 40
Koppensteiner Klaus 3601 Unter Loiben 40
Kreutner Josef 3602 Rossatz 10
Lagler Karl 3620 Spitz, Rote Torgasse 10
Lehensteiner Fritz 3610 Weißenkirchen 7
Lehensteiner Josef 3610 Wösendorf 26
Leitner Erwin 3610 Weißenkirchen 55
Leitzinger Günter 3610 Joching 26
Lengsteiner Franz ÖR 3610 Wösendorf 53
Leonhartsberger Herbert 3601 Ober Loiben 3
Luftensteiner Franz 3620 Spitz, Hinterhaus 6
Machherndl Erich 3610 Wösendorf 1
Mandl Karl 3610 Wösendorf 74
Mang Franz 3610 Weißenkirchen 65
Mang Heinrich 3610 Weißenkirchen 86
Mang Hermenegild 3610 Weißenkirchen 38
Mang Otto jun. 3610 Weißenkirchen 40
Maier Heinrich 3602 Rührsdorf 25
Mayer Alfred 3512 Mautern, Vorstadt 4
Mayer Günter 3602 Rossatz 59
Mayer Josef 3620 Spitz, In der Spitz 12
Noibinger Anton 3610 Weißenkirchen 35
Pammer Franz 3621 Bacharnsdorf 18
Pfaffinger Herbert 3601 Dürnstein 27
Pfarrweingut Weißenkirchen 3610 Weißenkirchen 3
Pichler Franz Xaver 3601 Ober Loiben 27
Pöchlinger Ernst 3621 Mitterarnsdorf 43
Pöchlinger Gottfried 3621 Mitterarnsdorf 72
Polz Erich 3602 Rührsdorf 22
Pomaszl Alois 3601 Weißenkirchen 175

Prager Franz 3610 Weißenkirchen 48
Reithofer Elfriede 3602 Rossatz 76
Rinner Karl 3602 Rossatzbach 9
Rixinger Erich 3620 Spitz, Gut am Steg
Saaß Nikolaus 3512 Mautern, Nikolaihof
Salomon Bertold Dr. 3500 Krems, Undstraße 10
Salomon Josef 3610 Wösendorf 71
Scharnagl Helmut 3620 Spitz, Laaben 17
Scharnagl Josef ÖR 3620 Spitz, Laaben 17
Schmelz Anton 3601 Dürnstein 10
Schmelz Johann 3610 Joching 14
Schierer Leopold RR 3610 Weißenkirchen 259
Schmidl Franz 3601 Dürnstein 21
Schmelz Wilfried 3601 Dürnstein 99
Schuß Günter 3621 Bacharnsdorf 8
Schwaighofer Karl 3512 Mautern, Frauenhofgasse 49
Schwaighofer Michael 3601 Ober Loiben 11
Schwarz Max 3601 Dürnstein 113
Schwengler Wilhelm 3601 Dürnstein
Seidl Josef 3622 Schoberhof 15
Sigl Ottfried 3602 Rossatz 84
Steinmetz Alfred 3602 Rossatz 53
Stierschneider Eduard 3620 Spitz, Ottenschlägerstr. 30
Stierschneider Erich Ing. 3620 Spitz, Quitten 1
Stierschneider Franz 3610 Weißenkirchen 133
Stierschneider Paul 3601 Ober Loiben 17
Stierschneider Richard Ing. 3601 Ober Loiben 23
Stierschneider Wilhelm 3610 Weißenkirchen 6
Stöger Andreas 3601 Dürnstein 38
Stöger Heinrich 3601 Dürnstein 57
Supperer Johann 3620 Spitz, Marstal 3
Thumhart Josef 3602 Rossatzbach 12
Trieb Karl 3602 Rossatz 1
Wachau Winzergenossenschaft 3601 Dürnstein 107
Weinbauverein Spitz 3620 Spitz, In der Spitz 6
Weiß Heinrich 3602 Rossatz 20
Wiechl Josef 3602 Rührsdorf 5
Wöginger Ludwig 3620 Spitz, Hauptstraße 3
Zottl Franz 3610 Weißenkirchen 105

Wachau

Von Melk kommend, überquert man die Donau und befindet sich nun am linken Donauufer. Nach der Donaubrücke mündet die Abfahrt in die Bundesstraße 3. Rechterhand führt die Straße nach Maria Taferl im Nibelungengau. Nach links abzweigend, fährt man nun auf der Niederösterreichischen Weinstraße hinein in die Wachau. Nach Aggsbach Markt kommt man nach Willendorf, das durch seine »Venus« Berühmtheit erlangte. Die nächste Ortschaft ist das kleine Dorf Schwallenbach, das durch seinen mittelalterlichen Charakter beeindruckt. In dieser Gegend ist der Obstanbau noch vorherrschend, doch auch der Weinbau wird zunehmend betrieben. Hier finden sich bereits die ersten Buschenschenken. Die Straße führt weiter, immer entlang der träge dahinfließenden Donau, bis nach Spitz.

Spitz, im Herzen der Wachau gelegen, schmiegt sich um den rebenbewachsenen Burgberg, der im Volksmund Tausendeimerberg genannt wird. (Tausendeimerberg — der in guten Jahren 1000 Eimer Wein, 1 Eimer = 56 Liter, lieferte). Der gesamte Berg ist mit Terrassen bedeckt, auf denen Wein angebaut wird. Da und dort stehen kleine Hüterhäuschen. Ein malerischer und eindrucksvoller Anblick.
Der Ort wurde 830 als Uuahovva erstmals urkundlich erwähnt. Am Fuß des Burgbergs stehen die Pfarrkirche mit dem Pfarrhof, das Niedere Schloß und das Rathaus. Die Burgruine Hinterhaus erinnert an die Herrschaft der Kuenringer. Für sie war der Besitz dieser Burg von besonderer strategischer Bedeutung, denn von hier aus konnten sie die gesamte Wachau kontrollieren. 1504 übernahm Kaiser Maximilian I. die Oberherrschaft von Spitz, nachdem es zuvor Streitigkeiten mit den österreichischen Landesfürsten gegeben hatte, als das Klosterlehen 1242 in bayrische Hände kam. Ein Brand, 1620, und Plünderungen im Dreißigjährigen Krieg richteten schwere Schäden im Ort an.
Bei einem Spaziergang durch die engen, winkeligen Gassen von Spitz gewinnt man den Eindruck, daß hier fast jeder Bewohner etwas mit Wein zu tun hat. Kaum ein Haus, an dem sich nicht ein Rebstock emporwindet. Vom Kirchenplatz aus führt rechts der Weg hinauf zum »Roten Tor«. Von dort hat man einen wunderschönen Ausblick über den gesamten Ort und über die rebenbewachsenen Terrassenanlagen.

Der Tausendeimerberg: Das Traubenreservoir von Spitz

Bequeme Wanderwege führen durch die Weingärten

Die alten Weinhauer in der Wachau pflegten noch Sorten wie den »Seestock«, den »Silberweiß«, den »Heunisch« oder den »Scheibkürn«. Diese Rebsorten sind aber heute vollständig verschwunden. Geheimnisumwittert ist die Abstammung der neueren Sorte »Neuburger«, von der man jedoch mit Sicherheit annimmt, daß es sich um eine österreichische Rebe handelt. Eine Legende erzählt, daß Rebholz Mitte des 19. Jahrhunderts in Oberarnsdorf in der Wachau von der Donau angeschwemmt wurde. Ein Schiffer und Weinhauer Namens Ferstl sowie der Weinbauer Machherndl, die das Strandgut bargen, pflanzten das Rebholz aus. Die neue Sorte war von kräftigem Wuchs und der daraus gewonnene Wein von besonderer Güte, sodaß das Interesse an dieser Rebe auch bei den anderen Weinbauern groß war. So gelangte die neue Sorte auch nach Spitz, wo sie am Burgberg ausgepflanzt wurde. Hier wurde sie zuerst »Burgrebe« und dann »Neuburger« genannt. Von Spitz aus erlangte der Neuburger rasch eine große Verbreitung.
Heute wird fast nur Weißwein in Spitz angebaut. Rund 90% der 220 Hektar Weingartenfläche sind mit Grüner Veltliner, Neuburger, Müller Thurgau und Riesling bepflanzt. Bedingt durch die geographische Lage stehen fast 70 % der Kulturen auf steilen Terrassen.
In Spitz befindet sich auch das interessante Schiffahrtsmuseum, das im Erlahof, dem ehemaligen Wirtschaftshof des Klosters Niederaltaich, untergebracht

Jung und alt bei der Weinlese.

Die Trauben werden händisch gelesen

Kurze Rast, dann wird wieder zugegriffen.

Schwere Last für die Buttenträger

ist. Die Ausstellung beginnt mit einem Überblick über die Donauschiffahrt, die bis zur Römerzeit zurückreicht. In den Vitrinen des Prälatensaals kann man recht phantastische mittelalterliche Darstellungen der Donauschiffe bewundern. Als eines der schönsten Ausstellungsstücke gilt eine aus Spitz stammende, buntbemalte kleine Tragorgel aus dem Jahr 1697, die noch heute spielbar ist. In einem eigenen Raum steht das Leben der Schiffsleute im Mittelpunkt und gesondert wird die Geschichte der Flößer dargestellt. Ein weiterer großer Gewölberaum ist dem Schiffbau und der Schiffszimmerei gewidmet. Verschiedene Schiffstypen, riesige Anker, Winden, Ruder und Werkzeuge zum Holzschiffbau werden hier zur Schau gestellt. Das Freilichtmuseum im vorgelagerten Park zeigt die letzte Holzseilfähre der oberen Donau und eine Original-Ankerplatte. Eine kleine Anekdote erzählt die Museumsführerin aus dem Leben der damaligen Flößer:

Vor einigen Jahrhunderten, als sich die Christianisierung in der Wachau noch nicht so recht durchgesetzt hatte und heidnischer Götterglaube lebendig war, pflegten die Flößer recht »rustikale« Sitten. Im Frühjahr, wenn mit der Flößerei wieder begonnen wurde, war es üblich, den Flußgöttern ein Menschenopfer zu bringen. Das Christentum verbot diesen Brauch natürlich sofort. Allerdings war es nicht so einfach, jahrhundertealte Traditionen auszulöschen. Die Flößer behalfen sich da-

durch, daß sie den ersten in den Fluß gefallenen Flößer — keiner von ihnen konnte schwimmen — nicht retteten, sondern nur riefen: »Jokerl, tua die net wean, der Herrgott will's so !«

Unmittelbar neben dem Schiffahrtsmuseum befindet sich ein altes Preßhaus, das heute als Traubenübernahmestelle der Winzergenossenschaft Dürnstein dient. Die Winzergenossenschaft Dürnstein hat mehrere solcher regionaler Übernahmestellen. Dort werden die Trauben sofort gepreßt, und der Most wird anschließend nach Dürnstein zur Weiterverarbeitung gebracht. Dadurch ist eine rasche Verarbeitung der Trauben gewährleistet.

Fast alle Häuser haben kleine Malereien an der Fassade. Ein Gemälde an einem Haus, das den Heiligen Georg, den Drachentöter zeigt, läßt uns abermals in die Vergangenheit schweifen. Doch schon zwei Häuser weiter holt uns das Schild »Pizzeria — Italienische Spezialitäten« wieder in die Realität zurück. So stehen Tradition und Anforderungen des internationalen Tourismus nicht immer im Einklang. Tradition großgeschrieben wird beim alljährlich im August stattfindenden Marillenkirtag. Der Treffpunkt für den prächtigen Umzug ist der Gasthof »Wachauerhof«. Bei solchen Gelegenheiten präsentieren sich die Frauen in ihren wunderschönen Trachten mit den berühmten

»Wachauer Goldhauben«, die von einer Spitzer Goldhaubenstickerin kunstvoll gefertigt werden. Der zweite Pflichttermin für Wachauer Brauchtum ist das Erntedankfest Anfang Oktober in Spitz.

Von den zahlreichen Buschenschenken zählen die Betriebe von Karl Lagler in der Rote Torgasse 10 und der Familie Stierschneider zu den bekanntesten. Der Großteil der Wachauer Heurigenbetriebe befindet sich in den schmucken Innenhöfen der Häuser, sodaß von der Straße aus eher wenig zu sehen ist.

Seit vier Generationen im Weinbau

Die Familie Hirtzberger in Spitz an der Donau bearbeitet seit vier Generationen ihre Weingärten. Das Anwesen in der Kremserstraße 8 stammt aus dem 13. Jahrhundert und zählt zu den ältesten, heute noch bewirtschafteten Lesehöfen der Wachau. Außen bedecken zwei riesige Weinstöcke die Fassade, innen gibt es einen malerischen Renaissance-Arkadenhof. Gleich beim Eingang steht das alte Preßhaus mit einer über 300 Jahre alten, hölzernen Baumpresse. Mit dieser werden auch heute noch Spätlesen gepreßt.

Seit 1983 leitet Franz Hirtzberger junior das sieben Hektar große Gut. Der Senior, der ebenfalls Franz heißt, erweiterte den Betrieb auf die heutige Größe. Ganz kann er die Weingartenarbeit nicht lassen; wann immer Not am Manne ist, hilft er tatkräftig mit. Er war auch 18 Jahre lang Bürgermeister von Spitz und hat sich erfolgreich dafür stark gemacht, daß die Wachau nicht durch einen Kraftwerksbau verunstaltet worden ist. Als erster Weinbauer in der Wachau setzte er einen Traktor für die Weingartenarbeit ein und hatte schon in den 50er-Jahren seinen Wein trocken ausgebaut und in Flaschen gefüllt.

Franz Hirtzberger junior absolvierte die Weinbaufachschule in Krems und praktizierte einige Jahre bei einem Weinbaubetrieb in Wädenswil in der Schweiz. Seit dem Jahre 1973 ist er für die Kellerwirtschaft des Betriebes verantwortlich. Man kann den dynamischen Winzer mit gutem Gewissen als »Grünen« bezeichnen, nicht, weil der Hauptanteil seiner Ernte auf die Rebsorte Grüner Veltliner entfällt, sondern weil er ein geradezu fanatischer Verfechter des natürlichen Ausbaus seiner Weine ist. »Man muß dem Wein sein eigenes Leben lassen«, sagt er und präzisiert: »Ich gehe mit Dünge- und Spritzmittel denkbar sparsam um und lasse den Trauben durch den späten Lesetermin im Oktober genügend Zeit zur optimalen physiologischen Reife.«

Das Traubengut wird von einem Rebler, der äußerst schonend mit Holzstäben arbeitet, von den Kämmen und Stielen getrennt und dann mit einer pneumatischen Presse entsaftet. Durch diese schonende Verarbeitung werden trubstoffarme Moste mit allen für die Gärung notwendigen Hefen gewonnen. Der Traubenmost wird weder geschwefelt noch entschleimt. Die Vergärung erfolgt temperaturkontrolliert in Stahltanks. Sobald der Wein durchgegoren ist, kommt er im trüben Zustand zum weiteren Ausbau in Holzfässer. Dabei wird auf jede Schwefelung von Most und Maische verzichtet. Die erste und einzige minimale Schwefelzugabe erfolgt Mitte Dezember beim »Abziehen« des jungen Weines vom Geläger. Mit einem SO_2-Gesamtwert von durchschnittlich 45 mg/l beweist der Winzer seine hohen Fähigkeiten, bekömmliche Weine zu keltern. Großer Wert wird auf frühe Flaschenfüllung gelegt.

Im Weingarten setzt Hirtzberger junior auf zeitgemäße technische Innovationen. Die Terrassenanlagen seiner Weingärten werden gerade noch von den Ausläufern des pannonischen Klimas erreicht. Durch starke Temperaturschwankungen im Herbst — während des Tages ist es sehr warm und heiß, in der Nacht durchzieht Kaltluft vom Jauerling die Weingärten — entsteht ein eigenes Kleinklima. Dieses bewirkt ein »Mitatmen« der Trauben während der Reifezeit und schafft somit die Voraussetzung für eine besonders feine Aromabildung des Weines.

Die Terrassenanlagen leiden aber unter Wassermangel. Darum ist der engagierte Winzer darangegangen, eine Wassergenossenschaft ins Leben zu rufen, die für die Bewässerung der Terrassen sorgt. »Damit können wir der Natur ein wenig nachhelfen und den Weinstöcken Wasser geben, wenn es nötig ist.«

Natürlich sind die steilen Hänge sehr arbeitsintensiv. »Gegenüber den Weingärten in der Ebene ist der Arbeitsaufwand vier bis fünfmal höher«, weiß Hirtzberger, »aber erstens wächst der beste Wein dort, und zweitens trägt die Bewirtschaftung der Weingärten zum Landschaftsbild bei. Die Wachau ohne ihre typischen Terrassen wäre doch undenkbar.«

Als Mitglied und Obmann des Winzerschutzringes »Vinea Wachau« keltert Franz Hirtzberger ausschließlich Wachauer Wein: »Ich kaufe zwar ein wenig Trauben zu, die stammen aber ausnahmslos aus Weingärten der Umgebung.« Rund 40 Prozent der Ernte entfallen auf die Sorte Grüner Veltliner, die zum Teil in der ebenen Ried »Donaugarten« in Südlage auf Schwemmboden wächst, oder auf den steilen Terrassenanlagen der Rieden »Rotes Tor« und »Honivogl«, wo die gesamte Weingartenarbeit noch händisch erledigt werden muß. Der rassige Riesling, das Aushängeschild des Betriebes, wächst auf den Urgesteinsböden der Terrassenrieden »Hochrain« und »Singerriedl«. Auf dem »Steinberg« gedeiht Riesling x Sylvaner, ein Wein von dezenter Fruchtigkeit und harmonischer Säure. Alle Weine des Hauses Hirtzberger sind trocken ausgebaut, ausgesprochen sorten- und gebietstypisch.

Eine besondere Rarität wurde am 13., 14. und 15. November 1983 gelesen: Bei minus 8 Grad Außentemperatur wurde eine kleine Menge Grüner Veltliner eingebracht und sofort gepreßt. Dieser Eiswein gärte über einen Monat lang. Die Analysewerte lagen bei 75 Gramm Zuckerrest, 13 % Alkohol und 6,8 Promille Säure. Leuchtendes Gold, intensiver Geschmack mit starkem Honigaroma und perfektes Frucht-Säurespiel zeichnen diesen Prädikatswein aus, der sicherlich 20 Jahre hindurch seine Qualität bewahren wird.

Obwohl in den Rieden »Schloßgarten« und »Steinporz« Blaufränkischer und Blauer Portugieser ausgepflanzt sind, meint Hirtzberger, daß der Rotwein in seinem Angebot keine große Rolle spiele. Die Weißweine des Gutes zählen zum Standardprogramm der heimischen Spitzengastronomie: Das »Palais Schwarzenberg«, das »Steirereck« und das »Marriott« stehen unter anderem in der Kundenkartei. Rund zehn Prozent seiner Produktion exportiert Franz Hirtzberger in die Bundesrepublik Deutschland.

Für Interessenten besteht jeden Abend (außer Sonntag) die Möglichkeit, Hirtzberger-Weine im Weingut zu verkosten.

Weingut Franz Hirtzberger
Kremserstr. 8,
3620 Spitz a.d. Donau,
☎ 02713 / 2209

Die Reise führt von Spitz weiter donauabwärts. Die Felshänge rücken nahe an die Eisenbahnschienen heran, die hier parallel zur Fahrbahn verlaufen. Bald erreicht man St. Michael, dessen Ortsbild von den Wehrbauten gegen die Türken geprägt wird. Die spätgotische Wehrkirche wurde an Stelle einer keltischen Kultstätte erbaut und war bis ins 14. Jahrhundert die einzige Pfarre des Donautales. Auf dem Dach der Kirche sind sieben sagenumwobene Hasen zu sehen, allerdings nicht mehr im Original, denn diese befinden sich im Kremser Heimatmuseum. Die Tierfiguren gaben Anlaß zu verschiedenen Deutungen. So sollen die Darstellungen als Abwehrzauber gegen böse Geister wirken. Eine zweite Variante besagt, daß der Dachdecker Siebenhaas seinen Namen hier verewigen wollte. In der dritten Version heißt es, daß die Tiere einst im tiefen Winter vor dem Schnee auf das Dach geflohen sein sollen und nach dem plötzlich einsetzenden Tauwetter versteinert wurden. Neben der Kirche steht ein gotischer Karner, der einige makaber wirkende Kuriositäten birgt, so zum Beispiel einen aus Totenköpfen aufgebauten Altar. Weiters werden in einer Glasvitrine vom Donausand konservierte Mumien aus der Zeit um 1150 — 1300 und einige Särge, darunter josephinische Sparsärge (diese waren zur Mehrfachverwendung geeignet), aufbewahrt. Es ist leider nicht immer möglich, den Schlüssel für die Besichtigung des Karners zu erhalten. Man kann allerdings durch ein Guckloch in der Eingangstür einen Teil des Innenraumes sehen.

Von St. Michael aus besteht die Möglichkeit, der Donauuferstraße entlang weiterzufahren, oder man benützt die alte Landstraße, bezeichnenderweise auch Weinweg genannt, mitten durch die ausgedehnten Weingärten führend, zum benachbarten Dorf Wösendorf. Der Ort ist eine uralte Siedlung, was durch Lößfunde aus der Steinzeit bezeugt wird. Besonders sehenswert ist die spätbarocke Pfarrkirche, die dem hl. Florian geweiht ist. Das Hochaltarbild, das die Marter dieses Heiligen darstellt, sowie das Deckenfresko beim Eingang der Kirche wurden vom bekannten Maler des Spätbarocks, Johann Martin Schmidt, genannt Kremserschmidt, gemalt. Rechts neben dem Pfarrhof befindet sich der barock ausgebaute Floriani-Hof, der ehemalige Lesehof des Stiftes St. Florian.

Die schönen alten Häuser haben alle zu den engen Gassen hin große Eingangstore, die jedoch keine Einsicht auf die Innenhöfe gewähren. Überall sieht man die »Ausgsteckt-Buschn« des Buschenschankzeichens, die auch noch mit roten oder weißen Fähnchen geschmückt sind. Die Fähnchen geben Auskunft, welche Weinsorten, ob Rot- oder Weißwein, im Buschenschank kredenzt werden. In kleinen Vitrinen, die vor dem Haus angebracht sind, werden Flaschen, Gläser und kleine Fässer von den Weinbauern als Werbung für ihre Produkte ausgestellt.

In Wösendorf befindet sich der Betrieb des Erich Machherndl. Das Weingut befindet sich seit 1786 im Familienbesitz. Schon im 13. Jahrhundert wurden die Grundmauern für das heutige Haus gelegt, um 1500 wurde es wesentlich erweitert, und es zählt heute zu den ältesten Gebäuden in Wösendorf. Die Rebflächen von insgesamt 6,5 ha finden sich in der direkten Umgebung. Auf berühmten Rieden wie Wösendorfer Kollmütz, Hochrain und Mariafeld wachsen die Veltliner, die über 50 % der durchschnittlich 400 hl umfassenden Jahresproduktion ausmachen. Aus der Ried Jochinger Steinwand stammt der Grüne Veltliner Spätlese 1986 (A: 12,8 Vol.%; S: 6,0; Z: 2,2), der mit dem Weißburgunder Kabinett 1987 Ried Hochrain (A: 11,4 Vol.%; S: 7,3; Z: 2,5) gemeinsam im Österreichischen Weinsalon 1988 vertreten ist. Riesling, Müller Thurgau und Zweigelt Blau runden das Angebot ab.

Weingut Erich Machherndl
3610 Wösendorf 1
☎ 02715 / 2282

Der Pionier des trockenen Weinausbaus in Österreich

Josef Jamek, Joching, drei ineinander verschlungene »J« sind der Inbegriff österreichischer Weinqualität. Nicht nur die Weinkorke tragen diese Buchstaben als Herkunftszeichen, sondern auch das Eingangstor des Weingutes in Joching ist damit geschmückt. Bescheiden und zurückhaltend, wie alles bei Josef Jamek, wirkt auch die Fassade des Hauses auf den Besucher. Doch wer diesen Betrieb kennt, weiß, daß es sich dabei um eine bewußte Tiefstapelei handelt. Laut war er nie, der Jamek — er ist immer nur durch ausgezeichnete Qualität aufgefallen.

Mit 20 Hektar Rebfläche (10 Hektar Eigenbesitz und 10 Hektar Pacht vom Stift Melk) ist der Besitz von Josef Jamek das größte private Gut in der Wachau. Die Rebflächen sind von Wösendorf bis Dürnstein verteilt. Die beste seiner Lagen, und eine der besten Österreichs ist sicherlich die Ried Klaus in Weißenkirchen. Vier Hektar Riesling stehen dort auf Urgesteinsterrassen, die doppelt so viel Arbeit benötigen wie der Weinbau in der Ebene. Doch die frische Fruchtigkeit und kräftige Säure, die die Rieslinge der Ried Klaus aufweisen, bestätigen den internationalen Ruf dieses Weingartens. Im Jahre 1386 wurde das »Riedel in der Klaus« erstmals

Nur einen Kilometer nach Wösendorf gelangt man in den kleinen Ort Joching, der auf einem engen Flachstück zwischen Donau und Berghang liegt. Joching findet als Teil der Gemeinde Wachau im Jahre 1279 erstmals urkundliche Erwähnung. In den hinter Joching ansteigenden Weingärten findet man die alten Hüterhütten, in denen die Weinhüter mit einem Signalhorn wachten. Durch das Pfeifen wurde den Ortsleuten immer angezeigt, daß sie treu im Dienste standen. Zu den Aufgaben der Hüter gehörte auch das Aufstellen eines weithin sichtbaren Hüterbaumes, der mit einem Hüterstern geschmückt war. Nun hatte nur noch der Besitzer oder dessen Arbeitskräfte Zutritt zu den Weingärten eines Hüterbereiches. Unbefugt im Weingarten befindliche Personen wurden vom Hüter mit einer kleinen Geldstrafe belegt, und in früherer Zeit hatte der Hüter sogar das Recht, einem Dieb schon für eine gestohlene Traube das Ohr abzuschneiden. Diese schaurige Geschichte soll jedoch niemanden von einer Wanderung auf gekennzeichneten Weinwegen durch die herrlichen Weingärten abhalten, die insgesamt 86 Hektar Fläche umschließen. Ab Joching wird der Weinbau nicht nur auf Terrassen, sondern auch in der Ebene betrieben. Am Ortseingang steht eine alte Baumpresse, die über 170 Jahre ihren Dienst versah. An einigen Häusern in Joching sieht man noch die alten schmiedeeisernen Zunftzeichen, die den Beruf des Hausbesitzers signalisieren sollen.

urkundlich erwähnt. Von dort genießt man auch eine der schönsten Aussichten in das Tal der Wachau von St. Michael im Südwesten bis zum Stift Göttweig im Osten.

Der ein Hektar große Weingarten in der Ried Achleiten liefert einen Teil des Grünen Veltliner des Weingutes. Der Rest steht in der Ried Marienfeld und Liebenberg und sein Weißer Burgunder auf der Ried Hochrain in Wösendorf. Dort besitzt die Familie außerdem die Ried Zweikreuzgarten, mit Chardonnay und Weißburgunder. In der Ried Postaller wächst der Riesling x Sylvaner. Der Gelbe Muskateller kommt von der Ried Kollmitz.

Die Qualität der Jamek-Weine beginnt beim Winterschnitt. Nur acht bis zehn Augen verbleiben pro Strecker beim Zwei-Bogenschnitt am Stock. Der sparsame Einsatz mineralischer Dünger und die gezielte Bodenbearbeitung mit Gründüngung sind mit der kontinuierlichen Laubarbeit während der Wachstumsperiode der Grundstock für gesundes Traubenmaterial.

Mit der Lese wird so spät wie möglich begonnen, und sie dauert meist von Mitte Oktober bis in den November hinein. Dann werden die Spät- und Auslesen geerntet, die den Ruf der Jamek-Weine weit über die Grenzen Österreichs getragen haben.

Die durchschnittlichen Hektarerträge belaufen sich beim Riesling und den Burgundersorten auf 50 bis 60 hl/ha. Die Erträge des in der Ebene wachsenden Veltliners liegen etwas höher. Da die Terrassenweingärten wegen der geringen Humusschicht

stark unter der sich regelmäßig einstellenden Trockenheit leiden, konnte Jamek durch eine künstliche Beregnungsanlage, die er bereits im Jahre 1962 installierte, Abhilfe schaffen. Dadurch wurde die Erhaltung des Terrassenweinbaus in der Wachau gesichert. Als einer der ersten in der Wachau, begann er schon 1959 damit, seine Weine trocken auszubauen. Zu einer Zeit also, als der allgemeine Geschmack noch liebliche Weine bevorzugte.

Beim Weißwein hat sich der Doyen der Wachauer Weinbauszene die qualitative Latte sehr hoch gelegt. In seinem nach neuesten Technologien eingerichteten Keller vinifiziert er die Weine ohne Zusätze von Zucker und Konservierungsmitteln mit einem denkbar niedrigem SO_2-Gehalt: »Wer mit 60 bis 70 mg/l Gesamt-SO_2 nicht auskommt, sollte den Weinbau lieber bleiben lassen.« Die Weißweine werden je nach Sorte im Holzfaß oder Stahltank vergoren. In Jahren mit höherer Säure bleiben die Weine länger auf dem Geläger als in säurearmen Jahren. Als vehementer Vertreter des biologischen Säureabbaus lehnt Jamek eine Entsäuerung der Moste oder Weine ab.

Obwohl seine Rotweine (St. Laurent und Spätburgunder) nur zehn Prozent seiner Produktion ausmachen, widmet es diesen Sorten große Aufmerksamkeit. Die Gärung erfolgt zu vier Fünftel auf der Maische, der Wein bleibt mindestens ein Jahr im Faß, ehe er abgefüllt wird. »Zumindest eine Ernte wird mein Rotwein regelmäßig überlagert«, sagt Jamek, der sich neuerdings auch mit dem Barrique-Ausbau beschäftigt.

Die Arbeit in Weingarten und Keller füllt aber, so scheint es, den rüstigen Winzer nicht vollkommen aus. Die Familie betreibt in Joching ein bestens besuchtes Haubenrestaurant, das auf die Zubereitung regionaler Köstlichkeiten spezialisiert ist. Ein Auszug aus der Speisekarte von Gattin Edeltraud liest sich wie folgt: Fischterrine mit Kresserahm, hausgemachte Blutwurst mit Lauchsalat, gebratene Leberwurst mit Sauerkraut und Erdäpfelschmarren oder Junglammschlögel mit Speckkohl und Erdäpfel-Käsekrapferln. Abgerundet wird das Getränkeangebot mit selbstgebranntem Apfel- und Marillenschnaps, sowie Marc vom Riesling. Viele Persönlichkeiten aus Politik, Kunst und Wirtschaft haben im Restaurant in Joching bereits Station gemacht. An solche Besuche erinnern zum Beispiel eine Zeichnung von Clemens Holzmeister im Gastraum oder die geschnitzten Namenszüge »Vico Torriani« und »Erwin Pröll«, dem Landeshauptmann-Stellvertreter, an Weinfässern im Keller. Der »Wirt« Jamek, trotz seiner Erfolge bescheiden geblieben, begrüßt gerne seine Gäste und erläutert seine Weinbau-Philosophie, die sich an alten Überlieferungen und nicht am Zeitgeist orientiert: »Ein großer Gelehrter sagte einmal, es sei kein Zufall, daß Wein und Brot zur

höchsten Ehre des Altars gelangten. Von dieser Warte aus versuche ich den Wein, das Ergebnis meiner täglichen Arbeit, zu sehen.«

Solch ein Ergebnis ist der Riesling Kabinett 1987 aus der Ried Klaus, der sich durch besondere Frische und Fruchtigkeit und einem sehr konzentrierten Bukett auszeichnet (A: 11,2 Vol.%; S: 6,9; Z: 0,4), ebenso wie der Grüne Veltliner Kabinett 1987, Ried Achleiten (A: 11,0 Vol.%; S: 6,7; Z: 0,4); mit dem typischen Wachauer-Veltlinerbukett, harmonisch, fein und elegant. Auch der Muskateller 1986 (A: 11,7 Vol.%; S: 7,0; Z: 0,8) zeichnet sich aus durch einen feinen, nicht aufdringlichen Muskatgeschmack, mit lang anhaltendem Abgang. Von den Rotweinen ist der St. Laurent Kabinett 1986 (A: 11,5 Vol.%; S: 4,9; Z: 1,7) als dunkelroter, reintöniger Wein mit feinem Duft zu erwähnen.

Bei der Fülle von Arbeit ist es nur verständlich, daß Josef Jamek wenig Zeit für Hobbys findet. Im Augenblick ist er damit beschäftigt, eine Altweinsammlung anzulegen: »Das habe ich bisher leider vernachlässigt.« Die jahrzehntelangen Bemühungen von Josef Jamek wurden auch vom »Falstaff«-Magazin belohnt, er wurde von dieser Fachzeitschrift zum Winzer des Jahres 1988 gewählt.

Weingut Josef Jamek
Joching
3610 Weißenkirchen
☎ 02715 / 2235

Wachauer Weinkalender — Jahrgangsbewertung

1946	1947	1948	1949	1950	1951	1952
18	20	17	18	19	17	16
1953	1954	1955	1956	1957	1958	1959
18	16	17	18	16	17	18
1960	1961	1962	1963	1964	1965	1966
18	19	17	18	18	13	16
1967	1968	1969	1970	1971	1972	1973
17	18	19	15	19	15	18
1974	1975	1976	1977	1978	1979	1980
16	15	16	19	16	19	14
1981	1982	1983	1984	1985	1986	1987
18	16	19	16	18	18	17

Punkte:		15	klein	18	sehr gut
13	außergew. klein	16	mittel	19	besonders gut
14	sehr klein	17	gut	20	außergewöhnlich gut

Zusammengestellt von Josef Jamek

Der Prandtauerhof in Joching

Zu den Frühwerken des Wachauer Barockbaumeisters Jakob Prandtauer zählt der St. Pöltner- oder Prandtauerhof in Joching: Ein wuchtiges, in vier Flügel geteiltes Bauwerk mit malerischem Innenhof und eigener Kapelle, die wegen ihrer romantischen Atmosphäre als Trauungskirche sehr beliebt ist. Nahezu ein Jahrhundert (1696 — 1784) diente der Bau dem Augustiner-Chorherrenstift St. Pölten als Lese- und Zehenthof. Seit 1968 beherbergt das stattliche Gebäude den Gastbetrieb der Familie Holzapfel: den Prandtauerhof. Die Familie ist aber nicht nur gastronomisch orientiert, Karl Holzapfel sen. betätigt sich auch als Winzer recht erfolgreich. Seine Rebflächen sind auf alle berühmten Rieden von Weißenkirchen und Joching verteilt. Ob der Grüne Veltliner in der Ried Achleiten oder der Riesling in der Ried Klaus und der Riesling x Sylvaner in der Ried Postaller in Joching, überall versucht er bestmögliche Qualität zu erreichen. Von der sieben Hektar großen Gesamtrebfläche beträgt der Rotweinanteil nur knappe 20 %. Im Weinbau verfolgt Karl Holzapfel die traditionelle Linie, d.h. Mengenbegrenzung im Weingarten und mäßiger Düngereinsatz. Da die Weingärten ein Durchschnittsalter von 25 Jahren haben, ist auch der Mengenertrag natürlich begrenzt. Der größte Teil der Weinproduktion wird im eigenen Restaurant getrunken. Bei der Beratung seiner Gäste ist es für den Kellermeister Karl Holzapfel nicht schwierig, den richtigen Wein zu den gewählten Speisen zu empfehlen. Doch ist es oft für den Gast nicht besonders leicht, aus der umfangreichen Tageskarte auszuwählen:

Wildschweinterrine mit Sauce Cumberland, Stangensellerie mit Shrimps in Kräuterrahm, pochierter Donauschill in Rieslingsauce, dazu einen 87er Riesling Kabinett Ried Klaus (A: 11,0 Vol.%; S: 7,6; Z: 1,4), mit feinem Duft und einem fruchtigen Bukett. Oder eine Beiriedschnitte in Erdäpfelmantel mit Blattspinat, als Weinempfehlung: Grüner Veltliner 1986 Ried Achleiten (A: 12,0 Vol.%; S: 7,5; Z: 1,8). Als Nachtisch eventuell ein Marillentascherl und dazu einen 86er Riesling Honifogl Ried Klaus (A: 12,9 Vol.%; S: 8,7; Z: 1,4), der ganz trocken ausgebaut ist und durch sein gehaltvolles Bukett und seine feine Säure überzeugt.

Vater und Sohn sind im Gastbetrieb tätig, wobei Karl Holzapfel jun. immer mehr die Verantwortung für Küche und Service übernimmt. Er hat die Fremdenverkehrsfachschule in Bad Leonfelden absolviert und war danach ein Jahr lang Gastschüler in Krems, wo er sich mit der Theorie des Weinbaus vertraut machte. Die nötige Praxis erwarb sich der strebsame junge Mann bei Aufenthalten in Wädenswill in der Schweiz und im kalifornischen Nappa-Valley, der Heimat großer Cabernets und Chardonnays. Die Familie Holzapfel versteht es vorzüglich, die traditionsreiche Wachauer Weinkultur mit einer verfeinerten bodenständigen Küche zu kombinieren.

Weingut Prandtauerhof
Karl Holzapfel
3610 Joching
☎ 02715/2310

Durch harte Arbeit zum Erfolg

Wie weit man es durch zielstrebige Arbeit bringen kann, zeigt das Beispiel von Gerhard Eigl in Joching. »Nach dem Krieg war die Lage ziemlich aussichtslos,« erinnert sich der Weinbauer, »die Wirtschaft am Boden und finanziell war nichts da.« Trotz dieser tristen Situation baute er zusammen mit seinem Schwager eine Süßmosterei auf, die bald auf einen Weinhandel umgestellt wurde. Neun Jahre nach Ende des Krieges erwarben die beiden Jungunternehmer eigene Grundstücke und konnten sich selbständig machen. Durch ständigen Grundstückszukauf und langfristige Pachtverträge verfügt Gerhard Eigl heute über einen ansehnlichen Besitz. Wenn man Gerhard Eigl glauben darf, hätte er seinerzeit den Weinbau Weinbau bleiben lassen: »Die Arbeit an den Stockkulturen war damals nicht rentabel, die Bergweingärten mußten händisch bearbeitet werden. Durch die Einführung der Hochkultur wurde aber bald Maschineneinsatz möglich.« Zuvor mußte Gerhard Eigl seine Terrassenanlagen erst dafür adaptieren. Ganze Terrassen wurden verlegt und Wege geschaffen, um mit dem Traktor die Weingärten befahren zu können. 1958 erwarb Gerhard Eigl seinen Weinkeller in St. Michael. Die darin befindliche Baumpresse, aus dem Jahre 1758 datierend, mußte er wegen ihres desolaten Zustandes entfernen. Der knapp 50 Meter lange Keller mit den kleinen Tropfsteinen an der Decke ist über 400 Jahre alt und ausschließlich mit Holzfässern bestückt, in denen die Weiß- und Rotweine reifen.

In diesem Keller dominieren zwei besonders große Holzfässer, das größere davon faßt 17.000 Liter und wird noch immer verwendet.

Die überwiegend angebaute Rebsorte Grüner Veltliner bringt auf den Urgesteinsböden der Rieden Pichlpoint und Kollmitz einen Hektarertrag zwischen 8.000 und 10.000 Kilo Trauben, in mengenmäßig kleinen Jahren werden nicht mehr als 6000 Kilo geerntet. »Bei diesem geringen Ertrag brauchen wir im Garten auch gar nicht viel ausdünnen, weil ohnehin nicht viel da ist« interpretiert Eigl die Gesetze der Natur. Das Gut hat sich auch durch seine Rotweine einen guten Namen gemacht. Schon im Jahre 1964 wurden der Zweigelt Blau, der Blaue Portugieser und der St. Laurent auf der Weinmesse in Krems als erste Rotweine der Wachau mit Goldmedaillen prämiert. Die Rotweinsorten wachsen alle auf der Ried Postolern, aber auch der Pinot Gris und der Frührote Veltliner gedeihen dort.

In der Kellerwirtschaft wird Gerhard Eigl von seinem Sohn Christian unterstützt, der in Krems seine Ausbildung mit der Meisterprüfung abschloß. Beim Rotwein halten es Gerhard und Christian Eigl mit der traditionellen Methode. Die gerebelten Trauben werden zu zwei Drittel auf der Maische vergoren, ehe sie gepreßt werden und zur vollständigen Vergärung ins Faß kommen. Die Weißweintrauben werden ebenfalls gerebelt. Entsäuert wird nur, wenn es sein muß, Eiweißschönungen gehören zum Standard. Die Flaschenfüllung (zu 95 Prozent Kabinettqualitäten) erfolgt ab Juni des Jahres nach der Lese, erst ab Dezember kommt der Wein dann in den Verkauf. Es wird prinzipiell ein Jahr überlagert, um schon von Haus aus einen möglichst hohen Qualitätsstandard anzustreben. Seit 1958 steht das Flaschenetikett mit einem Holzschnitt von Erich Schöner in Verwendung. Logische Begründung: »Warum sollte ich da etwas verändern. Die Etiketten sind schön und finden auch bei meinen Kunden Anklang.« Der 1986er Grüne

Veltliner, Ried Stein am Rain, zeichnet sich besonders durch seinen feinen Duft und seine hohen Extraktwerte aus, ist aber mit 13,3 Vol.% nicht ganz so leicht. Der 86er Veltliner aus der Ried Pichlpoint ist würziger und noch gehaltvoller im Bukett als sein »Kollege« aus der Ried Stein am Rain. Infolge der schönen Lagen seiner Weingärten kann Gerhard Eigl immer wieder Spätlesen keltern, die wie die 83er Grüner Veltliner Spätlese, ganz trocken ausgebaut, mit einer sehr reifen Säure und einem besonders sortentypischen Würzebukett, über Jahre hinaus die Qualität der Wachauer Weine beweisen.

Weingut Familie Eigl
Joching 19
3610 Weißenkirchen
☎ 02715/2246

Die Wachauer Weinprobe

Genau seit dem Jahre 1800 betreibt die Familie Schmelz in Joching Weinbau. Der jetzige Gutsherr, Johann Schmelz, der den Betrieb im Jahre 1979 in der fünften Generation übernahm, verfügt über eine Rebfläche von fünfeinhalb Hektar, wovon dreieinhalb  Hektar Eigenbesitz und zwei Hektar zugepachtet sind. Vier Hektar liegen in der Katastralgemeinde Joching (»Stein am Rain«, »Postaller« und »Pichl Point«), 0,5 Hektar in Weißenkirchen (»Buschenberg«) und ein Hektar Riesling wächst in Dürnstein in der Ried Dürnsteiner Freiheit. Die Weinberge sind mit den typischen Wachauer Sorten Grüner Veltliner (60%), Riesling (25%), Riesling x Sylvaner und Rotburger (15%) bepflanzt.

Mit der eigenen Vermarktung wurde im Weingut Schmelz erst in jüngster Vergangenheit begonnen. Der Großvater, Peter Schmelz, war Gründungsmitglied der Winzergenossenschaft Dürnstein, und dementsprechend legte später auch der Vater seinen Ehrgeiz daran, der Genossenschaft möglichst gute Trauben anzuliefern. »Wir haben erst 1979 angefangen, unseren Wein selbst zu vermarkten.« Es sollte aber noch 14 Jahre dauern, bis Johann Schmelz den Weinbau zu seinem Vollerwerb machte. »Das war, als wir den Buschenschank gebaut haben und uns der große Bedarf an Wein keine andere Wahl ließ«, erläutert der Winzer, der

bald beachtliche Erfolge verbuchen konnte. So wurde sein Grüner Veltliner »Steinfeder« des Jahrgangs 1985 von einer Fachzeitschrift im Rahmen einer Weinprämierung mit dem dritten Preis bedacht.

Der Erfolg verpflichtet. »Wir achten schon im Weingarten auf Qualität. Das beginnt beim Rebschnitt, den wir kompromißlos betreiben und setzt sich in der naturnahen Pflege der Rebstöcke fort.« Im Keller wird das Qualitätsdenken konsequent fortgesetzt, war doch Johann Schmelz 14 Jahre beim Nachbarn Josef Jamek als zweiter Kellermeister beschäftigt. Diese harte Schule ist ihm in Fleisch und Blut übergegangen. Die Weine werden möglichst naturbelassen und schonend ausgebaut. Je nach Sorte und Qualitätsstufe im Edelstahltank oder Holzfaß. Im Buschenschank, der im Februar, Mai, August und Anfang Oktober geöffnet hat, regiert Monika Schmelz. Als gelernte Köchin verfügt sie über ein großes Repertoire an regionalen Rezepten. »Wir machen im Buschenschank alles selber, vom Pfefferschinken über die gebratenen Ripperln und 'obidrahts Gselchtes' bis zum hausgemachten Essig.« Die »Wachauer Weinprobe« besteht aus selbstgebackenem Nußbrot und Proben von sechs verschiedenen Eigenbauweinen. »Dabei schenke ich glasweise Grünen Veltliner der Lagen Buschenberg, Pichl Point und Höhereck, Riesling vom Stein am Rain und der Dürnsteiner Freiheit, sowie Zweigelt aus. Auf diese Weise kann der Gast am ehesten herausfinden, welcher Tropfen ihm besonders mundet.«

 Weinbau Johann und Monika Schmelz
Joching 14
3610 Weißenkirchen
☎ 02715/2435

Der nächste Ort, den man auf der Route erreicht, ist Weißenkirchen. Schon im Jahre 850 geht aus einer Besitzbestätigung Ludwig des Deutschen an das Kloster Niederaltaich hervor, daß die Orte Wösendorf, Joching, St. Michael und Weißenkirchen bereits früh als »Thal Wachau« eine Einheit bildeten. Im 13. Jahrhundert löste Weißenkirchen den Ort St. Michael als Hauptort der Gemeinde Wachau ab. Weißenkirchen erhielt im Jahre 1459 das Marktrecht. Die wirtschaftliche Grundlage und damit auch die Basis des Wohlstandes war der Handel mit Wein, Holz und Salz. Das Ortsbild wird von der hochgelegenen, spätgotischen Pfarrkirche beherrscht. 1520 befahl Ferdinand I. die Befestigung der Kirche und des Ortes mit Wall und Graben, zur Abwehr der Türken. Trotz schwerer Brände, 1793 und 1846, ist der alte Ortskern sehr gut erhalten geblieben. Es empfiehlt sich jedoch, den Ort zu Fuß zu erkunden, da viele enge Gassen für den Autoverkehr nicht unbedingt geeignet sind. In den Innenräumen des Teisenhoferhofes, dessen Geschichte bis ins 14. Jahrhundert zurückreicht, ist das sehenswerte »Wachau-Museum«

Kernstück im Wachaumuseum Weißenkirchen: Die alte Baumpresse aus dem Jahre 1766.

untergebracht. Im Museum, das von Anfang April bis Ende Oktober geöffnet ist, befinden sich viele interessante Werke bekannter Wachau-Maler, darunter Ölgemälde und Radierungen des berühmten »Kremserschmidt«. Weiters ist eine Waffenkammer zu besichtigen, die an den Zweitnamen »Schützenhof« des Anwesens erinnert. Dieser Name rührt von den früher im Hofe abgehaltenen Armbrustschießen der Bürger her. Aber auch Dokumente zur Hofgeschichte, Wachauer Trachten, landwirtschaftliche Geräte und eine alte Weinpresse von 1766, die einen 7,5 m langen Preßbalken mit einem geschnitzten Pferdekopf besitzt, sind hier ausgestellt.

Die malerischen Gäßchen des Ortes, mit historischen Häusern und prächtigen, uralten Lesehöfen, vermitteln eine ruhige und doch heitere Stimmung, die einer Mischung aus Schönheit, Romantik, Kultur und Tradition entspringt.

Der Fremdenverkehr spielt hier, wie in der ganzen Wachau, natürlich eine große Rolle. Es ist also verständlich, wenn die Bewohner jedes verfügbare freie Plätzchen ihrer Häuser, ja selbst ehemalige Kuhställe oder Garagen, in Fremdenzimmer umgestalten. Diese Bauwut kann man im Spätherbst nach der Saison gut beobachten. Direkt an der Bundesstraße stehen auch zwei sehr schön renovierte, ehemalige »Salzstadl« der Familie Schneeweiss aus dem 14. Jahrhundert, in welchen heute ein Antiquitätengeschäft und zwei Appartments untergebracht sind.

Daß die kulinarischen Gelüste der Besucher nicht zu kurz kommen, dafür sorgen zahlreiche gut geführte Restaurants und Gasthöfe. So werden zum Beispiel im »Donaustüberl«, mit Terrasse zur Donau hin, ausgesuchte Fischspezialitäten serviert oder beim »Kirchenwirt«, dessen Nischen in der Gaststube direkt in den Berg gehauen sind, eine gut bürgerliche Küche angeboten. Einige Schritte weiter ist das »Restaurant Salomon«, ebenfalls mit regionalen Spezialitäten. Da die Öffnungszeiten der Buschenschenken sehr unterschiedlich sind, lohnt es sich, in und um Weißenkirchen auf Entdeckungsreise zu gehen. Eine der besten Marillenmarmeladen bekommt man zum Frühstück im Gästehaus der Familie »Ungar Zottl«.

Die Landschaft um Weißenkirchen wird vom Weinbau besonders eindrucksvoll geprägt. 209 Hektar Rebfläche umfaßt die Weinbaugemeinde. Auch hier wird hauptsächlich Weißwein angebaut. Grüner Veltliner, Müller Thurgau und Riesling sind die Hauptsorten. Es gibt auch noch kleinere Flächen mit Weißburgunder, Neuburger und Malvasier (Frühroter Veltliner).

Dies zeigt sich bei Spaziergängen auf den Weinwegen, denn so weit das Auge reicht, wird man nur Weingärten erblicken.

Die wohl besten Rieden in Weißenkirchen sind die Ried Klaus, Achleiten und Steinriegel. In diesen Rieden wachsen besonders feinfruchtige Weine. Hinter Weißenkirchen befindet sich auch die berühmte Ried »Ritzling«. Diese Rebe — der heutige Riesling — wurde in diesem Gebiet erstmals um 1300 gezogen und urkundlich erwähnt. Früher gab es hier eine kleine Ortschaft, die aber nicht mehr existiert. Der vorbeifließende Bach heißt auch heute noch »Ritzling-Bach«. Jährlich wird in Weißenkirchen ein Rieslingfest veranstaltet, das ebenfalls von der Verwurzelung dieser

Die Familie hilft bei der Arbeit im Weingarten.

Sorte mit dem Ort und seinen Bewohnern zeugt. Weitere Rieden sind Leber, Lichtgartl, Bärleiten, Hinter der Burg, Vorderer und Hinterer Seiberer, Weitenberg und Buschbergen.

Bescheidenheit und harte Arbeit

Zu den ältesten Weingütern der Wachau zählt fraglos der Besitz von Franz Prager in Weißenkirchen. Die Vorfahren der Familie sind hier schon seit Jahrhunderten angesiedelt. Im Jahre 1950 übernahm das Ehepaar Prager das Weingut der Eltern. Der Leitspruch seit jeher lautet: Qualität geht vor Quantität. Durch konsequente Arbeit über vier Jahrzehnte konnte sich die Familie Prager einen Platz unter den zehn besten Weingütern Österreichs sichern. Zehn Hektar umfaßt auch die Rebfläche des Betriebes, der ein Zusammenschluß aus drei Weingärten ist, die schon im Erbrechtsbrief des Klosters Michaelbeurn aus dem Jahre 1715 genannt werden. Die Weingärten »Leber« in Ritzling und »Lus«, gelegen »hinter der Burk in Printen«, bestehen noch heute und werden von der Familie bearbeitet. Für Weinhistoriker interessant ist wohl die Ried »Ritzling« in Weißenkirchen, die erstmals im Jahre 1236 urkundlich erwähnt wurde und oft als Beleg für den Ursprung der Sorte Riesling in der Wachau herangezogen wird. Seine besten Trauben wachsen allerdings in der Ried Steinriegel, einer arbeitsintensiven Terrassenanlage. Riesling und Grüner Veltliner werden dort in einer halbhohen Kultur mit einer Stammhöhe bis ein Meter gepflegt. Trotz engem Reihenabstand wird beim Riesling nur 40 — 50 hl/ha und beim Veltliner maximal 65 hl/ha geerntet. Da Franz Prager mindestens Kabinett-Qualität anstrebt und auch immer wieder Auslesen und Spätlesen erntet, bei denen aber der Ertrag unter 30 hl/ha liegt, nimmt er den geringeren Ertrag zugunsten höherer Qualität in Kauf. Der Urgesteinsboden der Riede Steinriegel mit seinem hohen Gneisanteil und das spezielle Mikroklima sorgen für das zarte Bukett und die charakteristische Säure. Auch Franz Prager besitzt einen kleinen Teil der berühmten Ried Klaus, auf der selbstverständlich Riesling ausgepflanzt ist. In der Ried »Hinter der Burg«, eine nach Süden ausgerichtete Hanglage, wächst Grüner Veltliner. Acht Prozent seiner Gesamtproduktion entfallen auf die Rebsorte St. Laurent, der am Weitenberg in Weißenkirchen gedeiht.

Seit den frühen 60er Jahren ist Prager Protagonist einer trockenen Ausbaulinie und keltert in erster Linie leichte Weine. Seiner Ansicht nach ist der Alkoholgehalt für die Güte eines edlen Tropfens nicht maßgeblich, sondern die Naturbelassenheit und der ausgeprägte Sortencharakter.

Das nicht gerebelte Traubengut der Weißweinsorten wird durchschnittlich fünf bis sechs Stunden fermentiert. Nach schonender Pressung mit einer Schlauchpresse bei maximal zwei Atü Druck kommt der Most zur langsamen Vergärung unter strenger Temperaturkontrolle in Stahltanks. Der Jungwein wird möglichst bald vom Geläger gezogen und der Selbstklärung überlassen. Der Ausbau der Weine erfolgt dann im Holz. Biologischer Säureabbau wird nur in besonders säurereichen Jahren angestrebt. Ansonsten wird durch frühen Abstich ein biologischer Säureabbau vermieden.

Die Bodenanalysen seiner Weingärten werden von Familienmitgliedern durchgeführt: Sowohl Tochter Ilse als auch Anton Bodenstein, sein Schwiegersohn, haben Bodenkultur studiert und sind dazu ausersehen, den Betrieb zu übernehmen. Bodenanalysen läßt der Gutsherr im Schnitt alle fünf Jahre durchführen und ist mit dem Ergebnis jedesmal zufrieden. Prager vertraut auf Mulchedüngung und kann, da ausreichend Nährstoffe vorhanden sind, auf Mineraldüngung verzichten. Franz Prager war auch zusammen mit Wilhelm Schwengler, Josef Jamek, Franz Hirtzberger sen. und Emmerich Knoll 1983 ein Gründungsmitglied der »Vinea Wachau« und bis 1988 deren Obmann.

Einen Großteil seiner Produktion verkauft der Weinhauer an private Kunden direkt ab Hof. Wenn man im gepflegten Garten des Hauses sitzt und mit Prager seine Weine verkostet, verspürt man die Liebe dieses Winzers zu seinem Erzeugnis. Andächtig spricht er über das vergangene Weinjahr, zieht Vergleiche mit anderen und ist immer bemüht, dem Gegenüber an seinem großen Weinwissen teilhaben zu lassen. Die Weine sprechen für sich, so ist der 1986er Riesling Kabinett von der Ried Steinriegel (A: 11,8 Vol.%; S: 7,8; Z: 1,1) ein überaus trockener und eleganter Wein mit einer sehr fruchtigen Säure und einem langen Abgang. Der 87er Riesling von der gleichen Ried (A: 11,2 Vol.%; S: 8,8; Z: 1,0), hat ein vielversprechendes Bukett mit ausgeprägtem Sortencharakter und etwas höherer Säure. Die 86er Riesling Spätlese, Ried Steinriegel (A: 12,2 Vol.%; S: 6,9; Z: 1,0), überzeugt durch besonders feinen Duft und perfekter Bukett-Säureharmonie, besonders trocken ausgebaut.

Stolz ist Franz Prager auf sein gutsortiertes Weinarchiv, in dem sogar noch kleine Bestände der Jahrgänge 1953, 1955 und 1959 lagern.

Weingut Franz Prager
3610 Weißenkirchen 48
☎ 02715 / 2248

Hermenegild XVII.

Es ist allgemein bekannt, daß in der Wachau alteingesessene Weinbauern leben. Der Name der Familie Mang findet sich erstmals auf einer Urkunde aus dem Jahre 1287. Die historischen Wurzeln finden auch Ausdruck in den Vornamen der männlichen Familienmitglieder. Der jetzige Gutsherr, der den Betrieb seit 1966 führt, ist der 17. in ununterbrochener Erbfolge, der auf den gotischen Vornamen Hermenegild getauft wurde. Selbstredend trägt auch sein Sohn wieder diesen Namen.

Das Mangsche Gut, ein ehemaliger Lesehof der Bürgerspitalsstiftung Enns aus dem Jahre 1333, kam nach dem Ersten Weltkrieg, im Jahre 1919, in den Besitz der Familie.

Hermenegild XVII., der nach dem Besuch der landwirtschaftlichen Fach- und Weinbauschule die Meisterprüfung ablegte, bewirtschaftet 7,8 Hektar Weingärten. Neben dem Wachauer Spitzenduo Grüner Veltliner (40%) und Riesling (16%) kultiviert er Muskat Ottonel (9%) und Müller-Thurgau (13%). Der Grüne Veltliner wird als halbhohe Hochkultur in der Ried Steinriegel und Kaisernberg kultiviert. In der Ried Klaus hat er die Rebsorte Neuburger ausgepflanzt.

Erste Kellererfahrungen sammelte Mang bereits im Alter von 12 Jahren: »Ich durfte damals die Türen an den Fässern befestigen; eine verantwortungsvolle Aufgabe. Wenn ich das nicht ordnungsgemäß gemacht hätte, wäre der Wein ausgeronnen.«

Der Winzer ist bestrebt, naturbelassene Qualitätsweine zu produzieren, und bietet ganz bewußt eine vielfältige Sortenpalette an. Er selbst degustiert regelmäßig das eigene Angebot und gönnt sich von Zeit zu Zeit eine besondere Flasche: »Man ißt ja auch nicht tagtäglich Wurstsemmeln, sondern leistet sich hin und wieder eine Portion Kaviar.«

Das gerebelte und hydraulisch gepreßte Traubengut wird ausschließlich in Holzfässern ausgebaut. Eine besondere Vorliebe hegt der Hausherr für Spät- und Auslesen: »Man kann es fast schon als Spinnerei bezeichnen, wenn ich einen Weingarten, der vielleicht am 10. Oktober eine Steinfeder-Kabinett-Qualität bringen würde, erst am 15. November lese. Ganz einfach deshalb, weil ich etwas besonderes will.« Mitunter spielt ihm dabei die Natur, wie zuletzt im Jahre 1980, einen Streich. »Damals war die Reife noch nicht so weit, und ich habe Tag um Tag zugewartet — bis zum 2. November. Da hatten wir dann auf einmal 15 Zentimeter Schnee im Weingarten.« Fazit: Ein bemerkenswerter Riesling-Eiswein mit 23 Grad KMW. 1985 wurde der Riesling-Eiswein sogar mit 26 Grad KMW gelesen.

Vermarktungsprobleme sind im Hause Mang unbekannt. Rund 30 Prozent der Produktion wird im eigenen Buschenschank abgesetzt, der Rest wird ihm von der Stammkundschaft förmlich aus der Hand gerissen. »Wer meinen Wein will, muß sich schon zu mir herbemühen«, betont Mang, und es gibt viele, die auch eine weite Anreise in Kauf nehmen. »Bei einigen Stammkunden bin ich schon als Bub auf dem Schoß gesessen. Die haben bereits bei meinem Vater eingekauft.« Von den besten Gewächsen jedes Jahrgangs legt er seit dem Jahr 1966 einige Flaschen in sein »Museum«. In diese Schatzkammer, einen aus Sichtziegeln gemauerten Raum mit Spitzbogengewölbe, kommt man nur auf persönliche Einladung des Winzers hinein, findet aber nach ausgiebiger Verkostung oft nur noch schwer hinaus. Zu groß ist die Freude von »Güdl« Mang, seinen Besuchern mit den knochentrocken ausgebauten, bukettreichen Altweinen »schwere Beine« zu machen. Die Sammlung ist freilich nicht lückenlos: »Es ist oft besser einen Wein in guter Erinnerung zu haben, als nach Jahren feststellen zu müssen, daß sich eine lange Lagerung doch nicht ausgezahlt hat.«

Der von seiner Mutter Stefanie und Gattin Anna geführte Buschenschank hält vom 1. Mai bis Mitte Juli und von Anfang September bis zum 26. Oktober offen. Im Speisenangebot findet sich zum Beispiel die Wachauer Saumeise, in kleine Netze gefülltes Faschiertes, das erst geselcht und dann gekocht wird. Da nach dem Buschenschankgesetz keine warmen Gerichte serviert werden dürfen, kommt diese Spezialität kalt auf den Tisch. Mang destilliert auch Obst aus eigenem Anbau zu hocharomatischen Marillen-, Pfirsich-, Williamsbirnen- und Treberbränden. Die sieben- bis zehnjährige Faßlagerung macht sie zu besonderen, nur begrenzt verfügbaren Raritäten.

Hermenegild Mang
3610 Weißenkirchen 38
☎ 02715/2276

... ehe der Wein in der Flasche ist.

Der Gast, der am Weinglas nippt und genüßlich kostet, kann sich gar nicht vorstellen, wieviel Arbeit in Weingarten und Keller dahintersteckt, ehe der Wein in der Flasche ist,« meint Anton Schneeweiss aus Weißenkirchen. Er weiß, wovon er spricht, sind doch ein Gutteil seiner Lagen alte Terrassen, die noch immer viel Handarbeit erfordern.

Freilich, früher, vor dem Krieg, war es noch viel ärger. Damals wurde das Erdreich im Weingarten noch mit dem sogenannten »Weiberschinder« — einem von Frauen gezogenen Pflug — gelockert. Heute benutzt man dazu Motorhacken, die eigens für die Arbeit in den Weingärten konstruiert wurden. Nicht in allen Rieden des Weinguts Schneeweiss wird der Boden gepflügt. Dort, wo eine Bewässerung möglich ist, läßt Schneeweiss eine Gründecke stehen. Das ist nicht nur eine Frage der Düngung, sondern auch eine Schutzmaßnahme. Durch die Grasdecke wird bei Unwettern kein Erdreich weggeschwemmt, das dann mühsam wieder aufgebracht werden müßte. Bei der Lese muß das Traubengut noch immer mit Butten aus dem Weingarten getragen werden. Anton und Helene Schneeweiss bewirtschaften derzeit fünfeinhalb Hektar Weingärten, von denen rund zwei Hektar zugepachtet sind.

Anton Schneeweiss, der die Weinbauschule in Krems absolvierte, baut seine Weine seit 1980 trocken aus. »Dazu wurden wir damals von der Natur gezwungen und sind schließlich dabeigeblieben, obwohl die Gastronomie zu dieser Zeit noch Weine mit Restsüße verlangte,« erläutert Schneeweiss, der seine neue Philosophie nicht bereuen sollte. So findet sich seine

Anton Schneeweiss gerade auf der Pirsch war, führte Gattin Helene den Gast in den Keller. Am Abend berichtete sie stolz ihrem Schwiegervater vom guten Geschäft, das sie getätigt habe: »Die ganzen alten, verstaubten Flaschen, die schon so lange herumgelegen sind, habe ich heute auf einmal verkauft! Der Wiener hat alle mitgenommen, jetzt haben wir endlich mehr Platz. Er hat sich noch dafür bedankt, daß sie so billig waren.«

Einige Häuser weiter — auf der Burg 156 —, im Elternhaus von Helene Schneeweiss, lebt und arbeitet deren Schwager Erich Giese. Er betreibt eine Ateliergalerie, in der er seine Wachau-Aquarelle präsentiert. Eine durchaus sehenswerte Ausstellung, die sich vom Niveau der sonstigen »Wachauer Sonntagsmaler« deutlich abhebt.

Weingut Anton Schneeweiss
Weißenkirchen 27
3610 Weißenkirchen
☎ 02715/2227

1986er Riesling Spätlese, Ried Achleiten, unter den 110 Weinen, die für das Weinkolleg Kloster Und ausgewählt wurden. Die Ried Achleiten, ein südseitiger Berghang mit leichten kristallinen Urgesteinsverwitterungsböden, war schon im Jahre 1314 als Ried »An der Echleiten« bekannt. Dieser Name rührt von den Eichenwäldern her, die oberhalb der Ried angrenzen. Die Rieslinge, die dort wachsen, zeichnen sich durch ihre unglaubliche Finesse im Duft, ihre edle Würze und elegante Säure besonders aus. Der Betrieb kultiviert hauptsächlich Grünen Veltliner, der auf der Ried Vorder Seiber, Steinriegel und Buschenberg wächst. Ein kleiner Anteil der Ernte entfällt auf die Rebsorten Müller Thurgau und Zweigelt blau.

Der 87er Grüne Veltliner Kabinett (A: 11,3 Vol.%; S: 6,5; Z: 0,9) fällt mit seinem besonders fruchtigen, kräftigen Sortenbukett, mit spritziger Säure, auf. Die Veltliner Auslese 1983 — von der noch kleine Mengen erhältlich sind — ist ausgesprochen gehaltvoll, mit einem ausgewogenen Zucker-Säurespiel und sehr langem Abgang, und hat noch einige gute Jahre vor sich. Im Vergleich zu den hohen Weinqualitäten des Weingutes, sind die Verkaufspreise sehr günstig.

Eine Weinkost im gemütlichen Koststüberl von Anton Schneeweiss ist aber nicht nur wegen der Weine ein Erlebnis. Da werden dann auch Geschichten aus der Gegend erzählt, und früher oder später kommt sicher die Rede auf die Jagd, ist doch Anton Schneeweiss leidenschaftlicher Weidmann. Ob folgende Begebenheit dem »Jägerlatein« zuzurechnen ist, weiß nur der Hausherr selbst: Mitte der 70er Jahre, am Beginn seiner Winzertätigkeit, besuchte ein Urlauber das Weingut in Weißenkirchen. Da

Von Weißenkirchen fährt man entlang der Donau weiter. Neben der Straße liegen die Weingärten, vorbei geht's an den berühmten Rieden. Die Donau macht hier einen großen Bogen, und mittendrin sieht man schon den blauen Kirchturm von Dürnstein. Die Stadt ist reich an Geschichte und Kulturschätzen. Die Ruine der ehemals von den Kuenringern erbauten Burg liegt in prächtiger Lage, weithin sichtbar auf einem felsigen Vorberg hoch über Stadt und Donau. Vom Ort aus ist die Ruine in ungefähr 20 Minuten zu erreichen. Von dort genießt man einen herrlichen Blick auf das Donautal.

Auf dieser Burg, in besonders gesicherter Lage, wurde Richard I., der sich durch seine Tapferkeit während des dritten Kreuzzuges den Beinamen »Löwenherz« erwarb, in den Jahren 1192/93 gefangen gehalten. Der Grund der Festnahme König Richards, der sich auf der Rückreise vom Heiligen Land nach England befand, war wohl die bestehende Feindschaft zwischen ihm und dem Babenberger Herzog Leopold V. und die Verunglimpfung des babenbergischen Banners in Akkon. Das Leben und die Gefangennahme des tollkühn-tapferen Ritters Richard Löwenherz wurde Gegenstand vieler verschiedener Werke der Dichtung und Musik. Darunter fällt auch die Sage vom Sänger Blondel, der auf der Suche nach seinem gefangenen Herrn von Burg zu Burg zog und auch an der Kuenringer Festung vorbeikam. Blondel sang die erste Strophe des Lieblingsliedes Richards. Dieser antwortete mit

Blick auf Dürnstein vom rechten Donauufer

Unvergessen in Dürnstein: Der Sänger Blondel

Dürnsteiner Bürgerhaus aus dem Mittelalter

der zweiten Strophe und wurde so von seinem treuen Diener Blondel erkannt und befreit.

Die nüchterne Realität weiß es allerdings anders. Richard Löwenherz wurde erst gegen Zahlung eines Lösegeldes in der Höhe von 35 000 Kilo Silber freigelassen. Dieses Geld wurde für die Befestigung der Orte Enns und Hainburg sowie zum Aufbau der Grenzfestung Wiener Neustadt benutzt.

Die ursprüngliche Siedlung war im 12. Jahrhundert eine Mautstelle an der Donau und gruppierte sich weilerartig, ähnlich wie in Weißenkirchen und St. Michael, in der Nähe des Kremser Tores, um die ehemalige Pfarrkirche der hl. Kunigunde. Der Ort wurde durch den Bau des Klarissinnenklosters im 13. Jahrhundert und des Augustiner-Chorherrenstifts um 1410 erweitert. Die ehemalige Klarissinnenkirche wurde vom Probst Hieronymus Übelbacher zu einem Getreidespeicher umfunktioniert, den er für seinen Getreide- und Weinhandel benötigte. Damit schuf er die finanziellen Voraussetzungen für seine ehrgeizigen Stiftsbaupläne. Der Umbau des Stiftes erfolgte von 1710—1740, sicherlich nach Entwürfen von Jakob Prandtauer.

Um die Stiftskirche besichtigen zu können, muß man heute Eintrittsgeld bezahlen, das für die Renovierung des Stiftes verwendet wird. Direkt unter dem Stift liegt die Anlegestelle der Ausflugsschiffe der Donau-Dampfschiffahrts-Gesellschaft.

Östlich der Stadt befindet sich das »Kellerschlößl«, erbaut 1714 (vermutlich Jakob Prandtauer), das heute als Sitz der Winzergenossenschaft Wachau dient.

Man sollte sich wirklich Zeit nehmen, um die Schönheit und die eindrucksvolle Stimmung dieser Stadt in Ruhe auf sich wirken zu lassen. Entlang der Hauptstraße findet man viele aus dem 16. und 17. Jahrhundert stammende Häuser mit Erkern, schönen Fenstergittern und schmiedeeisernen, meist barocken Wirtshausschildern. Hier steht auch das gotische Rathaus mit barockem Tor und sehenswertem Innenhof.

Der gesamte alte Ortskern ist praktisch Fußgängerzone. Die Autos können am Ostrand der Stadt abgestellt

Veltliner und Wachauer Laberl

Brot und Wein bestimmen das Leben von Franz Schmidl in Dürnstein. »Die Erzeugung von Brot und Wein spielen bereits in der Bibel eine große Rolle«, erklärt Schmidl, »und diese beiden Berufe sind in unserer Familie schon immer ausgeübt worden« Die Familie ist seit 1857 im Besitz des Hauses Dürnstein Nr. 21, das früher ein Schiffermeisterhaus war und später in eine Bäckerei umgewandelt wurde. »Seit jeher aber wurde von uns auch Weinbau betrieben«, berichtet Franz Schmidl, der in beiden Berufen Perfektion anstrebt. Seine Backwaren, allen voran die »Schmidl-Laberln«, die sein Vater kreierte und die besonders gut zum Wein passen, sind ebenso weitum bekannt wie die guten Tropfen, die aus dem Schmidl-Keller kommen. Sieben Hektar umfaßt der Besitz heute, zuletzt wurde das Gut Lindenstöckel dazugekauft, das nunmehr dem gesamten Betrieb den Namen gibt.

Es bedurfte viel an Arbeit, den Besitz nach dem Krieg wieder in Schuß zu bringen. Aber Franz Schmidl, der sowohl gelernter Bäcker als auch Absolvent der Weinbauschule in Krems ist, erledigte diese Aufgabe recht zielstrebig. Vor allem die teils verfallenen Terrassenanlagen mußten mühsam wieder instand gesetzt werden. Heute stellt die Bewirtschaftung der Terrassen keine allzugroßen Probleme mehr dar. Sie wurden so verbreitert, daß Maschinen eingesetzt werden konnten. Einige Rieden müssen aber nach wie vor händisch bearbeitet werden. Keine Probleme verursachen langanhaltende Trockenperioden, da alle Lagen an ein Bewässerungssystem angeschlossen sind: »Früher war das anders. Da litten meine Südlagen in guten Jahren unter der Trockenheit. In sogenannten schlechten Jahren war ich kurioserweise besser dran. Da profitierte ich von der besonderen Lage meiner Gärten, die ohne Übertreibung zu den besten der Gegend zählen.«

So wie einige seiner Kollegen forcierte Schmidl schon anfang der sechziger Jahre den trockenen und sortenreinen Ausbau. »Ich wurde vielfach belächelt«, erinnert sich der backende Weinbauer oder weinbauende Bäcker, »heute ist das rundum üblich.«

Den Hauptanteil seiner Rebflächen macht der Grüne Veltliner, die Haus- und Hofsorte der Wachau, mit rund 60 Prozent aus. Dieser wächst am Dürnsteiner Kellerberg, gemeinsam mit einem Teil des Riesling. Je fünf Prozent der Rebflächen entfallen auf Weiß- und Blauburgunder.

Als alleiniger Besitzer der erstmals 1378 erwähnten Subried »Küß den Pfennig« verfügt Schmidl über eine der schönsten Lagen am Dürnsteiner Kellerberg. Der markante Riedname beinhaltet eine Wertschätzung der schweren Arbeit in der extremen Terrassenlage. Jeder Pfennig, der für den unter so schwierigen Bedingungen gewonnenen Wein bezahlt wurde, war es wert, geküßt zu werden. Hinter der Qualität von Schmidls Weinen steckt kein Geheimnis: »Ich achte schon im Weingarten

werden. Vom Frühjahr an bis spät in den Herbst tummeln sich die zahlreichen Besucher dichtgedrängt durch den malerischen Ort. Dürnstein bietet viele Sehenswürdigkeiten, aber auch die Gaumenfreuden kommen hier nicht zu kurz. Ein besonderer kulinarischer Leckerbissen ist das »Wachauer Laberl«, das man in der Bäckerei »Schmidl« kaufen kann und sich großer Beliebtheit erfreut, da es so gut zum Wein schmeckt.

In den historisch benannten Gasthöfen »Richard Löwenherz«, »Zum Sänger Blondel«, »Kuenringer Taverne« oder auch im Restaurant »Zum Goldenen Strauß« werden zu den hervorragend zubereiteten Speisen die köstlichen Wachauer Weine serviert.

Zur Stadtgemeinde Dürnstein gehören auch die Ortschaften Ober- und Unterloiben. Die Gesamtrebfläche beläuft sich auf 205 Hektar; der Grüne Veltliner ist mit 70% Flächenanteil die Hauptsorte.

darauf, daß die Erträge niedrig bleiben, und versuche, ohne viel Zutun den Wein reifen zu lassen.« Dies geschieht in einem gut 400 Jahre alten Keller, der unmittelbar hinter seinem Haus in den Fels gehauen wurde. Die gesamte Lagerkapazität beläuft sich auf 200 hl, ausschließlich in Holzfässern abgefüllt.

Als Mitglied der Vinea Wachau keltert Schmidl 1986 einen Grünen Veltliner Honifogl (A: 12,8 Vol.%; S: 7,2; Z: 1,3), mit einem dezenten Mandelgeschmack im Bukett und einer angenehmen fruchtigen Säure. Der 87er Riesling Kabinett Federspiel, Ried Hollerin (A: 11,1 Vol.%; S: 8,4; Z: 1,0), zeichnet sich durch sein feinduftendes und spritziges Bukett aus. Ein für Dürnstein typischer leichter Riesling. Eine 1986er Weißburgunder Spätlese, Ried Frauenweingarten (A: 12,4 Vol.%; S: 8,4; Z: 2,6), im Barrique ausgebaut, ist noch von einem zarten Holzton überlagert, hat aber einen wuchtigen Körper und eine hohe Säure und wird sicherlich in einigen Jahren zu einer gesuchten Rarität werden.

Gleich neben dem Keller sprengte er eine Vinothek, in der seine Raritäten sicher verwahrt liegen, in das Gestein.

Der leidenschaftliche Kunstsammler stützt sich in der Vermarktung hauptsächlich auf Privatkunden. »Meine Stammkunden nehmen etwa 60 Prozent der Produktion ab, 30 Prozent werden an die Gastronomie geliefert, der Rest geht an den Fachhandel.«

Auf die Zukunft angesprochen, gibt sich Schmidl als Realist: »Ich will die Qualität halten und meinen Platz am Markt behaupten«, stellt er fest.

Weingut Lindenstöckl
Familie Franz und Ingrid Schmidl
3601 Dürnstein 21
☎ 02711/224

In Dürnstein und in Loiben

Das Weingut Tegernseer Hof war ursprünglich im Besitz des Stiftes Tegernsee in Bayern — eine Stiftung Heinrich II. aus dem Jahre 1002. Zwischen 1830 und 1930 war es Teil des Dinstlguts Loiben und wurde letztendlich von der Familie Schuster erworben. Der heutige Eigentümer, der selbst einer alten Weinhauerfamilie in Rohrendorf entstammt, heißt Franz Mittelbach. Er heiratete in den Betrieb ein und übernahm das Gut im Jahre 1972. Der Schwiegervater war Gründungsmitglied der Winzergenossenschaft Loiben und lieferte daher seine Trauben an diese ab. »Ich begann aber meinen Wein selbst zu keltern und zu vermarkten,« erklärt Franz Mittelbach, der in der Weinbauschule Klosterneuburg maturierte. Seine Eigen-

füllungen bot er zunächst in seinem Buschenschank im Tegernseer Hof in Loiben an, ehe er 1981 den Buschenschank »Alter Klosterkeller« in Dürnstein erwarb. Die Bausubstanz dieses Gebäudes geht auf ein altes Preßhaus des Clarissinnen-Klosters in Dürnstein aus dem 17. Jahrhundert zurück. Es ist ein großer Buschenschank am Ortsbeginn von Dürnstein, praktisch mitten im Weingarten gelegen, fernab von jedem Autoverkehr. »Wir haben nur Kunden, die ganz gezielt zu uns kommen. Da wir nicht an der Straße liegen, fällt bei uns die sogenannte Laufkundschaft weg, die nur schnell auf ein Achterl einkehrt.« Durch den guten Ruf, den die Weine des Tegernseer Hofs genießen, braucht sich Franz Mittelbach aber keine Sorgen um mangelnde Nachfrage zu machen. Der Buschenschank, der unter Dach ebenso 250 Gästen Platz bietet wie draußen, im schattigen Garten, ist stets gut besucht. Neben den exzellenten Weinen genießt der Gast das umfangreiche Angebot aus der Küche. »Wir haben ein besonders reichhaltiges Salat-Büffet«, sagt Franz Mittelbach und nennt zum Beispiel den »Dürnsteiner Lumpensalat« — eine Mischung aus Wurst, Käse, Tomaten, Zwiebeln und Ei. Es gibt acht verschiedene Salate im Angebot und auch Biokost.

Über 15 Hektar Weingartenfläche wird bearbeitet. Auf der Terassenried Loibnerberg wachsen auf Gneis-Glimmer-Verwitterungsböden der Grüne Veltliner und der Riesling. Die Hektarerträge sind mit durchschnittlich 5.500 kg beim Riesling und maximal 8.500 kg beim Veltliner sehr gering. In der Ried Kreutles, direkt hinter Unterloiben, wächst ein besonders würziger Veltliner. Aber auch auf den berühmten Kremser Rieden Sandgrube und Weinzierlberg zieht Mittelbach seine Reben. »Wir belassen unsere Weine so, wie sie wachsen«, erklärt Franz Mittelbach, »und trachten danach, leichte, trockene, etwas säurebetonte Weine zu keltern«. Um dies zu erreichen, setzt der dynamische 38jährige Winzer folgende Maßnahmen: nochmaliges Ausdünnen von Trauben am Weinstock im August, Vorlese, Hauptlese bei physiologischer Reife der Trauben, schonendes

Entsaften des Lesegutes, keine Maischeschwefelung, kein Reinhefezusatz, gekühlte Vergärung und weiterer Ausbau im Stahltank. Dem internationalen Publikum Dürnsteins entsprechend, hält Franz Mittelbach seine Degustationsvorträge in englischer, französischer und italienischer Sprache. Es werden dabei je nach Wunsch zwischen drei und zehn Proben gereicht, die zum Teil der wohlsortierten Vinothek des Hauses entnommen werden. Auf diese Weise kann man auch in den Genuß solch seltener Gewächse wie einer 1983er Grünen Veltliner Spätlese, eines 1979 Riesling Kabinetts oder einer besonderen Rarität der Wachau, eines 1983er Müller Thurgau Eisweins kommen. Anläßlich der Feiern zur Erhebung St.Pöltens in den Status einer Landeshauptstadt hat Landeshauptmann Siegfried Ludwig einen 1986er Grünen Veltliner, Ried Supperin, auf den Namen des Gründers von St. Pölten »Fürst Hippolyt« getauft, eine besondere Auszeichnung für die Bemühungen des Weinguts Tegernseerhof.

Weingut Tegernseerhof
Mathilde und Franz Mittelbach
3601 Unterloiben 12
☎ 02732 / 5362

Qualität trotz Quantität

Seit mehr als 850 Jahren werden die Weingärten der heutigen Winzergenossenschaft Wachau bewirtschaftet. Vorerst im Besitz des Klarissinnenklosters und des 1410 erbauten Chorherrenstiftes Dürnstein, wurden die Rebflächen 1787, im Zuge der Säkularisierung unter Kaiser Joseph II., Teil der Starhembergschen Herrschaft, die nachweislich die größte Weinbaudomäne im deutschsprachigen Raum war. Der rapide Ausverkauf der fürstlichen Weinberge wurde durch die 1938 gegründete Winzergenossenschaft Wachau gestoppt. Diese Vereinigung ehemaliger Pächter erwarb den Restbestand an Weingärten samt Keller und Schlößl. Heute vereint die Genossenschaft rund 300 Betriebe mit einer Gesamtrebfläche von 520 Hektar. Kultiviert werden die Wachauer Paradesorten Grüner Veltliner, Riesling, Neuburger und Weißburgunder. Die vielen Mitgliedsbetriebe haben ihre Weingärten auch in den besten Wachauer Lagen. Alle Weine werden sortenrein gelesen und getrennt nach Rieden ausgebaut. Dadurch gibt es eine unglaubliche Vielfalt an Veltliner und Rieslingen verschiedenster Rieden. Die besten von ihnen sind: Ried Hochrain, Mittelberg und Gaisberg in Wösendorf; Ried Achleiten, Weitenberg und Vorderseiber in Weißenkirchen; der Burgberg, Zornberg und die Ried Axpoint in Spitz und der Mittelberg in Joching. Man kann sich leicht vorstellen, daß Lese und anschließende Verarbeitung perfekt koordiniert werden müssen. »Es ist aber machbar«, erläutert Genossenschafts-Direktor Wilhelm Schwengler, »weil wir gleich fünf eigene Preßhäuser zur Verfügung haben, um die jeweils anfallende Ernte verarbeiten zu können.« Der gepreßte Most aus den fünf Preßhäusern in Dürnstein, Weißenkirchen, Spitz, Rossatz und Arnsdorf wird anschließend in den weitläufigen Keller der Genossenschaft zur Weiterverarbeitung gebracht. In diesen riesig dimensionierten Gewölben regiert Kellermeister Erich Stierschneider. Mit bewundernswertem Geschick zeichnet er dafür verantwortlich, daß die angelieferten Moste zu sorten- und lagenreinen, weit-

gehendst naturbelassenen Weinen ausgebaut werden. Über mangelnde Lagerkapazität kann sich der sympathische 27-jährige Fachmann, der im Nebenerwerb einen Heurigen in Spitz betreibt, nicht beklagen: Die Holzfässer nehmen 15.000 Hektoliter, das Flaschenlager 1,5 Millionen Gebinde auf. Unmittelbar nach dem Zweiten Weltkrieg wurde ein Altweinlager angelegt; Flaschen des großen Jahrgangs 1946 sind noch vorhanden, Einzelflaschen kann man bis zum Jahrgang 1971 erwerben. »Bei uns in Österreich ist das Verständnis für Altwein erst in den letzten Jahren gewachsen. In Frankreich oder in Deutschland werden alte Jahrgänge zu besonderen Anlässen seit eh und je gerne getrunken«, weiß Direktor Schwengler. Es läßt sich denken, daß die Verwaltung eines derart großen Betriebes viel Zeit in Anspruch nimmt. Wenn ihm aber die Arbeit über den Kopf zu wachsen droht, tankt Sonntagsmaler Wilhelm Schwengler neue Energie an der Staffelei: »Wenn man hier in der Wachau lebt und der Landschaft verbunden ist, hat man oft das Bedürfnis, sich hinzusetzen und das Ganze ein bisserl in Farben festzuhalten.« Das »bisserl Farbe« hat sich jedoch zu einem buntbanalen œuvre ausgewachsen, aus dem die Druckvorlagen für Etiketten und Hausprospekte gespeist werden.

Das wunderschöne barocke Kellerschlößl, das nach den Plänen von Jacob Prandtauer errichtet wurde, bietet die Möglichkeit zur Verkostung der Genossenschaftsweine. Der Probst des Chorherrenstiftes Dürnstein, Hieronymus Übelbacher (1674 – 1744), Doktor der Philosopie und der Theologie, ließ dieses Juwel erbauen. Um sich mit Freunden der Geselligkeit hingeben zu können, wurde es im Jahre 1714 fertiggestellt. Die Innenräume sind durch ihren Decken- und Wandschmuck bemerkenswert. Allegorische Fresken

Wachau

und Stukkoreliefs (Putten und Faune im Weinberg und Weinkeller) zieren die Decken, große Thesenblätter und Hunderte Stiche die Wände. Für die Ausgestaltung des zentralen Raumes schuf der Probst selbst zwei Gedichte zum Lobe des Weines. Diese befinden sich auf zwei Wandtafeln. Die Südwand ist mit 170 Zeichnungen von Martin Johann Schmidt, dem Sohn des Bildhauers Johann Schmidt, geschmückt. Jeder Zentimeter dieser Raumgestaltung zeigt reine Lebensfreude. Der damalige Erlös der Weingärten des Chorherrenstiftes Dürnstein wurde zum Bau des Kirchturmes in Dürnstein verwendet.

Insgesamt 800 Meter lang ist der Weinkeller, mit einem Fassungsvermögen von 120 000 hl. Die durchschnittliche Jahreserzeugung liegt bei 35 000 hl. Angestrebt werden durchgegorene, trockene Weine. Etwa vorhandene Zuckerreste stammen von natürlichem Gärstillstand, der durch hohe Mostgrade bedingt ist. Kellermeister Stierschneider bürgt für das hohe Niveau seiner Gewächse: »Für uns ist ausschließlich die Qualität wichtig und nicht das Sammeln von Goldmedaillen.« Trotzdem hat der 1986er Riesling Smaragd, Ried Achleiten, den Bundessieger des Österreichischen Weinsalons 1988 bei der Rebsorte Riesling gestellt.

Sicherlich hilft ein kleiner Kunstkniff, die bekannt hohe Qualität der Weine zu sichern: Gutes Traubenmaterial wird zu Wein, weniger gutes zu Weinbrand verarbeitet. Fünf Sorten werden angeboten: der »Veltliner-Brand«, »Wachauer Aqua Vitae«, »Karl der Große-Weinbrand«, die »Dürnsteiner Reserve«, sieben- oder zehnjährig im Limousineichenfaß gelagert, und der »Glöger-Brand«, aus Wachauer Wein und Weinglöger destilliert.

Winzergenossenschaft »Wachau«
3601 Dürnstein
☎ 02711/371

An der alten Wachaustraße, auf dem Weg nach Oberloiben, steht das Franzosendenkmal inmitten der Weingärten. Im Jahre 1905 wurde es gemeinsam von der österreichischen, russischen und französischen Regierung errichtet. In seiner Gruft ruhen die Gebeine der Soldaten, die bei der Schlacht am 11. November 1805 gefallen sind. Leo Tolstoi schildert in seinem Roman »Krieg und Frieden« das Leid der Verwundeten nach der Loibner Schlacht. Die Katastrophe von Ulm erzwang den raschen Rückzug der verbündeten österreichischen und russischen Truppen. Napoleon ließ seine Truppen gegen Wien marschieren. Am 11. November standen einander Russen und Österreicher, 12.000 Mann französischer Infanterie und 2.400 Kavalleristen, bei Loiben gegenüber. Der Kremser Kreishauptmann Freiherr von Stiebar und der österreichische Feldmarschalleutnant Schmidt hatten einen Plan entwickelt, nach dem der größte Teil der russischen Streitkräfte unter General Dochtorows Leitung

und dem Dürnsteiner Jäger Andreas Bayer über die Höhen von Egelsee die Franzosen umgingen und, von Dürnstein kommend, die Franzosen einkreisten. Die Franzosen spielten ihre Siegesmärsche verfrüht — sie wurden von den anstürmenden Russen und Österreichern in die Donau gedrängt. Die Zahl der Toten und Verwundeten wurde nicht festgehalten, doch ging sie in die Tausende. Das Dorf Loiben wechselte an diesem Tag dreimal den Besitzer und ging schließlich in Flammen auf. Entsprechend den damaligen Ereignissen, stammen die ältesten Häuser des heutigen Ortes aus der Zeit um 1810.

Oberloiben ist ein sehr alter Ort, erste Besiedelungen gab es zur Zeit der fränkischen Kolonisation des Donautales. Im Jahre 860 kam es durch Schenkung an das Erzbistum Salzburg.

Ober- und Unterloiben von der Ferdinandswarte aus gesehen.

Unterloiben fiel 1002 durch Schenkung Heinrich II. an das bayrische Stift Tegernsee, und die Mönche schufen hier eines der ältesten Weingüter Österreichs. Die Pfarrkirche »Hl. Quirin« ist eine Verbindung von zwei gotischen, einschiffigen Bauten. Die ältere Kirche wurde im 14. Jahrhundert erbaut und die jüngere wahrscheinlich ebenfalls noch im 14. Jahrhundert an das ältere Bauwerk angeschlossen. Der gesamte Gebäudekomplex wurde Ende des 18. Jahrhunderts umgestaltet. Im Garten der Kirche kann man Luftschächte sehen, die für die Belüftung der darunterliegenden Weinkeller dienen.

Ober- und Unterloiben liegen am Fuß des gleichnamigen Loibner Berges mit den typischen Wachauer Steinterrassen. Der Weinbau hat sich in dieser Gegend schon seit dem 9. Jahrhundert behauptet. Salzburger und Tegernseer Urkunden bezeugen viele alte Riednamen aus dem 14. und 15. Jahrhundert, wie z.B. Burgstall (Burgstaller), Rotenberg (Rotberg) oder Breitl (unter dem praitn Rainn), die auch heute noch im täglichen Sprachgebrauch zu finden sind. Riesling, Veltliner, Müller Thurgau und Neuburger sind die Hauptrebsorten. Das Kleinklima des Loibner Kessels, die Donau und die Kunst der Winzer schaffen extraktreiche, füllige Weine, mit einer sehr rassigen Fruchtsäure.

Paul Stierschneider, der in Loiben das Weingut Urbanushof führt, vertraut nicht auf den Wettergott. In trockenen Sommern drückt er nur aufs Knöpfchen, und schon bekommen seine Stöcke das zur optimalen Reife der Trauben nötige Wasser. Auf seinen Berglagen hat er eine sogenannte »Tröpfchenbewässerung«, in der Ebene eine »Überkronenberegnungsanlage« installiert. Diese Einrichtungen erlauben es dem Winzer, schon im Weingarten optimale Voraussetzungen für die physiologische Traubenreife zu schaffen. Natürlich bedarf es außerdem einer peniblen Weingartenarbeit, bei der Paul Stierschneider auch seine Frau Aloisia und die beiden Söhne Paul und Georg zur Hand gehen.

Seit 1696 in Loiben ansässig, waren die Vorfahren der Familie schon immer mit dem Weinbau befaßt. Eine fachspezifische Ausbildung erhielt Stierschneider an der Weinbauschule in Krems und auf Studienreisen nach Deutschland, ins Elsaß und nach Italien. Diese fachliche Qualifikation erlaubt es dem Winzer auch, selbst zu selektionieren. Gerade beim Grünen Veltliner, seiner Hauptsorte, greift er auf alte Edelreiser zurück, um den leicht »pfeffrigen« Ton dieser Sorte zu treffen. Neben den klassischen Wachauer Weißweinsorten findet man Zweigelt, Blauburger und Portugieser. Eine Mulchdecke sichert den Nährstoffgehalt der Böden. Alle drei bis vier Jahre werden vom örtlichen Weinbauverein Bodenanalysen vorgenommen. Im Ausbau unterscheidet man sich nur in Nuancen von anderen Wachauer Betrieben: Die Trauben werden gerebelt, die Maische leicht fermentiert und dann gepreßt, nach dem Entschleimen wird unter Zusatz von Reinzuchthefe vergoren. Qualitätswein wird prinzipiell nicht aufgezuckert. Der weitere Ausbau erfolgt im Holzfaß. Beim Rotwein wird die Maische bis auf sechs bis sieben Grad KMW vergoren, ehe sie abgepreßt wird. Auch hier erfolgt der Ausbau im Holzfaß, wobei der Wein zumindest ein Jahr lang im Faß bleibt. Durchschnittlich wird 300 hl Wein jedes Jahr geerntet. Die Gesamtkapazität des Weinkellers beträgt über 400 hl, alles Holzgebinde.

Den Großteil seines Weines setzt Paul Stierschneider an Privatkunden, zum Teil langjährige Freunde des Hauses, ab. Neuerdings bietet sich auch die Möglichkeit, den sehr geschmackvoll eingerichteten Buschenschank zu besuchen. Bis zu 70 Gäste finden in der Stube mit dem heimeligen Kachelofen Platz und genießen die regionale Küche. »Wir machen alles selber, vom Geselchten bis zum Surfleisch.« Das ist dann die richtige Unterlage, um zum Beispiel eine Veltliner-Kost zu genießen. Paul Stierschneider baut die verschiedenen Veltlinerlagen getrennt und sortenrein aus, und da kann man dann die feinen Unterschiede der sehr trockenen und fruchtigen Weine erleben. Ein kleiner Anteil davon steht am Loibnerberg. Die Ried Zug ist eine so extreme Berglage, daß kein Traktoreneinsatz möglich ist und daher noch alles händisch gearbeitet werden muß. In den Rieden Steinertal, Untersetzen, Frauenweingarten und Klostersatz'l ist Riesling und Veltliner ausgepflanzt. Bei den Terrassenanlagen wird eine halbhohe Erziehung bevorzugt. Beim Rebschnitt wird je nach Sorte unterschieden: Riesling mit Bogenschnitt oder Veltliner Zapfenschnitt.

Zum Abschluß der Veltlinerkost kann man einen 1983er Veltliner-Eiswein »beißen«, der am 16. November mit 35° KMW gelesen wurde, zwei Monate gärte und nun 14,2 Vol.% Alkohol und 125 Gramm Zuckerrest aufweist.

Urbanushof
Aloisia und Paul Stierschneider
3601 Oberloiben 17
☎ 02732 / 742612

Vorbestellungen sind ratsam

Kann einem Weinbauern etwas Besseres passieren, als regelmäßig Mitte des Jahres ausverkauft zu sein? Wohl nicht, aber Franz Xaver Pichler aus Oberloiben ist die enorme Nachfrage nach seinen Weinen fast ein wenig peinlich. »Ich kann einfach nicht alle beliefern«, bedauert er und rationiert beispielsweise seinen Muskateller. »In guten Jahren, wenn ich mehr davon habe, verkaufe ich diesen Wein höchstens in Zwölferkartons, sonst kann ich lediglich sechs Flaschen an einen Kunden abgeben. Da gibt es oft Schwierigkeiten mit einzelnen Kunden, weil sie glauben, daß ich ausgerechnet ihnen nichts verkaufen will.« Diese salomonische Lösung ist verständlich, macht doch der Muskateller nur sieben Prozent der Ernte aus. Noch dazu sind die Rebstöcke auf verschiedene Lagen verteilt und müssen überall extra herausgelesen werden. Der Absolvent der Kremser Weinbauschule, der auch mehrere Fachkurse in Deutschland und im Elsaß besuchte, macht gar kein Geheimnis aus seinem Erfolgsrezept: »Die schöne Landschaft und die bevorzugten Lagen meiner Rebflächen sind für mich Verpflichtung, aus den Trauben, ohne großes Zutun, Weine zu keltern.« Ohne großes Zutun heißt bei Franz Xaver Pichler, daß es bei ihm weder Aufzuckerungen noch Entsäuerungen gibt. Natürlich bedarf es viel an Fingerspitzengefühl, typische Loibner Weine zu produzieren — uniformer Weincharakter ist nicht erwünscht. Die wichtigste Sorte im vier Hektar großen Weingut, das der »Winzer des Jahres 1987« von seinem Vater übernommen hat, ist der Grüne Veltliner, der in den Rieden Loibner Berg, Klostersatz und Frauenweingarten wächst. Riesling wird im Steinertal und am Dürnsteiner Kellerberg angebaut. »Ein wirklich guter Riesling muß mindestens 18 bis 19 Grad KMW bei der Lese haben, damit die nötigen Extraktwerte vorhanden sind«, meint der Winzer. Die frische Fruchtigkeit seiner Weine bestätigen seine Meinung. Zweigelt blau und Blauer Portugieser runden das Rebsortiment ab. Der Muskateller Jahrgang 1984 wurde 1986 von einem österreichischen Weinmagazin zum »Wein des Jahres« gekürt. Diese Auszeichnung brachte dem Gut auch internationales Renommee ein: »Ich bin überzeugt davon, daß die Wachauer Weine auch im Ausland gut ankommen.«

Pichler selbst mußte den Export seiner Weine einstellen, da er ja nicht einmal die Nachfrage aus dem Inland befriedigen konnte.

Schon Pichlers Vater hat sich mit der Rebselektion befaßt, und das Gut verfügt heute noch über den klassischen, kleinbeerigen Veltliner-Typ, der eine größere Extraktfülle erreicht. Den geringen Hektarertrag kompensierte schon Franz Pichler sen. dadurch, daß er die Stöcke dichter aussetzte. »Der Boden ist zu wertvoll, als daß man davon etwas verschwenden dürfte«, meint Pichler, der in der Kellerwirtschaft die klassische Linie verfolgt. Das Traubengut wird nicht gerebelt, schonend behandelt und dann langsam unter Temperaturkontrolle vergoren. Ausgebaut wird ausnahmslos im Holz. Es versteht sich von selbst, daß Franz Pichler jede seiner Lagen extra ausbaut und sortenrein füllt.

Die durchschnittliche Ernte liegt bei 60 hl/ha beim Grünen Veltliner und nur 40 hl/ha beim Riesling. Eine Neuanlage Sauvignon blanc konnte 1988 erstmals geerntet werden. Bei der ersten Faßprobe der Jungfernernte bestach schon die Reintönigkeit des Fruchtgeschmackes in Verbindung mit der rassigen Säure. Auch diese, in der Wachau nicht gerade häufige Rebsorte wird durch das perfekte Handwerk von Franz Xaver Pichler zu hohen Ehren kommen. Betritt man den Weinkeller, so fällt einem rechter Hand eine kleine Säule mit der hölzernen, schwarzen Kellerkatze auf. Dem Brauch entsprechend, wird diese immer auf das Faß mit dem besten Wein gesetzt. Die Katze soll das Faß bewachen. Im Pichlerkeller bekam die Katze einen eigenen Platz, von dem sie alle Fässer beobachten und bewachen kann, weil der Hausherr sich nicht entscheiden kann, welcher Wein nun wohl der beste sei.

Zum Weingut Pichler gehört auch eine Buschenschank, die an den Wochenenden vom Frühjahr bis zum Herbst geöffnet hat. Im Monat August bleiben die Türen allerdings geschlossen. Bestandteil des klassischen Hauerbuffets von Gattin Rudolfine sind Wachauer Salami und Winzerschinken.

Ein abschließendes Zitat aus der Weinkarte möge die Philosophie des Hauses veranschaulichen: »Wir sehen unsere Aufgabe darin, die Weine so zu vinifizieren, daß sie ein Abbild unserer schönen Landschaft, des Klimas und des Bodens sind.« Wir müssen ihm recht geben.

Weingut Franz Xaver Pichler
3601 Oberloiben 27
☎ 02732/5375

»Ich will das Beste«

Die Weinbauphilosophie von Emmerich Knoll, der den Familienbetrieb in Unterloiben im Jahre 1975 übernahm, ist simpel: »Ich will das Beste«, sagt er in aller Bescheidenheit. Er will einfach, daß seine Weinkunden bestens bedient werden und fühlt sich vom Urteil der Weinkenner angespornt. Für ihn ist der Weinbau aber nicht nur Beruf, für ihn ist er auch Berufung. »Ich meine«, sagt er, »daß man an der Qualität eines Weines erkennen kann, ob der Weinbauer mit Herz und Liebe bei der Sache war. Denn nur einer, der es gerne macht, wird alle jene Kleinigkeiten berücksichtigen, die dem Wein guttun. Das ist wie in der bildenden Kunst und in der Musik. Einige haben das richtige Gefühl und Talent, andere nicht...«

Emmerich Knoll hat offenbar das richtige Gefühl, aber auch das nötige Talent, hervorragende Weine zu keltern. Er setzt bereits im Weingarten auf Qualität und sorgt bei den Erziehungsformen, beim Schnitt und schließlich beim Ausdünnen nach der Blüte dafür, daß nur gesundes und reifes Traubengut zum Pressen kommt.

Im Keller vertritt Knoll die konservative Linie und kommt ohne Schönungen, ohne Entsäuerungen und ohne Weinsteinstabilisierung aus. Seit einigen Jahren verzichtet er auch auf die Kieselgur-Filtrierung seiner Weine, obwohl er dazu technisch gerüstet wäre. »Wir sind keine Technokraten. Wir müssen nicht alle Einrichtungen auch tatsächlich verwenden, nur weil wir sie haben.«

Emmerich Knoll ist bestrebt, mit seinen Weinen immer eine Kabinett-Qualität zu erreichen. Beim Riesling bemüht er sich stets, wenigstens einen Weingarten bis zu einer Spätlese stehen zu lassen.

Die gängigste Sorte im Weingut Knoll ist der Grüne Veltliner. Sie macht rund die Hälfte der Produktion aus. Danach folgen Riesling mit 25 Prozent und Müller-Thurgau mit acht Prozent.

Zu den besten Lagen des Weingutes Knoll zählen die Ried Kreutles am Fuß des Loibner Berges, wo auf mit Urgesteinsand durchmischtem Lößboden in Südlage Grüner Veltliner steht. Bei dieser Lage kommt er durch das konsequente Ausdünnen auf einen Hektarertrag von nur rund 10.000 Kilo. Die Terrassenried Schütt ist mit Grünem Veltliner und Riesling bepflanzt. Diese Ried ist

RIED 'LOIBENBERG'
LOIBNER GRÜNER VELTLINER

WEINGUT KNOLL
LOIBEN · WACHAU · ÖSTERREICH

regional geteilt, der Veltliner steht am Loibner Teil, dort beginnen auch die Terrassen, der Riesling wächst Richtung Dürnstein. Bevorzugt wird die Hochkultur mit Kordonschnitt. Die Veltliner der Ried Schütt bestechen durch ihre würzige Spritzigkeit, die Rieslinge durch ihr feines Bukett. Von hier kommt auch der 1987er Riesling Kabinett (A: 11,8 Vol.%; S: 8,5; Z: 1,6), wohl einer der schönsten Rieslinge der Wachau der letzten Jahre. Die Ried Kreutles hat einen mit Urgesteinssand durchmischten Lößboden, der für den »pfeffrigen« Geschmack des Grünen Veltliners besonders geeignet ist. In der Ried »Loibner Berg« gedeihen Grüner Veltliner, Riesling und ein gemischter Satz, das sind verschiedene Rebsorten in einem Quartier des Weingartens, die gemeinsam geerntet und verarbeitet werden.

Über mangelnden Absatz braucht man sich im Weingut Knoll keine Sorgen zu machen. Der Betrieb, der schon seit über 200 Jahren im Familienbesitz besteht, vertreibt seine Weine hauptsächlich über den Gastbetrieb seines Cousins, den dem Weingut gegenüberliegenden Restaurant »Loibner Hof«, und an Privatkunden. Das war nicht immer so. Emmerich Knoll sen., der sich im Jahre 1975 zur Ruhe gesetzt hat, erinnert sich noch genau an die Zeit vor dem Zweiten Weltkrieg. »Da hatten wir einen Wirt in Wieselburg, den wir exklusiv belieferten. Jeweils zu Martini kam er ins Haus, hat die Kellerbestände durchgekostet und in Bausch und Bogen gekauft. Das war angenehm. Man hatte keine Arbeit mehr im Keller, kein Risiko und machte ein gutes Geschäft«.

Emmerich Knoll sen. war zu seiner Zeit ein recht fortschrittlicher Weinbauer in der Wachau. Er arbeitete im Weingarten bereits mit Ochsengespannen, als andere noch rein händisch werkten, er stellte im Jahre 1959 von der alten Baumpresse auf eine hydraulische um und begann gleich nach dem Krieg mit der Flaschenfüllung. Seit 1960 verwendet er dieselben Flaschenetiketten. »Die hat uns der Maler Stolzner entworfen, der damals als Freund

der Familie bei uns im Gasthaus wohnte«. Das Etikett zeigt den Hl. Urban aus der Kirche von Loiben und wird wohl auch künftig erhalten bleiben. »Wir haben uns schon einmal überlegt, neue Etiketten einzuführen, sind aber dann doch bei den bewährten geblieben«, sagt Emmerich Knoll, der sich in seinem Fachgebiet Weinbau immer weiterbildet. Er hat schon eine sehenswerte Fachbibliothek zusammengetragen und unternimmt Jahr für Jahr Studienreisen in die verschiedenen europäischen Weinbaugebiete.

Emmerich Knoll
3601 Unterloiben 10
Tel. 02732 / 69355

Auf dem Weg zur Spitze

Seit vier Generationen betreibt die Familie Alzinger in Unterloiben Weinbau. Für den Urgroßvater, der 1827 dorthin zog, war der Weinbau aber nur Nebenerwerb. Hauptberuflich war er Faßbinder, und an seine Zeit erinnert heute noch das viele Handwerkszeug, das im Buschenschank als Dekoration dient. Rund 100 Jahre später, im Jahre 1930, kaufte Leopold Alzinger selbst einen Weingarten und setzte von nun an ausschließlich auf den Weinbau. Bis in die jüngste Zeit war der Betrieb hauptsächlich Traubenlieferant für die Genossenschaft. Im eigenen Keller reiften immer nur einige wenige Fässer Wein. Erst seit 1983, als der jetzige Besitzer, der nach dem Großvater ebenfalls Leopold heißt, einen Buschenschank eröffnete, wird der Wein ausschließlich selbst gekeltert und vermarktet.

»Wir haben damals einen Schuppen neben dem Preßhaus zu einem Heurigenlokal umgebaut, weil wir der Meinung waren, daß wir auf diese Weise, also im direkten Kundenkontakt, am ehesten einen Kundenstock aufbauen könnten«, meint Leopold Alzinger, und diese Überlegung ist aufgegangen. Immerhin machte es der Erfolg notwendig, daß der Winzer mit seiner Ernte von zweieinhalb Hektar nicht mehr das Auslangen fand und einige Weingartenflächen von insgesamt 1,3 Hektar zupachten mußte.

Man kehrt gerne ein in diesen Buschenschank mit der schönen Holzdecke und der alten Baumpresse mitten im Lokal. »Wir haben uns lange überlegt, wie wir das Lokal planen und einrich-

ten sollten, schließlich war es unser Ziel, eine Umgebung zum Wohlfühlen zu schaffen.« Nun, man kann sich tatsächlich wohlfühlen, und wenn die Köstlichkeiten aus Küche und Keller aufgetischt werden, dann ist die Welt für den Gast in Ordnung.

Der Alzinger-Veltliner, der etwa drei Viertel der Produktion ausmacht, gilt längst als Geheimtip, wenngleich der Weinbau- und Kellermeister kein großes Geheimnis daraus macht, wie er zu dieser Qualität kommt. »Das ist keine besondere Sache. Man muß nur danach trachten, das, was von draußen hereinkommt, zu erhalten. Qualität erhält man nicht durch irgendwelche Kunstgriffe, sondern einzig durch sorgfältigen Umgang mit dem Produkt«. Das klingt einfacher, als es sich dann erweist. Tatsache ist, daß Alzinger viel Mühe aufbringen muß, ehe er eine gelungene Bouteille ausschenken kann. Das beginnt im Weingarten, wo er die Gründüngung praktiziert und vom kurzen Rebschnitt bis zum Ausdünnen von Trauben in ungünstigen Jahren auf eine möglichst zufriedenstellende Traubenreife achtet. Für dieses Ziel nimmt er ganz bewußt geringe Durchschnittserträge in Kauf. Beim Riesling liegen sie im zehnjährigen Schnitt bei 4.000 Liter pro Hektar, beim Veltliner bei 7.000 Liter. Bei den Arbeiten im Weingarten wird er schon von Junior Leo tatkräftig unterstützt.

Die Trauben werden bei Alzinger nicht gerebelt und in der Horizontalpresse schonend gequetscht. »Man muß wissen, wie man mit der Technik umgeht«, sagt der Winzer und führt das Auto als Vergleich an: »Damit kann man spazierenfahren oder auch rasen. Man darf halt nicht übertreiben.«

Die Siebenzehntelware beim Weißwein bessert Alzinger grundsätzlich nicht auf, außerdem wird nicht entsäuert. Der Ausbau erfolgt zum überwiegenden Teil im Holzfaß, zur Lagerung hat er aber auch schon Stahltanks im Keller. In der Qualität trachtet Alzinger danach, vornehmlich die Kategorien Steinfeder und Federspiel (Kabinett) zu erreichen. »Bei den Weinen der Ried Steinertal schau ich aber schon, daß ich sie jedes Jahr im Niveau verbessere. Diese Lage bringt nämlich einen Wein von viel Finesse. Obwohl er stets trocken ausgebaut ist und einige Alkoholgrade mehr hat, ist bei diesem Wein das Bukett überwiegend.« Die Flaschenfüllung erfolgt im Alzinger-Gut in der Regel zwischen März und Juni des auf die Lese folgenden Jahres. »Damit will ich dem Wein die Frische erhalten.« Erfreulich sind auch die überaus niedrigen SO_2-Werte seiner Weine, sie liegen bei durchschnittlich 25 mg.

In den Lagen des Alzinger-Guts in Loiben und Dürnstein sind gegenwärtig Grüner Veltliner (75 %) und Riesling (20 %) sowie etwas Zweigelt und Blauburgunder ausgepflanzt. Die Rieslinge stehen am Loibnerberg, Steinertal (am Fuß des östlichen Loibnerberges) und Höhereck. Die Grünen Veltliner in den Rieden Steinertal, Mühlpoint, Hochstrasser, Frauenweingarten und Obersätzen. Die Rieslinge wachsen hauptsächlich auf Terrassen, die Alzinger mit viel Aufwand rekultiviert und mit einem Bewässerungssystem versehen hat. Die Veltliner gedeihen in der Ebene.

Der ambitionierte Weinhauer ist ein Gegner der uniformen Weine. »Ich nütze die Vielfalt meiner Lagen und Bodenarten. Daher weisen meine Veltliner auch unterschiedlichen Charakter auf. Erwarten Sie nicht Jahr für Jahr gleich schmeckende Weine bei mir. Für mich zeichnen gerade die Jahrgangsunterschiede den Qualitätswein aus.«

Weingut
Anna und Leo Alzinger
3601 Unterloiben 11
☎ 02732 / 59125

Das Dinstlgut in Loiben

Die Hauptsorte der Winzergenossenschaft Dinstlgut in Loiben, die über insgesamt 800 Hektar Rebflächen in der Wachau, im Kamptal/Donauland und im Weinviertel verfügt, ist zwar der Grüne Veltliner, der Stolz der Genossenschaft ist aber die geradezu unglaubliche Vielfalt an separat ausgebauten Rieslingen. »Ich glaube nicht, daß es in Österreich eine Weinkellerei gibt, die mehr verschiedene Rieslinge anbieten kann als wir«, meint Direktor Ing. Walter Milota, der die Winzergenossenschaft Dinstlgut seit 1966 gemeinsam mit dem Weinbauern Franz Dormayer aus Unterloiben, der Obmann der Genossenschaft ist, und Josef Ramoser, dem Bürgermeister von Furth, seinem Stellvertreter, leitet.

Die Genossenschaft besteht seit dem Jahre 1930, und entstand, als Hedwig Dinstl, die letzte Gutsherrin, im Alter von 66 Jahren kinderlos starb. 35 Weinhauer aus Ober- und Unterloiben, sowie zwei Dürnsteiner Wirtschaftsbesitzer und einer aus Stein erklärten sich bereit, einer Genossenschaft beizutreten, die unter der Federführung von Richard Weinauer, Quirin Schönberger und Franz Dormayer die vereinigten Güter Ober- und Unterloiben ankaufen sollte. Die Gründung der Genossenschaft erfolgte am 3. Dezember 1930, und schon drei Tage später war der gesamte Besitz ersteigert — zum Gesamtmeistbot von 380.000 Schilling. Damit wurden die Güter Loiben, die seit der Salzburgischen und Tegernseeischen Gründung ununterbrochen als eigene Wirtschaftskörper bestanden hatten, aufgelöst. Zugleich wurde aber auch damit der Grundstein für einen neuen Wirtschaftskörper gelegt, der für den Bestand der Loibner Weinbaubetriebe und die Besitzstruktur beider Gemeinden von entscheidender Bedeutung wurde. Das jetzige Ausmaß erreichte die Winzergenossenschaft in den Jahren 1953 und 1957, als sie zunächst mit der Winzergenossenschaft Mautern und Umgebung und dann mit der Winzergenossenschaft Furth vereinigt wurde.

Heute gehören der Winzergenossenschaft Dinstlgut alles in allem 740 Mitglieder an, deren Rebflächen zu 40 Prozent in der Wachau liegen. So werden Weintrauben, die in den Rieden Loibenberg, Schütt, Burgstall, Rothenberg, Höll und Mühlpoint wachsen, getrennt gelesen und verarbeitet. In diesen Loibner Rieden wirkt der pannonische Klimaeinfluß stärker als in der übrigen Wachau. So erstreckt sich die Ried Loibnerberg über den sehr steilen Berghang bis in 420 Meter Seehöhe. Der pannonische Wind trocknet im Herbst die Traubenbeeren aus, Weine mit besonders hohen Extraktwerten können dadurch gekeltert werden. So hat der 87er Riesling vom Loibenberg bei 2,4 g/l Zuckerrest und 7,4 % Säure, 26,4 g/l Extrakt. Der Grüne Veltliner 1987 aus der Ried Schütt, bei 1,3 g/l Zuckerest, 24,6 g/l Extrakt. Gerade die Wachauer Lagen sind für den Riesling ideal.

»Jede einzelne Ried wird separat und sortentypisch ausgebaut und auf den Markt gebracht«, erklärt Direktor Milota. »Abgesehen von den verschiedenen Jahrgängen, haben wir zwölf Rieslinge im Programm.« Die besten Riesling-Lagen der Genossenschaft sind der Loibenberg, der Rothenberg und der Pfaffenberg in Krems. Aus Weingärten, die im Weinbaugebiet Krems und der Region Kamptal/Donauland liegen, kommen 45 Prozent der Produktion. Die Ernte des Pfarrweingutes St. Quirin (ungefähr 15 ha) wird auch vom Dinstlgut verarbeitet und als eigene Weinlinie vermarktet.

Die einzelnen Genossenschaftsmitglieder sind verpflichtet, 40 Prozent ihrer Ernte abzuliefern. Bei der Größe des Gesamtanbaugebietes kann man sich leicht vorstellen, daß es schon einer Generalstabsplanung bedarf, um nicht ins »Schwimmen« zu kommen. Direktor Milota hat aber die Situation im Griff: »Die einzelnen Lesetermine fallen glücklicherweise nicht auf einen einzigen Tag. Die Reife erfolgt ja unterschiedlich. Erst ist der Müller-Thurgau dran, dann der Neuburger. Im Normaljahr ist dann kurz Pause. Zwischen Früh- und Hauptlese haben wir so etwas wie eine Ruhe vor dem Sturm. Ein paar Tage, vielleicht eine Woche, dann ist der Grüne Veltliner an der Reihe, der Rheinriesling und Weißburgunder.« Der Genossenschaft stehen außerdem gleich vier Preßstellen zur Verfügung: Zwei direkt in Loiben, eine in Furth und eine in Großweikersdorf. Die Lagerkapazität der Genossenschaftskeller kann sich sehen lassen. Insgesamt ist für 135.000 Hektoliter Wein Platz, davon allein 75.000 Hektoliter in Loiben. Die restlichen Kapazitäten liegen in Furth und Großweikersdorf. Die optimale Reife der Trauben ist natürlich vom Jahr abhängig. Sie ergibt sich für die Verantwortlichen der Genossenschaft aus einem ausgewogenen Zucker-Säure-Gehalt. Die Zuckergradation freilich ist entscheidend für die angestrebten Qualitätsstufen: Qualitätswein, Kabinett oder Spätlese. Obwohl in den Kellern der Dinstlgut-Genossenschaft noch ein relativ hoher Anteil an Holzfässern besteht, versteift man sich dort nicht unbedingt aufs Holz. »Ob Holz, Stahltank oder Zisterne ist eine Frage der Reifezeitspanne«, meint Ing. Milota, der gerade beim Riesling auf einen gänzlich reduktiven Ausbau schwört.

Seit dem Jahre 1981 verfolgt die Winzergenossenschaft Dinstlgut eine eigene Vinothek-Linie. Für diese Vinothek wird jedes Jahr ein ganz besonderes Faß Grüner Veltliner im Kabinett-Bereich ausgebaut. Die selbst erstellten Richtlinien verlangen, daß der Wein aus diesem »besten Faßl« erst fünf Jahre nach der Ernte in den Verkehr gebracht werden darf. Ganz klar, daß der Wein aus diesen »besten Faßln« in eigens aufgemachten Flaschen gehandelt wird. Die Flaschen tragen handgeschriebene Etiketten und eine kleine Chronik auf dem Rückenetikett, in der die spezifischen Daten wie Lesezeitpunkt, Mostgewicht, Flaschenfülldaten und Analysewerte angeführt sind. Die Gebinde sind außerdem numeriert.

Die Vermarktung der Weine der Genossenschaft Dinstlgut erfolgt zur Hälfte über die Gastronomie und zur Hälfte über den Fach- und Lebensmittelhandel bzw. den Export. Ausgeführt werden vor allem trockene Grüne Veltliner, Rheinrieslinge und Weißburgunder, wobei die Zielländer Deutschland, Belgien, Holland und Dänemark sind. Beachtlich ist auch das Interesse der Franzosen an Spätlesen.

Die gestiegene Nachfrage nach den Weinen des Dinstlgutes hat ihre Ursache in der hohen Qualität. »Wir reichen durchschnittlich acht bis zehn Weine bei den Weinmessen ein«, sagt Direktor Walter Milota, »und kommen regelmäßig mit sieben bis acht Goldmedaillen heim.« So hortet man schon 168 Goldmedaillen.

Winzergenossenschaft Dinstlgut Loiben
3601 Unterloiben 51
☎ 02732 / 5516

Wachau

Mautern a.d. Donau, der älteste Weinbauort, liegt donauabwärts am rechten Donauufer am Ende der Wachau. Bereits im 1. Jahrhundert nach Christus war hier ein Militärlager »Favianis« errichtet worden. Die römische Kastellform ist bis heute sichtbar und gut erhalten. Um das ehemalige Militärlager bildete sich bald eine Stadt, die vom Wein- und Obstanbau lebte. Bereits 903 war der Ort eine Mautstelle und wurde »Mutarum« genannt. Im Nibelungenlied finden wir den Ort unter dem Namen »Mutaren« wieder, als er bei Kriemhildes Brautfahrt erwähnt wird.

Der heilige Severin kam im 5. Jahrhundert in diese Gegend und errichtete unweit der Stadt ein Kloster. 1276 wurde Mautern als Verwaltungs- und Handelsmittelpunkt zur Stadt erhoben. 1463 errichteten die Passauer Bischöfe eine Holzbrücke über die Donau, die jedoch 1866 von den Österreichern auf der Flucht vor den Preußen niedergebrannt wurde.

Trotz der Kriegswirren konnte der Ort viele seiner Kunstschätze und Bauwerke erhalten. Eine große Zahl von Funden aus der Römerzeit, wie z.B. Weinflaschen, Gläser, römische Rebmesser, die man bei Ausgrabungen in tiefgelegenen Räumen fand, die nur als Weinkeller gedeutet werden können, zeugen von der frühen Bedeutung des Weinbaus in dieser Gegend.

In den Mauern des Nikolaihofs spiegelt sich ebenfalls ein Stück Kulturgeschichte der Wachau wider. Der mächtige Wirtschaftshof weist heute noch Gebäudeteile aus dem Mittelalter, der Renaissance und dem Barock auf.

Nach neuesten Ausgrabungen wurde die Vermutung bestätigt, daß sich hier die über römischen Ruinen errichtete Kirche des heiligen Agapitus befand, in der 985 eine Synode abgehalten wurde. Auch die weitere Entwicklung des Freihofes zeugt von seiner Funktion und seinem Dienst am Weinbau.

Mautern bildet heute auch die Grenze zwischen den Weinbaugebieten Wachau und Kamptal-Donauland. Zur Stadtgemeinde Mautern an der Donau gehören auch die Ortsteile Mauternbach, Hundsheim und Baumgarten. Fährt man die Straße weiter Richtung Unterbergen, so gibt es in der Ortschaft eine Abzweigung zur Ferdinandswarte. Von dieser Aussichtswarte kann man einen der schönsten Blicke in die Wachau genießen.

Unterhalb, am anderen Donauufer, liegt Unterloiben. Bei klarer Sicht sieht man von Krems bis weit hinter Dürnstein. In der Region um Mautern wird fast ausschließlich Weißwein ausgepflanzt. In den 180 ha großen Weingärten der Ortschaft wächst 63% Grüner Veltliner, 16 % Müller Thurgau, 6 % Riesling und kleinere Mengen Malvasier und Neuburger. In Mautern wird alle zwei Jahre ein großes Erntedankfest abgehalten.

Nicht zuletzt verdankt heute Mautern dem Landhaus Bacher seine Berühmtheit. Das Restaurant von Liesl und Klaus Bacher-Wagner wurde durch seine exzellente Küche weit über die Grenzen Österreichs bekannt.

Die Kirche von Mautern

Nikolaus Saahs, Herr über das 13 ha große Weingut Nikolaihof in Mautern, ist sehr traditionsverbunden — aus gutem Grund. Immerhin reicht die Geschichte des Gutes bis ins 9. Jahrhundert zurück. Die Familie Saahs besitzt es seit 1894. Die Verbundenheit von Nikolaus Saahs mit der Tradition — er übernahm den Betrieb 1962 — bedeutet aber nicht, daß er Weine von gestern macht.

Im Ausbau seiner Weine liegt er genau im Trend der derzeit aktuellen Natur-Welle. »Ich kann zwar das Wort 'biologisch' schon nicht mehr hören, Tatsache ist aber, daß wir versuchen, unseren Wein ganz natürlich auszubauen.« Das beginnt bei Nikolaus Saahs schon im Weingarten, wo seine bis zu 40 Jahre alten Stöcke stehen. »Vielfach wird die Meinung vertreten, daß alte Stöcke nichts mehr taugen. Das stimmt aber gar nicht. Ich stehe auf dem Standpunkt, daß wirkliche Qualität nur aus alten Stöcken kommt. Die tiefen Wurzeln der alten Stöcke bringen erst die Bukettstoffe in die Trauben.«

Nikolaus Saahs setzt in seinen Rebanlagen möglichst wenig Spritzmittel ein und verzichtet überhaupt auf Unkrautbekämpfungsmittel. Viele seiner Weingärten haben eine Mulchedecke, die über den Winter geschlossen bleibt, im Sommer aber, in den Monaten Juni und Juli, aufgerissen wird. »Wir haben im Sommer immer nur geringe Niederschläge und wollen dadurch verhindern, daß das Gras den Weinstöcken die Feuchtigkeit nimmt.« Zur Zeit der Reife wird im Weingut Nikolaihof der Garten dreimal durchgearbeitet. Nach der ersten Negativauslese folgt die Hauptlese, das beste Traubengut läßt Nikolaus Saahs für Auslesen und Spätlesen hängen. »Natürlich ist das recht kostenintensiv«,

Mautern

rechnet Saahs vor, »aber ich versuche halt immer das Beste aus meinen Lagen herauszuholen.« Das Beste ist freilich nie viel. Im Zehnjahresschnitt bringt er beim Riesling 3.000 bis 5.000 Kilo aus einem Hektar, beim Grünen Veltliner zwischen 5.000 und 6.000 Kilo.

Die Traditionsverbundenheit des Winzers zeigt sich auch darin, daß er nach wie vor mit der uralten, zwölf Meter langen Baumpresse arbeitet. Freilich läßt sich nicht die gesamte Ernte mit der Baumpresse verarbeiten, darum hat er sich auch eine recht schonend arbeitende Schlauchpresse angeschafft. Saahs weiß um die Vorteile der Baumpresse, er nimmt aber auch die Nachteile in Kauf. »Ganz klar, daß beim Aufscheitern des Preßguts Gerbstoffe freigesetzt werden, aber wir machen unseren Wein in erster Linie nicht für Verkostungen, sondern stellen die Bekömmlichkeit und die Haltbarkeit in den Vordergrund. Da darf schon ein wenig Gerbsäure dabeisein.«

Der Ausbau der Weine des Nikolaiguts erfolgt ausschließlich im Holzfaß, weil Saahs »gebietstypische Weine, die auch nach Wachau schmecken«, produziert. Die Kellerkapazität des Guts kann sich sehen lassen. »Ich habe einen Faßkeller mit einem Fassungsvermögen von insgesamt 120.000 Litern. Durchschnittlich ernte ich 600 hl im Jahr. Die große Kapazität ist deshalb erforderlich, weil ich hochwertige Weine regelmäßig überlagere.«

Eingangs wurde erwähnt, Nikolaus Saahs mache keinen Wein von gestern. Das stimmt aber nicht hundertprozentig. Einen Wein macht er noch so wie früher. Der Hefeabzug, der durch die moderne Kellertechnologie in Vergessenheit geraten war, wird bei Nikolaus Saahs seit Beginn dieses Jahrzehnts wieder praktiziert. Der junge Wein wird direkt vom Geläger in Flaschen gefüllt. »Das ist ein Wein

mit einem zarten Gärton und etwas Kohlensäure. Ein Wein, der jung getrunken werden soll und sich nicht zum Lagern eignet.«

Althergebrachtes zu erhalten, gilt für Nikolaus Saahs auch bei der Bausubstanz des Nikolaihofs. So ließ er mit großem finanziellen Aufwand die 1760 aufgelassene Agapit-Kapelle des Guts in einen Repräsentationsraum umgestalten. Allein an der Freilegung des gotischen Netzrippengewölbes haben die Handwerker drei Monate lang gearbeitet. In diesen Repräsentationsraum, den Saahs seinen »Rittersaal« nennt, lädt er regelmäßig zu Weinkosten ein oder zu seinem eigenen Erntedankfest, der Weintaufe, bei der ein Priester den neuen Jahrgang segnet.

Den Hang zum Natürlichen, den Nikolaus Saahs bei seinem Wein verfolgt, setzt seine Frau Christine in der Küche der Weinstube des Nikolaihofs fort. »Unsere ganze Lebenseinstellung zielt in diese Richtung«, sagt Saahs, »daher ist es nur logisch, daß wir auch in der Küche Lebensmittel und nicht nur Nahrungsmittel verarbeiten. Das heißt, daß wir zwar den Großteil unseres Angebots selbst produzieren, wo das nicht geht, aber auf Lieferanten zurückgreifen, von denen wir wissen, daß sie nach unseren Vorstellungen arbeiten. Wir haben unseren Schafbauer und Ziegenbauer, nehmen Geflügel nur von solchen Bauern, die es natürlich halten und holen unsere Gewürze und Kräuter von einem Biobauern.« Besonders regionale Hausmannskost wird von Christine Saahs köstlich zubereitet. Blunzengröstl, Krautfleckerl und Specklinsen stehen auf der Speisekarte. Die Salate werden selbstverständlich mit selbstangesetztem Essig angerichtet. Die Weinstube ist sechs Monate im Jahr geöffnet: einmal von April bis Juni und dann wieder von September bis November. Zurück zum Wein, den Nikolaus Saahs in eigene langhalsige Flaschen füllt. Er vermarktet ihn österreichweit an die Spitzengastronomie, liefert an Privatkunden und exportiert auch seine Weine. Der »Käfer« in München hat sich beispielsweise die Ernte eines speziellen Weingartens auf fünf Jahre hinaus gesichert. Aber auch in den besten Häusern in Mailand, Verona und Meran, sowie in Straßburg wird bereits Wein vom Nikolaihof in Mautern getrunken.

Weingut Nikolaihof
Nikolaus und Christine Saahs
Nikolaigasse 77
☎ 02732 / 2901

Am Fuß des Göttweigerberges, unweit der Stadt Mautern, liegt die Weinbaugemeinde Furth bei Göttweig. Unmittelbar hinter Furth ragt das prachtvolle Benediktinerstift Göttweig empor, das um 1074 von Bischof Altmann von Passau, der hier in der Krypta begraben worden ist, gegründet wurde. Das Stift wurde nach seinem Niedergang, bedingt durch Reformation, Türkenkriege, Pestjahre und dem verheerenden Großbrand im Jahre 1718, nach Plänen Johann Lucas von Hildebrandt — allerdings nur zum Teil — neu errichtet. In der Klosteranlage befinden sich unter anderem die bekannte Göttweiger Kaiserstiege (nach einem Entwurf von Franz Anton Pilgram 1738 erbaut), die Bibliothek mit 60.000 Bänden, das Graphische Kabinett mit mehr als 20.000 Blättern als die größte Privatsammlung dieser Art in Österreich, die Kaiserzimmer mit dem sogenannten Napoleonzimmer (eine Erinnerung an dessen Anwesenheit im Jahre 1809), der Altmann-Festsaal mit einem Deckenfresko (Darstellung der Hochzeit zu Kana) von Johann Rudolf Byß. Die sehenswerte Stiftskirche mit ihrer zweitürmigen Fassade, dem frühbarocken Langhaus und dem hochgotischen Chor birgt acht Rokokoaltäre mit Gemälden von Kremser Schmidt.

Zu den wertvollsten Geschichtsquellen des Mittelalters zählen die Gründungsurkunde des Klosters und andere verbriefte Schenkungen. So werden in der Gründungsurkunde die Weingärten eigens angeführt, z.B. Rutkeresdorf (Rührsdorf), Talarin (Thallern) und Chrucistetin (Krustetten). Die Weingartenbesitzungen des Klosters entwickelten sich zu einem bedeutenden wirtschaftlichen Zweig, und die Weine fanden schon damals ihren Weg bis an den polnischen Königshof, nach Bayern, Böhmen und Mähren, Wien und Salzburg. Im 18. Jahrhundert wurde das Kelleramt des Stiftes zur Zentrale der gesamten Weinwirtschaft Göttweigs — diese Stellung konnte bis heute beibehalten werden. Zur Gemeinde Furth gehören die

Ortschaften Aigen, Göttweig, Oberfucha, Palt, Steinaweg und Klein Wien. Vom Stift Göttweig aus hat man einen herrlichen Ausblick über das gesamte Tal. Über 290 ha Weingartenfläche wird in dieser Ebene bewirtschaftet. Ein Teil davon liegt in der Wachau, ein Teil im Weinbaugebiet Kamptal-Donauland. Von oben ist es nicht ganz ersichtlich, warum eigentlich die Grenze der Weinbaugebiete so eigentümlich verläuft. Wenn man durch die Weingärten wandert, sieht man, daß es sich nicht um eine einzige Ebene handelt, sondern um mehrere Terrassenschichten, die sich wie kleine Hügel erheben. Einige der Güterwege führen zwischen den tiefeingeschnittenen Schluchten hindurch. Teilweise fünf bis sechs Meter hoch sind die Hänge, in denen auch Weinkeller in den weichen Löß- und Braunerdboden eingegraben sind. In diesem großen Kessel hält sich im Herbst der »Weinbagrobla«, wie ihn die Einheimischen nennen, länger. Diese morgendlichen Herbstnebel sorgen dafür, daß die Weintrauben weich werden. Das ist beim Riesling besonders wichtig. Die vielen Christus- und Marienstatuen am Rande der Weingärten bezeugen die einst tiefe Religiösität der Winzer. Durch Palt führte auch der alte Weitwanderweg der Wallfahrer nach Mariazell. Die Pilger machten damals im Stift Göttweig Station, bevor sie zur letzten Etappe in die Steiermark aufbrachen.

Die Grenze der Wachau verläuft durch den Weingarten

»**M**an muß mit offenen Augen durch die Welt gehen und sich überall das Beste abschauen. Die persönliche Weiterentwicklung ist sehr wichtig. Stehenbleiben wäre schon ein Schritt zurück.« So sieht Gerald Malat, der seit 1974 mit Gattin Wilma das Weingut Malat-Bründlmayer in Palt bewirtschaftet, seine Stellung im Weinbau.

Gerald Malat hat sich tatsächlich schon viel umgeschaut und viele Neuerungen in seinem Gut, das 18 ha Weingärten und 14 ha Obstgärten umfaßt, eingeführt. Ob das der Barrique-Ausbau war, mit dem er erster österreichischer Sieger einer Falstaff-Rotweinbewertung werden konnte, oder die Einführung der Cabernet Sauvignon-Edelreiser aus Frankreich in der Wachau. »Es hilft nichts«, bringt Gerald Malat die Situation auf den Punkt, »wir müssen uns schließlich auf den Binnenmarkt vorbereiten. Wenn wir wirklich einmal in die Euro-

päische Gemeinschaft kommen, müssen wir mit der ausländischen Konkurrenz mithalten können.«

Gerald Malat, der an der Hochschule für Bodenkultur in Wien Gärungstechnik studierte, braucht mit seinen Weinen keine internationalen Vergleiche zu scheuen. Für ihn wird das Fundament einer guten Qualität bereits im Weingarten gelegt.

Durch einen seiner Weingärten verläuft die Grenze des Anbaugebietes der Wachau. Zweieinhalb Hektar der Rebflächen befinden sich im Weinbaugebiet Wachau, die anderen im Weinbaugebiet Kamptal Donauland. Zur Kellerwirtschaft meint er: »Wenn ich vom Garten keine guten Trauben bekomme, kann ich im Keller auch nichts mehr machen. Ich meine, daß die Qualität zu 70 Prozent im Weingarten geboren wird und nur zu 30 Prozent im Keller.« Die Gärten der Ried Zistel in Donaunähe haben einen kräftigen sandhältigen Schwemmboden, der besonders für Rotweinsorten wie St. Laurent, Blauburgunder, Cabernet Sauvignon und Merlot geeignet ist. Dort steht auch eine Versuchsanlage mit der französischen Lyra-Erziehung. In den Mittellagen Höhlgraben und Silberbichl stehen Veltliner und Burgunder. Auf den höhergelegenen Terrassen der Ried Steinbühel wächst auf Urgesteinsboden der Riesling.

Die Ebene zwischen Stift Göttweig und der Donau ist eigentlich ein großer Kessel, der von den Göttweiger Bergen und dem Dunkelsteiner Wald eingegrenzt wird. Die Donau und die Wälder sind für das spezifische Kleinklima dieser Region

verantwortlich. So konnte auch am 12. November 1980 in der Ried Hausgarten bei 20 cm Schnee ein Roter Veltliner Eiswein geerntet werden. Mit 10 Vol.% Alk., 12 Promille Säure und 45 Gramm Zuckerrest ist das eine besondere Rarität der Wachau. Auch konnte ein Weißer Burgunder 1986, Ried Steiner Point (A: 12,1 Vol.%; S: 6,7; Z: 1,9) den Einzug unter die 200 besten Weine Österreichs 1988 schaffen.

Im Weingarten, in dem noch Schwiegervater Franz Bründlmayer die Kontrolle innehat, achtet Gerald Malat auf einen kurzen Rebschnitt und auf einen sorgsamen und gezielten Einsatz von Spritzmitteln. »Unkrautvernichter gibt es bei mir nicht. Ich will mir schließlich nicht den Boden versauen. Da nehme ich lieber die zwar kostenintensivere, aber zielführendere händische Arbeit in Kauf.« Kosten- und arbeitsintensiv ist im Weingut Malat-Bründlmayer auch die Lese. »In einzelnen Gärten lasse ich oft bis zu dreimal lesen, um die besten Traubenqualitäten für einen besonderen Wein herauszubringen«, erklärt Gerald Malat und verweist dabei auf seinen Steiner Point »Noble Cuvee«, der aus handverlesenen Pinot Blanc Trauben gepreßt und in einem separaten Faß ausgebaut wird. Im Durchschnitt werden jährlich 1.000 hl Wein erzeugt.

Im Keller, der eine Lagerkapazität von 3.000 hl umfaßt, hat sich Gerald Malat die Qualitätslatte sehr hoch gelegt. Die Gärung erfolgt langsam in einem gekühlten Stahltank, von dem der Wein zum Ausbau in die Fässer rinnt. »Ich spiele mich mit der Qualität, um das Beste zu erreichen«, erklärt er und »spielt« gegenwärtig mit verschiedenen Gärungstechniken. »Ich lasse den Most zum Teil mit natürlicher Hefe gären und zum Teil unter Zusatz von Reinhefe, um zu sehen, welche önologischen Unterschiede dabei herauskommen.«

Unterschiede gibt es bei den Weinen des Malat-Bründlmayer-Guts ohnehin jedes Jahr. »Ich bin ein Gegner uniformer Weine. Bei mir hat jeder Jahrgang seinen charakteristischen Geschmack, und den erkläre ich auch meinen Kunden. Ich lade sie jedes Jahr zu mir in den Keller. Da werden die Weine verkostet und verglichen.« Seit 1979 beschäftigt sich Gerald Malat auch mit der Sektproduktion. Für den Grundwein verwendete er früher ein Cuvee aus Welschriesling und Rheinriesling, heute ersetzt er den Welschriesling durch weißen und blauen Burgunder. »Der Grundwein muß leicht sein, mit wenig Alkohol und viel Säure«, weiß Gerald Malat, »da bei der Champagnermethode bei der zweiten Gärung in der Flasche Alkohol auf- und Säure abgebaut wird.« Sechs Wochen lang wird jede einzelne Flasche gerüttelt; die fertige Flasche wird bei Malat aber nicht mit Dosage aufgefüllt, sondern wieder mit reinem Sekt. Mindestens zwei Jahre lang wird der Sekt gelagert, bevor er in den Verkauf kommt.

Wein und Sekt sind aber nicht die einzigen alkoholischen Getränke, mit denen sich Gerold Malat befaßt. Er brennt auch Schnäpse. Der Marillen-, Williams- und Apfelbrand, der im Eichenfaß lagert, genießt einen ebenso guten Ruf wie der Wildkirschenbrand, Nußschnaps oder Marc, den er aus Burgundertrauben gewinnt.

Weingut Malat-Bründlmayer
3511 Palt 27
☎02732 / 2934

Östlich von Stift Göttweig

Das Weingut Geyerhof in Oberfucha bei Krems hat seinen Namen von Johann Nicolaus Geyer, einem Schiffsmeister, der 1721 die Besitzerin heiratete und dem Gut zu einem großen wirtschaftlichen Aufschwung verhalf. Die Struktur des Hofes änderte sich im Wandel der Zeit. Das Tonbergwerk und die Ziegelbrennerei wurden geschlossen und aus einer gemischten Landwirtschaft wurde bald ein reiner Weinbaubetrieb. Das heutige Gut ist im Besitz der Familie Zederbauer. Seit Herbst 1985 führt Tochter Ilse Maier mit ihrem Gatten Sepp den Betrieb. Die Besitzerin hat sich schon von Kind auf für den Weinbau interessiert und auch in Wien Bodenkultur studiert. Bemerkenswerterweise suchte sie sich für ihre Diplomarbeit ein Thema aus ihrem Spezialgebiet: »Weinbau in Argentinien«. Um dieses Thema möglichst gewissenhaft abhandeln zu können, bereiste sie Südamerika und praktizierte drei Monate lang in einem Weingut in der argentinischen Provinz Mendoza.

Ilse Maier sieht es als schöne Verpflichtung, der langen Familientradition treu zu bleiben und in der Weinbereitung auf traditionelle Methoden zurückzugreifen. »Wir keltern ausschließlich Trauben, die in unseren sechs Hektar großen Weingärten wachsen und verzichten gänzlich auf chemische Hilfsmittel«, stellt die Winzerin kategorisch fest. Der Verzicht auf chemische Hilfsmittel betrifft sowohl den Weingarten, in dem weder Kunstdünger noch synthetische Spritzmittel verwendet werden, als auch den Keller, in dem die Weine trocken ausgebaut werden und selbstverständlich keinerlei Zuckeraufbesserung erfahren. Die Weine werden schonend behandelt und bekommen genügend Zeit zur Reife. Insgesamt 40.000 Liter fassen die Holzfässer im Weinkeller.

In den Weingärten des Geyerhofs stehen hauptsächlich Grüner Veltliner, der auf dem tiefgründigen, lehmigen Boden der Ried Bergfried seine typische Rasse entwickelt. Riesling x Sylvaner und Malvasier gedeihen auf der Ried Sprinzenberg. Dieser Weingarten ist auch der älteste des Guts (»die Anlage ist schon gut 30 Jahre alt«), ist aber in der Behandlung nicht unproblematisch.

»Es ist eine frühreife Sorte mit rubinroten Trauben und einer ganz dünnen Beerenhaut. Bei zuviel Feuchtigkeit sind sie sehr fäulnisgefährdet.« Um einen guten Wein zu bekommen, muß daher vor der Lese peinlichst vorselektioniert werden.

Die Rotweinsorten (Blauburger, Blauer Portugieser und Zweigelt) läßt Ilse Maier in offenen Bottichen ungerebelt angären, ehe gepreßt wird. Der Ausbau erfolgt ausschließlich im Holzfaß. »Beim Blauburger mache ich gerade Versuche mit dem Barrique-Ausbau. Wir werden sehen, wie sich das entwickelt.« Gerade dem Rotwein gibt die studierte Winzerin viel Zeit zur Reife. »Die Roten bleiben zumindest zwei Jahre im Faß, ehe sie in Flaschen gefüllt werden.« Die Weißweine hingegen werden zwischen April und Juni des auf die Lese folgenden Jahres gefüllt. Es wurde auch eine Neuanlage mit Cabernet Sauvignon ausgepflanzt.

Die biologische Bewirtschaftung ihrer Weingärten ist für Ilse Maier mehr als nur eine Frage des Prinzips. »Ich muß mich schon von Berufs wegen viel im Weingarten aufhalten und lege daher größten Wert auf eine natürliche, unvergiftete Umwelt.« Bei der Schädlingsbekämpfung werden Schwefel-, Kupfer- und Kräuterbrühen anstelle von Insektiziden und synthetischen Präparaten eingesetzt.

Wenn man länger in der Gegend bleiben will, so bietet der Geyerhof als Frühstückspension einige komfortable Zimmer.

Weingut Geyerhof
Franz und Christine Zederbauer und
Dipl.Ing. Ilse Maier
Oberfucha 3
3511 Furth
☎ 02739 / 2259

Die Bundesstraße 33 führt von Mautern nach Melk. Verglichen mit der anderen Donauseite, ist es dort ruhiger. In der Ebene wird hauptsächlich Wein- und Obstbau betrieben.

Die Ortschaft Rossatz liegt Dürnstein gegenüber. Mit 210 ha Rebfläche ist Rossatz die größte Weinbaugemeinde am rechten Donauufer. Auch hier wird hauptsächlich der Grüne Veltliner angebaut. Weiters gedeihen da Müller Thurgau, Riesling und Neuburger auf Lehm- und Lößböden. Der Ort ist malerisch um das alte Schloß herum angelegt und existierte schon im 8. Jahrhundert als Slawensiedlung. Vom 10.—18. Jahrhundert unterstand er verschiedenen Klöstern und Herrschaften. Der Name des Ortes leitet sich von »Rosseza« (Rosse) ab, da hier die Schiffszüge die Donau überquerten und auch die Rosse ans andere Ufer gebracht werden mußten. Im Ort finden sich viele schöne Altbauten aus spätgotischer Zeit, das ehemalige Schloß aus dem 16. Jahrhundert, das Rathaus, Renaissancehäuser, ein Pranger und auf einem reizvollen alten Dorf-

platz eine Statue des hl. Nepomuk mit Butten. Die sich donauabwärts hinziehenden »Arnsdörfer«, wie Bacharndorf, Hofarnsdorf, Mitterarnsdorf und Oberarnsdorf vermitteln mit ihren bäuerlichen Gehöften und Weinhauerhäusern in typischen Wachauer-Formen einen idyllischen, verträumten Eindruck.

Überall findet man ausgezeichnete Weinhauer und Buschenschenken, wie den Betrieb von Günther Mayer in Rossatz oder die Betriebe der Familie Josef Hick in Mitterarnsdorf und Rudolf Hick in Oberarnsdorf. Zwei der Vorfahren der Familie Hick hatten schon im 17. Jahrhundert die verantwortungsvolle Stelle als Hofmeister am Salzburger Hof in Oberarnsdorf inne. Heute ist der Buschenschank der Familie von Anfang April bis Oktober geöffnet.

Weiter, der Donau entlang, kommt man nach Schönbühel.

Der Ort Schönbühel a.d. Donau wurde 1358 erstmals urkundlich erwähnt. Die Pfarrkirche hl. Rosalia und das dazugehörige Servitenkloster, erbaut in den Jahren

1666—1674, sowie das Schloß aus dem 12. Jahrhundert erheben sich malerisch auf einem Felsen des rechten Donauufers. Ein Teil der Marktgemeinde Schönbühel-Aggsbach ist der Ort Aggsbach-Dorf, der in der Nähe einer im 14. Jahrhundert gegründeten Kartause entstand. Wie viele Dörfer dieser Gegend ist es eine Grabensiedlung mit Weinhauerhäusern und Dreiseithöfen. In unmittelbarer Nähe befindet sich die Ruine Aggstein. Die Burg wurde von den Kuenringern, wahrscheinlich von Nizzo von Gobatsburg, Anfang des 12. Jahrhunderts erbaut und liegt auf einer 300 m hohen Felsnase über dem rechten Donauufer mit prächtiger Aussicht auf das Donautal. Mit dem Besitz der Burg war auch das Mautrecht an der Donau verbunden, was zu manchen Streitigkeiten mit den Landsherrn Anlaß gab. Die Burg, die im Laufe der Jahre mehrere Male zerstört und wieder instandgesetzt wurde, gehört wegen ihrer Größe und interessanten Geschichte zu den bedeutendsten Burgen Österreichs. Von Schönbühel geht die Straße direkt nach Melk zurück.

Am östlichen Ausgang der Wachau, als letzte Etappe der Route entlang des linken Donauufers, liegen die Städte Stein und Krems.

Die Donaubrücke zwischen Stein und Mautern, im Hintergrund die Stadt Krems.

Stein a.d. Donau ist die ehemalige Schwesterstadt von Krems. Obwohl es für beide nur ein Stadtrecht gab, besaßen sowohl Krems als auch Stein gesonderte Wehranlagen und Finanzhoheiten.
Der Ort war im 5. Jahrhundert Residenz der Rugierkönige. Stein, eine der wichtigsten Zollstellen an der Donau, begründete seine wirtschaftliche Bedeutung durch den Donauhandel, im besonderen durch den Weinbau und Salzhandel.
Zahlreiche Bauwerke sind noch heute erhalten und zeugen vom hohen Ansehen dieser kleinen Stadt. Die parallel zur Donau verlaufende Steiner Landstraße zählt zu den schönsten Straßenzügen, da sie ein geschlossenes altes Siedlungsbild aufweisen kann. Man betritt sie, von Osten kommend, durch das Kremser Tor. Vorbei an ehemaligen Salzstadeln, sieht man zur Rechten die Minoritenkirche, die ursprünglich noch außerhalb der Stadtmauern im 13. Jahrhundert erbaut wurde. Neben der Pfarrkirche, die dem Patron der Schiffsleute, dem hl. Nikolaus, geweiht ist, steht ein spätgotischer Karner, dessen oberer Teil heute als Wohnhaus dient. Der Kirche gegenüber liegt der sehenswerte Pfarrhof mit überaus reichen Stuckdekorationen an der Außenwand. Über die Frauenbergstiege gelangt man hinauf zur Frauenbergkirche, deren markanter Turm ein Wahrzeichen von Stein ist. Vom Turm aus hat man einen umfassenden Rundblick über die Stadt und das Donautal. Am Schürerplatz liegt das Mazettihaus, das Geburtshaus von »Ludwig Ritter von Köchel«, der die Werke Mozarts im bekannten »Köchelverzeichnis« aufgezeichnet hat. Gegenüber kann man das kaiserliche Mauthaus bewundern. Auf Schritt und Tritt präsentiert sich einem hier ein schönes altes Haus nach dem anderen.
Am Ende der Steiner Landstraße, kurz vor dem Linzer Tor, steht das Wohnhaus des berühmten Barockmalers Martin Johann Schmidt, dessen Namen, als »Kremser Schmidt«, man immer wieder in der Kulturgeschichte begegnet. Besonders in der Wachau hat er unzählige schöne Kunstwerke hinterlassen. Mit größter Begeisterung malte er auch viele Bilder, die den Wein ehren sollten, wie z.B. das Gemälde von Noah, der einen Weingarten auspflanzt, das auf der Innungsfahne der Kremser Faßbinder von 1778 zu sehen ist.
»Nach der Sintflut fing Noe an, als Ackermann die Erde zu bebauen, er pflanzte auch einen Weinberg. Und da er Wein trank, wurde er betrunken und lag entblößt in seinem Zelte.« So steht es im Alten Testament (I Moses 9/20).

Die Gestalt des weinstockpflanzenden Noah ist lange Zeit hindurch im Volk lebendig geblieben. In einzelnen Legenden wurde Noah als Entdecker des Weines geschildert. Im Pulkautal in Niederösterreich wird erzählt, daß Noah einst einen Ziegenbock beobachtete, der sich immer wieder von der Herde trennte und am Abend fröhlich und vollgefressen zurückkam. Noah schlich ihm nach und fand ihn, von den Trauben naschend. Daraufhin schnitt er sich selbst welche ab, da sie ihm selbst mundeten, und legte sie in einen Trog. Eines Tages trank er den Saft der Trauben und lernte die wundersame Verwandlung von Traubensaft zu Wein

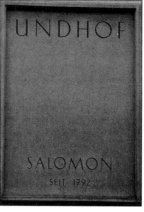

Der Undhof

Vor nahezu 200 Jahren faßte die Familie Salomon in der Wachau Fuß. 1792 erwarben die Vorfahren von Erich Salomon, nach Auflösung der Klöster in Österreich durch Kaiser Josef II., den Wirtschaftshof des aufgelassenen Kapuzinerklosters »Claustrum ad undam« und benannten das Gut »Undhof«.

Für die Geschichte des Salomonschen Hauses ist es besonders interessant, daß der Ursprung des heutigen Unternehmens nicht der Weinbau, sondern der Weinhandel war. In seinem Buch »Weinbau und Weinhandel im Kaiserstaate Österreich« erzählt Schlumberger, daß sich die Donauschiffer, die zum Transport von Salz, Essig und Wein donauaufwärts die »Pferde-Weinzüge« beistellten, gelegentlich auch selbst mit dem Weinhandel befaßten und daß die Salomons eben als Donauschiffer bereits im ersten Drittel des 19. Jahrhunderts einen recht bedeutenden Weinhandel betrieben.

Mit dem Ende der Monarchie und der Aufhebung des Salzmonopols verlegten die Salomons ihre Betriebsamkeit auf den Weinbau. »Beim Haus war immer schon ein Weingarten«, weiß Erich Salomon, der heute zusammen mit seinem Bruder Fritz den Betrieb führt, »der Weinbau ist aber nur nebenbei mitbetrieben worden.«

Zu diesem Undhof erwarb vor 125 Jahren Franz Salomon, der Urgroßvater der heutigen Besitzer, vom Staat

kennen. Auf diese Erzählung gehen jene Darstellungen auf Faßböden zurück, die den Ziegenbock mit einer Traube im Maule und dem Spruch zeigen: »Wer erfand den Rebenstock? — Noah durch den Ziegenbock.« Das Linzer Tor, auch Brücken-Tor genannt, bildet den westlichen Ausgang aus der Stadt. Nur wenige Schritte weiter kann man auf der Donaubrücke, die Stein mit Mautern verbindet, den Strom überqueren.

Eine beliebte Scherzfrage lautet: »Was liegt zwischen Krems und Stein?« Die Antwort ist ganz einfach: »Und«. Dieser kleine Ortsteil bildet die Verbindung der genannten Städte.

das Schloßgut Oberstockstall am Wagram und machte gemeinsam mit dem Wanderlehrer Julius Jablanczy Propfversuche mit amerikanischen Unterlagsreben. Schon in den 90er Jahren hatten die Versuche Erfolg, und man konnte wieder mit der Neuanlage der von der Reblauskatastrophe vollkommen zerstörten Weingärten beginnen.

Der Vater der heutigen Gutsbesitzer, Fritz Salomon sen., setzte neue Maßstäbe im Weinbau und -handel. Er studierte in Geisenheim im Rheingau Weinbau, und er brachte in den 20er Jahren die Müller-Thurgau-Rebe erstmals nach Österreich und setzte sie am Steiner »Goldberg«, noch heute eine der besten Kremser Lagen, aus. Der Lößboden gibt dem Müller Thurgau einen vollmundigen, fein-samtigen Charakter. Auch füllte er schon damals den Wein in Flaschen. Mangels geeigneter österreichischer Gebinde, mußte er gebrauchte Weinflaschen aus Deutschland einführen. Von Burgund verpflanzte er die Pinot blanc-Rebe nach Stein und exportierte bereits in den 30er Jahren Wein in die USA. Die zart-blumigen Weißburgunder des Undhofs können ohne Übertreibung zu den besten Österreichs gezählt werden.

Nach dem Tod des großen österreichischen Weinpioniers im Jahre 1971 übernahmen seine Söhne Erich und Fritz jun. den Betrieb. »Ich bin eher kaufmännisch geschult«, meint Erich Salomon, der nach Absolvierung der Handelsakademie Welthandel studierte; für ihn ist es von Vorteil, kein gelernter Weinbau- und Kellermeister zu sein: »Je weniger man von Chemie versteht, desto weniger ist man versucht, sich damit zu beschäftigen, und desto eher wird man den natürlichen Weinwerdungsprozeß geschehen lassen.« Das Weingut Salomon umfaßt derzeit rund 14 ha Rebfläche, acht im Eigenbesitz, sechs sind langfristig zugepachtet, wie die Weingärten der Riede Pfaffenberg der Passauer Heiligengeist Stiftung, die im Jahre 1352 gegründet wurde. Diese Passauer Weingärten hatten in jüngster Vergangenheit eine bewegte Geschichte. Als deutscher Besitz wurden sie nach dem Zweiten Weltkrieg von den

Russen enteignet, gingen dann in österreichisches Eigentum über, um schließlich der Stiftung rückerstattet zu werden. Nun bewirtschaftet das Weingut Salomon diese Gärten und liefert im Gegenwert der Pacht Wein nach Passau. Dieser wird im stiftungseigenen Restaurant verkauft, der Reingewinn wird für den Betrieb eines Altersheimes verwendet. So überdauerte der Grundgedanke der Passauer Heiligengeist Stiftung mehr als 600 Jahre.

Die beste Lage des Gutes ist die Ried Undhof Wieden — mit einem von Glimmer durchsetzten Donauschwemmsandboden —, ein idealer Standort für den Grünen Veltliner. Diese 3,5 ha große Lage befindet sich im alleinigen Besitz des Undhofes. Schon im Jahre 1167 wurde diese Ried in den Salzburger Urbaren erwähnt. Es wurde berichtet, daß der Domprobst Sigboto von Salzburg einen Weingarten in Krems, namens »in dote n in der Widen« an den Altar des hl. Rotbert übergibt. Hinter dem Gutshaus beginnt diese nur leicht ansteigende Riede. Südlich ausgerichtet und in windgeschützter Lage, wächst hier der beste Vertreter der klassischen Grünen Veltliner Österreichs..

In der Ried Kögl, auf Urgesteinsboden, gedeihen die in der Spitzenqualität dem Veltliner um nichts nachstehenden Rieslinge. Auf den Lößterrassen des Kremser Wachtberges pflegen die Salomons einen ausgezeichneten Traminer, auf dem Steiner Goldberg den Riesling x Sylvaner und dem Pfaffenberg den Riesling.

In den Weingärten vertraut man auf die mittelhohe Erziehung, wobei sich die Hektarerträge beim Veltliner im Schnitt auf 80 hl, beim Riesling aber nur auf 45 hl belaufen. Alle drei Jahre werden die Anlagen mit Stallmist gedüngt und regelmäßig Bodenuntersuchungen durchgeführt. Um den Humusgehalt des Bodens zu sichern, hat Salomon seine Weingärten mit einer Mulchdecke versehen. Bedingt durch den Regenmangel in den Sommermonaten, hat er sich mit anderen Winzern zusammengeschlossen, um den gesamten Bergbereich, immerhin eine Fläche von rund 100 Hektar, mit einer Beregnungsanlage auszurüsten. »Wir müssen da nachziehen. In der Wachau hat man das bereits vorexerziert.«

In der Weinbereitung achtet Kellermeister Rudolf Völker darauf, daß die Linie des Hauses, »möglichst alles der Natur überlassen«, eingehalten wird. Im Klartext bedeutet dies, daß es weder Aufbesserungen noch Entsäuerungen gibt. Das Traubengut kommt ungerebelt in die Presse, wobei bis 1959 noch mit einer alten Baum-

baut und findet, seit der Wiederkehr der trockenen Traminer, reißenden Absatz.

Erich Salomon sammelt nicht nur alles, was kulturhistorisch mit Wein zusammenhängt, sondern hat auch dafür gesorgt, daß die edlen Gewächse in einem würdigen Rahmen präsentiert werden können. Zusammen mit seinem Freund Helmut Alt — dem Chef eines Druckereibetriebes, der auch wegen seiner kunstvollen Flaschenetiketten Bekanntheit erlangte — hat er der Republik Österreich das höchst desolate Kloster abgekauft. Mit einem Kostenaufwand von stolzen 22 Millionen Schilling, zur Hälfte von Bund, Land und Gemeinde getragen, hat er das architektonische Kleinod revitalsiert. Nach knapp einjähriger Bauzeit konnte das Objekt am 1. August 1987 seiner Bestimmung, der Präsentation österreichischer Spitzenweine, übergeben werden. Im rund 1.000 m² großen Keller des Weinkollegs werden nach besonderen Richtlinien ausgewählte, 110 österreichische Kreszenzen vorgestellt. Neben fachlich kommentierten Verkostungen und Seminaren werden Weingartenführungen für Gruppen und Einzelpersonen organisiert. Eine Besichtigung dieses Kellers zählt sicherlich zu den nachhaltigsten Eindrücken, die man aus der Wachau mit nach Hause nehmen kann. Über 30 Grüne Veltliner bilden sozusagen das »Empfangskomitee« im Veltliner-Keller, dessen Ziegeldecke vom restauratorischen Feingefühl des Architekten zeugt. Eine heimelige Kellernische leitet in den Riesling-Keller über, in dem Spitzengewächse von Kabinett- bis hin zur Spätlesequalität zum Verkosten, Verweilen und Kaufen einladen. Imposant schließlich der Kapuziner-Keller, wo einander Weine in Rot-Weiß-Rot zum »Chor« der Qualität treffen, wie es im Prospekt des Weinkollegs Kloster Und heißt.

Als im Sommer 1988 die Preisverleihung des österreichischen Weinsalons im Kloster Und stattfand, wurde am Buffet ein Undhof-Grüner Veltliner Kabinett 1986 aus der Ried Wieden ausgeschenkt. Ein Teil der Gäste hatte schon die prämierten Veltliner verkostet, und umso größer war das Erstaunen, daß eigentlich der »Büffetwein« weit mehr Finessen aufweisen konnte als der Bundessiegerwein dieser Rebsorte.

Salomons Weine finden sich auf den Weinkarten der gehobenen Gastronomie Österreichs und der Bundesrepublik Deutschland. Das Gut, das auch Mitglied des Weinsiegelverbandes Krems ist, beliefert z.B. den »Bayerischen Hof« in München und die »Vier Jahreszeiten« in Hamburg.

presse gearbeitet wurde, dann aber als Rationalisierungsmaßnahme auf eine hydraulische umgestiegen wurde. Der Ausbau der Qualitätsweine erfolgt in Holzfässern. Im Weingut Undhof Salomon bleibt der junge Wein recht lange im Faß, die Rieslinge und Weißburgunder werden frühestens nach einem dreiviertel Jahr, der Veltliner nach einem halben Jahr, in Flaschen gefüllt. Erich Salomon sieht im Wein keinen Massenartikel, sondern ein Kulturgut und will, daß auch seine Kunden den Wein als solches verstehen. Eine inzwischen sehr rar gewordene Rebsorte, der Gelbe Traminer, wird auf der Ried Wachtberg kultiviert. Es dürfte dies die letzte Anlage mit Gelbem Traminer in Österreich sein. Der Lößboden verleiht dem Wein eine besonders feine, fruchtige Note. Der Wein ist ganz trocken ausge-

Weingut Undhof
Fritz Salomon KG
3504 Krems-Stein
☎ 02732 / 3226

Kamptal-Donauland

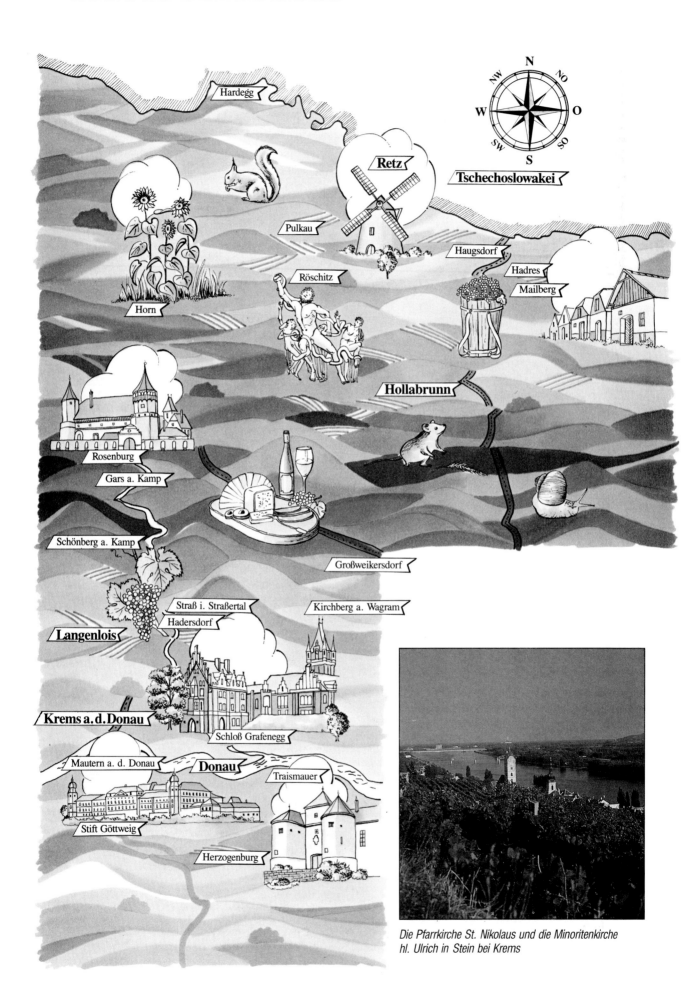

Hardegg

Retz

Tschechoslowakei

Pulkau

Haugsdorf

Hadres

Mailberg

Röschitz

Horn

Hollabrunn

Rosenburg

Gars a. Kamp

Schönberg a. Kamp

Großweikersdorf

Straß i. Straßertal

Kirchberg a. Wagram

Hadersdorf

Langenlois

Krems a. d. Donau

Schloß Grafenegg

Mautern a. d. Donau

Donau

Traismauer

Stift Göttweig

Herzogenburg

Die Pfarrkirche St. Nikolaus und die Minoritenkirche hl. Ulrich in Stein bei Krems

Krems an der Donau

Weinbauregion Kamptal-Donauland

Krems an der Donau wird urkundlich erstmals 995 als »urbs chremisa« erwähnt. Eine kontinuierliche Besiedlung des Gebietes kann bis in die Steinzeit nachgewiesen werden. Erst kürzlich wurde bei Ausgrabungen eine 7,2 Zentimeter hohe Frauenfigur gefunden. Rund 30.000 Jahre soll diese archäologische Sensation alt sein und wird wegen ihrer bewegten Form »tanzende Venus vom Galgenberg« genannt. Nach dieser Zeitbestimmung ist sie um 5.000 Jahre älter als ihre Kollegin, die Venus von Willendorf. Verblüffend dabei ist, daß in einem so kleinen Gebiet gleich zwei so historisch bedeutende Frauenfiguren gefunden wurden.

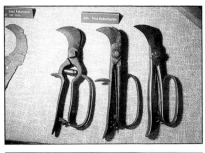

Die Stadt war, auf Grund ihrer geographischen Lage nahe der Donau, ab dem 11. Jahrhundert ein bedeutender Maut- und Handelsplatz für Wein, Getreide, Salz und Eisen. Die ersten österreichischen Münzen, genannt der »Kremser Pfennig«, wurden hier 1130 geprägt.

Krems war schon im frühen Mittelalter einer der Hauptorte des niederösterreichischen Weinbaues und hat wie kaum eine andere Stadt ihr mittelalterliches Aussehen erhalten und kann eindrucksvolle Bauten aus Spätgotik, Renaissance und Barock aufweisen. In der Altstadt von Krems, die man durch das Steiner Tor betritt, befinden sich die Pfarrkirche, die Piaristenkirche, deren Altarbilder vom Kremser Schmidt stammen, die schlichte Bürgerspitalkirche und die ehemalige Dominikanerkirche, in der sich heute das Historische Museum und das Weinbaumuseum befinden. Die Sammelarbeiten für dieses Weinmuseum begannen 1926, und im September 1928 wurde es im kleinen Rahmen eröffnet. Nach anfänglichen Schwierigkeiten konnten jedoch bald schöne und bedeutungsvolle Stücke erworben werden, die heute einen Gesamteinblick in die Geschichte des Weinbaus und des Winzerbrauchtums ermöglichen. Neben zahlreichen handwerklichen Gegenständen, wie z.B. die 1849 erfundene Rebschere, merkwürdige Stockreißer, die zum Entfernen alter Wurzelstöcke dienten, ein Steckenschlaghammer aus dem Jahr 1690 oder verschiedene Instrumente, welche für die Schädlingsbekämpfung benutzt wurden, können ein Preßhaus, ein Weinkeller und eine vollkommen eingerichtete Wirtsstube besichtigt werden. Auch die Hauerinnung stellte viele ihrer Dokumente und Erinnerungsstücke, unter anderem die Urkunde der ersten Erwähnung aus dem Jahr 1447, die Zunftordnung von 1625, zwei Innungstruhen und den silbernen Zunftpokal, auf dem die Namen aller Zechväter ab 1816 eingraviert sind, zur Verfügung. Hier finden sich auch die Originale der »Sieben Hasen« vom Dach der Kirche in St. Michael.

Weitere bemerkenswerte Bauwerke sind das Rathaus, mit dem durch Wappenreliefs verzierten Erker und dem stimmungsvollen Arkadeninnenhof, sowie das schöne Göglhaus mit spätgotischem Erker, das einst der stattliche Sitz einer Handelsfamilie war. Auf dem Hohen Markt befinden sich der Herkulesbrunnen und die Gozzo-Burg. In der Unteren Landstraße soll uns der »Simandl-Brunnen« an die Kremser Simons-Bruderschaft erinnern, die es im Spätmittelalter in Krems gab. Die Herren dieser Bruderschaft waren immer durstig und die ihnen angetrauten Damen streng. Deshalb trafen sich die Zechfreunde immer

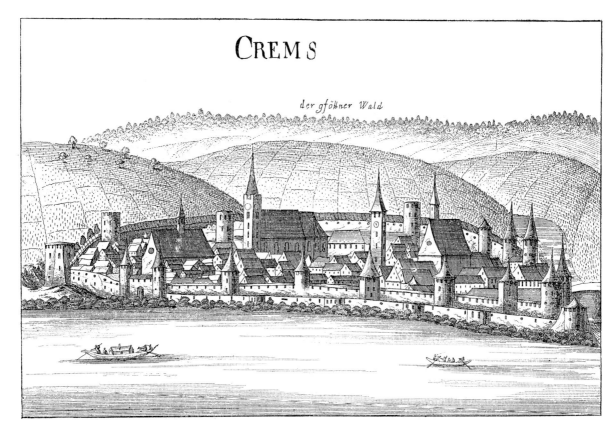

CREMS

der gfößner Wald

im Hinterzimmer eines Hauses, das nur durch einen Geheimgang betreten werden konnte. Als die Männer immer wieder schwer berauscht nach Hause kamen, wurden die »besseren Hälften« aufmerksam. Eine der Damen schlich ihrem Gatten nach und entdeckte die Geheimtür. Sie verständigte die anderen Ehefrauen, und gemeinsam erstürmten die Damen das gesellige Zimmer und verprügelten ihre Männer. Im späten Gedenken wurde im Jahre 1929 diesen »Pantoffelhelden«, den Simandln, ein Denkmal gesetzt.

1305 erhielt Krems das Stadtrecht und erlebte eine Blüte des Weinbaus. Zahlreiche Klöster erwarben Weingärten in und um Krems. Aus dieser Zeit stammen auch die ersten Riednamen wie Teilland (heute Thalland), Weinzierlberg, Wartberg, Gebling, Altenburg, Frechau, Martal, Sandgrube und Pfaffenberg. Bereits im Jahr 1447 waren die Weinhauer zu einer Hauerinnung vereint, die aus einer Verbindung der um 1330 entstandenen St. Paulszeche und der seit 1388 bestehenden Weinzürlzeche hervorging und wie eine Handwerkszunft organisiert war. In der Zunftordnung von 1625 wurde folgendes festgelegt: Die Leitung der Zunft, die Aufnahme neuer Innungsmitglieder, die Arbeitsüberwachung, Lehrzeiten, die Verwendung fremder Arbeiter, Arbeitsleistungen der Weingartenbesitzer, die

nicht der Zunft angehörten, die Bearbeitung der Innungsweingärten und selbst der Gottesdienstbesuch, sowie die Beerdigungsteilnahme. Das älteste Gedenkstück der Zunftinsignien, eine Holzstatue des Zunftpatrons St. Paulus aus der Zeit um 1520, wird heute noch bei Fronleichnamsprozessionen rebengeschmückt mitgetragen.

In Krems befindet sich auch die Weinbauschule, die eine der ältesten Fachschulen Österreichs ist. Sie wurde 1863 gegründet, um den jungen Hauersöhnen eine Möglichkeit zu bieten, in nächster Umgebung theoretische und praktische Kenntnisse des Weinbaus zu erwerben, die zum Verständnis der Weingartenarbeit und einer rationellen Kellerwirtschaft notwendig sind. Aber auch über den Wirkungsgrad der Schule hinaus, haben die Lehrkräfte den Weinhauern praktische Unterweisung, Beratung in Form von Kursen, Wanderversammlungen, Bücher und Aufsätze in Fachzeitschriften zuteil werden lassen. Durch Begutachtungen, Untersuchungen und zahlreiche Versuche konnten gute Ergebnisse in der Schädlingsbekämpfung und der Rebenveredelung erzielt werden.

Eine Legende erzählt von der Rast Walthers von der Vogelweide im »Sängerhof« zu Krems. Diese Stätte, schon seit den Tagen der Kreuzzüge ein Hospiz, in dem alle Fremden Unterkunft fanden, besaß auch eine große Kellerei mit hervorragenden Weinen, und da bei den stattfindenden Trinkgelagen oft prächtige Weisen erklangen, wurde das Hospiz im Volksmund »Sängerhof« genannt. Man berichtet, daß zu später Abendstunde des Jahres 1230 ein müder alter Rittersmann eintraf

Der Ausschnitt aus der Zunftfahne des Bindergewerbes zeigt Noah bei der Weinlese. Die Fahne schuf der »Kremser Schmidt« im Jahre 1778.

traf und um Speis und Trank bat, aber die neugierigen Fragen des Spitalmeisters mit der Bitte abwies, ihn nur in Ruhe seinen Erinnerungen aus der Jugendzeit, in der er hier schon oft Einkehr gehalten und sich des guten Weines erfreut habe, nachhängen zu lassen. Er sei nun schon alt und wolle vor seinem Sterben das alles noch einmal sehen und seinen Abschiedstrunk vom schönen Österreich mit Kremser Wein machen. Der gerührte Gastgeber brachte ihm einen ganz verstaubten und mit Wachs verschlossenen Tonplutzer. Der Ritter trank selig lächelnd seinen Wein und zog sich dann in seine Kammer zurück, jedoch nicht ohne auf dem Tisch einen Beutel mit vielen Silberlingen liegenzulassen, was zuvor noch kein Fremder getan hatte. Am frühen Morgen wurde der Spitalmeister geweckt, als er durch das Fenster herein einen volltönenden Gesang vernahm:

Ich han min Osterrich gesehen,
Kunt nochmaln trinken hie ze Chremse win!
Nu will zu ruow ich gerne legen,
Diu müden, alten knochen min.
Wann Got mac mine sel empfangen,
Kommt zu im one alles bangen.
Der alte Walther von der Vogelweide,
Dem hie was sine letzte vreude.

Nicht nur wegen des Weinbaus ist Krems berühmt, sondern auch wegen des Kremsersenfs. Dieser wird aus Senfmehl und süßem Wein- oder Obstmost hergestellt.

Auf rund 819 Hektar wird heute im Magistratsbereich Krems Weinbau betrieben. Hauptsächlich weiße Rebensorten sind ausgepflanzt, Grüner Veltliner (62%), Müller Thurgau (17%) und Riesling (6%). Bei den Rotweinsorten hauptsächlich Zweigelt Blau und Blauer Portugieser.

Der Weinsiegelverband Krems

Im Jahre 1957 schlossen sich mehrere Klein- und Mittelbetriebe zum »Weinsiegelverband Krems/Donau« zusammen. Als Zeichen wählten sie das älteste Stadtsiegel von Krems aus dem Jahre 1266.

Der Weinsiegelverband kontrolliert, über die staatliche Qualitätsprüfung hinausgehend, die Güte der in den Weinbergen der Stadt Krems wachsenden Weine, ihre spezifische, lokale Eigenart und deren Abfüllung im Guts- oder Erzeugerbetrieb. Diese Schutzmarke wird aufgrund der Ergebnisse einer gedeckten Verkostung vergeben, wobei die Entscheidung über die Siegelvergabe für ausgewählte Qualitätsweine mit 2/3 Mehrheit gefällt wird.

Mitgliedsbetriebe sind:

Aigner Wolfgang, 3500 Krems, Weinzierl 53
Alt Franz, 3500 Krems, Schillerstraße 5
Ditz Karl, Lehenhof, 3500 Krems, Weinzierl 17
Domäne Baron Geymüller, 3506 Krems / Hollenburg 57
Erste österreichische Weingüter — Kooperation, 3500 Krems, Dominikanerplatz 1
Felsner Eduard, 3500 Krems, Kraxenweg 15
Forstreiter Meinhard, 3506 Krems / Hollenburg 46
Gartler Herbert, 3503 Krems, Alt Rehberg 18
Hoch Emmerich, 3506 Krems / Hollenburg 46
Ilkerl Franz, 3500 Krems, Rehberg, Hauptstraße 57
Landwirtschaftliche Fachschule Krems, 3500 Krems, Wienerstraße 101
Müllner Johann, 3500 Krems, Körnermarkt 10
Probstei — Weingut Krems, 3500 Krems, Pfarrplatz 5
Saloman Fritz KG, Weingut Undhof, 3504 Krems / Stein, Undstraße 10
Schreiber Franz, 3500 Krems, Hohensteinstraße 47
Stagard Karl, Tegernseer Lesehof, 3504 Krems / Stein, Hintere Fahrstraße 3
Wallechner Anna, 3500 Krems, Kasernstraße 40
Weingut der Stadt Krems, 3500 Krems, Stadtgraben 9
Winzergenossenschaft Krems, 3500 Krems, Sandgrube 13
Zöhrer Anton, 3500 Krems, Sandgrube 1

Eine soziale Stiftung seit dem Jahre 1210

Ein Blick in die Chronik des Weingutes der Stadt Krems gibt Aufschluß über die Geschichte des Weinbaus im Raume Krems und Umgebung. Das Gut zählt zu den ältesten Weinbaubetrieben Österreichs. Der Weingartenbesitz der Stadtgemeinde läßt sich bis ins Mittelalter zurückverfolgen und besteht im wesentlichen aus zwei Teilen. Einmal aus dem Eigenbesitz der Stadt, der sich seit 1452 nachweisen läßt und auf Stiftungen und Schenkungen (Leopold IV.) zurückzuführen ist, und dann aus den zugepachteten Weingärten der bereits im Jahre 1210 gegründeten Bürgerspitalstiftung. Auch heute noch wird das Seniorenhaus der Stiftung »Bürgerspital-Fond« aus dem Pachtschilling für die Rebflächen unterstützt. Die Chronik weist — wie erwähnt — alle Höhen und Tiefen auf. Den Verwüstungen der Weingärten während des Dreißigjährigen Krieges folgte im 18. Jahrhundert wieder ein Aufschwung und dann wieder eine Zerstörung während der Napoleonischen Kriege, und schließlich kam es zu den verheerenden Folgen des Reblausbefalls.

Der wirtschaftliche Aufschwung des »Städtischen Weinguts« begann nach dem Ersten Weltkrieg, als der damalige Verwalter Matthias Fally von der bis dahin gepflogenen Praxis, die Ernte versteigern zu lassen, dazu überging, selbst Wein zu produzieren. Die Weine des Gutes, namentlich jene aus den besten Lagen, genossen bald einen hervorragenden Ruf und erzielten auch entsprechende Preise. Bereits in den zwanziger Jahren begann Fally mit der Flaschenfüllung.

Heute wird das Weingut von Ing. Kurt Körbler umsichtig geführt. Rund 25 Hektar des Weingartenbesitzes werden vom Weingut selbst bewirtschaftet, weitere Rebflä-

chen sind an verschiedene Winzer verpachtet, die einen Großteil der Trauben abliefern. Aber nicht die gesamte Ernte wird im Weingut selbst verarbeitet. Mit 40 Prozent des Ertrages ist das Städtische Gut Mitglied der Winzergenossenschaft Krems, 60 Prozent werden in der eigenen Kellerei vinifiziert.

Die wichtigsten Sorten des Weinguts der Stadt Krems sind der Grüne Veltliner, der fast 50% der Ernte ausmacht, neben dem Riesling und dem Riesling x Sylvaner, die je 15% Anteil an den Rebflächen haben. In kleineren Quartieren sind Weißer Burgunder, Neuburger und Traminer ausgepflanzt. Müller Thurgau, Malvasier und Blaufränkisch runden das Sortenangebot ab.

Die besten Lagen sind am Weinzierlberg, wo auf rund neun Hektar Schotterkonglomeratboden und lehmiger Lößauflage vornehmlich Veltliner, Riesling, Weißburgunder und Traminer stehen. Der Weinzierlberg ist eine nach Süden leicht geneigte Hanglage, ein idealer Weinstandort.

Die Ried Sandgrube (erste Erwähnung 1215), in der ausschließlich Veltliner ausgepflanzt ist, hat einen Unterboden aus Donauschotter mit einer lehmigen Sandauflage. Durch den losen Schotteruntergrund sind die Böden immer warm und gut durchlüftet und bringen einen zart-würzigen Fruchtton ins Bukett der Veltliner. Die Ried Wachtberg, auf der Veltliner wächst, wurde 1137 als Ried »Wartberg« erstmals erwähnt.

Beim Rebschnitt im Weingarten achtet Ing. Kurt Körbler darauf, ein ausgewogenes Ertrags-Wachstums-Gleichgewicht zu erhalten. Bei der Bestimmung des Lesetermins sind für ihn die Säurewerte entscheidender als die des Zuckers. Im Keller verfolgt Ing. Körbler die klassische Linie. Da hält er es mit seinem Vorgänger Matthias Fally, der gemeint hat, die beste Weinbehandlung sei keine Weinbehandlung. Körbler trachtet danach, aus gesundem Traubenmaterial nach Möglichkeit ohne Zucker leichte, frische, trockene Weine zu bekommen, tunlichst im Kabinett- oder Qualitätswein-Bereich. Absatzorientiert wie er ist, weiß Körbler aber, daß die Geschmacksrichtung seiner Weine vom Markt diktiert wird. Vermarktet wird der Wein des Städtischen Gutes ausschließlich als 0,7 l Ware, doch denkt man daran, aus marktstrategischen Gründen künftig auch Literware anzubieten. »Doppelliterwaren wird es bei uns aber nie geben«, verspricht Ing. Kurt Körbler. »Weine, die keine 0,7 l Qualität aufweisen, werden als Sektgrundwein verkauft.« Den Vertrieb besorgt österreichweit die Firma Mautner-Markhof. Seit zwei Jahren gibt es einen neuen Verkaufsschlager im Angebot: der »Frühlingswein«. Zwei Weingärten, die als »Gemischter Satz« ausgepflanzt sind, als Cuvee mit Grünem Veltliner und Muskateller, liefern die Trauben für diesen leichten, spritzigen und sehr bekömmlichen Wein. Ansonsten werden die Weine des

Stadtweingutes aus Qualitätsgründen immer mindestens ein Jahr überlagert, bevor sie in den Verkauf kommen. Besonders interessant ist der Vergleich der Veltliner der Rieden Wachtberg mit jenen der Sandgrube verschiedener Jahrgänge. Deutlich schmeckt man die unterschiedlichen Böden im Bukett der gleichen Rebsorte. »Bei Weinkosten schneiden unsere Steinfederweine im Vergleich mit den Kabinettqualitäten immer schlechter ab, im Handel ist es genau umgekehrt.«

Das Weingut der Stadt Krems ist auch Mitglied des »Weinsiegelverbandes Krems«, der es sich zur Aufgabe gemacht hat, Herkunft und Qualität von Weinen, die im Magistratsbereich Krems gewachsen sind, einer besonderen Kontrolle zu unterziehen. Dieser Weinsiegelverband, der schon 1957 gegründet worden ist, aber eine Zeitlang »geschlummert« hat, wurde erst kürzlich wieder reaktiviert.

Weingut der Stadt Krems
Stadtgraben 9
3500 Krems a.d. Donau
☎ 02732 / 2662

Wissen für die Praxis

Nur drei Jahre nach der Gründung der Obst- und Weinbauschule in Kosterneuburg im Jahre 1859 eröffnete die Stadt Krems eine eigene Weinbauschule. Das Institut, das bald darauf mangels ausreichender Schülerzahl (!) kurzfristig geschlossen werden mußte, wurde 1875 Nachfolger der Klosterneuburger Winzerschule und erfreut sich seitdem eines ausgezeichneten Rufs.

»Eigentlich sind wir eine landwirtschaftliche Fachschule«, sagt Direktor Dipl.-Ing. Franz Epp, der diese Aufgabe seit 1984 innehat, »im allgemeinen Sprachgebrauch heißen wir aber nur Weinbauschule Krems.« Seit dem Schuljahr 1986/87 wird sie als vierstufige Fachschule geführt. »Unser Ziel ist es, die Grundschulkenntnisse der Schüler zu vertiefen, das Allgemeinwissen zu erweitern, eine gründliche theoretische und praktische Fachausbildung zu vermitteln und die kaufmännischen Voraussetzungen auch unter Berücksichtigung der Ausbildung in EDV für die Führung eines Betriebes zu schaffen«, erklärt Direktor Epp. Mit der Absolvierung der Schule erwerben die Schüler — derzeit 110 Burschen und acht Mädchen — das Gehilfenzeugnis für Weinbau und Kellerwirtschaft. Drei Jahre danach kommen die Absolventen zum Vorbereitungskurs zur Ablegung der Meisterprüfung an die Lehranstalt zurück.

Keine Frage, daß die Schule in jeder Hinsicht bestens ausgestattet ist. »Wir haben auch ein umfangreiches Labor mit zwölf Arbeitsplätzen, in dem die Schüler

sämtliche für die Kellerwirtschaft wichtigen Analysen erlernen. Sie lernen dort die Säurebestimmung beim Most und beim Wein ebenso, wie die Bestimmung des SO_2-Gehalts, des Alkohols, des Zuckerrests und auch der Flaschenstabilität.«

Die Schüler erlernen in der Weinbauschule Krems aber nicht nur die Geheimnisse der Kellerwirtschaft, sondern bekommen dort auch das für den Weingarten nötige Rüstzeug mit. Die Schule verfügt auch über Versuchsweingärten, in denen sowohl Klonenversuche durchgeführt werden, als auch verschiedene Erziehungsformen getestet werden. Derzeit werden gerade Vergleiche zwischen der Lenz-Moser-Erziehung und der aus der CSSR stammenden vertikalen Kordonerziehung angestellt. »Das Prinzip ist gut«, weiß Direktor Epp, »es bedarf aber entsprechender Grünarbeit und ist für den Einsatz von Lesemaschinen derzeit noch schlecht geeignet.«

Die Gesamtrebfläche der Weinbauschule Krems beträgt 9,5 Hektar, die Kellerwirtschaft leitet Ing. Karl Bauer, der auch ein anerkannter Fachmann auf dem Gebiet der Rebveredelung und Selektion ist. An der Schule werden auch jährlich über 30.000 Rebveredelungen durchgeführt.

Der Weinkeller besitzt 950 hl Lagerkapazität. Die Weingärten in den Rieden Wachtberg und Kremser Sandgrube sind hauptsächlich mit Grünem Veltliner und Rheinriesling bepflanzt. Ein kleiner Anteil der Rebsorten Müller Thurgau, Neuburger, Chardonnay und Pinot blanc wird auch mitkultiviert. Von den Rotweinsorten stehen Blauburger, Pinot noir, Zweigelt, Merlot und Cabernet im Ertrag. Durchschnittlich werden jährlich 300 hl Wein gekeltert, doch werden die Trauben zum Teil auch an die Winzergenossenschaft Krems verkauft. Privatkunden können direkt ab der Schule kaufen.

Landwirtschaftliche Fachschule
für Obst- und Weinbau Krems
Wienerstraße 101
3500 Krems
☎ 02732 / 7516-0

Das Fürst Metternichsche Weingut

Der größte Teil der Rebflächen der Metternichschen Weingüter liegt im Magistratsbereich Krems, wie auch der Firmensitz am Dominikanerplatz 11 in Krems. Der Weinkeller befindet sich in Straß, 12 km in Richtung Kamptal entfernt. Über 70 ha Rebfläche umfaßt das Weingut. Aus grundsätzlichen Überlegungen wird auf die vielen Riednamen der Weingartenflächen in Straß, Zöbing, Schönberg und Hadersdorf verzichtet, und stattdessen wird auf allen Etiketten eine Ansicht des zum Besitz gehörenden Schlosses Grafenegg gezeigt.

Schloß Grafenegg, eines der bedeutendsten Schlösser Österreichs, ist im Stil des romantischen Historismus gebaut. Grafenegg wurde als alter Herrschaftssitz schon 1294 erwähnt, in die heutige sichtbare Form wurde es aber ab 1840 vom damaligen Besitzer, August Ferdinand Graf Breuner-Enckevoirt, umgebaut. Durch den industriellen Aufschwung und der Verbreitung von Waren in Massen, entwickelte sich gegenläufig eine Besinnung auf alte Werte und eine Flucht in die Romantik. Der Bauherr, der die mittelalterlichen Ideale wieder heraufbeschwören wollte, hat sich selbst als Ritter über dem Eingangsportal verewigt. Noch heute bezaubert die Schloßatmosphäre den Besucher. Es gilt heute als eines der kulturellen Zentren in Niederösterreich. Dort fanden bereits zwei Landesausstellungen zum Thema Kaiser Franz Josef I. statt, sah man die Nibelungenausstellung und es gibt zwischen Mai und Oktober einen dichtgedrängten Veranstaltungskalender. Diese Entwicklung ist der Verdienst des jetzigen Schloßherren, Fürst Franz Albrecht Metternich-Sandor. Für ihn sind Kunst und Kultur eine Frage der Lebensqualität und demnach ein persönliches Anliegen.

Eine Frage der Lebensqualität ist für Fürst Metternich aber auch die Weinkultur, und darum versteht es sich von selbst, daß er ein besonderes Auge auf seine Weingüter hat. Die Verwaltung des insgesamt 70 ha großen Gutes, 28 davon liegen im Magistratsbereich von Krems, der Rest im Weinbaugebiet Kamptal-Donauland, obliegt Ing. Harold Rudolf Maria Dietrichstein, der in dieser Funktion seinem Vater Johann und Großvater Rudolf nachgefolgt ist. »Das klingt romantisch«, sagt Harold Dietrichstein, der den Posten eines Verwalters aber nicht als Familienprivileg ansieht. »Nach mir ist einmal Schluß mit der Familientradition, meine Söhne haben andere Berufsvorstellungen.«

Das Fürst Metternichsche Weingut entstand aus dem alten Familiengut in Straß und dem Kremser Besitz von Baron Gutmann, den Fürst Albrecht Metternich im Jahre 1957 erwarb. Große Investitionen waren nötig, um die Rebflächen auf den heutigen Qualitätsstand zu bringen und den Betrieb insgesamt zu modernisieren. »Ein Betrieb unserer Größenordnung ist recht kostenintensiv«, weiß der Verwalter, »da muß man jeden Handgriff bezahlen.« Wenn die Metternichschen Weingüter trotzdem mit nur 16 Beschäftigten das Auslangen finden, dann liegt das daran, daß der Betrieb sicherlich das höchstrationalisierteste Weingut Österreichs ist.

»Der Konsument schwärmt vielfach vom kleinen, romantischen Weinbauern, bei dem der Wein in alten Fässern reift«, sagt Harold Dietrichstein, »das paßt aber nicht mit unserer Weinbauphilosophie zusammen. Ich meine, daß die Weine im Holzfaß zwar rasch reifen, dafür aber auch rasch altern. Weißweine sollten möglichst zart, frisch und duftig bleiben. Das geht im Holzfaß nicht, da ist in zwei Jahren der Höhepunkt überschritten.«

Diese Philosophie vertritt auch Kellermeister Ing. Franz Glück. »Bei uns reifen die Weine im Tank. Sie reifen langsamer, sind dafür aber auch länger haltbar. Die endgültige Reife erfolgt ohnehin erst in der Flasche.«

Für Franz Glück werden bereits im Weingarten die Voraussetzungen für eine hervorragende Qualität gelegt. Man hat in den Metternichschen Gärten eine Gründecke angelegt, die den Boden ausreichend mit Nährstoffen versorgt und schwört auf die Eindrahterziehung der Stöcke. Vor der Lese wird in mehrmaligen Weingartenbegehungen die Gradation erhoben und je nach Lage und Reife der Lesetermin bestimmt. Die Trauben werden von Hand gelesen und kommen möglichst unversehrt und ungemaischt in den Keller, wo sie erst gerebelt und dann schonend, also mit niedrigem Druck, gepreßt werden. Der Most fließt über Fixleitungen in die Tanks zum Entschleimen. Nach einer Eiweißschönung,

wird der Klarmost von oben abgezogen und im Keller, der zehn Meter unter der Erde liegt und konstante Temperaturen übers Jahr ausweist, zur Vergärung gebracht.

Bestechend ist die Sauberkeit im Kellerlabyrinth, 1,3 Millionen Liter Wein können hier in Edelstahlzisternen gelagert werden. »Unsere Weine werden durchgegoren bis zu einem möglichst niedrigen Restzuckergehalt. Erst dann wird der Wein von den Gärtanks in die Lagertanks abgezogen. Wenn wir sagen, daß wir so wenig wie möglich in den Weinwerdungsprozeß eingreifen, klingt das recht einfach. Aber das ist nur dann möglich, wenn in Summe alles stimmt.« Der Wein bleibt dann durchschnittlich bis Mai oder Juni im Tank und wird je nach Reife und Bedarf in Flaschen gefüllt. Nicht alle Metternichschen Weine kommen gleich in die Flasche. Eine Besonderheit dieses Gutes liegt darin, daß man ein beachtliches Altweinlager in Fässern im Keller in Straß liegen hat. »Wir denken an die Zukunft«, sagt Verwalter Dietrichstein, »und haben in 2500-Liter Edelstahlbehältern Raritäten aus verschiedenen Jahrgängen liegen. Unikate, die nicht in unseren Preislisten aufscheinen und gegebenenfalls in Posten von rund 3000 Bouteillen abgefüllt werden. Das sind außergewöhnliche Weine, die es sonst nirgends gibt.« Auch der Weinkeller, in dem diese Stahltanks stehen, ist ungewöhnlich. Man betritt ihn durch einen schmalen Gang, Herr Dietrichstein hantiert kurz in einer Mauernische und harmonische Barockmusik, frisch aus dem »CD-Player«, durchflutet den Raum. Biegt man um die Ecke, steht man vor der Pracht. Das Licht von geschwungenen Messingleuchten hüllt die Edelstahltanks in warmes Licht. Mag der Stahltank für die Lage-

rung noch so von Vorteil sein, Romantiker kommen bei dieser Mischung aus Edelstahl, Leuchter und Musik nicht auf ihre Rechnung.

Die Hauptsorte im Weingut Metternich ist der Grüne Veltliner mit rund 60 Prozent, danach folgen der Riesling mit zehn Prozent und Weißburgunder, Müller Thurgau und Zweigelt Blau mit jeweils acht Prozent. Trotz der acht Prozent Zweigelt Blau ist Rotwein kein Thema im Hause Metternich. Diese Sorte wird ausschließlich für die Erzeugung von Roséweinen verwendet. Durchschnittlich werden jährlich 3.000 hl Wein gekeltert.

Bei der Größe des Weinguts und der Vielzahl der Einzellagen (nicht weniger als 27 Rieden) konzentriert sich das Gut bei der Vermarktung auf die Domäne. »Schloß Grafenegg« gilt als Herkunft der Metternichschen Weine. Ein großer Teil der Produktion wird exportiert. Deutschland, Holland, Dänemark, Großbritannien, Schweiz, Japan und Taiwan sind nur einige der Länder, in denen die Metternich-Weine großen Anklang finden.

In den Kellern des Metternichschen Gutes werden aber nicht nur die Weine aus der eigenen Ernte verarbeitet. Seit der Gründung der »Ersten Österreichischen Weingüterkooperation«, einer Vereinigung verschiedener Schloßweingüter, werden dort auch die Reben des Starhembergschen Weinguts, des Abensperg-Traunschen Schloßweinguts, des A.S. Khevenhüller-Metschschen Weinguts und des Guts von Fürst Esterhazy vinifiziert, aber unter dem Namen des Ursprungsgutes vermarktet.

Im Metternichschen Weingut ist man daran interessiert, den Konsumenten mit Informationen über den Wein zu versorgen. Darum hat man neuerdings eigene Broschüren aufgelegt, in denen sozusagen die »technischen Daten« des Weins

— vom Lesetermin bis zu den Analysedaten der Staatlichen Untersuchungsanstalt in Klosterneuburg — aufgelistet sind. Falls Sie einmal Lust haben, Metternichsche Weine zu verkosten, finden Sie im denkmalgeschützten Metternich-Salettl in Straß einen würdigen Rahmen.

Metternichsche Weingüter
Dominikanerplatz 11
3500 Krems
☎ 02732 / 2035 oder 5825

Gutskeller und Selbstabholung:
3491 Straß im Straßertal
☎ 02735 / 213

Rund ums Haus wächst der Wein

Anton Zöhrer, dessen Weingut in der Sandgrube 1 in Krems steht, ist ein noch recht junger Weinbau- und Kellermeister. Die Tradition seiner Familie reicht aber weit zurück. Die Vorfahren des Gutsbesitzers und seiner Frau Ursula sind bereits seit dem 13. Jahrhundert dort ansässig und erhielten den Grund von Herzog Albrecht I. als Lehen. Im Kreise der sogenannten 20-Lehner-Genossenschaft des einstigen Dorfes Weinzierl, das heute ein Stadtteil von Krems ist, wurden damals rund 1000 ha Boden gemeinschaftlich bewirtschaftet. Man hatte eigene Rechte, eine eigene Kirche (das Antonikircherl), eine eigene Schule und einen

eigenen Friedhof. Für die damalige Zeit, in der die Bevölkerung in erster Linie aus Leibeigenen und Unfreien bestand, war diese »Genossenschaft« einzigartig. Die Mitglieder waren nur dem Landesfürsten unterstellt und auch nur diesem abgabepflichtig. Die Gemeinschaft der »Lehner« kaufte sich 1705 vom damaligen Landesherrn los und bildete eine eigene freie Gemeinde mit eigenem Landesgericht. Im Jahre 1923 wurde die gesamte Liegenschaft endgültig unter den Lehnern aufgeteilt. Von den ursprünglich Zwanzig-Lehnern blieben nur drei Familien übrig: die Weinzierler Weinbauern Zöhrer, Ditz und Figl.

Heute umfassen die Rebflächen des Weingutes Zöhrer zwölf Hektar, wovon der Großteil Eigenbesitz ist. »Es ist mein Bestreben«, sagt Anton Zöhrer, »im Sinne der jahrhundertealten Tradition der Familie und des Ortes sortenreine Lagenweine von bester Qualität zu produzieren«, und wenn man einmal vom Zöhrer-Wein gekostet hat, kann man feststellen, daß ihm das ausgezeichnet gelingt.

»In unserer Gegend ist der Veltliner die Standardsorte«, erklärt Anton Zöhrer, und dementsprechend macht der Veltliner auch 70 Prozent seiner Produktion aus. »Früher haben wir noch eine gemischte Landwirtschaft betrieben, in den letzten Jahren habe ich mich aber ausschließlich auf den Weinbau konzentriert«, sagt Zöhrer, dessen Lagen sich in unmittelbarer Umgebung seines im Jahre 1981 selbst gebauten Hauses befinden. »Alle meine Weingärten liegen in einem Umkreis von nur einem Kilometer.«

Seine berühmteste Lage ist unbestritten die Ried Sandgrube, wo auf erdigem Boden bzw. Lößboden sein Veltliner mit Lenz-Moser-Erziehung steht. Zu den Spitzenlagen zählen aber auch der Weinzierlberg, Frechau und Gebling. Neben dem Veltliner beschäftigt sich Anton Zöhrer aber auch noch mit anderen Rebsorten. »Der Müller-Thurgau ist im Abklingen«, meint er, »daher werde ich diese Sorte in der Pflanzung zurücknehmen. Stattdessen werde ich den Riesling, Weißburgunder und Chardonnay forcieren.«

Die Familie führt auch einen Buschenschank, der sechs Monate im Jahr geöffnet ist und rund 100 bis 120 Gästen Platz bietet. Das Angebot im Buschenschank, in dem Ursula Zöhrer, die früher Kochlehrerin war, das Regiment führt, reicht von der einfachen und deftigen Bauernkost bis zu Spezialitäten wie Wachauerschinken, Kümmelbraten und Nußschinken mit Senfsauce. Wie beim Wein geht es den Zöhrers auch beim Buschenschank nicht so sehr um Quantität, als um Qualität. »Wir versuchen ganz bewußt, klein zu bleiben.« Das Qualitätsdenken hat auch schon seinen Niederschlag gefunden. Der Betrieb wurde kürzlich zum drittbesten Buschenschank Niederösterreichs gewählt. Anton Zöhrer, der sich ausgezeichnet aufs Geschichtenerzählen versteht, bezeichnet sich selbst als einen »Besessenen des Weinbaus«. Er hat früher noch mit einer alten Baumpresse gearbeitet, ist aber nun auf eine Tankpresse umgestiegen, die das generell gerebelte Traubengut bei maximal zwei Atü Druck entsaftet. Der Ausbau der Weine erfolgt teils im Holzfaß, teils im Tank. Als »Besessener des Weinbaus« füllt Anton Zöhrer seine Weine ausschließlich in 0,7-l-Flaschen und legt von den besten Jahrgängen auch immer einen kleinen Vorrat zurück. Seine Vinothek, die er zwischen dem alten und neuen Weinkeller angelegt hat, kann sich jedenfalls sehen lassen. Von diesen Beständen sagt Zöhrer, daß der Wein »schwer« sei. Damit meint er aber, schwer zu kriegen.

Weingut in der Kremser Sandgrube
Anton Zöhrer
Sandgrube 1
3500 Krems
☎ 02732 / 3191

Aquarell S. Layr   Sammlung Freiherr von Geymüller

*Domäne
Baron Geymüller*

Hollenburg · Krems Österreich

Durch die Donau ist das Weinbaugebiet Kamptal-Donauland zweigeteilt. Der kleinere Teil davon, mit den Ortschaften Hollenburg, Palt und Furth, liegt am rechten Donauufer. Umrahmt von den Weinbaugebieten Wachau und dem westlichen Teil der Region Donauland-Carnuntum.

Der Name des Ortes Hollenburg taucht urkundlich erstmals 861 als »Holunburc« auf, als König Ludwig der Deutsche dem Salzburger Erzbischof Adalwin seine Besitzungen bestätigt.
Hollenburg zählt zu den ältesten Ortschaften Niederösterreichs. Sichtbare Spuren hinterließ die Römerzeit (Römische Friedhöfe außerhalb der Ansiedlung, Römerstein mit Inschrift), man vermutet auch mit großer Sicherheit einen römischen Wehrturm. Ein Wahrzeichen von Hollenburg war früher die Burg, die im 13. Jahrhundert auf diesen römischen Fundamenten errichtet wurde. Die frühe wirtschaftliche Bedeutung Hollenburgs im Wein- und Obstbau geht aus einer Aufstellung von 1318 des Bistum Freisings hervor, in der u.a. folgende Weingärten genannt werden: Haiterperger, Laurentzer, Chaufweingarten, Puol, Pierer, Schaffer, Gaizruk, Löchler und Geschell. Herzog Rudolf IV. erhebt Hollenburg 1359 in den Rang eines Marktes. Bis zur Säkularisation 1805 blieb Hollenburg unter der Herrschaft des Hochstifts Freising, 1811 wurden die Güter an den Bankier Jacob von Geymüller verkauft. Hollenburg wurde auch von der Pest 1679/1680, 1684 und 1713 heimgesucht und von einem Brand 1698 zum größten Teil vernichtet. Das Marktwappen Hollenburgs zeigt im oberen Feld einen Mohrenkopf, im unteren eine gezinnte Quadermauer mit Torturm.
Heute ist Hollenburg ein lieblicher Ort mit vielen rustikalen Buschenschenken, in denen ausgezeichnete Weine gekostet werden können.

Wein und Kunst

Als der Bankier Freiherr Johann Jakob von Geymüller bei der Versteigerung der ehemaligen Weingüter des Bistums Freising im Jahre 1811 den Zuschlag erhielt, erwarb er damit einen Besitz von rund 130 ha und drei Kellereien in Nußdorf, Krems und Hollenburg. Durch Erbteilung wurde das Gut im Laufe der Jahre reduziert. Heute umfaßt die Domäne mit Sitz in Hollenburg 25 ha, die in der Großlage »Kremser Kogl« liegen. Die größte Einzellage ist der »Hollenburger Lusthausberg«, wo rund 10 ha Grüner Veltliner ausgepflanzt sind. Der Name kommt von einem chinesischen Lusthaus, das Baron Rudolf Geymüller errichten ließ, um die schöne Aussicht auf die Ruine Bertholdstein, den Donaustrom und die Stadt Krems genießen zu können. Der Weingarten »Hollenburger Schiefer« liefert auf Grund seines günstigen Kleinklimas immer wieder sehr schöne Spätlesen, so zum Beispiel den 83er Grünen Veltliner, der halbtrocken ausgebaut und kräftig im Duft ist. Ein sehr wuchtiges Bukett mit einem langanhaltenden Abgang hinterläßt einen guten Eindruck. Die beste Rieslinglage des Gutes ist der »Goldberg«, eine reine Südlage mit einem sehr kalkreichen Sandboden. Die Ried »West Point« ist mit Frührotem Veltliner und Neuburger bepflanzt. An Rotweinsorten sind St.Laurent,

einen kleinen Exportanteil und beliefern die Austrian Airlines mit unserem Grünen Veltliner«, erklärt Rudolf Geymüller, der auch ein großer Kunstliebhaber ist, wie man nicht zuletzt an den Etiketten seiner Weinflaschen erkennen kann. »Meine Frau und ich besuchen regelmäßig Kunstausstellungen, um geeignete Bilder für unsere Etiketten zu finden. Wir schaffen mit diesen künstlerischen Etiketten eine intellektuelle Symbiose zwischen Wein und Kultur und räumen dem Künstler im Zuge einer eigenen Kost das Recht ein, einen speziellen Wein für seine Arbeit auszuwählen.« Die Grundidee der Verbindung »Kunst und Weinetikett« ist zwar französischen Ursprungs, auch war an Beginn der Etikettenserie eine frappante Ähnlichkeit mit dem wohl berühmtesten französischen Weingut vorhanden. Doch sehr bald begann eine eigenständige Linie, die die Geymüllerschen Weine für Wein- und Kunstliebhaber interessant macht. Für kleinere Gruppen veranstaltet der Hausherr bei vorheriger Anmeldung eine kommentierte Weinkost.

Domäne Baron Geymüller
3506 Hollenburg bei Krems
☎ 02739 / 2229

Blauer Zweigelt und Blauer Portugieser im Verkaufsprogramm. Als gelernter Forstwirt hat Dipl.-Ing. Rudolf Geymüller seine Weingärten so gestaltet, daß auch eine maschinelle Bearbeitung auf den Terrassen möglich ist. »Wir achten durch konsequente Weingartenarbeit darauf, den Stöcken eine gesunde Holzstruktur zu erhalten, um die Anlagen möglichst lange nutzen zu können. Dazu gehört auch gezielter und überlegter Pflanzenschutz mit exakten Dosierungen.« Bei der Schädlingsbekämpfung orientiert man sich in den Weingärten an besondere, kritische Punkte. »Erst wenn dort Schädlinge auftreten, wissen wir, daß wir reagieren müssen.« Der Aufwand lohnt sich. Einzelne Rebanlagen sind bereits über 30 Jahre alt und liefern beste Qualitäten. Für die Kellerwirtschaft ist Ing. Karl Steindl verantwortlich, der in der Vinifizierung klassische Methoden anwendet. Die Trauben werden möglichst spät gelesen und in Rototanks schonend gepreßt. Die Vergärung erfolgt je nach anfallender Erntemenge in Zisternen, Stahl- oder Kunststofftanks bzw. in Holzfässern. »Ich habe Freude an modernen Materialien«, sagt Dipl.-Ing. Geymüller, »das gibt uns die Möglichkeit zu einem reduktiven Ausbau der Weine, die schon durch den Kalkboden eine gute Säurestruktur aufweisen.« Die Hollenburger Weine sind in ihrer Jugend eher hart und rauh, haben dadurch aber ein hervorragendes Reife- und Alterungspotential. »Das versuchen wir durch einen langsamen Faßausbau zu optimieren.« Der Keller hat insgesamt 3.500 hl Lagerkapazität, wovon 1.000 hl von der jährlichen Ernte beansprucht werden.
Die Vermarktung der Weine der Geymüllerschen Domäne erfolgt zum Großteil über die Spitzengastronomie und den gehobenen Fachhandel. »Wir haben auch

Baron Geymüller ist auch Obmann der Vereinigung »Vinobilitas«.
Diese Vereinigung österreichischer Herrschafts- und Stiftsweingüter wurde 1988 gegründet. Die sechs Mitglieder haben sich die Erzeugung von Weinen höchster Qualität zum Ziel gesetzt. Ein eigener Kellerbetrieb, Weine nur aus Eigenrieden, historische Tradition in der Kultivierung, Pflege und Vermarktung gutseigener Weine und eine strenge Prüfung durch eine Kostkommission sind die Voraussetzungen für die Zuerkennung und Führung des Vereinssignets für die Mitgliedsbetriebe.
Die sechs Gründungsmitglieder bewirtschaften zusammen rund 190 ha Weingartenfläche in Niederösterreich, Burgenland, Wien und der Steiermark. Neben dem Weingut Domäne Baron Geymüller sind das Weingut Stift Heiligenkreuz, Freigut Thallern in Gumpoldskirchen, das Gräflich Stubenbergsche Schloßweingut in Walkersdorf bei Krems, das Stift Schotten in Wien, das Schloßweingut Graf Hardegg in Seefeld-Kadolz und das Gräflich Stürgkhsche Weingut in Klöch in der Steiermark zu nennen.

Vater und Sohn im Weingarten

Rund sieben Hektar beträgt die Rebfläche des Weinguts von Meinhard Forstreiter in Hollenburg. Das Weingut liegt etwas versteckt direkt hinter der Kirche in der Kirchengasse 13. Eine große Anzahl der Weine, die aus den steilen Lößterrassen der Rieden Kogl, Hollenburger, Point und Neuberg kommen, kann man ruhig als Bergwein bezeichnen. »Diese Weingärten sind durch ihre Lage und das besondere Kleinklima mit den starken Temperaturschwankungen zwischen Tag und Nacht für einen ausgezeichneten, fruchtigen Grünen Veltliner geeignet.« Das Wort »ausgezeichnet« kann man im Weingut Forstreiter durchaus wörtlich nehmen. Meinhard Forstreiter, der mit seiner Gattin Hermine gemeinsam das Weingut betreibt, ist Absolvent der Weinbaufachschule Krems und hat sich in der Weinbauschule Klosterneuburg fortgebildet. Ehe er den Betrieb, der seit 1868 im Familienbesitz steht, im Jahre 1961 übernahm, wurde die Ernte fast gänzlich an die Winzergenossenschaft geliefert. »Dabei hat aber zu wenig herausgeschaut«, erinnert sich der Winzer, »daher haben wir mit der Selbstvermarktung begonnen.« Veltliner, Neuburger, Ruländer, Weißburgunder, Chardonnay und Riesling werden heute kultiviert. »Grundsätzlich keltern wir leichte, bekömmliche Weine«, umreißt er sein Konzept.
Ein charakteristisches Beispiel dieser Linie ist der Grüne Veltliner Kabinett 1987, Ried Mohrenkopf (A: 12,3 Vol.%; S: 6,2; Z: 1,4), der einen sehr fruchtigen Geruch hat, betont duftig ist und leicht pfeffrig-würzig ausklingt. Auch mit seinem kleinen Rebanteil Rotweinsorten kann der Betrieb Beachtliches aufweisen. So wurde der Blauburger 1987, Ried Hollenburger (A: 11,8 Vol.%; S: 4,9; Z: 1,4) für den Salon österreichischer Weine ausgesucht. Sein ausdrucksvolles Bukett mit dem feinen Duftaroma, das gleichzeitig trocken und voll ist, und der zarte Brombeerton hat nicht nur die Juroren

überzeugt. Im Weingarten sorgt der Winzer, der bereits von seinem 21jährigen Sohn Meinrad bei der Arbeit unterstützt wird, dafür, daß praktisch jeder einzelne Stock beim Winterschnitt individuell behandelt wird. Forstreiter denkt dabei an einen Satz, den der frühere Direktor der Weinbauschule Krems, Ing. Hans Altmann, gesagt hat: »Man muß mit dem Weinstock reden können.«
Im Keller hält es der Obmann des Vereins »Original Kremser Weine« mit dem traditionellen Ausbau. Die Trauben werden gerebelt, kurz fermentiert, gepreßt und im Holzfaß reduktiv vergoren. Nach einer raschen Klärung kommt der Wein zwischen März und Mai in die Flasche, bleibt aber mindestens vier Wochen im Flaschenlager, ehe er verkauft wird.
Meinhard Forstreiter versteht sich aber nicht nur ausgezeichnet auf die Weinbereitung (»Ein junger Wein ist wie ein kleiner Bub. Man weiß nie so recht, wie er sich entwickelt. Entwickelt er sich nicht ganz nach Wunsch, muß er geschult werden, ohne aber allzustark einzugreifen«), er versteht sich auch gekonnt auf das Brennen von Schnäpsen. Sein Traubenbrand gilt ebenso als Geheimtip wie die Schnäpse von den Marillen, Äpfeln, Birnen, Kirschen, dem Hollunder und den Johannisbeeren, die in seinen gut zwei Hektar großen Obstgärten reifen.

Winzerhof Meinhard Forstreiter
Kirchengasse 13
3506 Hollenburg
☎ 02739 / 2296

Gleich nach Hollenburg führt die Straße nach Traismauer, einer kleinen Stadt in der Donauebene. Sie ist eine alte Römersiedlung mit dem ehemals römischen Namen »Trigisanum«. Der Ort war bereits von der Steinzeit an besiedelt, dann keltisches Dorf und danach römisches Kastell, dessen Anlage heute noch in der Umfassung des Ortes erkennbar ist. In einem Legat aus 200 n.Chr. beklagt sich der römische Kaiser Probus über die schlechte Qualität des Traismauerschen Weines. Er ließ daraufhin bessere Rebsorten anpflanzen. Er selbst konnte sich von der Qualitätsverbesserung nicht mehr persönlich überzeugen, da er von seinen eigenen Soldaten, die der Weingartenarbeit überdrüssig waren, erschlagen wurde. Im Nibelungenlied wird die Ortschaft mit dem Namen »Traisenmauer« als eine reiche Feste des Königs vom Hunnenland, beschrieben. Das heutige Stadtbild wird von den Bautätigkeiten des 16. Jahrhunderts geprägt. Aus dieser Zeit stammt das Wiener Tor, oder auch Römertor genannt, ein mächtiger Bau mit Wappen zwischen niedrigen Rundtürmen mit Kegeldächern, sowie der Hungerturm, in dessen Gebäude sich das Heimatmuseum mit zahlreichen prähistorischen und römischen

Ausstellungsstücken befindet. Damals erhielten auch zahlreiche Wohnhäuser des Ortes prächtige Arkaden und Erker.

Die in dieser Gegend gekelterten würzig fruchtigen Weine gedeihen unter den vorherrschenden kontinentalen Klimaeinflüssen vorwiegend auf Lößboden. 215 ha Weingartenflächen werden hier hauptsächlich im Nebenerwerb bewirtschaftet. Bis 1975 war Traismauer auch der Sitz der ältesten niederösterreichischen Winzergenossenschaft, die im Jahre 1900 als »Erste niederösterreichische Hauerinnung« gegründet wurde. 1975 wurde sie mit der Winzergenossenschaft Krems fusioniert. In der letzten Juniwoche finden jedes Jahr die »Traismauer Weintage« statt.

Wenn das Wetter paßt, das heißt, wenn es klar ist, hat man vom Weingut Ludwig Neumayers in Inzersdorf einen wunderschönen Blick bis zum Schneeberg und Ötscher. »Für meine Berglagen ist das Wetter beinahe schon zu gut«, sagt der Winzer, »es fallen zu wenig Niederschläge und eine künstliche Beregnungsanlage wäre nur mit einer langen Wasserleitung möglich.« Diese Probleme und die damals nicht gerade rosige wirtschaftliche Situation ließen Ludwig Neumayer sogar kurzfristig überlegen, den Weinbau überhaupt aufzugeben. Dann aber hat sich der Winzer, der in Klosterneuburg maturiert hatte, doch entschlossen, beim Wein zu bleiben. »Ich wußte, daß es nicht genügt, einen guten Wein in die Flasche zu bringen, man muß den Konkurrenzkampf aufnehmen und auffallen.« Neumayers Weine fallen schon von weitem auf. Das liegt an den eleganten, zeitlosen Etiketten, die für den Winzer gleichsam eine Visitenkarte darstellen. »Man hat es

nicht leicht gegen die alteingesessenen Weinbaubetriebe, die schon jeder kennt. Wir versuchen also, zunächst einmal die Neugierde des Kunden zu wecken und können dann nur noch durch Qualität überzeugen.« Die Qualität eines Weines hängt für Neumayer unmittelbar mit der Güte des Traubenmaterials zusammen. Aus dieser Sicht ist der Winzer auch recht froh, daß sein Besitz nicht größer als vier Hektar ist. »Da kann man öfter durch die Weingärten gehen und gegebenenfalls bei der Laubarbeit korrigierend eingreifen.«

Es dauert klarerweise, bis ein Kundenstock aufgebaut ist. Ludwig Neumayer, der an den Wochenenden von seinem in Wien beschäftigten Bruder Karl unterstützt wird, beliefert mittlerweile schon Spitzenhäuser in Wien mit seinen Weinen. Die Kunden kommen aber auch gerne hinaus nach Inzersdorf, um an Ort und Stelle aus dem Neumayer-Angebot zu probieren. Für diese Kunden hat der Winzer ein architektonisch interessantes Koststüberl eingerichtet. Dem Raum, früher ein eher düsterer Stall, wurde jetzt durch verschiedene Lichtquellen eine heimelig, gemütliche Atmosphäre verliehen. Dort schmeckt dann auch die besondere Spezialität aus dem Neumayer-Keller: Der »Leichte Sommerwein«, der aus einem 35 Jahre alten Weingarten mit einem gemischten Satz kommt.

Weingut Ludwig Neumayer
Inzersdorf 22
3130 Herzogenburg
☎ 02782 / 4803

Die Gegend, in der heute die kleine Ortschaft Feuersbrunn liegt, war schon in der Jungsteinzeit besiedelt — zahlreiche Funde aus dieser Zeit weisen darauf hin. Auch die Römer waren bis zum Ende des 4. Jahrhunderts die Beschützer der Bewohner dieses Gebietes. Kaiser Valentinian I. (364 — 375) ließ in der Nähe von Feuersbrunn einen Wachturm zur Grenzbefestigung errichten. Urkundlich wurde eine Ortschaft mit dem Namen »Vuzzesprunnen« 1149 erstmals erwähnt. Die Entwicklung dieser Ortschaft war zu dieser Zeit schon recht weit fortgeschritten, sodaß die Bewohner als recht vermögend in dieser Handschrift beschrieben wurden. Die Kriege und Brandschatzungen der folgenden Jahrhunderte gingen nicht ohne Folgen vorüber. Ein Beispiel für das ewige Auf und Ab sind die Glocken der Kirche von Feuersbrunn.

Immer wenn es gerade Krieg gab, wurden überall im Lande die Glocken vom Kirchturm geholt, und zu Kriegsmaterial umgegossen. So auch während des Ersten Weltkrieges. Nach dem Krieg wurden die abgelieferten Glocken von der Bevölkerung wieder ersetzt. Um die Geldmittel zu beschaffen, ging der Oberlehrer zur Zeit der Weinlese durch die Keller und sammelte Most zum Verkauf. Mit diesem Ertrag sowie dem Erlös von gesammelten Körnerfrüchten und mit Hilfe von

Geldspenden sollten die neuen Glocken bezahlt werden. Aus den Dokumenten der Abrechnungen ist allerdings zu ersehen, daß die 3. Glocke in erster Linie mit Naturalien bezahlt wurde: 25 kg weißes Mehl zu 30.- Kronen, 20 kg Speck zum Zerlassen zu 150.- Kronen, 20 kg Fisolen zu 26.- Kronen, 300 Stk. Eier zu 7.- Kronen, zusätzlich 6 Flaschen Wein als Spende waren ein Teil des Honorares. Dies alles mußte im Rucksack bis zur Wohnung des Glockengießers nach Wien gebracht werden. Lediglich die 300 kg Kartoffel zu 8.- Kronen durften mit der Bahn geschickt werden. Lange haben diese Glocken jedoch nicht geläutet, im Zweiten Weltkrieg wurden sie abermals vom Turm geholt und umgearbeitet.

Am Beginn der Feuersbrunner Kellergasse steht ein kleines Haus, in dem das örtliche Weinbaumuseum untergebracht ist. Das wichtigste Ausstellungsstück ist eine Rebschere, die der Schlosser Franz Zelenka aus Feuersbrunn erfunden hat. 1833 konstruierte er seine erste Rebschere, die er 1846 durch das Anbringen einer Feder noch wesentlich verbesserte. Zelenka, der in Wien das Schlosserhandwerk gelernt hat, war auch Geselle beim Zeugschmied Johann Keusch in Krems, der ebenfalls als Erfinder der Rebschere gilt. Wer allerdings wirklich der Erste war, läßt sich historisch nicht genau belegen, wahrscheinlich war es Franz Zelenka. Zahlreiche alte Weinbaugeräte, wie »Kellerzöckerl« aus geflochtenem Stroh, die zum Tragen der Jause verwendet wurden, sind dort ausgestellt. Neben dem Museum weist ein Tafel auf die Betriebe hin, bei denen »ausg'steckt« ist.

Im Weinkeller von Leopold Öhlzelt, mitten in der Kellergasse, ist eine »Hauerlucke« in die Lößwand gegraben. Diese kleinen Gänge wurden in den weichen Boden gegraben, um dort vor Unwettern Schutz zu finden. Selbstverständlich war immer ein Flascherl dabei, sodaß es oft vorkam, daß die Sonne schon längst wieder schien, bevor die Winzer aus der Lucke kamen.

An den Wochenenden oder an Feiertagen findet man in der romantischen Kellergasse in Feuersbrunn stets eine offene Kellertür. »Das hat sich bei uns eingebürgert«, erklärt Anton Friedl. Die Besucher kommen, um die in den Löß geschlagenen Keller zu besichtigen, und die Weinbauern sind gerne bereit, vom Wein und den Menschen, die ihn bereiten, zu erzählen. Ganz

klar, daß bei solchen Gelegenheiten auch das eine oder andere Flascherl probiert wird.

»Bei uns geht es recht lustig zu. Vor allem nach einer Jagd, wenn auf ein Waidmannsheil angestoßen wird und zu vorgerückter Stunde Georg Schober die alten Hauerlieder anstimmt, deren Texte viele gar nicht mehr kennen.« Die Weinkeller sind für die Winzer aus der Gegend um Feuersbrunn gleichsam ein Kommunikationszentrum. »Es ist schon recht angenehm, sich nach der harten Arbeit im Weingarten oder im kühlen Keller zusammenzusetzen.«

Der Keller von Anton Friedl ist ungemein sauber. »Sauberkeit war bei uns immer schon höchstes Gebot. Dank guter Pflege hat beispielsweise unser ältestes Holzfaß über 150 Jahre lang gehalten.«

Anton Friedl, der die Tochter des bekannten Winzers Franz Kuntner geheiratet hat und nunmehr den Betrieb führt, hat seine 4 ha Weingärten am Ausläufer des Wagram in ausgesprochener Südlage. In der Ried Stiegel, rund um den Keller, wachsen Grüner Veltliner und Weißburgunder. Kultiviert werden alle Reben als Hochkultur, mit einem Zweibogenschnitt, der ganz kurz geführt wird. Maximal 6.000 kg Trauben werden pro Hektar geerntet. Diese selbstauferlegte Mengenbeschränkung, die günstige Lage, verbunden mit dem Lößboden, verleihen dem

Grünen Veltliner den würzig pfeffrigen Ton. Riesling x Sylvaner und ein kleines Quartier Veltliner stehen auf der Ried Gmörg.

Die Winzer in Feuersbrunn haben in ihren Kellern stets einige Raritäten lagern, die sie alle zwei Jahre zum »Zelenka-Fest« im Juli öffentlich versteigern. Das macht der Weinbauverein Feuersbrunn seit seinem 60jährigen Bestand, und diese Versteigerung hat sich zu einem richtigen Volksfest entwickelt: mit Musik und Chor und einer großen Weinkost auf dem Hauptplatz. Alle Jahre, am Martinisonntag im November, findet in Feuersbrunn eine Weintaufe statt. Nach der Taufe in der Kirche wird der junge Wein vom Taufpaten in einem Handwagerl durch die ganze Ortschaft in Richtung Kellergasse gezogen.

Weinbau Anton Friedl
3483 Feuersbrunn 49
☎ 02738 / 2763

Vater und Sohn in der Rebschule

Seinen eigenen Kopf durchgesetzt hat Franz Arndorfer junior bei der Wahl seines Berufs. »Ich hab mich schon von Kind auf für den Weinbau interessiert, aber der Vater wollte, daß ich etwas anderes mache, weil unser Betrieb gar so klein ist.« Franz Arndorfer junior maturierte in Klosterneuburg und absolvierte eine Ausbildung zum Landwirtschaftlichen Fachlehrer. Gemeinsam mit seinen Eltern, Franz und Maria Arnsdorfer, bewirtschaftet er insgesamt drei Hektar Weingärten in der Region Donauland Carnuntum. Mit drei Hektar Rebfläche kann man nur dann überleben, wenn man in der Lage ist, Qualitätswein zu produzieren. Die Familie keltert nicht nur Qualitätswein, sondern forciert auch Raritäten. Eine davon ist der Zweigelt Rosé, der ausschließlich aus dem Seihmost der gerebelten Trauben gewonnen wird.

Arndorfer versucht, seine Weine möglichst naturbelassen in die Flasche zu bringen. Die Naturbelassenheit beginnt schon im Weingarten, wo er darauf achtet, ein intaktes Ökosystem zu erhalten. Er sät regelmäßig Gras in die Weingartenzeilen, das gemähte Gras bleibt liegen und wird gleich als Gründüngung verwendet. Zur Kontrolle läßt er alle fünf Jahre eine Bodenuntersuchung durchführen. Bei der Schädlingsbekämpfung geht der junge Winzer mit Spritzmitteln höchst sparsam um. »Wenn man den Weingarten ständig kontolliert, kann man rechtzeitig und gezielt eingreifen.« Der Betrieb arbeitet auch als Wetterwarte, und es besteht eine enge Zusammenarbeit mit der Bundesanstalt für Pflanzenschutz.

Die Hauptrebsorte ist der Grüne Veltliner, der auf der Ried »Am Berg« wächst. Kleine Mengen Müller Thurgau und Weißburgunder werden auch verarbeitet, jedoch hat sich der Betrieb durch seinen Rosé und Blauen Zweigelt einen Namen gemacht. Der jugendlich frische Zweigelt aus der Ried Gmörgsteg wächst auf sandigem Lößboden, wird gerebelt und unter Reinhefezusatz möglichst langsam bis auf einen Rest von 5 bis 7° KMW vergoren, anschließend abgepreßt und in Holzfässer zur weiteren Reife gefüllt. Auch beim Rotwein wird ein höherer Säuregehalt angestrebt. Alle Weine werden so ausgebaut, daß sie in der Flasche mindestens fünf Jahre lang haltbar sind.

Die Weinbereitung ist das eine wirtschaftliche Standbein von Franz Arndorfer, das zweite ist die Rebveredelung. Auf diesem Gebiet hat sich der Winzer aus Feuerbrunn österreichweit schon einen guten Namen gemacht. »Ich berücksichtige bei meinen Selektionen jeweils die individuelle Lage, den Boden und Sortenwunsch«, erklärt Arndorfer, der auch steirische Schilcher-Bauern zu seinen Kunden zählt.

Franz und Maria Arndorfer
Kirchengasse 3
3483 Feuerbrunn
☎ 02738 / 8221

Frühroter Veltliner vom Mantlerhof

Das Weingut Mantlerhof in Gedersdorf zählt ohne jeden Zweifel zu den renommiertesten Weinbaubetrieben im Lande. Es verfügt über eine Rebfläche von zwölf Hektar in besten Lagen mit massiven Lößformationen. Ähnliche Formationen findet man sonst nur noch in Deutschland und in China. »Dieser Boden macht unsere Weine weicher und extraktbetonter als jene, die in der Wachau wachsen«, weiß Josef Mantler, der zunächst gar nicht im Sinn hatte, die Landwirtschaft zu seinem Broterwerb zu machen. »Mein Vater wollte mich nicht halten, als ich ihm mit der Idee kam, Datenverarbeitung zu erlernen. Ich wollte Welthandel studieren, habe aber schließlich doch zur Bodenkultur gewechselt. Meine Diplomarbeit hatte bereits ein Thema aus dem Weinbau: Die Untersuchung von Nährstoffwirkungen.«

Damit war klar, daß Josef Mantler in die Fußstapfen seines Vaters treten würde, der in diesem Gebiet als Weinbaupionier gilt. Die Familie ist hier seit über sechshundert Jahren angesiedelt. Die erste noch erhaltene Familienurkunde berichtet von einem Weingartenkauf im Jahre 1365. Heute bewirtschaftet die Familie neben dem Weingut noch zusätzlich 50 ha Landwirtschaftsfläche.

Obwohl der Grüne Veltliner mit 50% den Hauptanteil der Produktion stellt, galt im Mantlerhof seit jeher das besondere Interesse dem Roten Veltliner, der in der Ried Reisenthal in Gedersdorf wächst. Angelegt als Hochkultur mit kurzem Zapfenschnitt, werden auf den Terrassen maximal 70 hl pro Hektar geerntet.

Früher war diese Rebsorte in der Region wesentlich verbreiteter, heute verliert sie aber zunehmend an Bedeutung. Nicht zuletzt deshalb, weil sie höchst blüteempfindlich ist und leicht zum Verrieseln neigt. Im Mantlergut erreichte der Rote Veltliner aber durch jahrzehntelange Selektionen ein Qualitätsniveau, das seinesgleichen sucht. »Wir haben diese Selektionen immer nur für unseren eigenen Betrieb gemacht, stehen daher heute besser da, als andere Weinbauern«, sagt Josef Mantler, der auch Versuche mit immer neuen Rebsorten anstellt. So hat er einen Weingarten mit Chardonnay bepflanzt — die erste Ernte 1987 ist bereits im Verkauf — und experimentiert auch mit einer Merlot-Pflanzung.

Die Weingärten des Mantlerhofs stehen noch unter dem Einfluß des pannonischen Klimas. Das heißt, daß im Jahresdurchschnitt nur wenige Niederschläge fallen. »Etwa 500 mm sind schon das höchste der Gefühle, und der Großteil davon prasselt im Sommer in Form von Gewitterregen vom Himmel.« Das hat zur Folge, daß der leichte Lößboden, hauptsächlich Quarz mit ein wenig Kalkspat, abgeschwemmt wird. Dem wirkt man seit einigen Jahren dadurch entgegen, daß die Weingärten zur Hälfte begrünt werden. Jeweils eine Gasse wird begrünt, die nächste bleibt wieder offen.

Die bevorzugte Lage ist die Ried Spiegel, eine Hanglage, ausgerechnet dort, wo der Berg am steilsten ist. Auf ihr sind der Grüne Veltliner und Merlot ausgepflanzt. Diese Lage ist auf Grund des Kleinklimas eher frühreifend. Der Veltliner, der in der Ried Weitgasse, gleich hinter dem Weinkeller am oberen Ende der Hochebene, wächst, reift eher später.

Der Riesling der Ried Tiefenthal steht ebenfalls auf Lößboden und entspricht ganz der Linie des Hauses Mantler: kräftig in der Farbe, sortentypisch und gehaltvoll. Da die Säurewerte von Beginn an etwas höher gehalten werden (zwischen 7 und 8,5 Promille), kommt dies den Weinen bei längerer Lagerung zugute. Bei der Vinifizierung richtet sich Josef Mantler nach den Gegebenheiten des Marktes. »Früher waren wir mit der Lese immer spät dran, weil wir bei der Größe unseres Betriebes nie genug Leute bekommen haben. Wir mußten stets warten,

bis die anderen Weinbauern fertiggelesen hatten. Jetzt sind wir in der Lage, den Lesezeitpunkt nach dem Verhältnis Zucker/Säure selbst zu bestimmen. Wenn wir sehen, daß leichtere Weine gefragt sind, lesen wir früher, werden Prädikatsweine verlangt, warten wir zu.« Seit dem Jahre 1959 kommen nur unaufgebesserte Weine in die 0,7-l-Flasche. Eine Ausnahme bilden nur die »Leichtweine«, die im Mantlerhof seit 1980 gekeltert werden und nur um die 8,7 Vol.% Alkohol aufweisen.

Mantlerhof
Josef Mantler
Hauptstraße 50
3494 Brunn im Felde
☎ 02735 / 8248

Des Kaisers Mundschenk

Die Weinkenner wissen schon, was es bedeutet, wenn es heißt: »Beim Grafen ist ausgesteckt«. Sie wissen dann, daß Wolfgang Graf Stubenberg seinen Heurigen im Schloß Walkersdorf wieder geöffnet hat. Dann ist es Zeit hinauszufahren, um in den gemütlichen Räumen der Schenke oder unter uralten Bäumen im Schloßhof zu sitzen und das Leben zu genießen. Selbstverständlich mit einem Glas Wein und einer der Spezialitäten, die Gräfin Maria Helene empfiehlt. Geöffnet hat Graf Stubenberg seinen »Schloßheurigen« dreimal im Jahr. Im Frühjahr, im Frühsommer und im Herbst. Jeweils nur sechs Wochen.

Der Ursprung der Weindomäne Schloß Walkersdorf dürfte in einem Zehenthof des Stiftes Melk liegen. Seit dem 18. Jahrhundert im Besitz der Grafen Szechenyi und der Grafen Breunner kam das Schloß durch Heirat in den Besitz der Stubenberg die sich in der heute zu Jugoslawien gehörenden Untersteiermark immer schon mit dem Weinbau beschäftigt hatten. Die Grafen Stubenberg müssen seit jeher besonders gute Weine gemacht haben, immerhin wurden sie um 1670 von Kaiser Karl VII., dem »Wittelsbacher«, mit dem Erbmundschenkamt belehnt. Durch die Weitervererbung in der Familie ist Wolfgang Stubenberg auch heute noch Oberster Mundschenk Österreichs, allerdings ohne Kaiser.

Der eigentliche Aufschwung begann für den Weinbau auf Schloß Walkersdorf, als Wolfgang Graf Stubenberg im Jahre 1960 den Besitz übernahm. Bis dahin hatte der Wein eine eher untergeordnete Rolle gespielt. Der Graf erkannte aber bald, daß die wirtschaftliche Zukunft im Wein zu suchen sei und stellte den Betrieb um. Heute umfaßt der Weingartenbesitz rund zehn Haktar, die übrige Landwirtschaft an die 80 Hektar. Die Hauptlage des Schloßweinguts heißt bemerkenswerterweise »Galgenberg«. Auf diesem aus Löß und Schwemmschotter aufgebauten Berg

wurden früher Todesurteile vollstreckt. Heute denkt der Weinkenner an Grünen Veltliner, Riesling und Chardonnay, wenn er »Galgenberg« hört. So ändern sich die Zeiten. In der Ried Reisenthal wachsen Grüner Veltliner und Riesling x Sylvaner und »In der Eben« gedeiht der Frührote Veltliner (Malvasier), der zu den besonderen Raritäten des Hauses zählt.

Die Trauben des Schloßweinguts werden immer sehr spät gelesen, um eine höhere Gradation zu erreichen. »Bei einer physiologischen Traubenreife ist die natürliche Säure in der Beere so weit umgewandelt, daß ein weiteres Entsäuern der Weine nicht mehr notwendig ist«, meint Kellermeister Johann Hochrainner und achtet darauf, stets Trauben mindestens im Qualitäts-, und wann immer nur möglich, im Kabinettsbereich zu ernten. Durchschnittlich werden 500 hl Wein im Jahr erzeugt. Alle Weine werden voll durchgegoren und je nach Rebsorte im Holzfaß oder Stahltank ausgebaut. Gefüllt wird im Schloßweingut erst nach längerer Lagerzeit. Der Veltliner bleibt gut ein halbes Jahr im Faß, die Rieslinge oft bis zu einem Jahr, bevor sie gefüllt werden.

Das Schloßweingut ist auch Mitglied der Vinobilitas, der Vereinigung der österreichischen Herrschafts- und Stiftsweingüter.

Gräf.Stubenberg'sches
Schloßweingut
3492 Schloß Walkersdorf
☎ 02735 / 310

Hans Georg Mantler, der seine vier Hektar Weingärten in Straß und seinen Keller in Gedersdorf hat, absolvierte die Weinbauschule in Klosterneuburg im letzten Maturajahrgang vor dem Krieg. Zu einem Zeitpunkt also, als noch der legendäre Direktor Zweigelt dem Institut vorstand. »Ursprünglich war für mich der Weinbau mehr ein Hobby«, sagt der Mittsechziger heute, »erst später betrieb ich ihn kommerziell«. Die von ihm gekelterten Weinqualitäten entsprechen aber eher der Arbeit eines wahren Berufenen als der Herstellung einer Handelsware, die dem Gelderwerb dient. Die Grundlinie seines Betriebes ist recht einfach zu beschreiben: klassische, gehaltvolle und in Ruhe gereifte Weine.

Hans Georg Mantler, dessen Gut seit 1770 im Familienbesitz ist, hat seine Hauptsorte, den Grünen Veltliner, auf der Ried Offenberg in Straß und ist bemüht, diesen möglichst spät zu lesen. Die anderen Weingärten liegen sehr verstreut in der Umgebung. Riesling und Chardonnay werden in der Ried Brunngasse kultiviert, in der Ried Unterau baut er Müller Thurgau und Traminer an. Die Blausorten Blauer Portugieser und Blauer Zweigelt wachsen in der Ried Oberhasel.

Die Maische des Chardonnays und Rieslings wird über Nacht stehen gelassen, ehe sie gepreßt und in Holzfässern vergoren wird. Bei der Vinifizierung versucht Hans Georg Mantler in allen Fällen seine Weine so natürlich wie nur möglich zu belassen. »Ganz wichtig dabei ist, daß man mit der Schwefelstabilisierung höchst sparsam umgeht, sauberes Arbeiten ist dafür die Voraussetzung«.

Die Flaschenfüllung erfolgt bei Hans Georg Mantler regelmäßig im Frühjahr. »Wenn der junge Wein blüht, gärt der alte nach. Dann ist es Zeit, daß er in die Flasche kommt«, sagt Mantler, der seinen Wein hauptsächlich an die Gastronomie in Wien, Linz und Amstetten verkauft. In der Vinothek in Gedersdorf liegen Weine bis zum Jahrgang 1956. Die älteren Jahrgänge sind alle trocken ausgebaut, auch die Traminer Auslese 1983 und die 83er Weißburgunder Auslese. Wunderbar gehaltvolle und harmonische Gewächse sind auch die Zweigelt Spätlese 1983 mit 12,8 Vol.% Alk. und die 79er Zweigelt Spätlese.

Da sich der Wohnsitz der Familie in Krems befindet, sollte man sich für eine Kellerkost zuvor telefonisch anmelden.

Hans Georg und Elfriede Mantler
Brandströmgasse 5
3500 Krems
☎ 02732 / 2238

Umgeben von Weingärten, liegt der kleine idyllische Ort Straß im Straßertal. Im Nordwesten der Ortschaft erhebt sich der Zöbinger Heiligenstein. Zu den besonderen Sehenswürdigkeiten zählen die bekannte Marienbrücke (eine barocke Doppelbogenbrücke), die frühbarocke Pfarrkirche Maria Himmelfahrt mit der angebauten Lorettokapelle aus dem Jahr 1638 sowie viele Bildstöcke entlang der Wanderwege. Hier befindet sich auch das älteste Flurkreuz Niederösterreichs, das sogenannte »Schwertkreuz« aus dem Jahr 1489.

In dieser einladenden, romantischen Gegend werden viele edle Weine gekeltert und ausgeschenkt. Obwohl die Gemeinde Straß insgesamt nur 565 ha Weingartenfläche hat, war sie viele Jahre lang die höchstprämierteste Weinbaugemeinde bei der österreichischen Weinmesse in Krems. Es wird hauptsächlich Weißwein angebaut, Grüner Veltliner, Müller Thurgau, Roter Veltliner, Frühroter Veltliner, Riesling, Welschriesling, Weißburgunder und Neuburger.

Schräg gegenüber dem Gasthaus Maglock, in dem ausgezeichnete bodenständige Küche serviert wird, steht die gelbe Villa des Weingutes Huber.

Hermann und Elisabeth Huber bewirtschaften seit 1975 das Weingut in Straß, das seit 1459 im Familienbesitz ist und heute eine Rebfläche von 14 Hektar umfaßt. Ein Teil seiner Weingärten sind am Gaisberg, einem Ausläufer des Heiligenstein. Dort sind Neuburger und Rheinriesling ausgepflanzt. Einen 83er Neuburger kann man noch im »Mühlheurigen«, wie die ehemaligen stilvoll umgebauten Stallungen heißen, verkosten. Der Name soll an die ehemalige Mühle erinnern. Betrachtet man die Einrichtung, kann man fast von einem Nobelheurigen sprechen. Die Wände sind mit Bildern geschmückt, alte geschnitzte Bauernluster, Tellerborde mit schönen Gläsern zaubern eine heimelige Atmosphäre. In der Ried Hasel gedeiht ein fruchtig duftender Riesling x Sylvaner, der Weißburgunder kommt von der Ried Blick vom Weg. Der größte Teil der 1.200 hl Jahresproduktion ist Weißwein, doch gerade die kleinen Mengen St. Laurent werden vom Gutsherrn besonders gepflegt. Im Jahre 1984 erreichte diese Rebsorte eine spezielle Reife, sodaß einige Barrique-Fässer damit gefüllt wurden. Mit voller Frucht und einem leichten Tanninton präsentiert er sich heute.

Die lange Geschichte der Familie bringt es mit sich, daß auch die jetzigen Besitzer recht traditionsverbunden sind. Das gilt für ihre Lebenseinstellung genauso wie für die Art der Weinbereitung. »Wir wollen den Wein mit geringstmöglicher Behandlung und vor allem unaufgebessert, also naturrein, keltern«, meint Hermann Huber. Wie der Mühlheurige, so sind auch die Weinetiketten, für die Dieter Matschiner aus St. Valentin verantwortlich zeichnet, geschmackvoll gestaltet. Viel Liebe wird hier wie dort für Details aufgewendet. Gattin Elisabeth führt die Küche und verwöhnt ihre Gäste mit hausgeräuchertem Landschinken (eine Versuchung!) und anderen regionalen Spezialitäten. Aber so richtig gemütlich und unterhaltsam wird es im Mühlheurigen erst dann, wenn der Senior des Hauses, Eduard Huber, Altbürgermeister von Straß, sich zum Tisch setzt und anfängt, Geschichten aus seinem langen Politikerleben zu erzählen. Hermann Huber versteht sich aber nicht nur auf die Weinbereitung, er betreibt auch noch Obstbau, aus dessen Früchten er seine exklusiven Edelbrände bereitet. Die besonderen Spezialitäten sind der Williams- und Marillenbrand.

Weingut Hermann Huber
Marktplatz 16
3491 Straß im Straßertal
☎ 02735 / 303

Gleich mit drei Weinen Landessieger

Das Jahr 1988 wird Heinrich Weixelbaum, der am Weinbergweg 196 sein Weingut betreibt, noch lange in Erinnerung bleiben. In diesem Jahr wurden gleich drei seiner Weine zu niederösterreichischen »Landessiegern« gekürt. Sein Grüner Veltliner Kabinett 1986 aus der Straßer Sandgrube (A: 12,4 Vol.%; S: 7,4; Z: 1,5), der Rheinriesling 1987, ebenso aus der Ried Straßer Sandgrube (A: 11,8 Vol.%; S: 7,6; Z: 1,0) und der Weißburgunder Kabinett 1987, Ried Geißberg (A: 12,1 Vol.%; S: 7,6; Z: 0,5). Der Weißburgunder wurde noch zusätzlich Bundessieger dieser Rebsorte beim Österreichischen Weinsalon 1988.

»So etwas freut einen natürlich. Das ist für einen kleinen Weinbauer nicht schlecht.« Weixelbaum untertreibt in diesem Zusammenhang gleich in zweifacher Hinsicht. Erstens mit »nicht schlecht«, weil ein Vierfachgewinn schon etwas Außergewöhnliches ist, zweitens mit »kleiner Weinbauer«. Bei einer Rebfläche von elf Hektar kann man wirklich nicht mehr von »klein« sprechen.

»Das Gut, das seit 1906 im Familienbesitz ist, war nicht immer so groß«, erklärt Weixelbaum. »Als ich aus der Schule kam, hatten wir gerade einen Hektar. Die heutige Größe erreichten wir durch regelmäßige Zukäufe von Rebflächen.«

Heinrich Weixelbaum ist als Weinbauer ein Autodidakt. Das theoretische Rüstzeug hat er sich bei einigen Kellereikursen in Klosterneuburg geholt, das restliche Wissen eignete er sich in jahrelanger Praxis an.

Im reinen Familienbetrieb helfen noch die Gattin Margarethe und die Schwiegereltern bei der Arbeit im Weingarten und im Keller mit. Gerade der Arbeit im Weingarten schenkt der Winzer größte Aufmerksamkeit. »Das beginnt beim Rebschnitt und setzt sich in der intensiven Laubarbeit, wie Ausjäten, Ausbrocken der Geiztriebe, Freistellen der Traubenzone im Herbst vor der Lese, fort. Nur so bringen wir qualitativ hochwertige Trauben in den Keller.« Zwischen 16 und 19 ° KMW werden jedes Jahr erreicht. Über 50% der Rebflächen sind mit Grünem Veltliner bepflanzt, aber gerade die Rebsorten, von denen er nur kleine Anteile hat, sind die absoluten Favoriten.

Die Ried Gaisberg, auf der Weißburgunder und Müller Thurgau ausgepflanzt sind, ist eine Terrassenriede mit schwerem Ton-Urgesteinsboden. Der Gaisberg ist ein Ausläufer des Zöbinger Heiligensteins. In der Ried Hasel gedeihen die Rieslinge und Rotweinsorten (Blauer Portugieser und Blauer Zweigelt). In dieser Region sind die Jahresniederschläge mit durchschnittlich 500 mm nicht gerade hoch, das bewirkt bei der konsequenten Mengenbegrenzung der Trauben sehr extraktreiche Weine. Hat Weixelbaum früher sämtliche Trauben gerebelt, so macht er das heute nur noch bei

den Blautrauben. »Die Weißweinsorten reble ich nicht mehr, bei önologischen Vergleichen konnte ich keinen Qualitätsunterschied feststellen.« Alle Weißweinsorten haben drei bis vier Stunden Maischestandzeit, bevor sie gepreßt werden. »Das bewirkt einen schöneren Farbton und einen volleren Gehalt des Weins.« Die Moste werden prinzipiell nicht entschleimt, nach der Vergärung werden die Weine kieselgurfiltriert und umgezogen. Der weitere Ausbau erfolgt je nach Sorte und Qualität teils im Holzfaß und teils im Tank. Die Spitzenweine reifen im Holz und werden dann im Stahltank überlagert. Frühestens wird im Mai des darauffolgenden Jahres in Flaschen gefüllt, lieber aber erst im August.

Der Erfolg gibt Weixelbaum recht, änderte aber nichts an der Bescheidenheit des Winzers. Er beliefert nach wie vor hauptsächlich seine Stammkunden, auch wenn nach der Prämierung ein regelrechter Ansturm auf seine ausgezeichneten Weine eingesetzt hat. »Ich kann es mir nicht leisten, die besten Weine an Sammler abzugeben und dann für die Stammkundschaft nichts mehr im Keller zu haben.« Gegen Voranmeldung besteht aber trotz der starken Nachfrage die Möglichkeit einer Weinkost im Koststüberl im ersten Stock des Hauses.

Weinbau Heinrich und Margarethe Weixelbaum
Weinbergweg 196
3491 Straß
☎ 02735 / 269

Rohrendorf

Eng verknüpft mit dem österreichischen Weinbau ist der Name »Lenz Moser« aus Rohrendorf bei Krems. Der im Jahre 1905 geborene Sohn einer alteingesessenen Weinhauerfamilie gilt als der Erneuerer der Weinbaukultur. Er beschäftigte sich schon sehr früh mit weinbaulichen Forschungen und entwickelte die heute weltweit eingesetzte Hochkultur. Zwischen 1925 und 1928 begann er mit den ersten Versuchen, und im Jahre 1929 fing er an, auf den Rohrendorfer Pachtweingärten des Stiftes Melk Rebstöcke nach der später nach ihm benannten »Lenz-Moser-Kultur« anzupflanzen.

Der wesentliche Unterschied zur herkömmlichen Pfahlkultur war, daß der Stamm auf 1,20 m bis 1,40 m hochgezogen wurde, und vor allem der größere Standraum der einzelnen Pflanzen. Diese Erweiterung führte zu einer besseren Durchlüftung der Stöcke und machte eine spätere maschinelle Bearbeitung der Weingärten erst möglich. Es hat sehr lange gedauert, bis diese Kulturart sich durchgesetzt hatte. Erst in den 50er Jahren begann langsam der weltweite Durchbruch der Hochkultur. Im Jahre 1971 wurde Lenz Moser III. für seine Verdienste zur Rationalisierung des österreichischen Weinbaus mit der Würde eines Ehrendoktors der Hochschule für Bodenkultur in Wien ausgezeichnet.

Lenz Moser V., der jetzige Geschäftsführer der Weinkellerei, arbeitet gemeinsam mit seinem Vater Lenz Moser IV. im Sinne des Familienmottos: »Diener zu sein am edlen Wein« weiter. In der Ried Blickenberg, den Weingärten des Malteser Ritterordens in Mailberg, begannen sie schon vor zehn Jahren mit biologischem Weinbau. Die 75 ha Weingärten des Malteser Ritterordens werden seit 1968 von der Familie Moser bewirtschaftet. Die Gründung des Johanniterordens geht auf das Jahr 1099 zurück. Während der Kreuzzüge mußten die mitteleuropäischen Ritter im heiligen Land betreut werden. Zu diesem Zweck dürften schon 1140 die ersten Weinberge in Mailberg angelegt worden sein. Das gleichnamige Schloß wurde 1595 erbaut und ist noch heute die Kommende des Malteserordens.

Knapp 50 ha stehen zur Zeit im Ertrag, der Grüne Veltliner stellt mit 49% die Hauptsorte dar. In der Ried Hundschupfen und Blickenberg gedeihen die hochwertigeren

Prof. Dr. Lenz Moser III., der Begründer der modernen Hochkultur

davon. Siebeneinhalb Hektar Blauer Zweigelt und viereinhalb Hektar Merlot werden kultiviert. Chardonnay, Sauvignon blanc, Cabernet Sauvignon und Blauer Burgunder runden das Programm ab. Für die Qualität der Weine zeichnet Laurenz Moser IV. verantwortlich. Das Paradestück ist der Cabernet Sauvignon — Merlot Limousin 1986 (A: 11,0 Vol.%; S: 5,2; Z: 1,5), mit 17,5° KMW und 27,2 g/l Extrakt, der am 21.Oktober 1986 gelesen wurde. Bei der Rotweinvinifizierung wird klassisch ausgebaut, im Rotorbehälter voll durchgegoren, und zuerst in 10.000 l Holzfässern bis Februar bzw. März des nächsten Jahres gelagert. Cabernet und Merlot werden getrennt ausgebaut, um sie anschließend im richtigen Verhältnis »vermählen« zu können, wie Lenz Moser V. sich ausdrückt. Anschließend kommt der Wein für 9 Monate in Limousin-Barriques, bevor er in Flaschen gefüllt wird. Die Weine des Malteser Ritterordens werden nur einmal im Jahr ausgeliefert. Der 15. November ist der Stichtag. Hat man bis dahin nichts bestellt, muß ein weiteres Jahr bis zur nächsten Bestellung gewartet werden. Die Mailberger Riede Blickenberg ist, wie bereits erwähnt, ein Versuchsweingarten. In Zusammenarbeit mit dem Institut für Bodenkultur der Universität Wien und der Weinbauschule Klosterneuburg wird seit zehn Jahren rein »biologisch« gearbeitet. Humusdüngung, Brennesseljauche und Kupfervitriol als Schädlingsbekämpfungsmittel und weniger maschinelle Bearbeitung haben schon deutliche, meßbare Erfolge gebracht. Lenz Moser V. bringt ein Beispiel: »Normalerweise sollen 300 Regenwürmer pro m² für die Lockerung des Erdreiches sorgen. In normal bewirtschafteten Weingärten sind nur mehr zehn Stück zu finden. Durch die schonende biologische Bearbeitung haben wir wieder rund 80 Regenwürmer in einem m² Rebfläche. Dadurch wird langsam der ursprüngliche Zustand wieder hergestellt.«

Insgesamt sind drei Produktlinien im Verkaufsprogramm der Lenz Moser-Gruppe. Die Linie »Lenz Moser-Selection«, die hauptsächlich über den Fachhandel vertrieben wird, das »Schlossweingut Malteser Ritterorden Mailberg« und das »Weingut Klosterkeller Siegendorf« im Burgenland. Das Weingut Siegendorf wurde erst 1988 gepachtet und umfaßt

Malteser Ritterordens Ried Blickenberg Spätlese 1979 und Grüner Veltliner Qualitätswein 1980, 1981.

Weinkellerei Lenz Moser
3495 Rohrendorf bei Krems
☎ 02732 / 5541

23,5 ha Rebflächen. Es liegt nur vier Kilometer vom Neusiedler See entfernt, mitten im besten burgenländischen Rotweingebiet. Zur Zeit werden die Rebflächen vollkommen auf Cabernet Sauvignon und Merlot umgestellt. Man hat sich den Ausbau zu einem der bedeutendsten Rotweingüter des Burgenlandes vorgenommen. Lenz Moser IV., in dessen Händen die Verantwortung dafür liegt, hat sich dabei sicherlich ein hohes Ziel gesteckt, nämlich wie es die französischen Vorbilder verfolgen, in einem Weingarten nur eine Rebsorte mit höchstmöglicher Qualität zu kultivieren.

Verarbeitet und ausgebaut werden die Weine aller drei Betriebszweige im über 1000-jährigen Weinkeller in Rohrendorf. Zwischen den Jahren 970 und 980 n.Chr. wurde der heutige Keller gebaut. Die erste Mitteilung, daß ein Moser als Mayer (Verwalter) darin tätig war, stammt aus dem Jahr 1124. Seit damals ist die Familie mit diesem Weinkeller verbunden, und 1849, nach Aufhebung der Leibeigenschaft, erwarb Anton Moser, der Urgroßvater von Prof.Dr. Lenz Moser III., den ehemaligen Zehentkeller. Die heutigen Kellermeister, Ing. Ernst Großauer für die Lenz Moser-Selection und Ing. Rudolf Bründelmayer für die Siegendorf-Linie, sind sich dieser Tradition und der damit verbundenen Verantwortung bewußt. Durchschnittlich 20.000 hl werden jährlich produziert. Rotwein kommt prinzipiell mindestens sechs Monate in Holzfässer; Weißwein wird in Edelstahltanks reduktiv ausgebaut. Für die Auswahl der Lenz Moser Selections-Weine gelten strenge Kriterien bezüglich Lage, Sortencharakter, Harmonie und Haltbarkeit. Die lange Lagerfähigkeit und Qualitätszunahme einiger ausgewählter Gewächse kann im 120.000 Flaschen großen Altweinarchiv aus den Jahren 1947 bis 1986 festgestellt werden. Dort gibt es noch Restbestände des 83er Grünen Veltliner Eisweins, mit 79,3 g/l Extrakt, 13 Vol.% Alk., 6,5 Promille Säure, eine Rarität mit zartem Honigduft und großer Fruchtfülle. Auch lagern dort noch zahlreiche andere seltene Prädikatsweine wie: Gewürztraminer der Jahrgänge 1960, 1979, 1981, Weißburgunder Beerenauslese 1981, 1982 und Trockenbeerenauslese 1979 oder Grüner Veltliner des

Die Kellerkatze sitzt immer auf dem besten Faß im Keller und soll den Wein bewachen

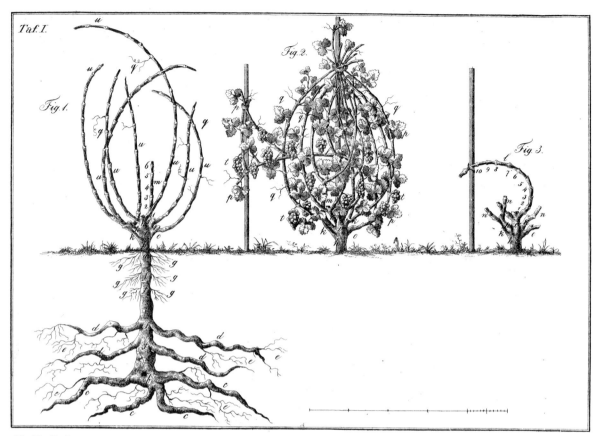

Alte Stockkultur

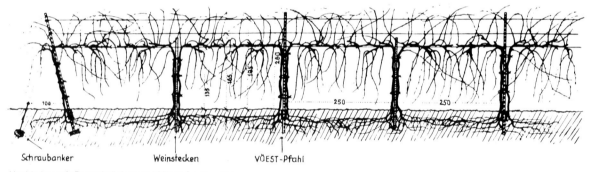

Hochkultur mit Doppelstöcken und Vöest-Spalierpfählen

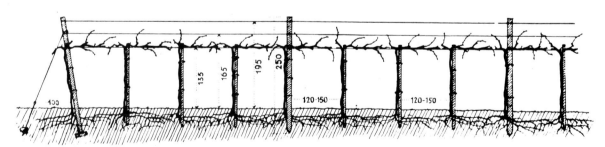

Hochkultur mit Einzelstöcken und Holzpfählen
Abbildungen aus Lenz Moser, Weinbau einmal anders, Wien 1966

Bei der Lenz-Moser-Erziehungsform werden die Weinstöcke etwa 1,20 m bis 1,40 m hochgezogen. Der Standraum ist im Vergleich zur Stockkultur für die einzelne Pflanze sehr stark erweitert. Dies bewirkt eine bessere Belichtung und Bewirtschaftung mit technischen Hilfsmitteln. Dadurch konnte der Aufwand an Handarbeit auf etwa 40% gegenüber der Pfahlerziehung gesenkt werden.

Die Kellergasse in Krems-Rehberg

Der Kremstaler Hauerhof

Wenn man die Bundesstraße von Krems nach Langenlois weiterfährt, erreicht man direkt den Kremstaler Hauerhof in der Rehberger Hauptstraße 56. Leopold Doppler bewirtschaftet dieses Haus aus dem 14. Jahrhundert. Mit viel Geduld und Liebe hat er den Hof zu einem wahren Schmuckstück verwandelt. Im Inneren lädt die älteste Holzstube Niederösterreichs den Besucher zum Verweilen ein, eine alte Rauchkuchl, liebevoll restauriert, gibt Einblick in die Zeit vor Einbauküchen und Tiefkühlschränken. Jede Ecke dieses Hauses strahlt Romantik aus. Im angebauten Keller steht eine funktionstüchtige Baumpresse, die der Hausherr bei Kellerkosten gerne vorführt. Einige in den Felsen gehauene Stufen weiter, zeigt er einen aus dem 14. Jahrhundert stammenden Töpferofen.

Sein Grüner Veltliner, Riesling, Müller Thurgau, Neuburger und Malvasier wachsen auf einer kulturgeschichtlich interessanten Riede. Die Ried Point war im Jahre 1249 im Besitz von Konrad von Sommerau. 1309 verkaufte er den Weingarten an Königin Agnes von Ungarn, diese stiftete 1318 den Weingarten der St. Veitskirche in Rehberg. Dafür hat ihr zu Ehren ein Kaplan täglich eine Messe gelesen.

Wenn man dies alles sehen will, sollte man sich beim Winzer telefonisch in Imbach (☎ 02732 / 50143) anmelden.

Kremstaler Hauerhof
Leopold Doppler
Rehbergerstaße 56
3500 Krems

Die größte Weinbaugemeinde Österreichs

Zehn Kilometer nördlich von Krems, am Beginn des Kamptales, im sonnigen Becken an der Mündung des Loisbachs in die Kamp, liegt die traditionsreiche Weinstadt Langenlois. Die Stadt findet erstmals 1083 als »Liubisa« (die Liebliche) in einer Urkunde des Klosters Passau Erwähnung. Es wurde darin von der Kultivierung von Weingärten berichtet.

Die anmutige Landschaft wurde bereits seit der Steinzeit, auch in der Bronzezeit und später von den Römern besiedelt, wovon zahlreiche Grabungsfunde zeugen. Der Ort ist seit dem 12. Jahrhundert ein bedeutendes Weinbau- und Handelszentrum. Er entstand aus ursprünglich zwei Dörfern mit getrennter Verwaltung: dem Oberen und dem Unteren Aigen, die Anfang des 15. Jahrhunderts zum landesfürstlichen Markt Langenlois vereinigt wurden. Das Obere Aigen war eine bäuerliche Weinhauersiedlung, das Untere Aigen war der Sitz der Kaufleute und Gewerbetreibenden. Die Grenze zwischen den beiden Siedlungen ist an der Bauweise heute noch zu erkennen. Das bezaubernde architektonische Stadtbild wird geprägt von den reichen Winzerhäusern der »40er Herren«. Der Landesfürst hatte diese Vierzigergenossenschaft mit dem Holzhandelsrecht aus dem Waldviertel ausgestattet, doch besteht diese Interessensgemeinschaft auch noch heute.

Das Rathaus und die alles überragende Stadtpfarrkirche hl. Lorenz und einer der schönsten Plätze Österreichs, der Kornplatz, runden das Bild barocker Bürgerlichkeit ab. Entlang des Loisbaches stehen zehn überlebensgroße Heiligenstatuen. Das Heimatmuseum birgt über 7000 Exponate der Urgeschichte und Volkskunde.

Die urgeschichtliche Sammlung zeigt Belege der Besiedlung des Kamptales schon vor 30.000 Jahren, wie z.B. einen 334 cm langen Mammutstoßzahn. Die volkskundliche Sammlung bietet Anschauungsmaterial zu Arbeit und Lebensgestaltung vom 16. bis zum frühen 20. Jahrhundert, z.B. Wein- und Maischefuhrwerke, eine Weinpresse mit Hauergerät und handwerkliche Gebrauchsgegenstände. Langenlois ist heute, durch die Angliederung der Weinbauorte Gobelsburg, Mittelsberg, Reith, Schiltern und Zöbing mit 1.963 ha Weingartenfläche die größte weinbautreibende Gemeinde Österreichs. Den größten Anteil hat natürlich der Grüne Veltliner mit 56%, gefolgt von der Frühsorte Müller Thurgau. Von den Rotweinsorten wird der Blaue Zweigelt und der Blaue Portugieser am häufigsten angebaut.

Der Weinbau in Langenlois gliedert sich in zwei Teile: In den in der Ebene mit weitflächigen Weingärten, mit mehreren meterstarken Lehm- und Lößschichten, und in den mit dem 310 m hohen Heiligenstein und seinem Ausläufer, dem Gaisberg. Der Name kommt von »Hellenstein« (Höllenstein) — wegen seiner extremen »höllischen« Sommertemperaturen. Dort wachsen auch die feinsten Rieslinge der Region. Die Heiligensteiner Rieslinge zählen auch zu den haltbarsten Weinen Österreichs. Die eigentliche Riede Heiligenstein ist nur rund 40 ha groß, als Großlage Heiligenstein werden auch einige Weingärten an den Ausläufern des Berges miteinbezogen. Das Zentrum des Berges gehört zur Marktgemeinde Zöbing, die ein Teil von Langenlois ist. Der alte Weinort Zöbing wurde im Jahre 1188 noch »Srebing« (Froschbach) genannt.

Die berühmtesten Langenloiser Rieden sind Alte-Point-Hofstatt, Goldbachl, Kirchengarten, Loiser-Berg-Vogelsang, Loiserin, Steinhaus, Spiegel und Sonnwendberg.

Zwei sehenswerte Weinlehrpfade in Langenlois und Zöbing vermitteln Einblick in die Arbeit der Weinhauer.

D er Wiener Sport-Professor Ludwig Prokop hat einmal in einem Interview erklärt, ein Flascherl Wein täglich könne bei vernünftiger Ernährung nicht schaden. Der Langenloiser Arzt Dr. Bruno Hiedler, der sein Weingut Rosenhügel im Jahre 1983 seinem Sohn Ludwig überschrieben hat, ist in der Dosierung vorsichtiger. »Zwei Achterln täglich können ein Lebenselixier sein«, meint er und setzt den Wein ganz bewußt als Heilmittel ein. »Der Wein hat eine Reihe guter Eigenschaften, wenn man ihn nicht im Übermaß konsumiert. Die Säure kommt jenen Patienten zugute, die über zuwenig Magensäure verfügen. Sie fördert die Verdauung und regt den Appetit an. Spurenelemente wie Kupfer, Magnesium oder Eisen werden dem Körper zugeführt und der Alkohol schließlich wirkt gefäßerweiternd und fördert die Durchblutung.«

Links und rechts der Zufahrt zum Weingarten des Guts Rosenhügel stehen zwei Säulen, an deren Spitze je eine Eule sitzt. Eine ist mit Büchern dargestellt, die andere mit Weintrauben. »Das soll die Zusammengehörigkeit von Wissenschaft und Wein symbolisieren«, sagt der Mediziner, »es ist doch erwiesen, daß jede Hochkultur ihren Alkohol hatte.« Dr. Bruno Hiedler betrieb das Weingut, das seit 1856 im Besitz der Familie ist, sozusagen im Nebenerwerb. Sein Sohn Ludwig ist hauptberuflich Winzer.

Der junge Gutsherr verfügt derzeit über eine Rebfläche von zehn Hektar. Die Hauptriede ist »Thal«, südlich von Langenlois. Dort wachsen in Hochkulturen Grüner Veltliner, Welschriesling und Chardonnay. Diese junge Anlage wurde mit Edelreiser, die in eigenen Weingärten über 40 Jahre hindurch selektiert wurden, ausgepflanzt. Die Rieden Panzaun und Spiegel liefern ebenfalls Grünen Veltliner.

In der Vinifizierung hält es Ludwig Hiedler, der in Klosterneuburg hospitierte und dann in verschiedenen Weingütern in Deutschland, Frankreich und Italien praktizierte, mit der klassischen Methode. »Im Grunde mache ich den Wein so, wie schon mein Vater und Großvater es getan haben. Ich habe diese Methoden vielleicht ein wenig verfeinert, große Umwälzungen habe ich aber nicht vorgenommen.« Grundsätzlich gibt es keine Mostbehandlung. Um die Gärung zu beschleunigen, wird Reinzuchthefe aus Frankreich zugesetzt. Nach Beendigung der Gärung bleibt der Jungwein noch zwei bis vier Wochen auf der Hefe liegen, bevor er umgezogen wird. Dann erfolgt auch die erste und einzige Schwefelzugabe von 100 mg zur Stabilisierung des Weines. Die gefüllten Hiedler-Weine haben

insgesamt SO_2-Werte von nur 40 mg/l. Bis zur natürlichen Klärung bleiben die Weine im Faß, durch regelmäßiges Kosten wird der optimale Füllzeitpunkt bestimmt. Betrachtet man die Säurewerte der Weine, so liegen diese mit 7 bis 8 Promille nicht gerade niedrig, aber durch den langsamen Ausbau sind sie sehr reif und bekömmlich. Qualitätsweine über 16° KMW werden auch nicht mehr aufgebessert.

Ludwig Hiedler hat in seinem Versuchsweingarten aber auch italienische Sorten wie Sangiovese stehen. »Natürlich weiß ich, daß Langenlois keine Rotweingegend ist, aber es ist doch der Stolz jedes Winzers, auch einen guten eigenen Rotwein im Keller zu haben.« Blauer Zweigelt und Blaufränkisch von den heimischen Rotweinsorten werden allerdings auch angebaut.

Der Keller des Weinguts Rosenhügel kann sich sehen lassen. »Ich lagere meine Weine ausschließlich in Holzfässern und habe dazu eine Kapazität von rund 120.000 Hektolitern. Die Kapazität ist deshalb so groß, weil ich entsprechende Jahrgänge regelmäßig überlagere.« So findet man im Keller von Ludwig Hiedler heute noch Weine aus der Ernte 1978 im Faß.

Weingut Rosenhügel, Dr. Bruno Hiedler
Am Rosenhügel 13, 3550 Langenlois
☎ 02734 / 2468

Der Zöbinger Heiligenstein in Langenlois

Eine der Qualitätsspitzen

Einen Bründlmayer-Wein im Keller zu haben, gehört für die heimische Spitzengastronomie und auch für beste ausländische Häuser, wie etwa Ekhart Witzigmanns »Aubergine«, zum guten Ton. Wilhelm Bründlmayer unterscheidet sich grundlegend von seinen weinbautreibenden Kollegen in Langenlois und Umgebung. Während viele seiner »Mitbewerber« zurecht mit Stolz auf ihre gediegene Fachausbildung in den verschiedenen Weinbauschulen verweisen können, macht Bründlmayer kein Hehl daraus, daß er selbst eigentlich Autodidakt ist. Sein für den Weinbau nötiges Fachwissen hat er sich zunächst im väterlichen Betrieb und dann auf Gütern in Burgund, im Valais und in der Pfalz angeeignet. Wilhelm Bründlmayer als »Weinbauer« zu bezeichnen, ist schlicht untertrieben. Er besitzt heute die gewaltige Rebfläche von 45 ha, darunter Lagen, die zu den besten in ganz Österreich zählen.

Die Familie Bründlmayer betreibt schon »seit ewig« Weinbau im Raum Langenlois. Die erste urkundliche Erwähnung stammt aus dem Jahre 1650. Seit jeher wurde in diesem Gut, das durch Zukäufe nach und nach vergrößert wurde, auf Qualität geachtet. Das zeigt sich nicht nur durch die unglaubliche Sammlung von Goldmedaillen. Im Jahre 1949 stellte Wilhelm Bründlmayer sen. bei der Welser Weinmesse aus. Beim Messerundgang kam der damalige Bundeskanzler Leopold Figl auch zum Bründlmayerstand und blieb längere Zeit beim Verkosten. Während des »Fachsimpelns« fragte er den Winzer, ob er für seine Weine eine »Goldene« bekommen habe; als dieser verneinte, meinte der Kanzler: »Für jeden besseren Stier gibt's einen Staatspreis, aber für solche Weine soll's keinen geben?« Im darauffolgenden Jahr 1950 wurde der Betrieb mit dem »Österreichischen Staatspreis« ausgezeichnet.

Kein Wunder, galt doch Kanzler Leopold Figl als ausgesprochener Weinkenner und hat mit diesem Wissen den Staatsvertragsverhandlungen in den 50er Jahren mit den Oberbefehlshabern der alliierten Streitkräfte eine betont österreichische Note gegeben.

Solche Auszeichnungen sind für Wilhelm Bründlmayer jun. eine Verpflichtung. Als Magister der Volkswirtschaft führt er seinen Betrieb mit viel Umsicht und ist in manchen Belangen extremer als andere. So hat er am Heiligenstein neun Hektar Terrassen-Weingärten. In Lagen, wo andere Winzer nicht mehr an Weinbau dachten, hat Bründlmayer Grund gekauft und neue Weingärten angelegt. Weingärten, die natürlich arbeitsintensiver sind. Dabei ist Bründlmayer keiner, der auch auf dem letzten Quadratmeter Grund Weinstöcke auspflanzt. Er achtet auf ein biologisches Gleichgewicht und hat neben den Weingärten kleine Wasserstellen angelegt, in denen das Regenwasser aufgefangen und dadurch das Kleinklima entscheidend verbessert wird. Er verwendet in seinen Weingärten ausschließlich biologischen Dünger wie zuletzt rund 400 Tonnen Gemisch aus Abfällen von Zuckerrübensamen und Stallmist.

Ausgepflanzt hat er am Zöbinger Heiligenstein Riesling, Cabernet Sauvignon und Merlot. Diese reine Südlage besteht aus dem sogenannten »Zöbinger Perm«, einer Mischung aus Wüstensandstein mit Vulkaniten. Um diese seltenen Bodenstrukturen zu studieren, kommen immer wieder Geologen nach Langenlois. Doch behaupten die Einheimischen, daß es nicht nur

der trockene Boden ist, wovon die Geologen so faszi-
niert sind. Auch beim Rebschnitt geht man eigene
Wege, mit dem »Bründlmayer-Schnitt« wird schon im
Weingarten konsequente Ertragsbegrenzung betrie-
ben. Beim Pflanzenschutz wird auf traditionelle alte
Mittel zurückgegriffen — verwendet wird eine Lösung
aus Netzschwefel und Kupfer mit Schmierseife oder
Wasserglas als Schmiermittel.

Er ist auch gegenüber allen technischen Neuerungen
aufgeschlossen. So führte er in seinen Weingärten Versuche mit fotoelektrischen Zellen durch, um das ideale
Mikroklima für Trauben und Blätter festzustellen. Dabei
fand er heraus, daß nicht die direkt der Sonne ausge-
setzten Trauben die besten Qualitäten liefern, sondern
jene, die im freien luftigen Halbschatten reifen. Wein
aus Trauben, die immer direkter Sonne ausgesetzt
sind, weisen im önologischen Vergleich mit Weinen aus
Halbschatten-Trauben leichte Aromaverluste und Fehler
in der Reintönigkeit auf.

Bründlmayer macht aber auch Versuche mit neuen
Erziehungsformen seiner Kulturen. Er erprobt gerade
die französische »Lyra«-Erziehung, die von Alain Car-
bonneau von der Universität Bordeaux entwickelt
wurde, bei der die Stöcke in einen V-förmigen Drahtrah-
men gezogen werden und dadurch einige arbeitstech-
nische und weinqualitative Vorteile zu erzielen sind.

Weitere Rieden mit Bründlmayer-Reben sind »Loiser
Berg Vogelsang« mit Grünem Veltliner, »Langenloiser
Steinmassel« mit Riesling, »Spiegel« mit Ruländer,
Weißburgunder und Chardonnay, »Langenloiser
Dechant« mit Blauem Burgunder und »Ladner« mit
St. Laurent. Die Trauben werden prinzipiell mit der Hand
in kleine Stapelbehälter gelesen und kommen unver-

letzt zur Weiterverarbeitung in den Keller. Gepreßt wird
mit einer pneumatischen »Bucher RPS Grand cru«, vergoren wird ganz langsam und temperaturkontrolliert,
um möglichst viele Bukettstoffe zu erhalten. Kellermeister Othmar Seidl überwacht penibel jeden einzelnen
Gärbehälter. Die Grünen Veltliner kommen zur weiteren
Reifung in Akazienholzfässer, alle anderen Sorten in
Eichenfässer.

Die Rotweinsorten werden im Rotorbehälter bis zum
natürlichen Gärstillstand belassen und reifen anschlie-
ßend mindestens zwei Winter in Holzfässern, zum Teil
in Barrique-Fässern, wie beispielsweise das Cuvee' St.
Vincent, aus Blauem Burgunder und Merlot, oder der
Chardonnay, mit dem Bründlmayer auch internationale
Erfolge verzeichnen konnte. Bei einer Blindverkostung
in Italien stellte der 85er Bründlmayer-Chardonnay 27
Mitbewerber aus Italien, Frankreich, Kalifornien und
Österreich in den Schatten und gewann den ersten
Preis. Die Grünen Veltliner und Rieslinge vom Heiligen-
stein sind eher fein und schlank, weisen aber sehr viel
Raffinesse und Eleganz auf. Die Säurewerte liegen zwi-
schen 7,5 und 8,5 Promille, dies kommt dem weiteren
Flaschenausbau sehr zugute.

Es gibt auch einen Bründlmayer-Buschenschank, in
der Walterstraße 15, nur 150 m vom Langenloiser
Hauptplatz entfernt. Dort besteht nicht nur die Möglichkeit, alle Bründlmayer-Weine glasweise zu verkosten,
sondern auch die Gelegenheit, die ausgezeichnete
Küche von Helga Hauser zu versuchen, die den Betrieb
führt.

Sehr viele Kleinigkeiten werden in diesem Haus berücksichtigt, und jeder einzelne Schritt — von der Auswahl
der Edelreiser bis zum Flaschenkorken — wird perfek-
tioniert. Daß Wilhelm Bründlmayer jun. 1987 von der
Falstaff-Jury zum »Winzer des Jahres« gekürt wurde,
kann obengenanntes nur bestätigen.

Weingut Bründlmayer
Zwettlerstraße 23
3550 Langenlois
☎ 02734 / 2172

Der Sonnhof

Das Weingut Sonnhof der Familie Jurtschitsch hat seinen Sitz in der Rudolfstraße 39, einem schmucken Gäßchen der Weinstadt Langenlois. Der Bau wurde 1541 erstmals als »Haus am Kloster« urkundlich erwähnt und beherbergt den ehemaligen »Zehentkeller«, den heutigen Gutskeller des Sonnhofes.

Das Weingut selbst besteht seit dem Jahre 1867, den Namen der Familie Jurtschitsch trägt es seit 1942. Seit dem Tode von Josef Jurtschitsch im Jahre 1976 führen seine Söhne Edwin, Paul und Karl den Betrieb.

Das Weingut Sonnhof bewirtschaftet 23 ha Rebfläche in den besten Lagen rund um Langenlois. Die Brüder teilen sich die Arbeit im Betrieb — Edwin Jurtschitsch ist für die Weingärten zuständig. Ihm obliegt die Verantwortung für die »Werkstatt im Freien«. Schon seit Jahren werden die Rebflächen nach ökologischen Grundsätzen bearbeitet. Das heißt Grünbepflanzung und Kompostdüngung statt Kunstdünger, das heißt weiter, daß synthetische Spritzmittel schon lange kein Thema mehr sind. Qualitätsfördernder kurzer Rebschnitt, Ausdünnen der Trauben kurz nach der Blüte und während der gesamten Vegetationsperiode viel händische Laubarbeit, um die Trauben bis spät in den Herbst gesund zu erhalten, sind ebenfalls Pflicht. Für die Verarbeitung der Trauben im Keller ist Paul Jurtschitsch verantwortlich. Die Weißweine werden in Edelstahlbehältern unter Temperaturkontrolle (maximal 22 Grad) langsam vergoren, wodurch die leichtflüchtigen Duft- und Aromastoffe erhalten bleiben. Eine eventuell vorhandene überhöhte Säure wird durch einen biologischen Säureabbau reguliert. Die Reifung der Weine erfolgt im über 700 Jahre alten Kellergewölbe bei einer konstanten Temperatur von elf Grad. Der Ausbau der Weißweine geschieht im Stahltank bzw. während einer Holzfaß-Zwischenlagerung. Alle Rotweine werden in alten Eichen-Lagerfässern ausgebaut, der Sonnhof Rotspon, ein Cuvee aus

Blauem Burgunder und Rotburger, wird in Barrique aus Manhartsberger- oder Allier-Eiche ausgebaut.

Die Rotweintrauben — Blauburgunder, Blaufränkisch, Blauer Zweigelt und Merlot — wachsen in der Ried Spiegel. Die Bodenstruktur wechselt zwischen Löß-Braunerde und Löß-Lehmschichten. Die Erträge sind bei diesen Junganlagen sehr gering, das heißt ungefähr 5.000 kg beim Blaufränkisch und 3.000 kg beim Blauburger. Es wurde auch 1,5 ha Cabernet Sauvignon angepflanzt, mit dessen erster Ernte man aber erst 1990 rechnen kann. Aus dieser Riede kommt auch von einer über 20jährigen Kultur ein sehr bukettreicher Weißburgunder und ein Grüner Veltliner. Dort steht auch das Hahnkreuz, nach dem der feinpfeffrige und fruchtige Veltliner benannt ist, der dort wächst. Am Südhang des Heiligensteins gedeiht ein Hektar Sauvignon blanc und ein halber Hektar Rheinriesling. Der berühmte »Platin-Riesling« steht in der Ried Loiserberg. 2,1 ha groß ist diese waldgeschützte Kessellage, und der Schieferboden trägt das Seine zum außergewöhnlichen Bukett dieses Weines bei. Seit Jahren sammeln die Gebrüder Jurtschitsch auf verschiedenen Weinmessen höchste Auszeichnungen für ihre Produkte. Der Gewinn von Goldmedaillen war für sie keine Besonderheit mehr. Daher griffen sie zum wertvollsten Metall, dem Platin, und benannten kurzerhand selbst ihren so siegesgewohnten Loiserberg Riesling mit diesem Prädikat. Weitere Sonnhof-Rieden sind Steinhaus mit Grünem Veltliner und Dechant mit Chardonnay.

Für das Etikett dieses Weines zeichnet der Maler Christian Attersee verantwortlich. Der Künstler hat mittlerweile vier weitere »GrüVe-Etiketten« entworfen.

Weingut Sonnhof
Jurtschitsch
Rudolfstraße 37—39
3550 Langenlois
☎ 02734/21 16

Für die Vermarktung der Sonnhof-Weine ist Karl Jurtschitsch zuständig. Er betreut die Spitzengastronomie und Vinotheken in ganz Österreich, bietet aber auch privaten Interessenten die Möglichkeit zur Verkostung. Dafür wurde eine eigene Degustierstube im »Alten Sonnhof« eingerichtet. Kostmöglichkeiten bestehen prinzipiell wochentags während der Geschäftsstunden, zwischen 7 und 12 Uhr bzw. 13 bis 17 Uhr, doch ist es ratsam, sich vorher telefonisch anzumelden.

Neben den sehenswerten Gängen mit Barrique-Fässern und gemauerten Flaschenboxen im Keller des Sonnhofs gibt es noch eine besondere Abteilung: die Vinothek. Hinter einer schmiedeeisernen Gittertür, effektvoll mit kleinen Scheinwerfern ausgeleuchtet, »schlafen« unter dickem Kellerschimmel die erlesensten Sorten und Jahrgänge des Sonnhofes und warten darauf, von Liebhabern wachgeküßt und ausgetrunken zu werden. Da findet man den »Nikolauswein«, einen Grünen Veltliner, der am 6. Dezember 1986 mit 20,8 Grad KMW geerntet und sieben Monate lang in neuen Allier-Eichenfässern ausgebaut wurde.

Keine Frage, daß diese goldgelbe Spätlese-Rarität mit rauchig-pfeffrigem Bukett und vollkommen trockener Struktur nur in kleinsten Mengen abgegeben wird. Oder der 86er Grüne Veltliner Spätlese, Ried Steinhaus, mit einem sehr feinen Sortenduft und würziger Aromatiefe, ganz trocken ausgebaut und einer fruchtigen Säurestruktur, hat ebenfalls noch einige sehr gute Jahre vor sich.

Interessant ist auch der im Alkohol niedrige »Sonnhof GrüVe«. Ein Grüner Veltliner mit nur 10,7 Vol.% Alkohol. Für das Etikett dieses Weines zeichnet der

Das Weinviertel

Das Weinbaugebiet Weinviertel ist das größte Weinbaugebiet Österreichs. Auf 18.214 ha wird hier großflächiger Weinbau, hauptsächlich auf sanften Hügeln, betrieben. Die Bearbeitung ist dadurch etwas einfacher, und maschineller Einsatz erleichtert die Arbeit des Winzers. Die Rebstöcke stehen auf fruchtbaren Böden, und das Klima ist dem Wachstum der Trauben wohlgesonnen. In dieser Region wächst nicht nur Qualität, sondern auch Quantität. Die Erntemenge für Qualitätswein der Rebsorte Grüner Veltliner liegt je nach Lage zwischen 7.000 und 10.000 kg pro Hektar. Es kommt aber schon vor, daß bis zu 18.000 kg geerntet werden. Beim Blauen Zweigelt sogar bis 20.000 kg, wobei die Ertragsgrenze für Qualitätswein zwischen 6.000 und 8.000 kg liegt. Diese großen Erträge werden allerdings nur in 2-l-Flaschen gefüllt, im Volksmund »Doppler« genannt. Das soll allerdings nicht heißen, daß die gesamte Region nur Menge produziert.

Die bekanntesten Weinbauzentren dieser Region sind Retz, Pulkau, Röschitz, Haugsdorf und Mailberg im Westen sowie Falkenstein, Poysdorf, Wolkersdorf und Matzen im östlichen Teil.

Röschitz und der Weber-Keller

Im nordwestlichen Weinviertel liegt die freundliche Ortschaft Röschitz, die schon 1446 in Besitz des Marktrechtes kam. Sehenswert ist die reich geschmückte, barocke Pfarrkirche, in der zwei Gemälde von Martin Johann Schmidt zu bewundern sind und der sogenannte Weberkeller, an dessen Wänden aus weichem Löß von zwei Generationen Weinhauern verschiedene Relieffiguren im Relief mit dem Taschenmesser herausgearbeitet wurden. Ludwig Weber, der Urgroßvater des heutigen Besitzers, begann an langen Wintertagen mythologische Figuren und biblische Darstellungen wie das »Letzte Abendmahl« von Leonardo da Vinci oder den »Moses« von Michelangelo in die Lößwände zu kratzen. Sein Sohn hat diese Arbeit fortgesetzt, und so ist heute der ganze Keller mit diesen Reliefen geschmückt. Bildnisse berühmter Persönlichkeiten, wie Leopold Figl, Julius Raab, Hindenburg, Adolf Hitler und Adenauer, Mozart, Beethoven, Schubert, Brahms, Schiller und Goethe, lächeln »gelößt« von den Wänden. Der Weberkeller kann jeden Freitag, Samstag und Sonntag ab 15.00 Uhr besichtigt werden.

In Röschitz zeugen viele schöne Bürgerhäuser vom einstigen Wohlstand des Ortes, begründet durch die Bedeutung des Weinbaus und des Weinhandels bis Böhmen und Mähren. Auf 342 ha wird rund um den Ort Weinbau betrieben. Besonders fruchtige Weine wachsen hier auf lehmigen Sand-, Löß- und kalireichen Gneisverwitterungsböden. Die besten Lagen dieser Gegend sind Mühlberg, Reipersberg, Königsberg, Himmelreich, Hundspoint und Galgenberg.

Retz im Weinviertel

Der bedeutendste Weinort im nordwestlichen Weinviertel ist Retz. Die Stadt wurde 1279 gegründet und konnte 1979 ihr 700jähriges Jubiläum feiern.

Der Weinbau war schon immer die Existenzgrundlage, und der Weinhandel war ausgedehnt bis nach Böhmen, Polen und Rußland. Viele der alten Bürgerhäuser besitzen tiefe Weinkeller und man sagt, daß die mehrstöckigen unterirdischen Kelleranlagen ausgedehnter seien, als die oberirdischen Straßen von Retz. Aneinandergereiht ergibt sich eine Länge von über 16 Kilometer. Geologisch betrachtet wurde die Stadt Retz auf einen 30 Meter starken Quarzsandkegel gebaut, und die Kellerröhren wurden durch diese Sandschicht gegraben. Eine Tegel-Mergel-Lehmschicht über dem Quarzsand bildet eine Schutzschicht, die kein Niederschlagswasser durchläßt. Schon sehr früh wurden diese für die Weinlagerung optimalen Voraussetzungen erkannt und ausgenützt. Der älteste Kellerteil reicht bis zur Stadtgründung zurück. Es herrscht in den Kellerlabyrinthen immer eine konstante Temperatur von 8° bis 10° bei einer Luftfeuchtigkeit von 88%. Bis zu 20 Meter Tiefe reichen die Keller. In einer Chronik kann man nachlesen, daß in Retz im Jahre 1781 über 91.000 Eimer Wein gelagert wurden. Ein Eimer faßte 56 Liter, das ergibt über 5,000.000 Liter Wein.

Kleine heitere Episoden erzählen Wein-Geschichte, so soll der schwedische Hauptmann Hensius während des Dreißigjährigen Krieges, als Retz von den Schweden besetzt war, täglich 7 Liter Wein getrunken haben, das natürlich die Retzer Bürger besonders gefreut hat. Noch heute gibt es über diesen trinkfreudigen Hauptmann einen Vers:

»Hauptmann Hensius aus Schwedenland,
als größter Zecher wohlbekannt,
soff in viereinhalb Monden bei zwanz'g Eimer Wein,
was für den Tag zwo Dutzend Vierteln sein.«

Auf Grund der täglich getrunkenen Menge kann man schon auf die Qualität des damaligen Weines schließen.

Als im Schlesischen Krieg Friedrich der Große hier weilte, mundete der Wein ihm so sehr, daß er befahl 8 Eimer davon mitzunehmen; und schon um 1200 soll Walther von der Vogelweide im Zehenthofkeller, dem heutigen Genossenschaftskeller, Retzer Wein getrunken haben.

Der Aufschwung im Weinhandel setzte 1411 ein, als Retz das Marktprivileg erhielt. Bald danach wurde auch eine Hauerzeche zur Förderung des sozialen, religiösen und kulturellen Lebens gegründet. Mit dem Privileg des Ungarnkönigs Matthias Corvinus setzte die Blütezeit der Retzer Weinwirtschaft ein, und ein großer Exporthandel begann.

Bedingt durch den wirtschaftlichen Aufschwung, bauten die wohlhabenden Bürger der Stadt ihre Häuser. Retz besitzt heute noch einen historisch schönen Hauptplatz. Hier stehen das Renaissance-Rathaus, das in den Jahren 1568 und 1569 erbaut wurde, und das Sgraffitohaus aus dem Jahre 1576, das mit Themen aus dem Alten Testament und Stellen aus der Lutherbibel, griechischen Fabeln und Bildern von den zehn Altersstufen des Menschen geschmückt ist.

Gegenüber befindet sich das Verderberhaus, ein zinnenbekrönter Komplex mit burgartigem Charakter im venezianischen Stil gebaut. Dahinter erhebt sich das Znaimer-Tor. Die ganze Stadt ist auch heute noch durch eine aus dem 13. Jahrhundert stammende Stadtmauer umgeben. Am Hauptplatz sind der 1561 errichtete Pranger, die Mariensäule und die Dreifaltigkeitssäule interessant. Sehenswert ist auch das Stadtmuseum im Rathaus, mit

historischen Waffen und Rechtsaltertümern. Im Heimatmuseum, in der ehemaligen Bürgerspitalskapelle aus dem 15. Jahrhundert, ist eine prähistorische und volkskundliche Sammlung und eine Abteilung für Weinbau und Weinhandel untergebracht.

Das Wahrzeichen der Stadt Retz ist die Windmühle, 1772 gebaut und noch heute in betriebsfähigem Zustand erhalten.

In dem klimatisch bevorzugten Retzer Kessel haben die Reben besonders günstige Wachstumsbedingungen, und auf den südlichen sowie südöstlichen Hängen des Mannhartberges, wo es wärmer ist als in manchen weit südlicher gelegenen Weinorten, wachsen charakteristische Weine mit besonderer Individualität. Insgesamt werden heute 1.158 ha Weingartenfläche in der Gemeinde Retz bearbeitet. Die Hauptrebsorten sind der Grüne Veltliner (39%), Müller Thurgau (7%), Welschriesling (6%) sowie kleinere Mengen Riesling und Weißburgunder. Bei den Rotweinsorten wird der Blaue Portugieser mit rund 23 %, gefolgt vom Blauen Zweigelt (3%), am häufigsten angebaut. Die besten Lagen dieser Region sind Ried Altenberg, Züngel, Gollitsch und Sonnleiten.

Alljährlich findet um den Fronleichnamstag, meist im Juni, die Retzer Weinwoche statt. Dort kann man rund 400 ausgesuchte Weine dieser Region verkosten. Das Retzer Winzerfest ist ein Ereignis Ende September. Bei diesem Fest fließt an einem Tag kurzfristig Wein anstelle von Wasser aus den beiden Brunnen des Hauptplatzes. Die Besucher können dort kostenlos ihre Gläser füllen. Der Höhepunkt des Festes ist der Winzerumzug, an dem über 50 geschmückte Festwagen teilnehmen.

Bei der Ried Altenberg beginnt auch der Weinwanderweg, auf dem verschiedene Tafeln und Geräte Einblick in den Weinbau, von der Geschichte bis zu heutigen Anbaumethoden, vermitteln.

Zur Weinbaugemeinde Retz gehören auch die Ortschaften Hofern, Kleinhöflein, Kleinriedenthal, Obernalb und Unternalb.

Die »Rotwein-Schule« Österreichs

Ing. Gerhard Redl in der Schul-Vinothek

Als Ende des vorigen Jahrhunderts die Reblaus-Katastrophe über Europa hereinbrach und auch der heimische Weinbau darniederlag, wurden in verschiedenen Weinbauregionen des damaligen Kaiserreichs Schulen gegründet, um den Weinbauern neue Veredelungstechniken zu zeigen. Die Schule in Retz wurde auf Beschluß des Landtags im Jahre 1892 gegründet und war die erste in Niederösterreich, die sich großzügig mit Unterlagsvermehrung und Veredelungstechnik befaßte.

Heute steht die Landwirtschaftliche Fachschule Retz unter der Leitung von Ing. Maximilian Kaltenböck. Sie ist in vier Jahresabschnitte gegliedert. Die ersten beiden Jahrgänge sind ganzjährig und ersetzen das Poly-

technikum bzw. die Berufsschule, die Jahrgänge drei und vier werden als Wintersemester zwischen Anfang Oktober und März geführt. In der Zeit dazwischen müssen die Schüler eine Praxis in Fremdbetrieben absolvieren, die von der Schulleitung ausgewählt werden. Die Schüler schließen ihr Studium mit der Gesellenprüfung ab und haben damit die Voraussetzung für die spätere Meisterprüfung geschaffen.

Die Landwirtschaftliche Fachschule in Retz, die im allgemeinen Sprachgebrauch nur »Weinbauschule« heißt, ist, wie in den Anfängen, auch heute noch in der Forschung tätig. »Wir haben schon in den 60er Jahren unter Direktor Hans Weiser begonnen, Rotweintechnologien zu verbessern«, erklärt Ing. Gerhard Redl, der in der Weinbauschule für die Kellertechnik zuständig ist. »Wir haben die Möglichkeiten der Weinbereitung und der standortspezifischen Sortenstruktur aufgezeigt und bewiesen, daß der Rotwein auch in diesem nördlichen Weinbaugebiet seine Chance auf Qualität hat.« Damit hat sich die Schule in Retz einen guten Namen gemacht. Jetzt kommen die Schüler nicht mehr nur aus dem unmittelbaren Einzugsgebiet, sondern auch schon aus dem Burgenland und aus der Steiermark.

Der größte Teil der Rebanlagen der Schule wächst in der Ried Altenberg. Grüner Veltliner, Ruländer, Chardonnay und vor allem Blauer Portugieser, Cabernet Sauvignon und Merlot gedeihen hier auf Urgesteinsverwitterungsboden, der sehr kalireich ist. Geschult werden die Reben als Hochkultur mit Lenz Moser-Schnitt. Die Jahresniederschläge sind sehr gering und liegen bei maximal 400 mm im Jahr. Das Kleinklima, der Boden und die Kunst der Kellerwirtschaft lassen sehr bukettfeine Weine gedeihen. In der Ried Züngel wachsen auf sandigen Lößböden Blauburger und Blauburgunder. Zur Zeit hat der Weißwein noch rund 60 % Anteil an der Produktion, doch werden die Rebflächen vermehrt auf Rotwein umgestellt.

In Sachen Rotwein zeigt Ing. Redl den heimischen Weinbauern auch den französischen Weg. Er »vermählt« die Sorte Blauer Portugieser, die im Weinviertel vielfach als Mengenträger wächst, aber als Qualitätswein gelesen und vinifiziert wird (Erntemenge 4.000 bis 5.000 kg), sehr feinfruchtig und ausdrucksvoll sein kann, mit Cabernet Sauvignon und Merlot und erhält einen fruchtigen, säurebetonten und darüberhinaus lagerfähigen Wein. Dieser Wein wird als »Granat« vertrieben, einem mittlerweile eingetragenen Markenzeichen. »Der Granat ist uns förmlich aus der Hand gerissen worden«, sagt Ing. Redl, der die Meinung vertritt, daß ein guter Rotwein nicht unbedingt sortenrein sein muß. »Gerade der Rotwein unterliegt von Jahr zu Jahr geschmacklichen Schwankungen. Schwankungen, die man bei einem Cuvee ausgleichen kann.«

Die Schule in Retz hat sich aber auch der Weinkultur verschrieben. »Wir veranstalten neuerdings auch Sommilier-Lehrgänge, die in erster Linie für Nichtweinbauern gedacht sind. Mit diesen Kursen, die vier Monate dauern, wollen wir auch Kellnern ein umfassendes Wissen über den Wein vermitteln, um ihnen bessere Berufsaussichten zu erschließen.« Gelehrt werden Ökonomie (Marketing), Gastronomie (Servierkunde und Fremdsprachen) und Önologie (Weinbereitung und Degustation). In der Weinbauschule Retz glaubt man an eine große Zukunft dieser Sparte. Darum geht man nun auch daran, einen alten Gutshof mitten in Retz, den sogenannten »Althof«, zu revitalisieren und in ein Lehrhotel umzuwandeln. »Dort wollen wir künftig unsere Sommelier-Lehrgänge abhalten.«

Die Weinbauschule Retz vermarktet ihre Weine selbst. Interessenten können in der Schule direkt bestellen oder im Auslieferungslager in Wien.

»Wir gehen mit unserem Betrieb im Weinviertel praktisch mit gutem Beispiel voran und zeigen den Weinbauern gangbare Wege, die Qualitäten ihrer Produkte zu verbessern«, meint Ing. Redl und ist glücklich, daß die vorgezeigten Beispiele tatsächlich nachvollzogen werden.

Doch nicht nur im weinbaulichen Bereich wird ständig weitergeforscht, die Schule prüft zur Zeit über 100 Sojabohnensorten auf die Eignung für die österreichische Landwirtschaft. Im Obstbau gibt es Versuchsanlagen mit Kirsche, Weichsel, Pflaume und Marille.

Weinbauschule Retz
Seeweg 2
2070 Retz
☎ 02942 / 2202 oder 2206

Wenn man die Rotweine der Weinbaubetriebe der ehemaligen Schüler der Weinbauschule Retz verkostet,

kann man sich von den Auswirkungen dieser Bemühungen überzeugen. Die Region um Retz, Haugsdorf und Mailberg gehört zu den kommenden Weinbaugebieten. Rotweine von besonderer Feinheit und Fruchtigkeit werden hier gekeltert. Diese Region liegt abseits der touristischen Wanderstraßen und zeitweise ist es sogar schwer, ein Zimmer zu finden. Nicht weil alles überlaufen ist, sondern weil es so wenige gibt. Der »Dornröschenschlaf« dieser Retzer-Region hat für den Weinliebhaber aber einen wesentlichen Vorteil: Nirgendwo in Österreich ist das Preis-Leistungsverhältnis so günstig wie hier. Für das hohe Qualitätsniveau der Weine sind die Preise erstaunlich nieder.

Ein Geheimtip im Retzer Gebiet

Eigentlich hätte mich die Architektur mehr interessiert als der Weinbau, dann habe ich aber doch den väterlichen Besitz übernommen«, erinnert sich Franz Gruber, der in Retz acht Hektar Weingärten bewirtschaftet und außerdem noch zehn Hektar Landwirtschaft. So wie Franz Gruber seinerzeit an einem Scheideweg stand, steht jetzt auch Sohn Bernhard vor der Qual der Berufswahl. Er hat die HAK-Matura mit Auszeichnung bestanden, würde sich auch für den Weinbau interessieren, scheut sich aber, noch einmal die Schulbank zu drücken. Zur Zeit besucht er die Weinbauschule in Retz, um die nötige Berufsschulausbildung zu absolvieren.

Franz Gruber hat in seinen Weingärten Grünen Veltliner (30%), Weißburgunder (12%), Welschriesling (10%), Rheinriesling (6%) und Muskat Ottonel (6%) stehen. Seine wahre Liebe gilt aber den Rotweinsorten, mit denen die Familie schon unzählige Preise gewonnen hat. Der Blauburger wächst in der Ried Kümmerl in Retz, Blauer Portugieser und Blauer Zweigelt gedeihen in der Ried Nalber-Kremsersteig, und eine Neuanlage mit Cabernet Sauvignon und Merlot wurde dort auf Quarzsandboden ausgepflanzt, die aber noch nicht im Ertrag steht. Sein fruchtbetonter Blauer Portugieser 1987 findet sich im Österreichischen Weinsalon genauso wie sein Blauer Zweigelt im Weinkolleg Kloster Und in Krems. Die Preise sind für den Winzer eine persönliche Befriedigung. Es reicht ihm, sie als Bestätigung für seine gewissenhafte Arbeit bekommen zu haben, macht aber nicht viel Aufhebens davon. Im Gegenteil: Die Medaillen landen samt und sonders in der Schublade. »Da sind sie recht gut aufgehoben«, meint Gruber, der die meiste Zeit des Jahres dem Weinbau widmet, dessen Horizont aber über diese Materie hinausgeht. Franz Gruber liebt die schönen Künste, besucht Opernaufführungen und Kunstausstellungen in Wien und würde sich auch »eine Nacht lang um

eine Karte anstellen, um die Gruberova singen zu hören.«

Während der Lesezeit käme das allerdings nicht in Frage, da verbringen Franz Gruber und sein Sohn Bernhard die Nächte im Keller, um den Preßvorgang zu überwachen. Gruber verwendet als einer der letzten Weinbauern in Niederösterreich noch eine alte Baumpresse. »Bei uns ist das keine Frage der Tradition, sondern schlicht eine Geldfrage. Ich will mich wegen einer hydraulischen Presse nicht in Schulden stürzen.«

Die Arbeit mit der Baumpresse hat aber seine Vorteile. »Der Preßvorgang ist äußerst schonend, dadurch werden weniger Bitterstoffe freigesetzt.« Der Ausbau der Weine erfolgt bei Franz Gruber im Holzfaß, wobei er die Rotweine zumindest ein Jahr lang reifen läßt, ehe er in Flaschen füllt. Der Weinkeller befindet sich nur wenige Meter vom Stammhaus entfernt. Hinter dem unscheinbaren Eingang verbirgt sich der Zugang zu einem weitreichenden Natursandkeller. Dort reifen noch kleinere Mengen hervorragender Beispiele Retzer Rotweine, wie der 1983er St.Laurent, dunkelrot mit vollem, runden Cassisgeschmack, ein Wein, von dem man sich wünschen würde, daß es noch einige Tausend Flaschen gäbe. Leider trifft auch hier die gesamtösterreichische Problematik zu, die gekelterten Mengen sind so gering, daß diese sehr bald verkauft sind. Wenn dann die Weine wirklich reif werden, gibt es fast keinen mehr davon — der Großteil ist schon ausgetrunken. Abhilfe kann man nur dadurch schaffen, daß man sich rechtzeitig für den eigenen Keller eindeckt. Interessenten müssen sich vorerst noch nach Retz hinaufbemühen, wenn sie Gruber-Wein kaufen wollen. Für Liebhaber der Retzer Gegend gibt es auch einige sehr preiswerte Gästezimmer im Haus. »Wir wollen aber demnächst eine kleine Kostmöglichkeit bei meinem Sohn in Wien einrichten.«

Franz Gruber
Obernalb 163
2070 Retz
☎ 02942 / 3628

Werner Zull in Schrattenthal wollte eigentlich an die Universität. Er mußte aber dann doch den elterlichen Hof übernehmen und drückte dann als knapp 20jähriger in der Weinbauschule Retz die Schulbank. Schließlich legte er die Prüfung zum Weinbau- und Kellermeister ab. Neun Hektar groß sind die Rebflächen, die als Familienbetrieb bearbeitet werden. Die beste Lage in Schrattenthal ist die Ried Innere Bergen mit unterschiedlichen Bodenstrukturen. Beim Auspflanzen wurden diese Unterschiede berücksichtigt, und so wächst der Rheinriesling auf Sandboden, der Blauburger auf Lehmboden. Blauburgunder, Blauburger, Cabernet Sauvignon und Merlot stehen in der Ried Schwibbel, der Blaue Portugieser in der Ried Kalvarienberg und Hussen. In der Ried Äußere Bergen wachsen hauptsächlich Müller Thurgau, Welschriesling, Roter und Grüner Veltliner.

Seit etwa 1983 verfolgt Werner Zull die Qualitätslinie, wobei sein besonderes Augenmerk den Rotweinsorten gilt. »Ich keltere nach der klassischen Methode«, sagt Zull, »das heißt, so spät wie möglich lesen, das Traubengut wird gerebelt, acht bis zehn Tage offen vergoren und erst dann gepreßt. Der Most kommt ins Faß und wird nach rund 14 Tagen, sobald er klar ist, in ein anderes Faß umgezogen.« Entsäuern oder andere fremde Eingriffe sind verpönt im Hause Zull.

Die Qualitätslinie, die Zull verfolgt, war zielführend. Mit seinem Blauen Portugieser 1986 wurde er bei der niederösterreichischen Landesweinmesse 1988 in Krems Landessieger. Seine Müller Thurgau Beerenauslese 1986 erhielt ebenfalls Bestbewertungen. Im Jahre 1984 ist ihm für diese Region eine besondere Rarität gelungen. Am 31.Dezember, am Silvestertag, wurde bei -11° Müller Thurgau Eiswein gelesen. 28°KMW bei der Lese, 13,2 Vol.% Alkohol und rund 80 Gramm Restzucker nach der wochenlangen Gärung zeichnen diesen goldgelben und gehaltvollen Prädikatswein aus. Werner Zull ist stets bereit, sich mit Neuerungen auseinanderzusetzen. Versuchsweise baute er seinen Blauburger aus der Ried Innere Bergen in Barriques aus.

Werner Zull
2073 Schrattenthal 9 und 26, ☎ 02946 / 292

Direkt an der Grenze

Die Weingärten von Edwin Hofbauer, Weinhauer in Unterretzbach, schließen direkt an die österreichisch-tschechoslowakische Staatsgrenze an. Zwölf Hektar bewirtschaftet er in der Ried Retzbacher Sandgrube und der Ried Halblehen. Auf rund 40% der Rebflächen wächst Grüner Veltliner, je ein Hektar ist mit Rheinriesling und Welschriesling bepflanzt. Das Weingut ist gerade für den Welschriesling berühmt, der ein besonders intensives blumiges Bukett, das leicht an Muskatarten erinnert, hat. Die zitrusartige Säure im Hofbauer-Welschriesling ist unverwechselbar, von einer besonders feinen Note. Das Kleinklima und die humosen Lehmböden der Retzbacher Sandgrube bewirken diese Besonderheit. Edwin Hofbauer kultiviert auch kleinere Mengen Neuburger und Malvasier (Frühroter Veltliner). Der 87er Frührote Veltliner Spätlese (A: 13,1 Vol.%; S: 7,2; Z: 5,1) ist auch als Paradestück dieser Rebsorte im Österreichischen Weinsalon 1988 vertreten.

Auch widmet sich die Familie besonders dem Blauburger, der neben Zweigelt, Blauen Portugieser und Blauen Burgunder angebaut wird.

Der Weinkeller des alten Weinviertler Bauernhauses faßt 1.500 hl, die jährliche Ernte von durchschnittlich 800 hl wird ausschließlich in Holzfässern ausgebaut.

Edwin Hofbauer
2074 Unterretzbach 135
☎ 02942 / 2505

In Unterretzbach steht auch das älteste, heute noch verwendete Weinfaß. Es faßt 2.700 Liter und wurde 1839 gebaut und ist seit damals in Verwendung. Das Faß ist heute im Besitz des Weinhändlers Edmund Rücker.

Deinzendorf bei Retz

Angela Wagner betreibt in Deinzendorf 62 ihr Weingut. In ihren sieben Hektar großen Weingärten wächst auf rund 40 Prozent der Fläche Grüner Veltliner. Neben Welschriesling, Weißburgunder, Malvasier, Rheinriesling und Neuburger wird auch Rotwein kultiviert. 30% der jährlichen Ernte machen Blauer Zweigelt, Blauer Portugieser und Blauburger aus. Der Veltliner, der auf den an Südhängen des Pulkautales gelegenen Weingärten wächst, ist für diese Region besonders charakteristisch. Im Jahre 1988 wurde vom Falstaff-Magazin dieser Veltliner ausgewählt, um bei verschiedenen Veranstaltungen als »Kultur-Sommer-Wein« ausgeschenkt zu werden.

Seit dem Jahre 1715 wird das Weingut ohne Unterbrechung von der Familie Wagner betrieben. Mit dem Wohnhaus direkt verbunden ist der große, alte Weinkeller, in dem ausschließlich Holzfässer stehen. Alle Weiß- und Rotweine werden darin ausgebaut, auch der Neuburger 1987, mit einer satten goldgelben Farbe, zartem, an Nüsse erinnernden Bukett, trocken ausgebaut und mild in der Säure, sehr extraktreich und langem Abgang. Von den Rotweinen besticht besonders der Blaue Zweigelt 1987 Qualitätswein, schwarzrot mit Purpurrand; rauchiger Duft nach Waldbeeren, feines Traubentannin und elegante Fruchtigkeit im Bukett, als gesamtes ein überaus ausgewogener und harmonischer Wein.

Weingut Angela Wagner
2051 Deinzendorf 62
☎ 02945 / 281

Haugsdorf

Die alte Weinbaugemeinde Haugsdorf liegt im nördlichen Weinviertel und führt in ihrem Wappen als Symbole der überlieferten Weinkultur zwei reifende Rebstöcke, die einen Turm flankieren. Ein besonderer Anziehungspunkt ist die mächtige, dreischiffige Hallenkirche, die um 1400 erbaut wurde und eine barocke Innenausstattung hat.

In dieser schönen sanften Tallandschaft herrscht pannonisches Klima vor, und auf den Lößsandböden der Hügel sowie auf den fruchtbaren Braunerdeböden in den Tallagen gedeihen samtig-milde bis zart-herbe Weine. Über 70% der 596 ha großen Rebfläche sind hier mit Rotweinsorten angepflanzt, wobei der Blaue Portugieser mit 60% die Hauptsorte ist. In Haugsdorf selbst sind aber nur rund 5% der Weinbaubetriebe einzig und allein Flaschenfüller, dafür gibt es im Ort mehr Weinkeller als Häuser und zwei nebeneinanderliegende Kellergassen. Abwechselnd wird alljährlich im September entweder in Jetzelsdorf oder in Haugsdorf der »Hütermarsch« durchgeführt, bei dem die Weingartenhüter — gleich den biblischen Botschaftern — eine große Weintraube auf einer Stange durch die Kellergasse tragen und sie anschließend weithin sichtbar aufhängen.

Die besten Rieden sind hier Aussatzen, Sonnen, Hutberg, Galgenberg, Himmeltau, Heide, Sunner, Hochschatz und Hasenecken.

Der Rote Fasan

Der Blaue Portugieser gilt allgemein als Massenträger, der eher ausdruckslose Weine bringt. Das Weingut Josef Lust in Haugsdorf widerlegt diese Ansicht in eindrucksvoller Weise. Schon der Senior des Betriebes hatte den Ehrgeiz zu zeigen, daß diese Sorte zu einem Spitzenwein gekeltert werden kann, und der Junior setzt diese Tradition erfolgreich fort. »Wir sind natürlich durch unsere kleinen Kessellagen, in denen sich ein besonderes Kleinklima bildet, begünstigt«, gibt Josef Lust zu, der nach der Weinbauschule in Klosterneuburg zunächst in der Rheinpfalz und in einem Weinhandelsbetrieb praktizierte und fünf Jahre lang das Weingut Berghof des Stiftes Melk in Gumpoldskirchen verwaltete, ehe er 1983 den väterlichen Betrieb übernahm. Auf acht Hektar Rebfläche wachsen in den besten Haugsdorfer Lagen, insbesondere in der Ried Aussatzen, Blauer Portugieser und Blauburgunder. In der Ried Sonnen gedeihen Blauburger und Grüner Veltliner, am Galgenberg stehen auf einem halben Hektar

Cabernet Sauvignon und Merlot. Alle Rebsorten werden als Hochkultur kultiviert und sehr kurz geschnitten. Der Durchschnittsertrag beim Blauen Portugieser liegt bei 4.000 Liter pro Hektar. Die südseitigen Hügel liegen direkt an der Grenze zur Tschechoslowakei. Dieser Teil des Weinviertels ist sehr regenarm, und es weht ständig ein leichter Wind. Das Klima allein macht freilich nicht die Qualität des Blauen Portugiesers aus, sondern auch die Kunst des Winzers Josef Lust. Der Blaue Portugieser des Hauses ist als »Roter Fasan« mittlerweile zu einem anerkannten Markenartikel geworden. Neben der Kellerdrift wachsen sehr viele Akazienbäume, auf welchen bekanntlich gerne Fasane aufsitzen. Und das ist auch der Grund für den Namen »Roter Fasan«. »Schon mein Vater hat diese Sorte durch rigorosen Schnitt vom Massenträger zur Qualität erzogen und die Trauben möglichst lang am Stock gelassen.« Dieses lange Warten war auch der Grund dafür, daß Josef Lust sen. aus der Winzergenossenschaft ausgetreten ist. »Er war mit der Lese immer erst zu einem Zeitpunkt fertig, wenn die Genossenschaft nicht mehr bereit war, Trauben abzunehmen. Als er dafür bestraft wurde, trat er aus und begann, seinen Wein selbst zu vermarkten.« Ein Schritt, der sich für das Weingut Lust sicherlich ausgezahlt hat. Der Betrieb beliefert heute die gehobene Gastronomie Österreichs, und zahlreiche Kunden finden den Weg nach Haugsdorf.

Bei der Vinifizierung bevorzugt Ing. Josef Lust die offene Vergärung in Betonwannen, der Most wird auf 19 bis 20° KMW aufgebessert. Nach der Vergärung läßt er die Maische noch eine Woche stehen, bevor der zukünftige Wein mindestens zehn Monate in Holzfässern reifen kann. Ein Cuvee aus 3/4 Blauem Portugieser und 1/4 Blauburger wird noch zusätzlich sieben Monate in Limousin-Barriques ausgebaut, bevor er in Flaschen gefüllt wird.

Die Rebsorten Cabernet Sauvignon und Merlot kommen erst ab 1991 in den Verkauf.

Weingut Ing. Josef Lust
Hauptstraße 39, 2054 Haugsdorf, ☎ 02944 / 2287

Der Blaue Portugieser von Pulkautal

Jetzelsdorf ist die Nachbarortschaft von Haugsdorf, dort im Hause 34, hat Karl Bauer sein Weingut. Über 50 % seiner 15 ha Rebflächen hat er mit dem Blauen Portugieser ausgepflanzt. Der 86er Blaue Portugieser (A: 12,5 Vol.%; S: 4,5; Z: 3,4) ist im Österreichischen Weinsalon 1988 vertreten. Sehr dunkle, schwarzrote Farbe, ein intensiver, an Waldbeeren und Wildkirschen erinnernder Duft, voll, mild und samtig präsentiert sich dieser Wein, als einer der besten nicht nur des Pulkautales. Der Blaue Portugieser ist eigentlich ein Mengenträger, aber die Ried Heide, in der diese Rebsorte wächst, ist eine extreme Trockenlage. Dadurch ergibt sich eine natürliche Mengenbeschränkung, die wiederum die hohe Qualität bringt. Verarbeitet werden die Trauben im seit dem Jahre 1824 in Familienbesitz befindlichen Weingut, und zwar in einem modernst eingerichteten Weinkeller. Edelstahltanks für die Weißweine, Rotortanks für die Rotweinbereitung, Eichenfässer für den Rotweinausbau und ein kleiner Anteil Barriques für die weitere Veredelung. Es wird auch Blaufränkisch, eine besondere Rarität in dieser Region, kultiviert.

Karl Bauer ist ein überaus bescheidener Winzer, der die Qualität seiner eigenen Weine unterbewertet. Bei der Arbeit wird er von seinem Sohn Norbert, der die Schule Klosterneuburg absolviert hat, unterstützt.

Karl und Maria Bauer
2053 Jetzelsdorf 34
☎ 02944 / 2317

Der Weinort Hadres ist die Heimat des Mundartdichters Lois Schieferl, der selbst Weinhauer ist. Die Pfarrkirche St.Michael aus dem 17.Jahrhundert mit ihrem wuchtigen, mittelalterlichen Turm prägt das Bild des als Sommerfrische beliebten Ortes. Die Marktgemeinde Hadres besteht aus den Ortschaften Untermarkersdorf und Obritz, in denen der Weinbau zu den wichtigsten Wirtschaftszweigen zählt.
Ein sehr wichtiger Brauch ist die sogenannte »Grean«, die traditionsgemäß alljährlich am Ostermontag in den Kellergassen gefeiert wird. An diesem Tag laden die Weinbauern ihre Taglöhner in den Weinkeller, wo sie dann, als Dank für die Arbeit des ganzen Jahres, bewirtet werden. Es ist auch der Tag der offenen Kellertür, wo man von einem Keller zum anderen wandern und überall die Weine verkosten kann. Außer dieser gibt es noch einige andere Weinveranstaltungen in der Gemeinde: Zu Fronleichnam wird in Untermarkersdorf ein Kellerfest abgehalten. Im März findet die Josefi-Weinkost in Hadres statt und im Advent ein traditionelles Treffen in der Kellergasse.
Einen ganz traditionellen Betrieb führt Leopold Fürnkranz in Obritz. Er verarbeitet seine Ernte nach wie vor mit der alten Baumpresse.

Am Eingang des lieblichen Pulkautales, das noch zu den unberührtesten Gebieten Österreichs zählt, liegt die Ortschaft Seefeld-Kadolz, eine Weinbaugemeinde, deren Kellerdrift einen jener charakteristischen Hohlwege, die tief in die gelbbraunen Lößwände der Rebhügel eingeschnitten sind, bildet. Auch hier wird zu Ostern die »Kadolzer Grean« gefeiert. Seefeld-Kadolz ist eines der Weißweinzentren der Region. Die gesamten Rebflächen betragen 176 ha und sind hauptsächlich mit Grünem Veltliner bestockt. Der Lößboden verleiht den Weinen eine typische zartfruchtige Note. Fast ein Viertel der Rebflächen (über 40 ha) gehören zum Schloßweingut Graf Hardegg, das in den Rieden Seefelder Steinbügel, Kadolzer Dreikreuz, Mailberger Hochlüssen und Hadreser Sonnbergen die Rebsorten Grüner Veltliner, Rheinriesling, Weißburgunder, Müller Thurgau, Sämling 88, Blauer Zweigelt und Blauburger ausgepflanzt hat. Der Weinbau ist nur ein kleiner Zweig des über 3.000 ha umfassenden Hardeggschen Gutsbesitzes, welcher hauptsächlich von Ackerbau und Viehzucht geprägt ist. Ing. Herbert Toifl ist der Kellermeister und baut im über 300 Jahre alten Weinkeller alle Weine trocken aus. Das Weingut ist auch Mitglied der Vinobilitas.

Schloßweingut Graf Hardegg
2062 Seefeld-Kadolz
☎ 02943 / 2203 oder 2265

D er kleine Weinbauort Mailberg liegt am östlichen Hang des Buchberges. Hier hat die Ordenskommende des Malteserordens ihren Sitz. Die Besitzungen mit dem bereits im Jahre 1200 erstmals erwähnten Schloß sind die ältesten der Johanniter, die heute Malteser genannt werden. Zu Beginn des 12. Jahrhunderts erhielten die Johanniter Güter am Mailberger Wald und erbauten dort eine Kirche und ein Hospital. Durch Güterschenkungen wurde der Besitz im Lauf der Jahre stetig erweitert, dazu gehört auch ein großer Weingartenbesitz, den die Malteser früher selbst bewirtschafteten, der aber heute an die Familie Lenz Moser verpachtet ist. Auf einem steilen Lößhügel steht die romanisch-gotische Friedhofskapelle hl. Kunigunde mit einem Flügelaltar von 1460. Die Pfarrkirche mit einem Hochaltar von Josef Biedermann (1752), die beherrschend innerhalb der großen Schloßanlage steht, wurde Anfang des 17. Jahrhunderts erbaut. Im Schloß ist auch das Malteser Museum untergebracht, in dem eindrucksvolle Exponate aus der Geschichte der Malteser zu sehen sind.
Durch die besondere Kessellage Mailbergs, die ein vielfältiges Kleinklima ermöglicht, wachsen hier an den Südosthängen des Buchberges und seiner Vorberge auf 315 ha Rebfläche Weine von großer Güte. Vor allem die Grünen Veltliner dieser Region zählen wegen ihrer Fruchtig- und Spritzigkeit zu den besten Österreichs. Die önologische Erfahrung und Technologie von Laurenz Moser IV. hat aber auch den Rotweinen dieser Region zu internationaler Anerkennung verholfen. Die besten Rieden dieser Gegend sind: Rosenpoint,

Hundsschupfen, Atlasberg, Altenopoint, Fössenau, Zeilsberg und Hochlissen. In Mailberg gibt es auch eine guterhaltene romantische Kellergasse.

...wenn jedem dieselbe Frau gefiele...

B is ins Jahr 1670 konnte Josef Zens in Mailberg seine Vorfahren zurückverfolgen. Seine Familie hat sich immer schon mit dem Weinbau befaßt. Während aber andere Familien ihren Besitz im Laufe der Jahre nach und nach vergrößern konnten, mußte Josef Zenz praktisch von Null weg wiederbeginnen. »Als ich 1958 heiratete, hatten meine Frau und ich gerade einen Hektar Weingarten. Zum Leben zu wenig und zum Verhungern zuviel. Wir haben uns dennoch entschlossen, den Weinbau durchzuziehen und mit Qualität zum Erfolg zu kommen.«
Dieser Entschluß hat sich als zielführend erwiesen. Heute ist das Weingut auf 6,5 Hektar angewachsen. Beim Österreichischen Weinsalon 1988 war Josef Zens gleich mit drei Weinen vertreten: Mit einer Grünen Veltliner Spätlese 1986, Riede Altenpoint (A: 13,1 Vol.%; S: 7,5; Z: 2,8), einer Riesling Spätlese 1986, Ried Atlasberg (A: 12,3 Vol.%; S: 7,5; Z: 3,1) und mit einem Grünen Veltliner 1987, Ried Hundsschupfen (A: 11,9 Vol.%; S: 7,4; Z: 1,6).
Josef Zens hat seine Weingärten in besten Mailberger Lagen, in der Ried Atlasberg stehen Rheinriesling (15%) und Weißburgunder (15%), in der »Hundsschupfn« und »Atlaspoint« gibt es Grünen Veltliner (60%). Zens sorgt durch radikalen Schnitt für eine Mengenbegrenzung, rund 350 hl beträgt der durchschnittliche Hektarertrag. »Wenn auf einem Apfelbaum viele Äpfel hängen, werden sie klein und sauer sein, sind wenige am Baum, werden sie groß und süß sein. Beim Wein verhält es sich genauso«, bringt Zens die Situation auf den Punkt. In guten Jahren versucht er, Spätlesen zu ernten, die manchmal halbtrocken ausgebaut werden. Der leichte Zuckerrest überdeckt aber nicht die gebietstypische Fruchtigkeit.

Ansonsten werden alle Weine trocken ausgebaut.

Auch in der Kellerwirtschaft geht der ambitionierte Winzer kompromißlos seinen Weg. Bis vor wenigen Jahren verwendete er noch seine alte Baumpresse, mittlerweile ist er auf eine moderne hydraulische Presse umgestiegen. Der Ausbau der Weine erfolgt in Fässern aus Akazienholz, wobei Zens seinen Weinen Zeit läßt, sich zu entwickeln. Die 86er Grüne Veltliner Spätlese wurde erst im Dezember 1987 abgefüllt, dafür war dieser Wein 1988 unter den 200 besten Weinen Österreichs. Josef Zens ist kein Freund uniformer Weine. Er läßt jedem Jahrgang seinen speziellen Charakter und weiß, daß die Beurteilung eines Weines Geschmacksfrage ist: »Bei einem guten Wein ist es wie bei einer schönen Frau. Wenn jedem dieselbe Frau gefiele, wäre es eine Katastrophe.«

Der Stolz des Winzers ist sein Keller, der jahrelang immer im Winter, bis zu zwölf Meter tief in den Sandstein geschlagen wurde und an der Decke versteinerte Seesterne und Muscheln aufweist. Zeugen dafür, daß dieses Gebiet vor Jahrtausenden vom Tertiär-Meer bedeckt war. Der Keller ist wie ein kleines Labyrinth angelegt. Vom Hauptgewölbe zweigen Nebengänge ab, in denen das Flaschenlager untergebracht ist. In weiser Voraussicht wurde auch eine »Hauerlucke« in den Sandstein gegraben, um gleich an Ort und Stelle eine Weinkost durchführen zu können.

Josef Zens
2024 Mailberg 33
☎ 02943 / 2377

Das Geheimnis unseres Erfolges liegt erstens in der Qualität und zweitens in der Sortenvielfalt, die wir anzubieten haben«, sagt Leopold Hagn, der zusammen mit seinen Eltern und seinem Bruder Wolfgang zehn Hektar Weingärten in Mailberg bewirtschaftet. Die Familie Hagn ist dort seit rund 300 Jahren ansässig und hat sich erst nach und nach von einem landwirtschaftlichen Betrieb auf den Weinbau umgestellt.

Noch nach dem Zweiten Weltkrieg war das heutige Gut ein kleiner Hauerbetrieb, das ausschließlich Faßweine produzierte. »In den 50er und 60er Jahren haben wir begonnen, unsere Weine selbst zu vermarkten. Der Durchbruch gelang, als wir zwei große Hotels in Wien belieferten und die Weine bei den Gästen gut ankamen«, erinnert sich Leopold Hagn. »Auf einmal stieg die Nachfrage und da kam uns zugute, daß wir schon damals rund zehn verschiedene Weinsorten anbieten konnten.« Das sind Grüner Veltliner, Rheinriesling, Chardonnay, Riesling x Sylvaner, Blauburgunder, Blauburger, Blauer Portugieser, Merlot und 1.000 Stock Cabernet Sauvignon. Fast 90 % der Rebflächen der Rieden Hundsschupfen und Zwerchbonder sind Junganlagen.

Das Qualitätsdenken im Weingut Hagn findet bei den verschiedenen Weinprämierungen regelmäßig seinen Niederschlag. »Ich weiß gar nicht, wie viele Goldmedaillen wir schon gesammelt haben, an die 60 oder 70 werden es schon sein.« Eine besondere Auszeichnung schaffte Leopold Hagn 1988, als seine Grüne Veltliner Spätlese 1986 von der Ried Zwerchbonder niederösterreichischer Landessieger wurde. Die Spätlesen werden stets halbtrocken ausgebaut.

Leopold Hagn, dessen Weingärten in Mailberg in einer begünstigten Kessellage mit starker Sonneneinstrahlung liegen, versucht sein ohnehin schon großes Angebot immer weiter zu vergrößern. So folgt er seit einigen Jahren auch der »Leichtwein-Welle«. Mit besonderer Sorgfalt pflegt Hagn auch seine Rotweine, für die er jetzt einen eigenen Faßkeller gebaut hat. »Ich meine, daß die Rotweine in Österreich zu früh auf die Flasche kommen. Ich lasse meine Roten jetzt zwei bis drei Jahre lang im Holzfaß, ehe gefüllt und verkauft wird.« Der Blauburger von Leopold Hagn ist mittlerweile schon »in die Luft« gegangen — dieser Wein wird auch in der »Lauda Air« serviert — und der Grüne Veltliner Spätlese 1986, Ried Zwerchbonder (A: 12,6 Vol.%; S: 7,6; Z: 6,1) wurden für den Österreichischen Weinsalon 1988 ausgewählt.

Weingut Leopold und Wolfgang Hagn
2024 Mailberg 154
☎ 02943 / 2836 oder 2256

Falkenstein

Sechs Kilometer hinter Poysdorf, Richtung Brünn, sieht man zur linken Hand die Burgruine Falkenstein am Horizont. Von dieser Burgruine hat man eine hervorragende Aussicht auf das umliegende Land. Bei klarem Wetter sieht man vom Galgenberg bis zu den kleinen Karpaten, im Norden bis Znaim und weit in den südmährischen Raum. Dieser strategisch wichtige Platz war auch sicher der Grund, daß im 11. Jahrhundert die Burg Falkenstein erbaut wurde. Lange Zeit war sie ein unbezwingbares Bollwerk gegen alle möglichen »Raubzugs-Touristen«. Doch am 25. April 1645 eroberten die Schweden die Burg. Ein Jahr später konnten kaiserliche Soldaten die schwer zerstörte Burg wieder in österreichischen Besitz nehmen.

Vom 13. bis ins 18. Jahrhundert war Falkenstein der Sitz des »Berggerichtes«, dessen Zuständigkeit von Wien bis Brünn reichte. Das Bergrecht von Falkenstein war Obereigentum und Gerichtsbarkeit in Weinbergsachen und den daraus fließenden Erträgnissen. Die Satzungen dafür sind im »Bergtaidingbüchl« aus dem Jahre 1309 niedergeschrieben und wurden jedes Jahr am St. Markustag beim Bergtaiding in Erinnerung gebracht. Alle Weinbergbesitzer mußten dabei erscheinen. Nach der Verlesung des Bergbüchls wurden alle strittigen Weinbergsangelegenheiten verhandelt und der Bergmeister, Richter in Weinbergstreitigkeiten, gewählt. Nur ein »gesessener Mann« konnte Bergmeister werden. Mit einem Eidschwur auf Wahrheit und Gerechtigkeit trat er sein Amt an. Der Bergmeister und die ihm zur Seite gestellten Bergleute, zwei aus dem Rat und zwei aus der Bürgerschaft, bildeten das Bergamt.

Heute ist ein Auszug des »Bergtaidingbüchls« im Weinmuseum in der Kellergasse zu sehen (geöffnet Sonntag ab 16 Uhr). Zu den schönsten geschlossenen Kellergassen vom gesamten Weinviertel zählt die von Falkenstein. Keller an Keller aneinandergereiht, wie eine Perlenkette. Meist aber sind die Tore geschlossen. Nur vereinzelt gibt es Heurige, doch oft nur gegen Voranmeldung. Richtig zum Leben erweckt wird die Gasse immer nur im Herbst, wenn die Traubenernte eingebracht und verarbeitet wird.

Nach alter Tradition haben sich 13 Weinbauern die strengen Bestimmungen des »Falkensteiner Berggerichtes« auferlegt und eine Interessengemeinschaft gebildet, um gemeinsam eine Qualitätsweinlinie zu vermarkten. Die Weine mit dem gemeinsamen Namen »Falkensteiner Berggericht« müssen folgenden Qualitätskriterien entsprechen:

• Meldung der Weingartenparzelle an den gewählten Bergmeister im Juli. Diesem obliegt die Qualitätskontrolle der Trauben und die Reifebeobachtung, wonach er den Lesetermin festsetzt.

• Lesekontrolle ausnahmslos durch den amtlichen Mostwärter (mindestens 15° KMW — Qualitätswein, Kabinettwein, Spätlese).

Die schönste Kellergasse Österreichs

• Die Moste dürfen nicht aufgebessert werden.

• Erntemeldung an den Bergmeister.

• Die Weine müssen betont trocken und säurebetont ausgebaut werden — max. 2 Gramm Restsüße und mindestens 7 Promille Gesamtsäure pro Liter).

• Kontrolluntersuchung und Verkostung durch den Bergmeister.

• Alle Weine müssen die staatliche Prüfnummer tragen.

Der individuelle Ausbau der Sorten und des Weines wird von jedem Betrieb forciert. Gekeltert werden die Sorten Grüner Veltliner, Welschriesling, Rheinriesling, Weißburgunder, Neuburger und Grüner Sylvaner. Folgende Betriebe haben sich diesen Qualitätskriterien unterworfen:

Weinbau Fehlmann, 2162 Falkenstein 49

Weinbau Johann Haberler, 2162 Falkenstein 128

Weinbau Richard Jauk, 2162 Falkenstein 54

Weingut Kramer, 2162 Falkenstein 15

Weinbau Lorenz Luckner, 2162 Falkenstein 20

Weinbau Richard Luckner, 2162 Falkenstein 80

Weinbau Neustifter, 2162 Falkenstein 143

Weinbau Pesau, 2162 Falkenstein 253

Weinbau Familie Pichler, 2162 Falkenstein 35

Weinbau A. Reichart, 2162 Falkenstein 70

Weinbau Salomon, 2162 Falkenstein 24

Weinbau Johann Stadler, 2162 Falkenstein 181

Weinbau Weber, 2162 Falkenstein 51

Die Falkensteiner Qualitätsspitze

Wenn in der österreichischen Botschaft in Peking größere Feiern anstehen, werden regelmäßig auch ein paar »Flascherln« Wein aus Falkenstein geöffnet. Dr. Alfred Mayer, der österreichische Handelsdelegierte in Peking, hat sich einen kleinen Vorrat aus dem Keller von Heinrich Salomon schicken lassen und traf mit diesem Wein genau den Geschmack des internationalen diplomatischen Corps im fernen China. »Wenn man bedenkt«, schrieb Dr. Mayer, »daß der Wein zweieinhalb Monate, unter anderem mit der Transsibirischen Eisenbahn, unterwegs war, und die Lagermöglichkeiten in unserer diplomatischen Vertretung alles andere als ideal sind, der Wein aber bei den Genießern dennoch volles Lob erntet, dann muß das wohl als Qualitätsbeweis gelten.«

Das Lob aus China ist aber kein Einzelfall. Auch in der österreichischen diplomatischen Vertretung in Neu Delhi werden die Salomon-Weine getrunken, wie der Handelsdelegierte Dkfm. H. Kaufmann bestätigte. Zu den Salomon-Kunden zählen auch die österreichischen Botschaften in Pakistan, Indonesien und in der Türkei. Das Weingut Salomon in Falkenstein, das Heinrich Salomon seinen Aufschwung verdankt, wird heute von dessen Sohn Josef geführt, der eine Ausbildung zum Weinbau- und Kellermeister vorweisen kann. »Wie schon der Vater, setze auch ich ausschließlich auf Qualität, für die ich schon im Weingarten sorge«, sagt der ambitionierte Winzer, der nicht nur im Winterschnitt radikale Maßstäbe setzt, sondern auch nach der Blüte noch rigoros ausdünnt. »Für mich ist die Mengenbegrenzung ein Garant für die Qualität.«

Josef Salomon bewirtschaftet derzeit fünf Hektar Weingärten in bester Lage, wobei der Grüne Veltliner (45%) auf den Rieden Sonnleiten und Rosenberg steht. Auf lehmigen, schweren Böden wird der Grüne Veltliner als Hochkultur gezogen. Die Gegend ist so fruchtbar, daß trotz strenger Ausdünnung noch immer 10.000 bis

12.000 kg Trauben pro Hektar geerntet werden und eine überaus hohe Traubenreife vorhanden ist. Josef Salomon hält sich dabei an einen Ausspruch von Prof. Hans Haushofer, dem ehemaligen Leiter der Weinbauschule Klosterneuburg: »50 % Ausdünnen im Weingarten bringen 80 % mehr Ertrag!« So hatte der Grüne Veltliner Spätlese 1986 (A: 12,8 Vol.%; S: 6,0; Z: 1,16), 20° KMW bei der Lese. Dieser Wein wurde Landessieger 1988 und ist auch im Österreichischen Weinsalon vertreten. Der Grüne Veltliner 1982, Ried Sonnleiten (A: 10,2 Vol.%; S: 7,3; Z: 1,2) hat einen kräftigen Duft und schmeckt sehr frisch, mit einem ausgereiften Veltlinergeschmack. Der Rheinriesling wächst ebenfalls auf der Ried Sonnleiten, der Welschriesling und Neuburger auf der Ried Kirchberg und der Goldburger am Eckartsberg.

Josef Salomon läßt seine Weißweinsorten, die, wenn möglich, nach dem 15.Oktober gelesen werden, rund zwölf Stunden auf der Maische, ehe gepreßt wird. »Wir fermentieren, weil wir die Bukettstoffe, die in der Beerenhaut enthalten sind, gewinnen wollen.« Die Weine — auch die Spätlesen — werden prinzipiell im Holzfaß trocken ausgebaut. Salomon ist ein Gegner von Aufbesserungen und lehnt alle weinfremden

Eingriffe ab. »Wir wollen aus jedem Jahrgang das Optimum herausholen«, stellt Josef Salomon fest, der den Wein durchwegs ein Jahr lang lagert, ehe er abfüllt. Für Interessenten veranstaltet Josef Salomon Weinkosten im Keller in der Kellergasse, und dort kann man auch von den Weinen aus seiner Vinothek probieren, von denen es schon zu wenige gibt, um sie zu verkaufen. Das Weingut Salomon ist eines von 13 Mitgliedern des »Falkensteiner Berggerichtes«.

Salomon Heinrich
2162 Falkenstein 24
☎ 02554 / 7703

Noch hat Richard Luckner sen. das Sagen über seine 20 Hektar große Landwirtschaft in Falkenstein, deren Hauptzweig der Weinbau mit einer Rebfläche von sieben Hektar ist. Aber der Senior denkt bereits an seine Pension, denkt daran, den Betrieb seinem Sohn zu übergeben, der als fachliche Voraussetzung den Weinbau- und Kellermeister mitbringt.
»Wie wir bei unseren Weinen zur Qualität kommen, ist kein Geheimnis«, sagt Richard Luckner, der auch Obmann des örtlichen Weinbauvereines ist. »Wir sorgen beim Rebschnitt für Mengenbegrenzung und arbeiten im Keller peinlich sauber.« Die Weine werden durchwegs im Holzfaß ausgebaut und kommen zu rund 30 Prozent in Bouteillen, der Rest wird in Einliter- und Zweiliterflaschen gefüllt. Richard Luckner jun., der schon längst im Betrieb mitarbeitet, ist aber daran, den Anteil der Bouteillen-Qualitäten zu erhöhen.
Das Weingut Luckner hat ausgezeichnete Lagen. Auf der Ried Rosenberg wachsen als Hochkultur Grüner Veltliner und Welschriesling. In der Ried Eggersberg stehen Grüner Veltliner, Müller-Thurgau, Sylvaner und Blauer Portugieser und auf der Ried Rabenstein Welschriesling. Im Pfarrgarten schließlich sind Neuburger und Zweigelt ausgepflanzt.
Richard Luckner kann auf eine lange Familiengeschichte verweisen. »Unsere Familie läßt sich bis 1693 in Falkenstein nachweisen, das Haus ist seit 1785 im Familienbesitz.« Keine Frage, daß sich der Winzer im Weinbau und in der Geschichte des Weinbaus dieser Region auskennt. Das beweist er auch bei seinen Führungen durch das Weinmuseum, das jeweils sonntags ab 16 Uhr geöffnet ist, und das beweist er auch bei den Führungen durch den Weinlehrpfad in Falkenstein, in dem nicht nur sämtliche 24 in Niederösterreich heimischen Rebsorten ausgepflanzt sind, sondern auch noch Wildreben stehen.

Richard Luckner
2162 Falkenstein 80
☎ 02554 / 7883

Erst vor kurzem wurden in der Nähe von Poysdorf, in Altruppersdorf, Reste von Erdwällen und Holzbauten aus der Jungsteinzeit entdeckt. Diese über 6.500 Jahre alten Tongefäße, Werkzeuge und Figuren sind im Stadtmuseum Poysdorf zu besichtigen. Im Jahre 1196 wurde Poysdorf, die Weinstadt im Herzen des Weinbaugebietes Weinviertel, erstmals urkundlich erwähnt. Am 4. Mai 1582 wurde Poysdorf durch Kaiser Rudolf II. das Marktrecht verliehen. Es erhielt das Recht, jährlich vier Jahrmärkte und jeden Freitag einen Wochenmarkt abzuhalten. Dieses Marktrecht wurde wiederholt bestätigt.
Die Pfarrkirche, die dem hl. Johannes dem Täufer geweiht ist, gilt als Wahrzeichen der Stadt. Sie wurde von 1629 bis 1635 im Stil der Renaissance erbaut, der Innenraum wurde später barockisiert. Während des Dreißigjährigen Krieges waren Schweden in der Kirche einquartiert. Die Kirche wurde als Pferdestall benützt. Noch heute wird ein Teil als »Reitschule« bezeichnet. Die Bevölkerung verstand es, die Schweden mit guter Bewirtung bei Laune zu halten. Als im Jahre 1783 die Kaiserin Maria Theresia die »Tranksteuer« einführte, wurden bei der Bestandsaufnahme der Weinvorräte 62.689 Eimer Wein gezählt. Das entspricht nach der heutigen Maßeinheit rund 3,5 Millionen Liter. An dieser Menge kann man feststellen, daß unsere Vorfahren auch nicht gerade wenig Wein tranken. Die »Tranksteuer« hat sich ebenfalls bis in die heutige Zeit erhalten, heute heißt sie Getränkesteuer. Als im Herbst 1814 Zar Alexander und König Wilhelm von Preußen auf ihrem Weg zum Wiener Kongreß in Poysdorf einkehrten, dürfte der »Brünner Straßler« dem russischen Herrscher so geschmeckt haben, daß der Wein in den nächsten Jahren immer wieder vom Zarenhof verlangt wurde. 1923 wurde Poysdorf wegen seiner überragenden Bedeutung im Weinbau zur Stadt erhoben.
Der Beginn des Weinbaus in Poysdorf ist nicht genau bekannt, wahrscheinlich begannen zwischen dem 14. und 15. Jahrhundert die damaligen Bewohner Weinstöcke auszupflanzen. Im Laufe der Jahrhunderte hat sich der Weinbau zu einer nicht mehr wegzudenkenden Erwerbsquelle entwickelt, die das wirtschaftliche und kulturelle Geschehen geprägt hat. So sind auch im Stadtwappen die zwei biblischen Kundschafter, die eine große Weintraube tragen, abgebildet.
Zur Zeit beträgt die Weinbaufläche in der Großgemeinde Poysdorf 1.700 ha. Grüner Veltliner und Welschriesling sind die Hauptsorten dieser Region. Der Veltliner, der im vorigen Jahrhundert als »Grün Muskateller« bezeichnet wurde, soll ursprünglich aus dieser Region stammen. Die sehr süffigen Massenträger-Weine, die heute hauptsächlich produziert werden, sollte man jung trinken . Doch werden auch hochwertige Qualitätsweine gekeltert, die sich anfangs mit dem für die Gegend typischen, würzigen Bukett und frischen, pfeffrigen Geschmack präsentieren, die aber mit zunehmender Reife sehr an Qualität gewinnen.

Eis- und Strohwein im Weinviertel

Vor rund 30 Jahren hat Franz Rieder in Kleinhadersdorf, einige Kilometer von Poysdorf entfernt, mit dem Weinbau begonnen. So nebenher, mit einem ein Hektar großen Weingarten. Das Haupteinkommen stammte damals noch aus einer Ferkelzucht. Franz Rieder fand aber bald immer größeren Gefallen am Weinbau und stellte seinen Betrieb 1981 gänzlich um. Heute führt bereits sein Sohn Friedrich den acht Hektar großen Betrieb, und der Name »Weinrieder« hat unter Kennern einen guten Klang.

Kein Wunder, schließlich keltert Friedrich Rieder wirklich ausgezeichnete Tropfen. Rund 50 Prozent der Ernte entfallen auf den Grünen Veltliner, der auf den Rieden Hölzler und Birthal wächst, 25 Prozent auf den Welschriesling, der auf den begünstigten Lagen Bockgarten mit Sand- und leichtem Lehmboden und Hochleiten ausgepflanzt ist. Der Rest verteilt sich auf Müller-Thurgau, Neuburger und Weißburgunder. In einigen kleinen Gärten stehen auch Rheinriesling und Chardonnay.

Schon Franz Rieder war in der Weinbau-Philosophie ein absoluter Purist. Sein Geheimnis war einzig und allein, möglichst nicht in die Weinwerdung einzugreifen. »Wir sorgten seit jeher für eine selbstauferlegte Mengenbegrenzung, die beim Grünen Veltliner bei rund 5.000 bis 6.000 Kilo pro Hektar liegt, und haben dann im Keller praktisch nichts mehr angegriffen«, sagt Franz Rieder, der seinen Wein ausschließlich in 0.7-Liter-Flaschen füllte. »Weine, die meinen Ansprüchen nicht gerecht wurden, habe ich immer gleich vom Faß verkauft.«

Der Ausbau der Weine erfolgt prinzipiell im Holzfaß, nur kleinere Mengen kommen in Plastikgebinde. Entsäuerungen gibt es beim »Weinrieder« nicht, daher zeichnen sich die Weine durch ein relativ hohes Säurespiel aus. Die hohen Ansprüche, die Franz Rieder an seine Weine stellte, gelten auch für seinen Sohn Friedrich, der nach mehrjähriger Praxis in Deutschland 1987 den Betrieb übernahm. Aus Deutschland hat Friedrich Rieder die Idee mitgebracht, mit besonderen Weinspezialitäten zu experimentieren. So ist der »Weinrieder« heute einer der wenigen Betriebe in der Gegend, der einen 82er St. Laurent-, einen 83er Müller Thurgau- und einen 83er Neuburger-Eiswein im Keller hat. Vom Grünen Veltliner 1983, Ried Birthal, wurde ein Strohwein gekeltert. Die Trauben für den Strohwein werden bei trockenem Wetter gelesen und dann auf Stroh zum Trocknen ausgebreitet. Um die Weihnachtszeit wird abgepreßt und der Most, so rasch es geht, zum Gären gebracht. Sobald sich der Wein beruhigt hat, erfolgt eine Kieselgurfiltrierung, und schon im Mai wird in Flaschen gefüllt.

So streng Friedrich Rieder beim Weinbau zu sich selbst ist, so streng ist er auch zu jenen Weinliebhabern, die seine Seminare besuchen. »Bei ihm herrscht Ruhe im Saal«, weiß Vater Franz, »da gibt es keinen Mucks. Während er redet, gibt es kein Schwätzen.« Da hat sich offenbar ein gewaltiger Wechsel in der Persönlichkeit vollzogen, denn Papa Franz erinnert sich noch ganz genau daran, daß der Bub in der Schule selbst nicht so richtig »angezaht« hatte.

Die Seminare — sie dauern entweder zwei Stunden, einen halben oder einen ganzen Tag — sind stets gut besucht. Es gibt aber eine Reihe von Besuchern, die sich vorher erkundigt, ob nicht der Senior auf der Vortrags-Liste steht. Dann geht es lustiger zu.

Wein Rieder
Untere Ortsstraße 44
2170 Kleinhadersdorf
☎ 02552 / 2241

Donauland-Carnuntum

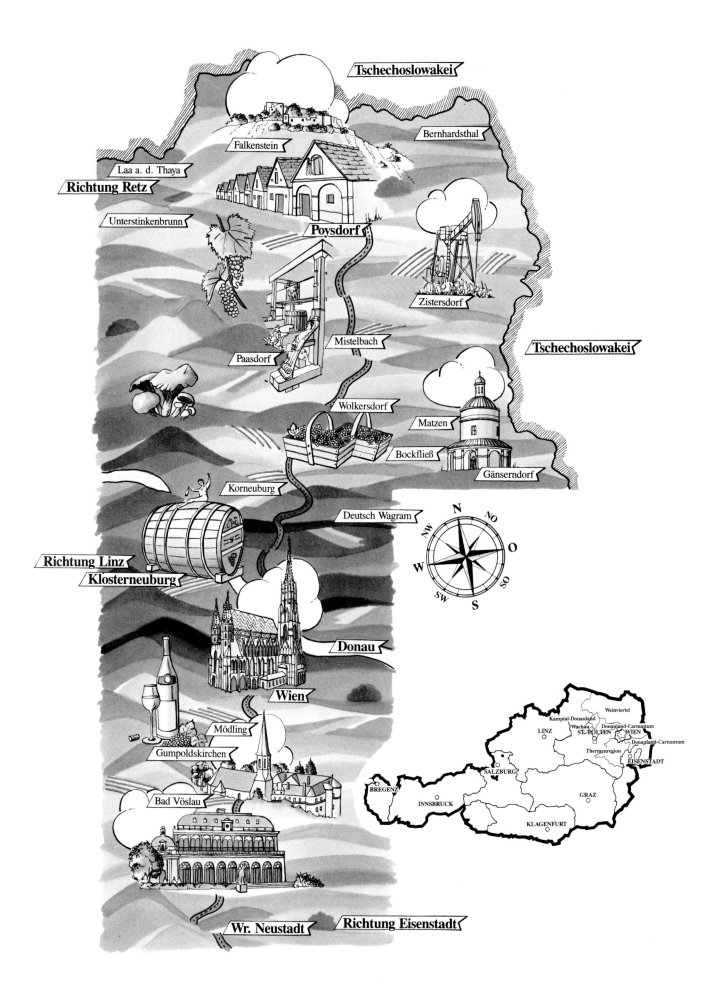

Tschechoslowakei

Bernhardsthal

Falkenstein

Laa a. d. Thaya

Richtung Retz

Unterstinkenbrunn

Poysdorf

Zistersdorf

Mistelbach

Tschechoslowakei

Paasdorf

Wolkersdorf

Matzen

Bockfließ

Gänserndorf

Korneuburg

Deutsch Wagram

Richtung Linz

Klosterneuburg

Donau

Wien

Mödling

Gumpoldskirchen

Bad Vöslau

Wr. Neustadt

Richtung Eisenstadt

N
NW NO
W O
SW SO
S

Weinviertel
Kamptal-Donauland
Wachau
Donauland-Carnuntum
LINZ
ST. PÖLTEN
WIEN
Donauland-Carnuntum
Thermenregion
EISENSTADT
SALZBURG
BREGENZ
INNSBRUCK
GRAZ
KLAGENFURT

Klosterneuburg

Am nördlichen Abhang des Wienerwaldes liegt die bedeutende Weinstadt Klosterneuburg mit dem beherrschenden Augustiner-Chorherrenstift, das vom Markgraf Leopold III. gestiftet wurde. Das Stift gliedert sich in zwei verschiedene architektonische Bauteile: in einen romanisch-gotischen und in einen barocken. In den Jahren 1114—1136 wurde die romanische Stiftskirche errichtet, die Türme wurden im 19. Jahrhundert neugotisch umgebaut. Die barocke Innenausstattung stammt aus dem 17. Jahrhundert. Das Stift beherbergt auch die größte Stiftsbibliothek Österreichs mit über 200.000 Bänden und mehr als 2000 alten Handschriften und Inkunabeln. In der Schatzkammer sind historische Kostbarkeiten, wie der Erzherzogshut Maximilians III., zu sehen. In der Leopoldskapelle der Stiftskirche steht der Verduner Altar von 1181, auf dem eine der ältesten Darstellungen von Weintrauben in Verbindung mit Weinbau zu finden ist. Sie schildert die Szene aus dem Alten Testament, in der die Kundschafter Moses, die nach Kanaan geschickt wurden, zurückkehrten. Als diese das Land erforschten, brachten sie neben anderen Früchten auch eine Weintraube von ungeheurer Größe zurück. Zwei Männer mußten diese Rebe tragen, so groß war ihr Umfang. Als Symbol für Fruchtbarkeit wurden die »Biblischen Kundschafter« vom Winzerstand übernommen und verwendet.

Bereits in der Römerzeit war Klosterneuburg Kastell mit dem Namen »Asturis«. Die ältesten Spuren einer blühenden Rebenkultur gehen in das 3. Jahrhundert zurück, möglicherweise als Folge der Unzufriedenheit römischer Soldaten, die sich über die schlechte Qualität des vorgefundenen Weines beklagten. Kaiser Probus, der damals über das Römische Reich herrschte, ließ an den Abhängen des Kahlenberges neue Weingärten anlegen. Die nachfolgenden Goten, Hunnen und Awaren richteten den Weinbau in den nächsten Jahrhunderten fast zugrunde. Erst unter Karl dem Großen und den späteren Babenbergern wurde die Weinkultur und der Weinhandel wieder tatkräftig gefördert. Das Stift erhielt kurz nach seiner Gründung Weingärten und pflegte den Weinbau. Bald erfreute sich der Klosterneuburger Wein, ganz besonders jener des »Stiftes zum rinnenden Zapfen«, großer Beliebtheit. Diese Bezeichnung sollte zum Ausdruck bringen, daß die Mönche des Klosters immer so viel Weinvorräte besaßen, daß kein Zapfen (Ablaßöffnung) eines Weinfasses trocken zu sein brauchte.

Durch zahlreiche Privilegien der Habsburger wurde der Weinbau geschützt. In der Verordnung aus dem Jahr 1370 hieß es, daß keine fremden Weine in die Stadt eingeführt werden durften. Um eine weitere Ausdehnung der Rebkulturen zu verhindern, wurde im Jahre 1595 ein Auspflanzungsverbot für alle Gründe, die mit dem Pflug bearbeitet werden konnten, erlassen. Verordnungen dieser Art wurden im 18. Jahrhundert zweimal erneuert. Das 19. Jahrhundert begann für den Weinbau mit neuerlichen Rückschlägen durch die Napoleonischen Kriege und einer Reihe von Mißernten. In der zweiten Hälfte des 19. Jahrhunderts wurden die Weinkulturen besonders durch die Reblaus, das von der Weinbauschule durch importierte Reben eingeschleppte gefährliche Insekt, vernichtet. Erst zur Jahrhundertwende konnte die Reblausgefahr gebannt werden, nicht zuletzt durch die großen Leistungen der Weinbauschule, als eine Art der Wiedergutmachung für das mit Sicherheit ungewollte Einschleppen der Reblaus.

Zu den besonderen Sehenswürdigkeiten zählen der weitläufige Keller unterhalb des Stiftbaues, mit wunderschön geschnitzten Fässern und die stiftliche Binderei mit dem 1000-Eimer-Faß (560 Hektoliter) aus dem Jahre 1704. Dieses weitbekannte Faß wurde unter Kellermeister Johann Kess gebaut und reich mit Schnitzereien verziert. Es trägt unter anderem die Inschrift »Non deficiat, semper proficiat« — »Möge sein Inhalt nie zu Ende gehen, möge er immer nützen«. Die Schnitzerei am Faßboden zeigt Noah im Weinberg und die Arche. Das Faß wurde 1711 erstmals gefüllt und war in den Franzosenkriegen das letzte Mal voll, bis es von der Besatzungsmacht 1809 vollständig geleert wurde. Dieses Faß ist jährlicher Anziehungspunkt Tausender Besucher des Leopoldifestes (15. November) beim traditionellen »Faßlrutschen«. Eine Überlieferung über das Entstehen dieses Rutschbrauches erzählt, daß der Erbauer des Fasses nur zu gern dem Wein huldigte und ihn seine Frau einmal damit strafte, daß sie ihn in Anwesenheit seiner Zechkumpane mit dem Besen über das Faß jagte.

Zur Weinbaugemeinde Klosterneuburg zählen auch die umliegenden Orte Weidling, Weidlingbach, Kierling, Gugging, Kritzendorf und Scheiblingstein. Insgesamt wird auf 198 ha Weinbau betrieben.

Die besten Rieden dieser Gegend sind Franzhauser, Steinriegl, Rothäcker, Harrer, Fensterl, Predigtstuhl, Hängendes Joch, Oberleiten, Göbling, Ziegelgrub, Kreit, Obereck, Wiege, Schwahappel und Hengstberg. Die Weingärten sind hier zum Teil auf Steilhängen und Steinterrassen angelegt. Die Hauptrebsorte ist mit über 20% Anteil der Grüne Veltliner, mengenmäßig fast gleich mit dem St. Laurent, der in dieser Region sehr stark angebaut wird.

Alles für den Wein

Wenn sich der österreichische Wein heute internationaler Beachtung erfreut, dann ist das zu einem nicht unwesentlichen Teil auch Verdienst der »Höheren Bundeslehr- und Versuchsanstalt für Wein- und Obstbau« in Klosterneuburg. Die »Schule Klosterneuburg«, der auch ein Institut für Bienenkunde angeschlossen ist, wurde am 12. April des Jahres 1860 im Prälatenhof des Chorherrenstiftes Klosterneuburg eröffnet und sollte später das Weinland Österreich nachhaltig beeinflussen.

Der Einfluß der Schule Klosterneuburg zeigt sich in vielen Facetten: sei es die Konstruktion der bekannten Klosterneuburger Mostwaage (eine Senkwaage, die den im Traubenmost enthaltenen Zucker in Gewichtsprozenten angibt) durch den ersten fachlichen Leiter der Anstalt, August Wilhelm Freiherr von Babo; sei es die zielstrebige Arbeit nach dem Auftreten der unseligen Reblaus oder sei es die Neuzüchtung von Rebsorten, ein Gebiet, auf dem die Schule einen besonders guten Ruf hat, nicht zuletzt durch die Züchtungserfolge, die Dr. Friedrich Zweigelt gelangen. Der nach ihm benannte

Blaue Zweigelt ist eine Kreuzung der Rebsorten St. Laurent und Blaufränkisch und ist heute die meistausgepflanzte Rotweinsorte in Österreich. Noch heute sprechen die Weinbauern, die damals die Schule besuchten, recht ehrfurchtsvoll von Fritz Zweigelt. Sein »Blauer Zweigelt« steht nicht allein auf der Erfolgsseite. Auf seine

Dr. Friedrich Zweigelt (1888—1964)

Arbeit gehen auch der »Blauburger«, eine Kreuzung aus Blauem Portugieser und Blaufränkisch, die »Jubiläumsrebe«, die ebenfalls den Blauen Portugieser und Blaufränkisch als »Eltern« hat, aber eine Weißweintraube ist, und der »Goldburger« zurück, der aus der Kreuzung von Welschriesling und Orangetraube entstand.

Im Juli 1980 wurde Oberstudienrat Prof. Dipl.-Ing. Johann Haushofer Direktor der Schule Klosterneuburg. Heute leitet Hofrat Dipl.-Ing. Josef Weiss die Bundeslehranstalt, die über zwei getrennte Rebflächen verfügt. Acht Hektar stehen direkt in Klosterneuburg zur Verfügung. Gleich 20 Hektar groß ist die Anlage des Versuchsguts »Götzhof« auf dem Bisamberg, das Dipl.-Ing. Herwig Kaserer führt. Dort werden in erster Linie Kreuzungszüchtungen, Kombinationszüchtungen und Klonenselektionen vorgenommen. Besonderes Augenmerk schenkt man neuerdings auch der Virusforschung. Zur Zeit laufen Versuche, virusfreies Klonenmaterial zu züchten.

In den Weingärten der Schule ist der Grüne Veltliner mit über 20 % Anteil die Hauptsorte. Kultiviert wird weiters Rheinriesling, Weißburgunder, Welschriesling, Müller Thurgau, Neuburger, Goldburger, Sämling 88, Rotgipfler, Zierfandler und einige kleine Flächen verschiedener Rotweinsorten.

Das Weinbau-Institut der Schule Klosterneuburg (Leiter: Dipl.-Ing. Werner Meier) umfaßt drei Bereiche: Neben den Rebzüchtungen gibt es noch die Abteilungen Weinbau und Kellerwirtschaft. Den Schülern der Anstalt wird dort all jenes Wissen vermittelt, das sie benötigen, um aus den Trauben des Weingartens erstklassige Weine bereiten zu können. Dazu steht auch ein bestens eingerichteter Keller zur Verfügung. Man findet dort neben uralten Holzfässern, die noch aus der Kaiserzeit stammen, auch Fässer mit Glasfenstern, die den Schülern einen direkten Einblick in den Gärungsprozeß erlauben. Selbstverständlich besitzt die Schule auch eine umfangreiche Bibliothek. Nicht weniger als 18.000 Titel wurden dort gesammelt.

In der Abteilung Kellerwirtschaft der Schule Klosterneuburg widmet man auch der Rotweinbereitung ein spezielles Augenmerk. Erste Versuche mit der

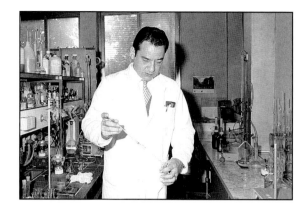

Maischeerwärmung, die heute zum Standard in der heimischen Kellerwirtschaft gehört, wurden dort bereits in den vierziger Jahren unternommen.

Die Schule Klosterneuburg ist aus dem österreichischen Weinbau nicht mehr wegzudenken. Der Zustrom von Studenten ist gewaltig, die Kapazitäten sind allerdings beschränkt. Mit rund 160 bis 170 Studenten für alle fünf Jahrgänge ist man an der Grenze der Leistungsfähigkeit angelangt.

Die Weine der Schule Klosterneuburg werden, neben einer erstklassigen Marillenmarmelade, ausschließlich ab Keller in Klosterneuburg verkauft.

Höhere Bundeslehr- und Versuchsanstalt für Wein- und Obstbau mit Institut für Bienenkunde
Wienerstraße 74
3400 Klosterneuburg
☎ 02243 / 7910

Petronell-Carnuntum ist ein historisch bedeutsamer Ort, der auch auf eine große Tradition im Weinbau verweisen kann. Carnuntum, eine vorrömische Ansiedlung an der ehemaligen Bernsteinstraße, war im 1. und 2. Jahrhundert ein Hauptstützpunkt der römischen Reichsverteidigung und 307 Schauplatz der »Drei-Kaiser-Konferenz«, in der Diokletian, Maximilian und Galerius eine neue Reichsteilung beschlossen. Die Umfassungsmauer des Legionslagers, zwei Amphitheater, Tierzwinger, Kapelle und das sogenannte Heidentor wurden nach ausgedehnten Ausgrabungen freigelegt. Zahlreiche Grabungsfunde wie Architekturstücke, Grabsteine, Waffen, Schmuck, Weihgeschenke und Hausrat können im Museum Carnuntinum in Deutsch-Altenburg besichtigt werden. Das Schloß Traun, ein bemerkenswerter Bau aus dem 17. Jahrhundert, beherbergt ein Kunstgewerbe und Donaumuseum, im Schloßpark befindet sich ein Freilichtmuseum, in welchem Teile der freigelegten römischen Zivilstadt zu sehen sind. Sehenswert ist auch die Rundkapelle aus dem 12. Jahrhundert, die zu den wertvollsten romanischen Rundbauten Österreichs zählt und heute die Gruftkapelle der Grafen Abensperg-Traun ist.

Die Verbindung einer landschaftlich schönen Umgebung, die reich an historischen Sehenswürdigkeiten ist, mit der langen Tradition im Weinbau, der sich durch leichte, spritzig-blumige Weine auszeichnet, machen jeden Besuch dieser Gegend zu einem unvergeßlichen Erlebnis.

An den sonnigen Südhängen der Spitzerberge liegt die Marktgemeinde Prellenkirchen. Knapp ein Drittel der 164 ha Rebflächen sind mit Rotweinreben bepflanzt, die überdurchschnittliche Qualität aufweisen. Die 50 Weinkeller der Kellergasse von Prellenkirchen wurden vor einigen Jahren restauriert. Ein Weinbaumuseum, ein Weinlehrpfad und ein immer offener Keller sollen den Besuchern nicht nur fachliche Information, sondern auch gleich die Möglichkeit einer Kellerkost bieten.

Der älteste Weinstock Österreichs

Im Süden des Arbesthaler Hügellandes liegt der malerische Weinbauort Göttelsbrunn mit vielen idyllischen Buschenschenken. Zu den Sehenswürdigkeiten des Ortes gehören die Votivsäule aus dem Jahr 1636 und die Pestsäule von 1725 mit dem Gnadenstuhl. Der älteste tragende Rebstock Österreichs, mit einem Alter von ca. 200 Jahren, steht im Innenhof des Gasthofs »Zum alten Weinstock« der Familie Wenk in Göttelsbrunn 136. Die Rebsorte ist ein Brauner Veltliner, eine heute nahezu ausgestorbene Rebe. Die Krone des horizontal gezogenen Stammes bedeckt eine Fläche von 120 m² und liefert in guten Jahren bis zu 500 Liter Most.

Der Bienenfresser ist eine Vogelart, die in Göttlesbrunn vorkommt. Die Weinetiketten der Familie Pitnauer zeigen diesen seltenen Vogel. Dieser Vogel (und die Kunst des Winzers) dürfte der Familie Glück bringen. Ihre Paradesorte, der Blaue Zweigelt wurde auf der Österreichischen Weinmesse 1987 in Krems Bundessieger und der 1985er Zweigelt Kabinett erreichte den ersten Platz bei der Falstaff-Prämierung 1988.

Mit dem St.Laurent Barrique erreicht Hans Pitnauer ebenfalls überzeugende Ergebnisse. Auf seinen knapp acht Hekter Weingärten in den Lagen Bärenreiser, Schüttenberg, Hagelsberg, Bilderspitz und Rain am Haus wachsen Welschriesling, Riesling x Sylvaner, Chardonnay und Grüner Veltliner. Der Familienbetrieb bearbeitet seine Weingärten nach ökologischen Grundsätzen, denn »nur wenn man gesunde Trauben hat, kann man einen guten Wein keltern«, meint der Weinbaumeister.

Familie Hans Pitnauer
2464 Göttlesbrunn 9—10, ☎ 02162 / 8249 oder 8286

Die Thermenregion

Südlich von Wien befindet sich das 3.103 Hektar große Weinbaugebiet Thermenregion. Im nördlichen Teil davon, rund um Gumpoldskirchen, Pfaffstätten, Baden und Traiskirchen liegt das Weißweinzentrum. Auf den nach Süden und südöstlich geneigten Hängen der Wienerwaldberge erreichen die Trauben einen hohen Reifegrad. Die Kalk-Schotter-Böden bringen feinwürzige Weine hervor.

In den letzten Jahren gab es eine Umstellung von eher süßlich vollen Weinen zu trocken ausgebauten Spitzenprodukten heimischer Winzerkunst. Besonders die Rebsorten Zierfandler und Rotgipfler erreichen bei höheren Reifegraden internationale Anerkennung. Aber auch die anderen Rebsorten dieser Region wie Neuburger, Weißburgunder, Chardonnay und Traminer entwickeln sich zu beachtenswerten Weinen.

Im Rotweingebiet der Thermenregion, das in Baden bei Wien beginnt und in Bad Vöslau seinen Mittelpunkt hat, reifen dunkle, samtige Rotweine.

Gumpoldskirchen

Zu den international bekanntesten Weinorten der Thermenregion zählt zweifelsfrei Gumpoldskirchen, das am Osthang des Anningersberges liegt, und im Norden vom Eichkogel geschützt wird. Südlich von Wien gelegen, ist der Ort ein beliebter Ausflugsort. Zahlreich sind die Heurigen, die den »Gumpoldskirchner« zum Markennamen verhalfen. Die gesamte Lage weist ein besonders mildes Klima, mit durchschnittlich 700 mm Regen und 1.805 Sonnenstunden im Jahr auf. Bereits im Mittelalter spielte in diesem Ort der Weinbau eine große Rolle, dessen Stadtbild heute noch von vielen schönen Winzerhäusern und alten Kellergewölben geprägt wird. Zahlreiche Riedbezeichnungen, wie Hofpoint, Hohleisl, Stocknarrn, Rasslerin und Spiegel waren bereits im Mittelalter gebräuchlich. Die Ried Wiege ist die berühmteste Lage Gumpoldskirchens.

Im 11. Jahrhundert war der Ort im Privatbesitz der Babenberger, deren rot-weiß-rotes Wappen noch heute verwendet wird. Einen wesentlichen Beitrag zur Weingeschichte Gumpoldskirchens liefern die verschiedenen Stifte und Klöster wie Kremsmünster, Klosterneuburg, Lilienfeld, Melk und Heiligenkreuz, die im Laufe von Jahrhunderten hier Rebflächen besaßen.

Selbst nach den Zerstörungen während der Ungarn- und Türkenüberfälle, der Pest oder dem Auftreten der Reblaus konnte sich der Weinbau immer wieder erholen und sogar ausgedehnt werden.

Zu den vielen Sehenswürdigkeiten zählen die spätgotische Pfarrkirche zum hl. Michael, dessen massiger quadratischer Turm auf Fundamenten eines römischen Wachturmes stehen soll; das ehemalige Schloß des Deutschen Ritterordens, heute teilweise, einst zur Gänze von einem Wassergraben umgeben.

Die Deutsch-Ordens-Schlosskellerei bewirtschaftet über fünf Hektar Weingärten in den Rieden Wiege, Hofpoint, Kreutzweingarten, Haslau und Schatzgarten. Hauptrebsorten sind mit über 75 % der Zierfandler und Rotgipfler. Mit dem Neuburger 1983, Ried Schatzgarten, und dem Spätrot-Rotgipfler Spätlese 1983, ebenfalls vom Schatzberg, kamen gleich zwei Weine dieses Betriebes in den Österreichischen Weinsalon 1988.

Das Rathaus von Gumpoldskirchen, ein Laubenbau aus dem 16. Jahrhundert sowie ein römischer Wegweiser, der im Mittelalter als Pranger diente, und einige wunderschöne gotische Bürgerhäuser bilden den Stadtkern.

In der reizvollen Landschaft, inmitten der 420 ha großen Weingärten, wurde ein Weinwanderweg angelegt, der allen Besuchern eine interessante Dokumentation des Weinbaus bietet. Auf schweren kalkreichen Tonböden werden hauptsächlich Weißweinsorten angebaut. Wobei die regionalen Favoriten Rotgipfler und Zierfandler in der Fläche führend sind. Neuburger, Welschriesling, Riesling, Weißburgunder und Grüner Veltliner werden ebenfalls kultiviert. Bei den Blautrauben führt mengenmäßig der Blaue Portugieser und der Blaue Burgunder vor St. Laurent und Blauem Zweigelt. Als beste Lagen der Region kann man die Rieden Alte Ried, Goldknöpfl, Grimmling, Hans Michl, Hofpoint, Hohleisl, Kramer, Kreutzweingärten, Satzing, Rasslerin, Sonnberber, Spiegel und Wiege bezeichnen.

Zwei Weinfeste, die jährlich im Juni und August stattfinden, und unzählige renommierte Heurigenbetriebe sind Anziehungspunkte zahlreicher Weinliebhaber aus dem In- und Ausland.

enn man von Wien kommt, findet man einige Kilometer vor Gumpoldskirchen die Abzweigung nach Thallern. Dort ist das Freigut Thallern, das älteste Weingut Österreichs. Die Zisterziensermönche des Stiftes Heiligenkreuz bewirtschaften das Weingut seit dem Jahre 1141. Der Markgraf von Österreich und Herzog von Bayern, Leopold IV., schenkte in diesem Jahr dem Zisterzienserstift Heiligenkreuz einen Wirtschaftshof in Thallern. Das Kloster wurde einige Jahre zuvor von Leopold III. gestiftet, dessen Sohn Otto in Paris studierte und später in das Zisterzienserkloster Morimund in Burgund eintrat. Wegen der fortschrittlichen Leistungen auf dem Gebiet der Landwirtschaft des Mutterklosters Citeaux rief Leopold III. auf Anraten seines Sohnes die Zisterzienser aus Morimund ins Land. 1134 begann der Bau des Klosters und der Kirche. Mit diesen Mönchen sind die damals fortschrittlichsten Winzer nach Österreich gekommen.

Die Mönche des Zisterzienserordens haben die europäische Weinbaugeschichte mitgeschrieben. Robert von Molesme, der erste Abt von Citeaux, hat auch den »Clos Vougeot«, einen der berühmtesten Weinberge Europas, angelegt und damit den Grundstein für den Weltruf der Burgunder Weine gelegt.

Von Thallern wurde die Kultivierung der Weinrebe auch nach Ungarn gebracht. Die Mönche, die alljährlich zur Generalversammlung ins Mutterkloster nach Citeaux kamen, dürften auch die ersten Rebstöcke der Burgundersorte »Pinot gris« mitgebracht haben. Der Ruländer, wie diese Rebsorte bei uns genannt wird, wurde auch »Grauer Mönch« genannt, wahrscheinlich nach dem Ordenskleid der Zisterzienser, das im Mittelalter grau war. Das Freigut Thallern wurde dem Mutterhaus Citeaux nachgebaut. Noch heute gleichen sich die beiden Klöster. In der 1516 zu Ehren des heiligen Johannes dem Täufer erbauten Kirche findet sich am Hochaltar eine Statue mit der Darstellung »Christus im Rebstock«. Der gekreuzte Christus ist von Weinreben und Trauben umgeben, und eine Inschrift besagt: »Ich bin der wahre Weinstock«.

Das heutige Stift besitzt auch einen Teil der Ried »Wiege«. Der Name kommt vom nicht gleichmäßigen, vom »wiegenden« Gefälle dieser reinen Südlage. Erstmals wurde dieser Weingarten als »vinea, que vocatur wiege« 1274 erwähnt. Die heutigen 70 ha Weingärten des Stiftes Heiligenkreuz sind in Gumpoldskirchen und im Burgenland (Podersdorf, Winden am See, Mönchhof und im Seewinkel) verteilt.

Die Rebsorten Rotgipfler, Zierfandler, Spätrot-Rotgipfler werden auf über 40% der Weingartenflächen kultiviert. Weißburgunder und Rheinriesling sind mit je 10% an der Gesamtproduktion beteiligt. Die Weinkulturen wachsen in den besten Lagen, wie Ried Wiege, Alte Ried, Hofbreite und Student. Die durchschnittliche Jahreserzeugung aus allen Weingärten liegt bei 3.500 hl Wein.

Geleitet wird das Weingut von Ing. Karl Sacherer, der schon beim Rebschnitt auf das Menge-Qualitäts-Verhältnis Rücksicht nimmt und dementsprechend kurz schneiden läßt. Gelesen wird so spät wie möglich, jede einzelne Riede gesondert. Beim Pressen wird auf strenge Trennung von Preß- und Scheitermost geachtet. Die Mostentschleimung erfolgt ausschließlich durch natürliches Absetzen der Trubstoffe. Nach dem langsamen Vergären wird der Jungwein sehr rasch vom Geläger gezogen, um die Säure zu erhalten. Zum weiteren Ausbau kommen die Weine in Holzfässer, wo sie bis zum optimalen Zeitpunkt für die Flaschenfüllung liegen bleiben. Diese Methodik der Weinbereitung wurde schon von Günther Pozdina, dem langjährigen Oberverwalter des Weingutes und Großkellermeister der Österreichischen Weinbruderschaft, angewendet. Neben dem Weingut wird auch eine Backhendelstation »Gasthof Thallern« bewirtschaftet. Das Weingut Thallern ist auch Mitglied der Vinobilitas, der bereits erwähnten Vereinigung der Stifts- und Herrschaftsweingüter Österreichs.

Freigut Thallern
Stift Heiligenkreuz, 2352 Gumpoldskirchen, ☎ 02236 / 53477

Der Zierfandler und der Rotgipfler sind die »Lieblingskinder« von Gottfried Schellmann, der mit seiner Gattin Hildegard in Gumpoldskirchen ein Weingut mit sieben Hektar Rebfläche und einen Restaurantbetrieb (»Gumpoldskirchner Weinstadl«) führt. Der Zierfandler der Rieden Braun und Schwaben macht rund 20 Prozent der Produktion aus. Der Rotgipfler mit rund 15 Prozent Anteil an der Schellmannernte wächst auf der Ried Brindlbach. Neben diesen beiden Sorten hat Schellmann auch noch Chardonnay in den Rieden Katzenbühel und Steingrube, Traminer sowie Blauer Zweigelt und Blaufränkisch ausgepflanzt.

»Wir haben hervorragende Lagen«, stellt Gottfried Schellmann nicht ohne Stolz fest, »Lagen, die sowohl vom Klima her als auch von der Bodenbeschaffenheit begünstigt sind.« Viel Sonne und wenig Nebel bieten die Voraussetzungen dafür, daß Schellmann die Trauben dort recht lange auf den Stöcken lassen kann, daß regelmäßig Kabinett-Qualitäten erzielt werden können. »Man darf aber nichts dem Zufall überlassen«, stellt der Winzer fest. »Weil in diesem Gebiet schon seit Jahrhunderten Weinbau betrieben wird, sind die an sich guten Böden hier schon ziemlich ausgereizt. Man muß also beim Schnitt recht rigoros vorgehen und nach der Blüte noch einmal ausbrocken. Nur wenn man sich selbst eine Ertragsbeschränkung auferlegt, bekommt man auch die gewünschten Qualitäten.« Im Schnitt bringt Schellmann 3.000 bis 4.000 Liter aus einem Hektar. 240 hl beträgt die durchschnittliche Jahresernte.

In der Kellerwirtschaft geht Schellmann traditionelle Wege. Die Trauben werden durchwegs gerebelt. Traminer und Rieslinge werden 6 bis 24 Stunden vor dem Abpressen fermentiert. Zierfandler und Rotgipfler werden nicht fermentiert und rasch abgepreßt. Der Saft vom ersten Preßhub ist für die 0,75-Ware bestimmt, die zweite Presse wird als »gemischter Satz« zu Zweiliterware verarbeitet. Alle Moste werden kräftig entschleimt und anschließend in Holzfässern meist trocken ausgebaut. Der Zierfandler Kabinett 1987 aus der Riede Braun (A: 10,9 Vol.%; S: 8,0; Z: 1,6) besticht durch seinen angenehmen frischen, feinen Fruchtgeschmack. Der 86er Zierfandler (A: 12,0 Vol.%; S: 8,8; Z: 9,5) ist halbtrocken ausgebaut, elegant und charaktervoll und durch den Ausbau in einem neuen 800 l Faß mit einem ganz zarten Holzton behaftet. Der Chardonnay 1986, Ried Katzenbühel (A: 12,1 Vol.%; S: 7,8; Z: 2,8) ist sehr füllig im Bukett, mit einer sehr kräftigen Säure. Alle Weißweine des Weingutes weisen etwas höhere Säurewerte auf.

Dem Weingut ist, wie erwähnt, auch ein Restaurantbetrieb angeschlossen, in dem regionale Küche nach den saisonalen Angeboten auf den Tisch kommt. Das gemütliche Lokal mit der rustikalen Einrichtung — die Sessel wurden aus alten Weinfässern gefertigt, die Tische aus gespaltenen Baumstämmen, eine alte Weinpresse dient zur Dekoration — wurde vor 27 Jahren eröffnet und entwickelte sich bald zum Tummelplatz der Prominenz. »Bei uns verkehren das diplomatische Corps aus Wien ebenso wie Künstler und Sportler. Curd Jürgens war bei uns Gast, Karl Schranz ließ es sich hier schmecken und der jetzige ORF-Generalintendant Teddy Podgorsky war früher, als er noch in Gumpoldskirchen zu Hause war, ebenfalls Stammgast.« Man schätzt den Wein, und man freut sich, wenn Gottfried Schellmann, ein passionierter Jäger, Waidmannsheil gehabt hat und allerlei Wildbret auf der Karte steht. Dann gibt es als Vorspeise Rehpastete mit Sauce Cumberland oder Rehrückenfilet aus der Pfanne mit Schwarzwurzel, oder gespickten Rehbraten mit Pilzen und Erdäpfelnudeln. Von Zeit zu Zeit, wenn das Jägerglück entsprechend war, gibt es auch Wildsaubraten.

Weingut Schellmann
Wienerstraße 41
2352 Gumpoldskirchen
☎ 02252 / 62218

Die Gumpoldskirchner Winzergenossenschaft mit ihrem Sitz in der Jubiläumsstraße 43 hat gleich fünf der 200 besten Weine Österreichs des Jahres 1988 gestellt. Dieser für eine Genossenschaft übermäßig hohe Qualitätserfolg wurde mit dem Neuburger 1986 aus der Thermenregion (A: 12,0 Vol.%; S: 6,4; Z: 10,4), der auch Bundessieger wurde, dem Neuburger Königswein Spätlese 1983 (A: 12,1 Vol.%; S: 6,9; Z: 19,1), dem Weißburgunder 1986 aus der Thermenregion (A: 12,0 Vol.%; S: 6,7; Z: 5,8), dem Zierfandler 1983 (A: 12,0 Vol.%; S: 6,6; Z: 12,8) und dem Spätrot-Rotgipfler Spätlese 1983 aus Gumpoldskirchen (A: 12,2 Vol.%; S: 6,5; Z: 21,1) erreicht.

Die Winzergenossenschaft Gumpoldskirchen wurde 1907 gegründet, und Obmann Kernbichler verwaltet die von derzeit 312 Mitgliedern gelieferte Traubenproduktion. Durchschnittlich werden zwischen 3.000 und 4.000 hl Wein jährlich gekeltert. Die besten Lagen sind die Rieden Grimling, Rasslerin und Badnerweg.

Gumpoldskirchner Winzergenossenschaft
Jubiläumsstraße 43
2352 Gumpoldskirchen
☎ 02252 / 62129

Baden

Am Ostrand des Wienerwaldes, in herrlicher landschaftlicher Umgebung, liegt der berühmte Kurort Baden, Österreichs größtes Schwefelheilbad, in dem schon die Römer Linderung und Heilung ihrer Krankheiten suchten. Die Gegend war wohl wegen der warmen Quellen schon seit der Steinzeit ununterbrochen besiedelt, wovon zahlreiche Ausgrabungsfunde zeugen. Baden, das im 9. Jahrhundert fränkisches Königsgut war, wurde 1480 zur Stadt erhoben.

Auch hier besitzt der Weinbau eine lange Kultur, die in der zweiten Hälfte des 15. und zu Beginn des 16. Jahrhunderts ihren Höhepunkt erreichte, und bis ins 17. Jahrhundert hinein war der Weinbau die wichtigste Erwerbsquelle dieser Gegend. Das älteste Buschenschankrecht Badens geht aus einer Urkunde von 1459 hervor. Die hervorragenden Weine wurden weithin geliefert, jedoch zählte Wien zum wichtigsten Handelsplatz für die Badener Erzeugnisse. Die Verwüstungen der Weingärten durch die Türken 1683 und später durch die Pilzkrankheiten Peronospora und Oidium, aber auch durch die Reblaus waren für die schweren Rückschläge im Weinbau verantwortlich.

Baden war und ist nicht nur beliebte Wein- und Kurstadt, auch die Künste kamen hier nicht zu kurz. Mehrere »Beethoven-Häuser« und eine Mozart-Gedenkstätte erinnern an die Besuche dieser berühmten Komponisten. Ludwig van Beethoven vollendete hier in Baden seine Neunte Symphonie und arbeitete an Teilen der »Missa solemnis«, Wolfgang Amadeus Mozart komponierte während seines Aufenthaltes das »Ave verum«. Baden war auch die Sommerresidenz des Habsburger Kaiserhofes, und viele namhafte Staatsmänner weilten als Kurgäste in der Stadt.

Baden lädt alljährlich im September zu den Traubenkurwochen ein, wo frischgepreßter Traubenmost und Tafeltrauben angeboten werden.

Sehenswerte Gebäude und Anlagen sind das Kurhaus mit dem herrlich angelegten Kurpark, das 1815 nach Plänen Josef Kornhäusels erbaute Rathaus, die Stadtpfarrkirche St. Stephan, die Pfarrkirche St. Helena mit dem Töpferaltar und viele schöne Biedermeierhäuser. In den über 100 stimmungsvollen Buschenschenken werden den Gästen ausgezeichnete Weine angeboten. Die Rebflächen sind in den letzten Jahrzehnten stark zurückgegangen, sodaß nur mehr auf rund 280 ha Weinbau betrieben wird. Die besten Weine stammen unter anderen von den Rieden Goldberg, Römerberg, Bockfuß, Wiege, Himmeltau und Mitterschossen.

Bad Vöslau

Der Thermalbadeort Bad Vöslau ist durch sein günstiges Klima als Weinort geradezu prädestiniert und entsprechend bekannt für seine samtigen Rot- und vollmundigen Weißweine. Freiherr von Fries brachte 1772 einige Reben aus Portugal mit, die in Vöslau angebaut wurden und hier prächtigst gediehen. Das Resultat, ein »Blauer Portugieser«, auch »Vöslauer« genannt, der hinsichtlich seiner hervorragenden Güte allgemein geschätzt wird.

Im Heimatmuseum werden zahlreiche interessante Exponate zur Geschichte des Weinbaus gezeigt.

Das Vöslauer Schloß, ein im Grundriß hufeisenförmiger, ehemals von einem Wassergraben umgebener Bau, ist ein beachtliches Denkmal des frühen Klassizismus in Österreich.

Reizvolle Spazier- und Wanderwege führen durch die Weingärten und dunklen Föhrenwälder, und gemütliche Buschenschenken laden zum Verweilen ein.

In Bad Vöslau und seinen Nacbbarorten Leobersdorf, Kottingbrunn und Berndorf wird auf kargen Schotterböden hauptsächlich Rotwein angebaut. Das trockene und warme Klima läßt vollfruchtige Blaue Portugieser, Cabernet Sauvignon und Merlot gedeihen. Die besten Rieden in dieser Gegend heißen Goldeck, Hupfenberg, Beizriegel, Bremen, Gradental und Händeln.

Rotwein und die Champagner-Methode

Der Liebe wegen kam Robert Alwin Schlumberger, einst Prokurist des ältesten Champagnerhauses Ruinart in Reimes, nach Bad Vöslau. Im Sommer 1841 lernte er bei einer Dampferfahrt am Rhein die Wienerin Sophie Kirchner kennen, verliebte sich und zog nach Wien. Gemeinsam mit seinem Schwiegervater Heinrich Daniel Kirchner, einem Metallknöpfe-Fabrikanten, erwarb Robert Schlumberger 1843 seinen ersten Weinberg, die Riede Goldecken in Vöslau. Er begann, sein in der Champagne erlerntes Handwerk, die Erzeugung von Sekt »methode champagnoise«, auszüüben. Nach den ersten Versuchen mit österreichischen Weinen Sekt herzustellen, erwiesen sich die Vöslauer Weine am geeignetsten. 1850 wurde mit dem Bau der Weinkellerei am »Goldeck« begonnen. Der Name »Goldeck« ist seit damals untrennbar mit dem Hause Schlumberger verbunden. Ein Weinetikett mit diesem Namen wurde am 3. Jänner 1859 als erste österreichische Weinmarke in das Markenregister eingetragen. Bald nach der Gründung hatte das Schlumberger Weingut über 100 ha Rebflächen. Fünf blaue Rebsorten wurden damals angebaut: die sogenannte »mährische« oder blaufränkische Rebe, die Blaue Portugieser Rebe, die von Freiherr v. Fries, dem damaligen Schloßherrn von Vöslau, 1772 eingeführt wurde und sich auf den Vöslauer Kalkböden besonders gut bewährte, die Rebsorten St. Laurent, Merlot und Cabernet Sauvignon. All diese Rebsorten wurden 1860 von Robert Schlumberger nach Österreich gebracht, damit sind auch heute noch die Weingärten bepflanzt.

Damals gab es bei Schlumberger drei Standardmarken: »Vöslauer Goldeck«, »Vöslauer Goldeck Cabinet« und »Schlumberger Privatkeller«. Zwei Weine finden sich auch im heutigen Angebot des Hauses: Der »Vöslauer Goldeck Cabinet«, ein Cuvee von St.Laurent, Blauem Portugieser und Cabernet Sauvignon, rubinrot mit fülligem, fruchtigem Bukett, vollmundig und sehr gehaltvoll, und der Cabernet Merlot (Privat-Keller), der überwiegend aus Merlot-Trauben gekeltert wird. Die Weine, die mit diesem Namen gekennzeichnet sind, zählen Jahr für Jahr zu den besten Rotweinen Österreichs.

Robert Alvin Schlumberger war einer der ganz großen Pioniere des österreichischen Weinbaus im vorigen Jahrhundert. Er erprobte den Einsatz von Pflügen im Weingarten genauso, wie er 1874, als erstes Weingut außerhalb der Weinbauschule Klosterneuburg, die Drahtrahmenkultur prüfte. Auch arbeitete er sehr eng mit dem ersten Direktor der Schule, Freiherrn von Babo, zusammen. Die Flaschenfüllung von Weinen wurde ebenfalls von Schlumberger entwickelt.

Als die Fregatte »Novara« 1857 zu einer dreijährigen Weltumseglung startete, konnte Robert A. Schlumberger es erwirken, daß einige Kisten seiner in Flaschen gefüllten »Vöslauer Goldeck«-Weine mit an Bord genommen wurden. Es sollten nur einige Flaschen wieder zurückgebracht werden, um diese nach der strapazvollen Reise zu verkosten. Das Resultat war überzeugend, die Weine hatten nichts an Güte verloren, sondern beträchtlich gewonnen.

Die Schlumberger-Weine begannen den Weltmarkt zu erobern, und der »Vöslauer Goldeck« wurde bald ein Symbol für österreichische Rotwein-Qualität. Bei der Reblausbekämpfung erzielten Robert Schlumberger und sein Sohn Dr. Robert Schlumberger erstaunliche Ergebnisse. Sie verwendeten dabei das »Kulturalverfahren« (Schwefelkohlenstoffbehandlung) und untersuchten amerikanische Unterlagsreben auf ihre Wirksamkeit. Die damit erreichten Erfolge fanden nicht nur in den eigenen reblausverseuchten Weingärten Anwendung, auch andere Winzer wurden mit den veredelten Reben versorgt. Der Zusammenbruch der Monarchie und die damit verbundenen Umstrukturierungen haben das Haus Schlumberger schwer getroffen. Nach allen wirtschaftlichen Höhen und Tiefen des 20. Jahrhunderts werden heute noch zehn Hektar Weingärten, alle mit Rotwein bestockt, bearbeitet. In der Ried Goldeck wächst

der Cabernet Sauvignon auf Schotterkalk-Boden. In dieser Lage werden alle Jahre Reifegrade zwischen 17 und 19° KMW erreicht. In den Rieden Hupfenberg und Oberkirchen wachsen Merlot, St.Laurent, Blauer Portugieser und Blauer Burgunder. Im Durchschnitt werden 5.000 bis 6.000 kg Trauben pro Hektar geerntet. Ausgebaut werden die Weine im heutigen Stammhaus in der Heiligenstädterstraße, im 19. Bezirk in Wien. Betriebsleiter und Kellermeister ist Heinz Türk, er ist für die Weiterführung der Schlumberger-Tradition verantwortlich. Im über zwei Kilometer langen Kellerlabyrinth, bei einer gleichbleibenden Kellertemperatur von acht bis zwölf Grad, reifen die Weine mindestens zwei Jahre in 3.000 Liter Holzfässer. Das Haus in Wien und der darunterliegende Keller wurden von Karl Ritter von Ghega, dem Erbauer der Semmeringbahn, errichtet. Bei der Planung des Weinkellers konnte der Architekt seine Erfahrungen im Eisenbahnbau nicht ganz vergessen, ein Durchgangstor wurde wie eine kaiserliche Eisenbahntunneleinfahrt gebaut. Sehr stimmungsvoll ist auch eine eigens nachgebildete Tropfsteinhöhle, in der kleine Weinkosten stattgefunden haben.

Neben den Rotweinen sind es die moussierenden Weine, die nach der Champagner-Methode hergestellt werden und dem Haus Schlumberger internationale Anerkennung brachten. Der Begriff »Champagner« darf nach den Verträgen von St. Germain im Jahre 1919 nur mehr für jene Schaumweine in Anspruch genommen werden, die ausschließlich aus bestimmten Weinsorten der Champagne (französiches Departement) gewonnen und im Wege der klassischen Flaschengärung hergestellt werden. Der Schlumberger Sekt zählt zu den wenigen, die heute noch nach der klassischen Champagner-Methode hergestellt werden. Insgesamt lagern rund 5 Millionen Flaschen in den Kellergängen. 400.000 davon werden auf den Rüttelpulten langsam mittels der klassischen Flaschengärung zur Reife geführt. Fünf Geschmacksrichtungen werden hergestellt: Der besonders trockene Sparkling brut, der ganz trockene Schlumberger ultra brut, Goldeck Trocken, Goldeck Halbsüß und Don Giovanna, ein trockener, roter Sekt.

Im Jahre 1973 wurde die Schlumberger Wein- und Sektkellerei an den Underberg-Konzern angeschlossen.

Schlumberger Wein- und Sektkellerei
Heiligenstädter Straße 41 — 43
1190 Wien, ☎ 0222 / 362258

Sooss, berühmt für seine vollmundigen Rotweine, liegt am Rande des Wienerwaldes zwischen Baden und Bad Vöslau und wird erstmals im Traditionsbuch des Stiftes Heiligenkreuz um 1200 erwähnt. Es ist ein idyllischer Ort, mit wunderschönen Gärten und blumengeschmückten Häusern, der bereits zur Römerzeit eine hohe Weinbaukultur besaß. Dies wird auch belegt durch ein römisches Rebmesser, das in einem Grab am Fuß des Soosser Berges als Grabbeigabe gefunden wurde. Die heutige Pfarrkirche, eine im 14. Jahrhundert erbaute frühgotische Wehrkirche, steht auf den Fundamenten eines römischen Wachturmes.

An die Reblauskrise erinnert der sogenannte Lausturm, der mitten im Weingebirge steht. Hier soll die letzte Reblaus in einem Weinfaß gefangen und in den Turm eingemauert worden sein.

Die Familie Fischer lebt seit 1662 im Weinort Sooss. Schon damals widmeten sich die Vorfahren der heutigen Besitzer der Landwirtschaft und dem Weinbau. Auch das Amt des Bürgermeisters wird seit einigen Generationen von der Familie Fischer bekleidet. Gemäß dieser Familientradition ist heute Engelbert Fischer Weinhauer und Bürgermeister. Das elf Hektar große Weingut wird von Vater Engelbert und Sohn Christian gemeinsam geführt. Besonders für seinen Blauen Burgunder und den Blauen Zweigelt, die schon lange als Geheimtip unter Weinliebhabern gelten, ist das Weingut berühmt. In den besten Soosser-Lagen Gradenthal, Steinhäufel, In den Robbingen und Paitzbreite wachsen außerdem noch Blauer Portugieser, St. Laurent, Grüner Veltliner, Weißburgunder und Rheinriesling. »Wir versuchen jedem Wein sein Eigenleben zu lassen und legen großen Wert auf die jeweiligen Sorten- und Jahrgangsunterschiede«, meint der junge Kellermeister.

Die Weine des Hauses kann man auch im Buschenschankbetrieb verkosten, der von Mutter Erika und Schwiegertochter Veronika geführt wird.

Weingut Engelbert und Christian Fischer
Hauptstraße 33
2500 Sooss
☎ 02252 / 87130

Das Burgenland

Flächenmäßig ist das Burgenland die zweitgrößte Weinbauregion Österreichs. Es ist auch das jüngste Bundesland, das erst 1921 endgültig zu Österreich kam. Im Laufe der Jahrhunderte waren die Bewohner einmal unter ungarischer Herrschaft, dann wieder ein Teil der Österreichisch-Ungarischen Monarchie. Noch heute leben die unterschiedlichen Volksgruppen auf kleinstem Raum friedlich nebeneinander. Ein Dorf ist kroatisch, das Nachbardorf österreichisch, das nächste wieder ungarisch. Die älteren Bewohner sprechen noch die überlieferten Dialekte, von den jüngeren wird die deutsche Sprache bevorzugt.

Weinbau wird auf 20.969 ha betrieben. Je nach Jahrgang werden zwischen 700.000 und 1.200.000 hl Wein geerntet. Das entspricht ungefähr einem Drittel der österreichischen Weinerzeugung. Weinbau wird im gesamten Bundesland betrieben, doch liegen rund um den Neusiedler See die größten Anbauflächen. Dieser Steppensee, dessen Oberfläche rund 300 Quadratkilometer beträgt, verschwand im Laufe seiner Geschichte schon einige Male. Doch wie er verschwand, so tauchte er immer wieder auf. Dadurch, daß der See sehr flach ist, an der tiefsten Stelle ungefähr zwei Meter, erwärmt sich seine Oberfläche sehr rasch, und die starke Verdunstung wirkt als Klimaregler für die umliegenden Gebiete. Das heiße pannonische Klima und der Feuchtigkeitsspender Neusiedler See begünstigen den Weinbau ungemein. Im Seewinkel beginnt die Vegetationsperiode meist 14 Tage vor der in allen anderen Weinbaugebieten Österreichs. Dies wirkt sich auch im Herbst bei den Reifegraden der Trauben positiv aus.

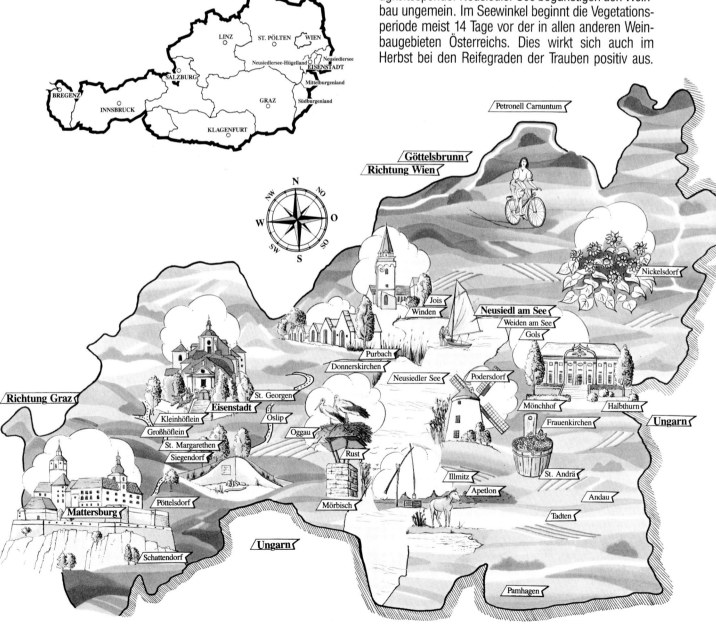

Bedingt durch die geringen Niederschläge, das heiße Klima und die hohe Luftfeuchtigkeit werden dort mehr Prädikatsweine als in anderen Gebieten gelesen. Unzählige Auszeichnungen von nationalen und internationalen Weinwettbewerben legen Zeugnis von der Qualität dieser Gewächse ab. Besonders in den letzten zehn Jahren hat sich das Burgenland als Rotwein-Land einen wohlklingenden Namen gemacht. Ausschlaggebend für diese Entwicklung war der Besuch von Dr. Helmut Romé und Dipl.Kfm. Wolfgang Petzl beim Weinbaugut Igler in Deutsch-Schützen im Jahre 1976. Die beiden Besucher kauften kurz nach der Gärung ein ganzes Faß Blaufränkisch. Damals wurden alle Rotweine bis auf 4 Promille entsäuert. Sie verzichteten auf das Entsäuern und beließen den Wein mit den natürlichen 6,5 Promille Säure. Von Weinbauern und anderen regionalen Sachverständigen mißverstanden, ließen sie diesen Wein ein Jahr reifen. Danach präsentierte er sich vollfruchtig, mild und harmonisch. Diese »Zwangsbeglückung« leitete den Wiederaufstieg der österreichischen Rotweine ein.

Weinbau wurde im Burgenland schon lange vor den Römern betrieben. Weingefäße und Traubenkerne, die als Beigaben eines 2700 Jahre alten Hügelgrabes der Hallstattkultur in Zagersdorf bei Eisenstadt gefunden wurden, belegen dies. Die weinbaulichen Aktivitäten der Römer haben tiefe Spuren hinterlassen. Im Burgenländischen Landesmuseum in Eisenstadt ist eine eigene Abteilung davon eingerichtet. Im 12. Jahrhundert erfüllten die Zisterzienser-Mönche vom Stift Heiligenkreuz in Gumpoldskirchen mit ihrem Weinbau an den Hängen des Leithagebirges eine Vorbildfunktion für die Bewohner dieser Region. Mitte des 16. Jahrhunderts begann die große Zeit des burgenländischen Weinbaus. Der Export des »westungarischen Weines« nach Böhmen, Mähren, Schlesien, aber auch nach Preußen sorgte für einen wirtschaftlichen Aufschwung. Davon konnten besonders die Märkte Eisenstadt und Rust davon profitieren, die sich mit dem Ertrag des Weinhandels die Rechte einer kaiserlichen Freistadt erkauften. Aus dieser Zeit stammt auch die erste urkundliche Nennung einer Trockenbeerenauslese. Fürst Paul Esterházy ließ im Jahre 1678, als dieser Wein in ein neues Faß gefüllt wurde, sinngemäß folgende Inschrift in den Faßboden schnitzen: »Der Wein dieses Fasses wurde im Gebirge von Donnerskirchen im Jahre 1526 gelesen ...«, ein historisches Dokument für die schon damals hohe Qualität der burgenländischen Weine. Ende des 16. Jahrhunderts gab es im Burgenland die größte Ausdehnung an Weinbauflächen. Mitte des 19. Jahrhunderts wurden diese durch eingeschleppte Schädlinge (Oidium und Peronospora) schwer geschädigt. Anschließend vernichtete die Reblaus das, was noch übrig geblieben war.

Die burgenländischen Weine hatten schon immer einen guten Ruf. Reichskanzler Bismarck war besonders dem Pöttelsdorfer Rotwein zugetan, Kaiser Franz Josef trank mit Vorliebe Mattersdorfer (Mattersburger)

Weine. Ruster Weine inspirierten auch Johann Wolfgang von Goethe und Friedrich Schiller bei ihrer Arbeit. Die burgenländischen Weinbauern sind sehr religiös. Überall findet man in den Weingärten Bildstöcke und Heiligenfiguren. Drei Heilige sind mit dem Weinbau besonders verbunden: St. Urban, St. Martin und St. Johannes. Am 25. Mai wird der Festtag von Papst Urban I. gefeiert, der immer mit einer Weintraube und einem Kelch gezeigt wird. In vielen Orten gilt sein Feiertag auch als Lostag, in Zagersdorf sagt eine Bauernregel: »Wenn St. Urban lacht, weinen die Trauben, weint er aber, lachen sie.« Der heilige Martin ist auch der burgenländische Landespatron. Am 11. November, seinem Festtag, gibt es verschiedene Bräuche. Der wichtigste ist das Martinigans-Essen und das »Martini-Loben«. Die neue Weinernte ist bis zum Martinitag beurteilungsreif. In Oggau treffen sich an diesem Tag die Weinhauer im Weinkeller und verkosten den neuen Wein. So wird von Keller zu Keller gezogen und gemeinsam jeder Wein besprochen. Der 27. Dezember ist der Johannistag, der Tag der Weinweihe. Die Weinhauer tragen eine Flasche Wein in die Kirche, der dort gesegnet wird. Wieder zu Hause, werden einige Tropfen davon in jedes Faß geschüttet, um den Segen des Himmels für den Wein zu erhalten.

Im letzten Jahrzehnt hat sich die burgenländische Weinbaufläche enorm vergrößert. Waren es 1962 noch 9.436 ha Gesamtrebfläche, so sind es 1988 bereits 20.969 ha. Infolge des optimalen Klimas reifen nicht nur Trauben für die Qualitätsweinproduktion, sondern es sind auch überdurchschnittliche Hektarerträge alltäglich. Bei den Weißweinsorten ist der Grüne Veltliner mit 19% Flächenanteil die Hauptrebsorte. Gefolgt vom Welschriesling mit 12%, Müller Thurgau 9%, Muskat-Ottonel, Weißburgunder und Neuburger mit je 5%, Traminer, Riesling, Goldburger, Chardonnay und Malvasier gibt es nur in kleinen Mengen. Beim Rotwein liegt der Blaufränkische mit 12% Gesamtanteil an den Rebflächen an der Spitze. Blauer Zweigelt mit 5% und St. Laurent, Blauer Burgunder und Blauer Portugieser runden die Rotweinpalette ab. Mit über 12% liegt der Anteil an Weingärten, die mit mehreren Rebsorten »gemischt« angepflanzt sind, sehr hoch.

Nach dem neuen Weingesetz gibt es vier burgenländische Weinbaugebiete:

Neusiedler See - Hügelland

Von Breitenbrunn über Eisenstadt bis unter Forchtenstein, von den Südosthängen des Leithagebirges bis an das Westufer des Neusiedler Sees reicht diese Region. Auf den 7.186 ha Rebflächen wachsen 74% Weißweine. Grüner Veltliner und Welschriesling sind davon die am stärksten verbreiteten Sorten. Müller Thurgau, Neuburger, Muskat Ottonel und Weißburgunder gedeihen hier, und liefern alle Qualitätsstufen von Tafel- bis hin zu

Prädikatsweinen. Der frühe Frühlingsaustrieb der Reben, über 60 heiße, trockene Sommertage und ein langer milder Herbst bewirken diese Bandbreite. Zusätzlich ermöglicht die enorme Wasserverdunstung des »new settler lake«, wie er von den englischsprachigen Gästen des Burgenlandes genannt wird, ein für den Weinbau hervorragendes Kleinklima.

Vor allem die Weingärten der am Westufer des Sees gelegenen Ortschaften Mörbisch, Rust und Oggau sind bevorzugt. Bei den Rotweinsorten ist Blaufränkischer und Blauer Zweigelt führend. Bedingt durch das neugewonnene Rotwein-Qualitätsbewußtsein wurde in den letzten Jahren vermehrt Cabernet Sauvignon ausgepflanzt.

In Jois beginnt auch die Neusiedler See-Weinstraße, die über Purbach, Donnerskirchen, Oggau, Rust nach Mörbisch führt. Zurück geht's über St. Margarethen oder Oslip nach Eisenstadt. Kleinhöflein, Großhöflein und Hornstein sind weitere Stationen.

Eisenstadt

»...allwo ich zu leben und zu sterben mir wünsche«, ein Ausspruch des großen Genies der Musikgeschichte Joseph Haydn über Eisenstadt, die Landeshauptstadt Burgenlands. 30 Jahre seines Lebens verbrachte der bekannte Musiker als Hofkapellmeister des Fürsten Esterhàzy in dieser Stadt. In der Joseph-Haydn-, vormals Klostergasse, wurde im ehemaligen Wohnhaus Haydns ein Museum eingerichtet, das zahlreiche Erinnerungsstücke an den großen Komponisten enthält.

Eine erste chronistische Nennung Eisenstadts stammt aus dem Jahre 1118 als »Castrum, quod ferreum vocatur«, was soviel heißt wie »die Burg, welche die eiserne genannt wird.« Unter der Herrschaft der Familie Kanizsai im 14. Jahrhundert erlebte Eisenstadt einen wirtschaftlichen Aufstieg. 1371 wurde von König Ludwig dem Großen das Recht erteilt, den Ort mit einer starken Ringmauer zu umgeben. Mit dem Marktrecht im Jahre 1388 waren auch Weinausfuhrprivilegien verbunden, die es erlaubten Wein durch Österreich nach Schlesien und Polen zu befördern. Dazu kam später noch das Privileg des Freihandels in ganz Ungarn und die Genehmigung für die Niederlassung einer Judengemeinde in der Stadt. Zur Mitte des 15. Jahrhunderts war Eisenstadt im Habsburgischen Besitz, gehörte während der Auseinandersetzungen zwischen Kaiser Friedrich III. und Mathias Corvinus vorübergehend zum Königreich Ungarn, wurde aber nach dem Tod des Ungarnkönigs wieder habsburgisch. In der Folgezeit vergaben die Habsburger den Besitz an verschiedene Pfandherren, 1622 wurde Eisenstadt an Graf Nikolaus Esterhàzy verpfändet. Im Jahre 1648 erwarb Ladislaus Esterhàzy die Herrschaft Eisenstadt, allerdings ohne die Stadt, die zum selben Zeitpunkt zur königlich-ungarischen Freistadt erhoben wurde. Paul Esterhàzy, der am 8. September 1635 in Eisenstadt geboren wurde, unternahm

im Jahre 1663 die ersten Schritte zur Umwandlung der ziemlich vernachlässigten Burg zur prachtvollen barocken Residenz, nach Plänen von Carlo Martino Carlone. Die geplanten Maßnahmen bestanden aus einer äußeren Ummantelung der alten Burg unter Beibehaltung des ursprünglichen Grundrisses und waren so angelegt, daß das Gebäude rundum mit Räumen von einer Zimmerbreite vergrößert wurde. Nach Fertigstellung des Schloßgebäudes wurde seine Großartigkeit von zeitgenössischen Stadtbeschreibungen sehr gerühmt. Während des Türkenkrieges 1683 entging die Stadt, die dem Fürsten Tököly huldigte, der Zerstörung. Das Schloß der kaisertreuen Esterhàzys erlitt jedoch ziemliche Schäden. Unter Nikolaus II. sollte zu Beginn des 19. Jahrhunderts das Schloß in klassizistischer Stilrichtung umgebaut werden. Dies kam jedoch nur teilweise zur Ausführung und hatte die für den gegenwärtigen Zustand auszeichnende Verquickung barocker und klassizistischer Formen zur Folge. Seit 1969 wird ein Großteil des Schlosses vom Land Burgenland genutzt. In den repräsentativen Räumlichkeiten finden Empfänge, kulturelle Veranstaltungen und Konzerte statt. Im Schloßgewölbe befindet sich die Esterhàzysche Weinkellerei, in dessen Keller schon immer die edelsten und ältesten Weine der fürstlichen Weinbaugebiete lagerten.

Der 1624 angelegte und 1805 zu einem Englischen Garten umgestaltete Schloßpark, lädt zu weiten Spaziergängen durch die schattigen Alleen ein. Die »Orangerie«, die früher als Palmen- und Treibhaus mit exotischen Pflanzen sehr berühmt war, bietet heute das richtige Ambiente für die jährlich stattfindende Burgenländische Weinwoche. Bei dieser Veranstaltung bieten zahlreiche Weinbauvereine rund 1000 verschiedene Weine aus allen Gebieten des Burgenlandes an und sie wird deshalb auch das »Fest der 1000 Weine« genannt. Ein umfangreiches Unterhaltungsprogramm, die Wahl der Burgenländischen Weinkönigin und natürlich Wein und gutes Essen sorgen für die gute Laune der Besucher. Eine Neuerung ist die Einführung des »Weinsalons Burgenland«, der allerdings nur gegen Voranmeldung zugänglich ist.

»In honorem vini« — »Zur Ehre des Weines« lautet der Wahlspruch der Burgenländisch-Pannonischen Weinritterschaft, die ihren Senatssitz in Eisenstadt hat. Als Vorbild für die Gründung dieser Ritterschaft gelten die jahrhundertealten Weinorden in Frankreich. In der Proklamation der Weinritterschaft heißt es unter anderem: »Der Name lautet Burgenländisch-Pannonische Weinritterschaft; pannonisch deshalb, weil unsere Heimat im Römischen Reich ein Teil der Provinz Pannonien war und hier bereits die Rebe kultiviert wurde. Die Wissenschaft hat darüber hinaus den Weinbau in unserem Raume bis in die Zeit 700 vor Christus nachgewiesen. Weinritterschaft deshalb, weil es gilt, den edlen Wein als ritterliches Getränk zu achten, seinen Ruf zu verteidigen und zu mehren. Die Ritterschaft ist eine kulturelle Bewegung, die sich die Würdigung des Weines, die

Pflege, Förderung und Verbreitung von Weinkultur und der damit zusammenhängenden Gebiete zur Aufgabe gestellt hat. Einen besonderen Stellenwert nimmt dabei das Burgenland und der Wein des burgenländisch-pannonischen Raumes ein.« Aus diesen Proklamationsauszügen gehen die Motive der Weinritterschaft klar hervor und sie werden durch zahlreiche Aktivitäten der Mitglieder in die Praxis umgesetzt. So zum Beispiel das jährliche »Welschriesling Turnier« der Weinritterschaft, welches im Jahr 1988 im Martinsschlößl in Donnersbach abgehalten wurde, um den Turniersieger 1988 zu küren. Nach Verkostung von 25 Weinen ging der Purbacher Weinhauer Paul Braunstein mit einem trockenen Welschriesling Jahrgang 1987 als Sieger hervor.

Die Stadt selbst ist überschaubar und macht einen gemütlichen Eindruck. Alle Sehenswürdigkeiten sind leicht zu Fuß zu erreichen. An der Hauptstraße sieht man viele Häuser aus dem 16. und 17. Jahrhundert mit schönen Fassaden und zum Teil mit Arkaden geschmückten Innenhöfen. Hier steht auch das Rathaus, dessen Fresken unter anderem die Tugenden einer guten Stadtverwaltung symbolisieren sollen: Treue, Gerechtigkeit, Weisheit, Stärke, Hoffnung, Mildtätigkeit und Mäßigkeit. Die Bergkirche, auch Haydnkirche genannt, enstand im 18. Jahrhundert und enthält die Grabstätte von Joseph Haydn. Als besonders sehenswert ist das Burgenländische Landesmuseum mit dem angeschlossenen Weinmuseum einzustufen. In 31 Schauräumen werden 70.000 Ausstellungsobjekte der Archäologie, Geologie, Paläontologie, Kulturgeschichte, Kunstgeschichte, Zoologie und Botanik präsentiert. Das Weinmuseum mit seinen Exponaten des Weinbaus vom Altertum bis zur Gegenwart ist für jeden Weininteressierten beachtenswert und lehrreich.

Heute wird in Eisenstadt auf 797 ha Weinbau betrieben. Die Weinbauorte Kleinhöflein und St.Georgen wurden erst kürzlich in die Landeshauptstadt einge-　meindet.

Die »Schöpfung«, ein Wein zu Ehren Joseph Haydns, der über lange Jahre in Eisenstadt lebte und wirkte, wurde nach einem berühmten Musikwerk des Komponisten benannt.

Die Haydnstadt Eisenstadt, Herzstück einer qualitativbedeutenden Weinbauregion, ist auch der Entstehungsort dieses außergewöhnlichen Weines. Man wollte nicht nur auf den großen Komponisten stolz sein, sondern auch zu einer Hochburg in der Erzeugung außerordentlicher Weiß- und Rotweine im Burgenland werden. Unter idealen Klimaverhältnissen und an den besonders sonnigen Südhängen des Leithagebirges wachsen in den Eisenstädter Weingärten qualitativ hochwertige Weine. Diese guten und warmen Lagen, mit ihren tiefgründigen, kalkreichen Böden, bieten ideale Voraussetzungen, um große individuelle Weine entstehen zu lassen. Aus den beiden Sorten Weißburgunder und Blaufränkisch werden einzigartige Weine unter dem Namen »Die Schöpfung« von einer engagierten Gruppe Eisenstädter Weinbauern kreiert beziehungsweise komponiert.

Im Vordergrund des gemeinsamen Konzeptes steht ein kompromißloses Qualitätsbewußtsein. Das heißt, daß beide Sorten der »Schöpfung« nur in geringen Mengen hergestellt und die begrenzte Anzahl der Flaschen von den Weinbauern durchlaufend numeriert werden. Trotzdem besitzt jeder einzelne Wein eine ausgeprägte Individualität, da es jedem Weinbauern möglich ist, seine eigene kellerwirtschaftliche Note zu kultivieren. Der Einkäufer von Haydn-Weinen kann sich somit einerseits an der großen Bandbreite der Ausdrucksformen erfreuen und andererseits ein gleich hohes Maß an Anspruchsniveau voraussetzen.

Mitglieder im Verein zur Förderung der Eisenstädter Weinwirtschaft sind die Weinbaubetriebe:

Stefan Kaiser, Kleinhöfleiner Hauptstr. 86
Anton und Rosa Leeb, Am Platzl 8, St. Georgen
Winzerhof Kaiser, Kleinhöfleiner Hauptstraße 70
Leopold Tinhof, St. Georgner Hauptstraße 10
Engelbert Halwax, Kleinhöfleiner Hauptstraße 66
Esterhàzy'sche Schloßkellerei
Martin Nährer, St. Georgner Hauptstraße 16
Ing. Franz Lehner, Kirchengasse 47, Oberberg
Hans Moser, St. Georgner Hauptstr. 13
Johann Zechmeister, Kleinhöfleiner Hauptstraße 72
Matthias Tinhof, Georgistraße 29a
Pauline Hahnenkamp, St. Georgner Hauptstraße 51
Klosterkellerei der Barmherzigen Brüder Eisenstadt, Esterhàzystraße 26
Matthias Rauchbauer, Kirchenplatz 29, St. Georgen
Johann Leeb, Kirchenplatz 23, St. Georgen
Prof.Mag. Thomas Mühlgassner, Dreifaltigkeitsstr. 72
Johann Binder, Domplatz 10

Das Weingut von Dr. Paul Esterhàzy kann auf eine jahrhundertealte Geschichte zurückblicken. »Der erste Weinkeller befand sich noch in Donnerskirchen; als aber zur Barockzeit das Schloß Esterhàzy in Eisenstadt erbaut wurde«, erklärt Gutsverwalter Ing. Josef Brücklmayer, »wurde die Kellerei dorthin verlegt.« Noch heute wird das gesamte Traubenmaterial ausschließlich in der Schloßkellerei verarbeitet, vergoren und in zum Teil alten, wunderschön geschnitzten Holzfässern gelagert. Um die Jahrhundertwende war es üblich, für die Nachkommen des Fürstenhauses Geburtstagsfässer schnitzen zu lassen. Eines der schönsten Fässer ist das sogenannte »Marienfaß«.

Die Lagerkapazität des Faßkellers ist gewaltig, sie beträgt rund 5.000 Hektoliter.

Das Esterhàzysche Weingut verfügt über eine Rebfläche von 35 Hektar und vermarktet seine Weine ausschließlich über die Gastronomie. Ein Teil der Produktion wird im traditionsreichen »Esterhàzykeller« in Wien und in der »Schloßtaverne« in Eisenstadt abgesetzt, der Rest wird an erste Häuser in ganz Österreich geliefert.

Die Weingärten des Gutes liegen in den bekannten Rieden um Rust, St. Margarethen und St. Georgen am Leithagebirge und bringen die besten Voraussetzungen für die Erzeugung von Qualitäts-, Kabinett- und Prädikatsweinen.

Etwa 50 Prozent der Produktion machen die Weißweinsorten Welschriesling, Rheinriesling, Grüner Veltliner, Weißburgunder, Ruländer, Traminer, Muskat Ottonel, Neuburger und Chardonnay aus, an Rotweinsorten werden Blaufränkisch und der Blaue Burgunder gepflegt.

»Wir haben uns zur Aufgabe gemacht«, sagt Ing. Brücklmayer, »unsere Weine sortenrein auszubauen und zumindest Kabinett-Qualitäten zu erreichen.« Die Trauben werden generell gerebelt, die Weißweinsorten werden gleich abgepreßt, während bei den Rotweinsorten die Maische in geschlossenen Behältern vergoren wird, ehe sie in die Presse kommt. »Beim Rotwein verfolgen wir die klassische, trockene Linie, die Weine reifen mindestens ein Jahr lang im Holzfaß, ehe abgefüllt wird«, erklärt Ing. Brücklmayer, der auch Mitglied der burgenländischen Weinritter ist.

Seit 1986 beschäftigt man sich im Weingut Esterhàzy auch mit dem Barrique-Ausbau.

Dr. Paul Esterhàzy'sche Weingutsverwaltung und Schloßkellerei
7000 Eisenstadt, Schloß
☎ 02682 / 3348

Wenn heute der Weinbau im Burgenland einen international anerkannten Stellenwert besitzt, dann ist das ein Erfolg, an dem auch die Landwirtschaftliche Fachschule in Eisenstadt ihren Anteil hat. »In unserer Schule wird den Schülern jenes allgemeine Grund- und Fachwissen vermittelt, das sie später dazu befähigt, in selbständiger Arbeit Qualitätsweine zu produzieren«, erklärt Direktor Dipl.-Ing. Josef Schmiedbauer. Die Schule wird zweijährig geführt, wobei das erste Jahr den polytechnischen Lehrgang ersetzt und das zweite Jahr bei Abschluß eines Lehrvertrages gemäß der land- und forstwirtschaftlichen Berufsausbildung als erstes Jahr der Landwirtschaftslehre (Fachrichtung Weinbau und Kellerwirtschaft) angerechnet wird. Nach zwei weiteren Jahren kann der Lehrling zur Gehilfenprüfung antreten, nach weiteren drei Jahren Tätigkeit kann dann die Meisterprüfung abgelegt werden.

Um den Schülern den Werdegang des Weines vom Rebstock bis in die Flasche nahebringen zu können, verfügt die Landwirtschaftliche Fachschule in Eisenstadt über eine Rebfläche von 7,5 Hektar, auf der hauptsächlich Welschriesling, Blaufränkisch, Rheinriesling und Weißburgunder ausgepflanzt sind. Auf einer Versuchsanlage stehen Müller-Thurgau, Traminer, Ruländer und die Jubiläumstraube. Für die Ausbildung im Weingarten und der Kellerwirtschaft sind Ing. Georg Weisz und Ing. Franz Schuster zuständig. Der Weingarten mit dem Rheinriesling auf der Ried Rosenthal ist die älteste Anlage des Instituts. »Die

Stöcke stehen schon seit 30 Jahren, bringen aber immer noch einen Ertrag von durchschnittlich 50 Hektolitern pro Hektar«, erklärt Direktor Schmiedbauer. Auf der Ried Heiß'sche Feiersteig steht der Blaufränkische, auf der Ried Fürstliche Feiersteig wachsen Blaufränkisch und Weißburgunder und auf der Ried Kirchegger der Welschriesling.

»Ein Teil unserer Ernte wird von uns selbst vinifiziert und vermarktet«, sagt Direktor Schmiedbauer, »das sind aber nur rund 30 Prozent. Der Rest wird an Winzer, Genossenschaften und Händler abgegeben.« Die Schule beschäftigt sich auch mit alternativen Getreide- und Hülsenfruchtanbau. So werden gerade verschiedene Maissorten, Sonnenblumen und Sojabohnen getestet, um die für die burgenländischen Anbaubedingungen besten Sorten herauszufinden.

Landwirtschaftliche Fachschule Eisenstadt
Neusiedlerstraße 6
☎ 02682 / 3644

Mit dem Volk für das Volk

Im Jahre 1756 stiftete Fürst Esterhàzy der Bevölkerung von Eisenstadt ein Krankenhaus, das von den Barmherzigen Brüdern geführt wurde. Zur Selbstversorgung des Spitals waren bei diesem Geschenk auch landwirtschaftliche Nutzflächen und ein kleiner Weingarten. Der Weinbau hatte schon damals eine enorme wirtschaftliche Bedeutung. Bei den Barmherzigen Brüdern galt die Devise »Mit dem Volk für das Volk«, deshalb wurde der Weinbau stets gefördert und die Rebflächen vergrößert. Die heutige Anbaufläche beträgt rund 7,5 Hektar. Bedingt durch das erstklassige Rotweinklima wird zum größten Teil Blaufränkisch und Blauburger kultiviert. Als Weißwein wird Welschriesling und Müller Thurgau angebaut. Für den Weinkeller ist Johann Billes verantwortlich. Er und Rudolf Krizan, der als Berater für den Klosterkeller tätig ist, wurden bei Dienstantritt von Prior Ildefons Pernsteiner vereidigt. Im Weinkeller befindet sich ein

kleiner Weinaltar, vor dem beide schwören mußten, nach bestem Wissen und Gewissen ihre Arbeit zu verrichten. Dieses Wissen um die Weinbereitung brachte auch Erfolge: Bei der Falstaff-Rotweinprämierung 1985 wurde mit dem 84er Blaufränkisch der 2. Platz gewonnen, ein Jahr später, mit dem 85er Blaufränkisch Barrique, sogar der 1. Platz.

Doch nicht nur die Rotweine zeichnen sich durch hohe Qualität aus. Im Jahre 1987 erhielt das Weingut der Barmherzigen Brüder von Bischof Dr. Stefan Laszlo die Genehmigung, Meßwein zu keltern. Diese Auszeichnung wird nur für fünf Jahre vergeben. Beim Meßwein darf keine Aufbesserung oder Schönung vorgenommen werden. Für die beiden Kellermeister keine besondere Auflage, da sie dies mit allen anderen Weinen auch nicht machen. Für die Spitzenweine werden die Erträge schon im Weingarten drastisch reduziert. Eine normale Durchschnittsernte beträgt beim Blaufränkischen 8.000 kg pro Hektar, für den Barrique-Ausbau wird aber der Hektarertrag auf 3.000 kg reduziert. Dadurch werden extrem dichte und volle Rotweine gekeltert, die sich gut für eine Barriquelagerung eignen. Bei der Vermarktung gibt es zwei, dem Urgedanken der Barmherzigen Brüder entsprechende Linie: Die Spitzenqualität für die gehobene Gastronomie und für Privatkunden, die Tafelweine werden an die neun Konvente in Graz, Linz, Salzburg, Schärding und Wien geliefert.

Klosterkeller der Barmherzigen Brüder
Esterhàzystraße 26
7000 Eisenstadt
☎ 02682 / 601 / 499

Für einen Weinbaubetrieb genügt es heute längst nicht mehr, gute Qualitäten im Keller zu haben, um auch wirtschaftlich erfolgreich zu sein. Die Konkurrenz ist hart, und so bedarf es auch bei der Vermarktung eines gewissen Ideenreichtums. Franz Ackerl, der ein sechs Hektar großes Weingut in Eisenstadt führt, hatte so eine Idee, die ihm einen neuen Markt erschloß. »Ich habe die Weinbaugeschichte der Umgebung studiert und dabei festgestellt, daß die Stadt Wiener Neustadt vor

Jahrhunderten in Kleinhöflein Weingärten besaß und ihren Weinbedarf daraus deckte. Warum, dachte ich mir, sollte man diese Tradition nicht wieder aufleben lassen. Also setzte ich mich mit den zuständigen Instanzen zusammen und bekam schließlich die Genehmigung, einen Partnerschaftswein zu kreieren.« Der Partnerschaftswein ist ein Blaufränkischer, der ausschließlich aus der besten Lage von Franz Ackerl, aus der Ried Oberer Satz, gewonnen wird. »Von diesem Wein gibt es nur 2.000 Flaschen im Jahr. Der Wein wird nur aus Seihmost gekeltert, wird weder aufgebessert noch entsäuert und wird im Keller laufend vom Weininstitut oder der Landwirtschaftskammer kontrolliert.« Für einen besonderen Wein mußte Franz Ackerl auch einen besonderen Namen finden. Er heißt »Merbot« und ist nach dem ersten Wiener Neustädter Bürgermeister benannt. Der Partnerschaftswein wird in einem Dutzend Gastronomiebetrieben in Wiener Neustadt ausgeschenkt.

Natürlich befaßt sich Franz Ackerl nicht nur mit Rotwein. Die Hauptsorte seines Guts ist der Welschriesling, dessen Anteil am Gesamtvolumen rund 40 Prozent beträgt. Große Bedeutung haben auch noch der Müller-Thurgau (20%) und der Grüne Veltliner (15%). Das Weingut Ackerl hat schon eine lange Tradition. Das heißt aber nicht, daß der Winzer, der den Betrieb 1967 vom Großvater übernahm, nicht auch neue Kellertechnologien anwendet. Beim Weißweinausbau hat er auf Edelstahl-Tanks umgestellt, weil er meint, daß die jugendliche Frische darin besser erhalten bleibt.

Bei der Lese darf sich Franz Ackerl seit gut zehn Jahren internationaler Hilfe erfreuen. So lange kommt schon der chinesische Botschafter in Wien samt seinem Botschaftspersonal zu den Winzern nach Kleinhöflein, um bei der Einbringung der Ernte zu helfen. »Aus diesem Ernteeinsatz hat sich eine regelrechte Freundschaft entwickelt. Wir waren schon wiederholt Gäste in der Botschaft, auf der anderen Seite sind die Chinesen gern gesehene Gäste in unserem Winzerdorf und in unserem Buschenschank.«

Weinbau Franz Ackerl
Kleinhöflein, Hauptstraße 41
7000 Eisenstadt
☎ 02682 / 61451

Rudolf Kaiser aus Kleinhöflein hat den Weinbau von seinem Vater übernommen, der auf diesem Gebiet ein großes Wissen hatte. Dieses Wissen setzte Kaiser senior in der 40er Jahren auch in Japan um, wo er 13 Jahre lang als Kellermeister wirkte und für die dortigen christlichen Missionen Messwein produzierte. Der Messwein wurde aber auch vom Kaiserhaus getrunken. Wein vom österreichischen Kellermeister Kaiser also für den japanischen Kaiser.

»1950 kam mein Vater ins Burgenland zurück und begann hier mit dem intensiven Weinbau. Er rodete die alten Weingärten und pflanzte neue Reben aus«,

erinnert sich Rudolf Kaiser, der den väterlichen Betrieb im Jahre 1972 übernahm und derzeit über eine Rebfläche von sieben Hektar verfügt. »Wenn mein Gut demnächst mit dem meines Schwiegervaters zusammengelegt wird, bringen wir es auf eine Fläche von 19 ha.« Rudolf Kaiser hat als Winzer eine Bilderbuch-Karriere gemacht. Kaum aus der Weinbauschule in Eisenstadt entlassen, wurde er als knapp 19jähriger schon Kellermeister der Winzergenossenschaft Großhöflein. Nach seiner Wehrdienstzeit beim Bundesheer hatte er zunächst vom Weinbau genug und verdingte sich im Weingut Esterhàzy als Traktorfahrer. Bald aber holte ihn die Vergangenheit ein. Er legte die Prüfung zum Weinbau- und Kellermeister ab und trug dann 14 Jahre lang die Verantwortung im Keller des Esterhàzy-Guts, ehe er sich gänzlich seinem eigenen Betrieb widmete. Rudolf Kaiser beschäftigt sich hauptsächlich mit Rotweinsorten. Der Blaufränkische, der auf der Ried Fölligberg auf Lehmboden wächst, macht ein Viertel der Produktion aus, auf 15% der Rebflächen steht Blauer Zweigelt, auf 10% Blauer Portugieser. Auf einer Neuanlage wurde Cabernet Sauvignon ausgepflanzt. An Weißweinsorten hat Kaiser Grünen Veltliner, Welschriesling, Sauvignon Blanc und Pinot Blanc stehen.

»Bei den Rotweinsorten trachte ich danach, daß ich höhere Zuckergrade erreiche und die Säure bereits am Stock etwas abgebaut wird. Bei den Weißweinen ist es eher umgekehrt. Hier achte ich auf die Säure, lese lieber etwas früher und bessere den Most dem Weingesetz entsprechend auf.« Die besten Rotweintrauben werden von Rudolf Kaiser im Rotorbehälter oder im Rührtank acht bis zwölf Tage lang vergoren, erst danach wird abgepreßt und in Holzfässer gefüllt. Auch die Weißweine läßt er zur Fermentierung einige Stunden auf der Maische. Sein Sauvignon blanc Kabinett 1987 erzielte bei der burgenländischen Landesweinkost die beste Bewertung dieser Rebsorte. Eine Spezialität des Hauses ist auch der Blanc de Rouge, ein Blaufränkisch Kabinett mit zartem Duft, leichtem Bukett und hoher Säure (8,6‰).

Rudolf und Judith Kaiser, Kleinhöflein,
Hauptstraße 70, 7000 Eisenstadt, ☎ 02682 / 52093

Großhöflein

Nur 3 Kilometer von der Bundeshauptstadt Eisenstadt entfernt, am Südrand des Leithagebirges, liegt der Markt Großhöflein. Eine uralte Besiedlung konnte durch jungstein-, bronze- und römerzeitliche Funde nachgewiesen werden. Der Ort unterstand häufig wechselnden Besitzern und war im 17. Jahrhundert, während der Instandsetzungsarbeiten des Schlosses Eisenstadt, Residenz von Nikolaus Esterhàzy. Dieser ließ eine Schwefelquelle, die sogenannte Radegundisquelle, die sich schon immer großer Beliebtheit erfreute, zu einem prunkvollen Hof- und Heilbad ausbauen. Zur Geschichte Großhöfleins gehören auch die Türken und Kuruzzen, die ja ihre blutigen Spuren in vielen Orten des Burgenlandes hinterließen. Ein Großbrand im Jahre 1732 verursachte weitere Verwüstungen. Zu den Sehenswürdigkeiten zählen die spätgotische Pfarrkirche, die Radegundiskapelle, der Edelhof, die einstige Residenz von Nikolaus Esterhàzy, das ehemalige Badehaus, in dem heute eine Gaststätte untergebracht ist, sowie zahlreiche Bildstöcke in und um den Ort.

Wie die Alten sungen, so zwitschern die Jungen«, heißt ein Sprichwort, das vielfach Gültigkeit hat. Für Josef Leberl in Großhöflein trifft das nicht zu. Er wurde in einen Weinbaubetrieb hineingeboren, wollte aber schon zu einem Zeitpunkt als er noch die Weinbauschule absolvierte, eigene Vorstellungen verwirklichen. »19 Jahre war ich gerade alt«, erinnert er sich, »als ich den Vater bat, er möge mich doch zwei Fässer Wein nach meinen eigenen Ideen ausbauen lassen.« Mit der Erlaubnis des Vaters bereitete der Junior ein Faß Müller Thurgau und ein Faß Blaufränkisch auf eine leichtere als bisher gewohnte Art und hatte damit auf Anhieb Erfolg. Die auf diese Weise gekelterten 2.000 Flaschen Müller Thurgau waren in knapp drei Monaten verkauft und beim Blaufränkischen war es ähnlich. Im Jahr darauf hatte Josef Leberl bereits

»Narrenfreiheit« im elterlichen Betrieb. »Ab sofort kannst du machen, was du willst«, sprach der Vater, »dein Erfolg hat mich überzeugt.«

Der Erfolg hat Josef Leberl, der das Gut 1982 übernahm, nicht mehr verlassen. Er bewirtschaftet die elf Hektar Weingärten, von denen acht im Ertrag stehen, zusammen mit seiner Frau Annemarie und findet in den Söhnen Seppi, Alexander und Gerald ebenfalls hilfreiche Hände. »Wir verzichten bei unseren Weinen darauf, die Riednamen anzuführen«, erklärt Josef Leberl, »erstens verfügt unser Gut über 25 Einzellagen, und zweitens ist gar nicht gesagt, daß eine besondere Ried wirklich jedes Jahr den besten Wein bringt.« Die Weingärten von Josef Leberl liegen einerseits am Abhang des Leithagebirges, wo auf kalkhältigem Boden hauptsächlich der Blaufränkische und Welschriesling stehen, und andererseits in Richtung Eisenstadt, wo auf Urgesteinsboden Cabernet Sauvignon, seine Lieblingssorte, wächst. Neben diesen Sorten beschäftigt sich Leberl auch noch mit Blauem Zweigelt, Grünem Veltliner, Sauvignon Blanc und Muskat Ottonel.

»Ich bin mit dem bisher Erreichten zufrieden«, resümiert Josef Leberl, »meine Lagen sind gut, und in sieben von zehn Jahren paßt auch das Wetter, um optimale Trauben zu bekommen.« Wenn Leberl sagt, er sei mit dem bisher Erreichten zufrieden, heißt das aber nicht, daß er nicht nach Höherem strebt. »Bei unseren Barrique-Weinen ist noch einiges drinnen. Es gibt immer noch etwas dazuzulernen. Wir haben bisher gute Qualitäten erreicht, wollen aber die Besten werden.«

Die Leberl-Weine sind heute in der österreichischen Top-Gastronomie sehr gefragt, und wenn der Winzer feststellt, daß er es geschafft hat, seine Jahresproduktion von 60.000 Flaschen problemlos absetzen zu können, dann spricht das eine deutliche Sprache. Die nächste Investition, die Leberl ins Haus steht, ist die Erweiterung seiner Lagerkapazität. »Ich möchte künftig meine besten Jahrgänge überlagern und brauche dazu Platz.«

Es ist nicht übertrieben, wenn man feststellt, daß Josef Leberl vom Weinbau besessen ist. »Man muß sich auch in diesem Beruf mitunter quälen können«, sagt er und meint damit, daß man nichts dem Zufall überlassen darf und jede Arbeit dann erledigen muß, wenn sie anfällt.

Josef Leberl
Hauptstraße 91
7051 Großhöflein
☎ 02682 /34853

Der Römerhof

Eigentlich ist es müßig, das Weingut »Römerhof« von Anton und Margarethe Kollwentz in Großhöflein vorstellen zu wollen. Wer sich auch nur ein wenig mit den österreichischen Weinen auseinandersetzt, kennt den Namen, kennt das Gut und kennt schließlich auch die Weine. Der Erfolg ist Anton Kollwentz nicht in den Schoß gefallen, er hat daher die Zeit des Aufbaus seines Gutes nicht vergessen. »Unsere Familie läßt sich urkundlich bis ins Jahr 1775 zurückverfolgen, ich bin aber der erste in der Familie, der den Weinbau hauptberuflich betreibt«, sagt Kollwentz, Jahrgang 1940, »mein Vater hat noch eine gemischte Landwirtschaft geführt.«

Noch ehe sich Anton Kollwentz im Jahre 1966 selbständig machte, gelang ihm, noch im elterlichen Betrieb, eine weinbauliche Sensation. Er kelterte schon 1963 einen 26gradigen Neuburger Ausbruch, den ersten hochgradigen Wein, der damals außerhalb von Rust aus dem Keller kam. Dieser Erfolg war schließlich Ansporn für den jungen Unternehmer, weiterhin Versuche mit hochgradigen Weinen zu unternehmen, obwohl es einerseits viel Risiko darstellte und andererseits auch mit viel Mühe verbunden war.

Anton Kollwentz steckte jeden verdienten Schilling in sein Gut. Er kaufte zu seiner ursprünglichen Rebfläche von 3,2 Hektar da und dort einen Garten dazu, schaffte sich Maschinen an, setzte neue Anlagen aus, kaufte immer neue Fässer. Heute umfaßt das Gut 17 Hektar, von denen aber nur 14 mit Reben im Ertrag stehen. »Altanlagen, die ich wieder gerodet habe, verpachte ich und lasse eine Kleeart anbauen, um dem Boden eine Erholung zu gönnen. Erst nach vier Jahren pflanze ich wieder Rebstöcke.« Die Pacht läßt sich Kollwentz von den Bauern mit Stallmist abgelten, den er als Dünger in seine Weingärten bringt. Mineralischen Dünger gibt es bei Anton Kollwentz schon seit Jahren nicht mehr. Ist auch nicht nötig, wie regelmäßige Bodenuntersuchungen ergaben.

Anton Kollwentz kann mit Fug und Recht als Weinbaupionier in Großhöflein angesehen werden. Er war der erste, der einen hochgradigen Wein in der Gegend gekeltert hat, er begann schon in den 60er Jahren, als der allgemeine Geschmack noch liebliche bis süße Weine forderte, mit dem Ausbau von unaufgezuckerten, trockenen Weinen, er war der erste burgenländische Winzer, der 1981 noch mit einer Sonderbewilligung der Landesregierung einen Weingarten mit Cabernet Sauvignon bepflanzte, und er setzte schließlich auch beim Barrique-Ausbau Maßstäbe. »Ich habe lange überlegt, ob ich da mitmachen soll, weil ich nicht einsehen wollte, daß ein Holzton im Wein, der üblicherweise als Fehler angekreidet wird, auf einmal etwas Gutes sein sollte. Ich hab's 1984 mit einem Faß probiert und war begeistert. Im nächsten Jahr hatte ich schon 15 Fässer und ein Jahr darauf 30. Jetzt habe ich schon 60 Barrique-Fässer im Keller.« Der Jahrgang 1986 brachte in dieser Hinsicht den bisherigen Höhepunkt. Da gelang ihm ein besonderes Cuvee aus Blaufränkisch, Cabernet Sauvignon und Zweigelt. Über die genaue Zusammensetzung hüllt sich Anton Kollwentz in Schweigen.

An Rotweinsorten hat das Weingut Römerhof Blaufränkisch, Cabernet Sauvignon und Zweigelt stehen, an Weißweinsorten, die ebenfalls durchwegs trocken ausgebaut werden, sind Welschriesling, Sauvignon Blanc, Pinot Blanc, Chardonney, Grüner Veltliner und Müller Thurgau ausgepflanzt. Bewußt verzichtet Kollwentz darauf, spezielle Lagen besonders zu berücksichtigen. Er orientiert sich in dieser Beziehung an Bordeaux-Weingütern, die auch nur das Weingut angeben und nicht die Rieden. Radikale Mengenbegrenzung ist für ihn Grundvoraussetzung. Beim Weißwein wird eine Erntemenge von 60 hl angestrebt, die aber nicht bei allen Rebsorten erreicht wird, »wenn ich beim Sauvignon 30 hl erreiche, habe ich schon eine große Freude.« Kollwentz ist in jeder Beziehung ein Pedant, ob es nun seine Weingärten sind, wo jeder einzelne Rebstock wie ein Ausstellungsstück behandelt wird, oder sein »Wohnzimmer« — der Weinkeller — der sicherlich der

schönste neugebaute Holzfaßkeller Österreichs ist, alles spiegelt die Liebe zum Produkt wider. Alles ist so sauber, »daß man vom Boden essen könnte.« Diese Genauigkeit setzt sich in jeder Handlung fort. Ein Rotwein soll bei ihm 12 Vol.% Alkohol haben, deshalb wird auf 19° KMW aufgebessert. Die Maische wird 5 bis 14 Tage in Rotortanks vergoren. Beim Weißwein wird die Gärung computergesteuert überwacht, damit die Gärtemperatur 19 bis 20 Grad nicht übersteigt und durch zu stürmische Gärung feine Bukettstoffe verloren gehen. Steigt die Temperatur, wird automatisch auf die richtige Temperatur heruntergekühlt. Dadurch erreicht er jene Reintönigkeit seiner Weine, für die der Römerhof berühmt ist. Die Weißweine liegen mit den Säurewerten zwischen 8 und 9,7% sehr hoch. Gerade beim Welschriesling, der im Burgenland meist etwas breiter gekeltert wird, wirkt sich diese fruchtige, stahlige Säure frisch und harmonisierend aus. Die Leidenschaft des Winzers gilt jedoch den Rotweinen. Bei der Falstaff-Rotweinbewertung sind jedes Jahr die Kollwentz-Weine im Spitzenfeld vertreten, wenn sie nicht gerade wieder einmal den ersten Platz erreichen. Man weiß mittlerweile, was man hat, wenn man einen Kollwentz-Wein auf den

Tisch bekommt, und das nicht erst seit dem Jahre 1976, als der Winzer 19 Proben zu einer Weinprämierung einreichte und dann 18 Goldmedaillen und eine Silberne nach Hause brachte. Die Qualität der Weine hat sich auch in der Gastronomie herumgesprochen. Kaum ein Spitzenhaus in ganz Österreich, das nicht einen Römerhof-Wein auf der Karte hat.

Anton Kollwentz widmet auch seine Freizeit dem Wein. Zusammen mit seiner Frau Margarethe besucht er Weingüter in aller Welt und bringt nicht nur besondere Flaschen für seine persönliche Sammlung mit, sondern immer einen Stein, als Erinnerung an das besuchte Weinbaugebiet. Perfektionist wie Kollwentz ist, hat er in seinem Privatarchiv seit seinem ersten großen Erfolg im Jahre 1963 immer Wein zurückgelegt. Seit 1969 jeweils 50 Flaschen.

Weingut Römerhof
Anton und Margarethe Kollwentz
Hauptstraße 120
7051 Großhöflein
☎ 02682 / 5158

Seit 2700 Jahren Weinbau

Zagersdorf liegt am Südrand der Wulkaebene und war bereits römerzeitliches Siedlungsgebiet. Der Ort fand urkundlich erstmals im Jahre 1461 Erwähnung. Im Jahre 1986 wurde bei Ausgrabungen in Zagersdorf sogar ein Hügelgrab aus der Hallstattzeit entdeckt. Dabei wurden in einem Gefäß Kerne von Kulturtrauben gefunden. Diese 2700 Jahre alten Traubenkerne sind der älteste Beweis für die Kultivierung der Vitis Vinifera nördlich der Alpen.

Zagersdorf gehört zu denjenigen Gemeinden Burgenlands, die in den Türkenkriegen vollständig zerstört und deren Bewohner alle getötet wurden. So wurde das

Dorf 1532 von kroatischen Siedlern wieder aufgebaut, die auch die Bewirtschaftung der Felder und Weingärten wieder aufnahmen.

Altes kroatisches Brauchtum wird heute noch durch die bekannten Tamburizza-Gruppen, die bei Veranstaltungen, Hochzeiten und an anderen Festtagen auftreten, lebendig gehalten.

Am westlichen Ortsrand steht die katholische Pfarrkirche in einem alten ummauerten Friedhof. In ihrem Innern befindet sich eine schöne hölzerne Säulenmadonna aus dem Jahre 1648.

Als Weinbaugemeinde haben die Orte Siegendorf und Zagersdorf 182 ha Rebflächen, auf denen über 70% Rotweinsorten ausgepflanzt sind. In Zagersdorf gibt es auch einen sehr lehrreichen Wein-Rundwanderweg.

Wenn Ing. Franz Schuster an der Landwirtschaftlichen Fachschule in Eisenstadt über Kellerwirtschaft referiert, dann weiß er, wovon er spricht. Er ist mit dem Weinbau aufgewachsen, hat in Klosterneuburg maturiert und weiß ganz genau, welche Schritte zu setzen sind, um aus Trauben ein Glas Wein zu gewinnen. Er demonstriert und beweist das nicht nur im Unterricht, sondern ganz besonders im gemeinsamen Weinbaubetrieb der Familie Schuster in Zagersdorf. Gattin Rosi verfügt als Weinbau- und Kellermeisterin ebenfalls über das nötige Fachwissen, doch zu zweit geht eben alles besser.

»Wir müssen uns ganz besonders anstrengen«, meint Franz Schuster, »weil unsere Weine vom Publikum besonders kritisch begutachtet werden. Ich kann mir keine Kunstgriffe erlauben, muß exakt nach jenen Schritten arbeiten, die ich auch in der Schule vertrete. Andernfalls würde ich unglaubwürdig werden.«

Die Schritte, nach denen Franz und Rosi Schuster vorgehen, sind im wesentlichen rasch aufgezählt. Zunächst sorgen sie schon im Weingarten für Qualität. Die Voraussetzung dazu ist bewußte Mengenbegrenzung. »Wir haben hauptsächlich Rotweinsorten stehen und schneiden auf einen Ertrag von höchstens 6.000 Liter pro Hektar zurück. Der Lesezeitpunkt richtet sich nach dem Reifegrad der Trauben. Ich trachte danach, möglichst hohe Naturzuckerwerte zu gewinnen.«

In der Kellerwirtschaft schenkt Franz Schuster dem Gärprozeß größte Aufmerksamkeit. Kurz vor der Hauptlese läßt er ein paar Butten voll Trauben mit einem Reinhefeansatz angären, um damit den folgenden größeren Mengen eine Gär-Starthilfe zu geben. »Je früher der Gärprozeß beginnt, desto weniger Schwefel ist zur Stabilisierung nötig.« Für Schuster sind drei Faktoren für eine optimale Vergärung wichtig: die richtige Wärme, genug Alkohol und schließlich Bewegung. »Bei mir werden die Rotweinsorten auf der

Maische vollständig vergoren. Das passiert bei einer Standzeit zwischen sechs und zehn Tagen. Das heißt, die Gärung wäre schon nach drei bis fünf Tagen abgeschlossen. Die restliche Zeit dient der Auslaugung von Gerbstoffen.«

Damit wären wir auch schon bei den typischen Merkmalen der Schuster-Weine. Sie zeichnen sich durch Geschmacksfülle und Gerbstoffreichtum aus und liegen im Alkohol nicht zu knapp. Die Weine reifen ein Jahr lang im Holzfaß, ehe in Flaschen gefüllt wird. Man sollte die Schuster-Weine aber nicht zu jung trinken. Ein paar Jahre Flaschenlagerung gereichen ihm zur Ehre.

Das Weingut von Rosi Schuster umfaßt eine Rebfläche von 4,6 Hektar, wobei in den besten Lagen, den Rieden Schmaläcker, Kleingebirge und Hutweide der Blaufränkische steht, der nicht verschnitten, sondern lagenspezifisch ausgebaut wird. Weitere Sorten sind der Blauburgunder, Blauer Zweigelt und Merlot. Die Familie beschäftigt sich auch mit dem Barrique-Ausbau. Dieser Blaufränkische wird erst nach zwei Jahren Faßlagerung zum Verkauf angeboten.

Die gewissenhafte Arbeit des Ehepaares Schuster fand bei den verschiedensten Weinkosten in In- und Ausland ihren Niederschlag. Der Blaufränkische des Jahrgangs 1985 wurde in Sopron zwei Jahre später zum Höchstprämierten aller Weine gewählt, der Jahrgang 1986 errang immerhin Platz zwei. Aus Laibach brachte das Ehepaar Schuster dreimal hintereinander Großgold nach Hause.

Weinbau Rosi Schuster
Hauptstraße 59
7011 Zagersdorf
☎ 02687 / 8111

Des Reichskanzlers Lieblingswein

Der deutsche Reichskanzler Bismarck war ein besonderer Liebhaber des Pöttelsdorfer Blaufränkischen. Er lernte diesen Wein bei den Vorfriedensverhandlungen nach der Schlacht bei Königgrätz kennen und hat sich anschließend regelmäßig damit beliefern lassen. Seit damals nennen die Pöttelsdorfer den Blaufränkischen »Bismarck-Wein«. Die Mitglieder der Winzergenossenschaft Pöttelsdorf produzieren auf 80% der 208 ha Rebflächen diesen »Bismarck-Wein«. Eine besondere Spezialität ist der »Pöttelsdorfer Strohwein«, der am Allerseelentag des Jahres 1984 gelesen wurde. Auf dicken Strohmatten wurden die Trauben zwei Monate getrocknet. Hatten die Trauben bei der Lese ein Mostgewicht von 16 °KMW, so erhöhte es sich durch die Lagerung auf 19 °KMW. Nach einjähriger Faßlagerung wurde der Strohwein abgefüllt, und weitere zwei Jahre gelagert, bevor er in den Verkauf kam. Mit dem Fürst Bismarck Kabinett Rose 1987 (A: 11,3 Vol.%; S: 5,7; Z: 0,8) gelang auch der Vorstoß in den Österreichischen Weinsalon 1988.

Winzerkeller Pöttelsdorf
Reg.Gen.m.b.H.
7023 Pöttelsdorf
☎ 02626 / 5200

Rust am Neusiedler See, die «Freistadt« am Westufer des Sees, zwischen Schilfgürtel und Weingärten, hat sich diesen Status im Dezember 1681 um den Preis von 60.000 Gulden in Gold und 500 Eimern erlesensten Weines erkauft. Die am Befriedungslandtag in Ödenburg gefertigte Urkunde der Freistadterhebung ist heute das Prunkstück des Stadtarchivs. Im Jahre 1470 wurde Rust zum Markt erhoben und erhielt damit die Selbstverwaltung.

Der Weinbau bildet seit eh und je die Existenzgrundlage der Ruster. Die Weinbauern, die bereits 1479 zu einer Zunft vereinigt waren, erhielten Weinausfuhrprivilegien, die den Handel in alle Metropolen und Handelsstädte Mittel- und Nordeuropas förderten. Ein Dekret der Königin Maria von Ungarn gab den Winzern das Recht, auf den Fässern ihrer Eigenbauweine das »R« einzubrennen, um so ihre Produkte zu kennzeichnen. Dieses »R« wurde zu einem Gütesiegel für absolute Spitzenprodukte, die ebenso geschätzt waren, wie die gleichfalls berühmten »Tokayer«. In einer Beschreibung des Jahres 1819 wird der gute Wein als »Zapfner« und alle übrigen Sorten als »Geschlachte« bezeichnet.

Der gesamte Altstadtbereich Rusts steht seit 1963 unter Denkmalschutz. Die Bürger und Stadtväter haben es sich zur Aufgabe gemacht, die historische Substanz der vielfältigen Architektur zu erhalten und zu pflegen. So wurde Rust im Denkmalpflegejahr 1975 vom Europarat zur Modellstadt erklärt. Die Fundamente der Fischerkirche, sicherlich das bauhistorische Wahrzeichen von Rust, lassen sich auf Grund von Grabungen bis in das 12. Jahrhundert zurückverfolgen. Außer dieser Wehrkirche und einigen Teilen von Mauern mit recht- und fünfeckigen Bastionen und Schlüssellochscharten sind von den mittelalterlichen Wehrbauten

noch das alte Stadttor, früher auch »Seetor« oder »Gattertor« genannt, und das Torwächterhaus erhalten.

Zum gefiederten Wahrzeichen der Freistadt wurden die Störche, die zu Rust gehören wie der Wein und der See. Sie klappern in ihren Horsten auf den hohen Schornsteinen zur Freude der Einwohner und der vielen Besucher. Die Nester und Brutplätze der beliebten Klapperstörche werden von den Rustern liebevoll und mit großem Aufwand gepflegt und vorbereitet.

Die Ruster Weingärten liegen zwischen dem Neusiedler See und den südlichen und östlichen Hängen der Ruster Hügelkette. Die hohen Sommertemperaturen von durchschnittlich 23 °C und das Seeklima begünstigen das Wachstum des Botrytis-Pilzes. Die von dieser Edelfäule befallenen Trauben sind das Grundmaterial für hochwertige Prädikatsweine. Voraussetzung dafür ist ein schönes, warmes und trockenes Herbstwetter. Der Pilz durchlöchert die Beerenhaut und trocknet dadurch die Beeren aus, eine hohe Konzentration der Extraktstoffe ist die Folge. Regnet es in dieser Zeit zu viel, entsteht durch den gleichen Pilz die nicht erwünschte Graufäule. Die Ruster sind jedoch vom Wettergott begünstigt, und so konnten sie im Laufe von Jahrhunderten ihren Ruf als Prädikatsweinhersteller aufbauen. Ein Ruster Ausbruch fand sich auch auf der Weinkarte der »Titanic«, als diese ihre Jungfernfahrt antrat.

Die besten Weinstöcke sind 38 Jahre alt

Das Weingut von Ernst Triebaumer zählt zu den ältesten Betrieben im Raum Rust. Die Vorfahren des heutigen Gutsbesitzers kamen Ende des 17. Jahrhunderts nach Rust und haben seither Weinbau betrieben. Zunächst nur als Nebenerwerb, seit vier Generationen aber als Hauptberuf. Der Betrieb wuchs im Laufe der Jahre stetig, und heute besitzt Ernst Triebaumer zehn Hektar Rebflächen, von denen acht im Ertrag stehen. Die Hauptsorten sind der Blaufränkische (26%) und der Welschriesling (20%), kleinere Flächen sind mit Pinot Blanc, Cabernet Sauvignon, Sauvignon Blanc, Neuburger, Chardonnay, Gewürztraminer, Muskat Ottonel, Grünem Veltliner und Bouvier bepflanzt.

Die Rebflächen des Weinguts sind auf 15 Einzellagen aufgesplittert, doch sieht Ernst Triebaumer darin keinen Nachteil. »Es müssen zwar größere Wegstrecken zu den einzelnen Weingärten zurückgelegt werden, aber andererseits ist es ein Vorteil, wenn man statt wenigen großen, mehrere kleine Weingärten besitzt. Im Falle eines Hagelschlages, der zumeist nur strichweise auftritt, werden immer nur einzelne Lagen betroffen und die Ausfälle halten sich in Grenzen.«

Die besten Rotweinrieden sind der »Obere Wald« und »Mariental«, wo der Blaufränkische schon seit fast 40 Jahren im Ertrag steht. Ernst Triebaumer sorgt schon im Weingarten für beste Qualitäten. Im Gegensatz zu vielen anderen Weinbauern verzichtet er auf das sogenannte Gipfeln, das Abschneiden der höchsten Triebe. »Das Gipfeln ist eine Radikalkur für die Weinstöcke. Meiner Meinung nach bedeutet es einen Schock für die Pflanze, wenn sie plötzlich zehn bis 15 Prozent ihrer jüngsten und assimilationsfähigsten Blätter einbüßt. Eine hohe Laubwand ist die Voraussetzung für optimale Assimilation, die ober- und unterirdischen Teile der Pflanze halten ein Gleichgewicht.«

Die Rotweine baut Triebaumer nach Lagen getrennt aus, da die Rieden Oberer Wald und Mariental auf Kalkuntergrund durch geringen Ertrag stets große Qualitäten bringen. Seit 1985 versucht er, kleine Mengen im Barrique auszubauen. Es ist etwas mehr als ein Versuch geworden, denn mit seinem zweiten Versuch, dem 1986er Blaufränkisch Barrique wurde er 1988 gleich Falstaff-Sieger.

Obwohl die Nachfrage nach Prädikatsweinen abnimmt, versucht Triebaumer, jedes Jahr kleine Mengen dieser Edelweine zu keltern.

Der Stolz des Winzers ist eine 86er Traminer Auslese (A: 14,0 Vol.%; S: 7,3; Z: 18,0), die mit 23° KMW gelesen wurde und goldgelb, mit starkem Traminerbukett zu den besten Prädikatsweinen zählt, die in den letzten Jahren in Rust

gekeltert wurden. Obwohl Ernst Triebaumer über eine große Sortenpalette verfügt, experimentiert er immer wieder mit neuen Sorten. »Ich habe aus Piemont Reben mitgebracht, die ich selbst veredle, um zu sehen, ob sie auch bei uns wachsen. Ich versuche gerne Dinge, die nicht jeder macht.« Für den Winzer bedeutet es eine Herausforderung, jahrgangstypische Weine zu produzieren, die weder verschnitten noch »behandelt« werden. Schönungen sind in seinem Keller »verboten«, weil Ernst Triebaumer davon überzeugt ist, daß jede Schönung dem Wein etwas wegnimmt.

Die Vielzahl an Auszeichnungen gibt der Arbeit von Ernst Triebaumer recht, wenngleich er seine Medaillensammlung nicht überbewertet. »Für mich sind sie nur eine Bestätigung dafür, daß ich qualitätsmäßig auf dem richtigen Weg bin.«

Ernst und Margarethe Triebaumer
Raiffeisenstraße 9
7071 Rust
☎ 02685 / 528

Die Grundkenntnisse über den Wein und seine Kultur lernte Heidi Schröck von ihrem Vater, einem erfahrenen Weinbauern in Rust, das praktische Rüstzeug holte sie sich bei Studienaufenthalten in Deutschland, Bordeaux und Südafrika. »Die Verbindung mit Südafrika hat sich noch ergeben, als ich erst burgenländische und dann österreichische Weinkönigin war«, erklärt die Winzerin, die in Rust einen sechseinhalb Hektar großen Betrieb führt. »Dieses Gut, das seit dem Ende des 18. Jahrhunderts existiert und von einer Familie aus Thüringen gegründet wurde, erbte mein Vater im Jahre 1969.« Vater Wilhelm Schröck ist unterdessen längst in Pension. Keine Frage aber, daß er immer noch zur Stelle ist, wenn im Weingut Not am Manne ist.

Von den sechseinhalb Hektar Rebfläche des Weinguts von Heidi Schröck stehen derzeit nur vier in Ertrag, wobei dem Blaufränkischen und dem Welschriesling der größte Stellenwert zukommt. Diese beiden Sorten machen je 20 Prozent der Gesamtproduktion aus. 15 Prozent entfallen auf den Weißburgunder und zehn Prozent auf den Gelben Muskateller, der hier auch Muskat-Lunel genannt wird.

Auf den derzeit noch brachliegenden Flächen wird Cabernet Sauvignon gepflanzt. »Die Edelreiser haben wir uns selbst gemacht«, betont Heidi Schröck nicht ohne Stolz. Bei der Weinbereitung folgt die Jungunternehmerin der klassischen Schule. »Meine Weine werden nach der traditionellen Ruster Art gekeltert«, sagt die Winzerin, »das heißt beim Rotwein offene Maischevergärung, abpressen und dann mindestens ein Jahr faßlagern.« Heidi Schröck baut ihre Weine durchwegs trocken aus und hat auch schon mit Barrique-Weinen experimentiert. Obwohl sich auch dieser Wein gut verkauft, hat sie keine rechte Freude damit. »Ich sehe für den Barrique-Wein keine Zukunft. Für mich ist dieser Ausbau eine Gleichmacherei, bei dem zum Beispiel der wunderbare Blaufränkische seine lagentypischen Merkmale verliert.«

Heidi Schröck
Rathausplatz 8
7071 Rust
☎ 02685 / 229

Mörbisch

Von Rust fährt man weiter in südliche Richtung und kommt nach Mörbisch. Die Straße endet kurz hinter dem Ort, direkt an der ungarischen Grenze. Mörbisch ist umgeben von unzähligen Weingärten und dem wogenden Schilfmeer des Neusiedler Sees. Eine erste urkundliche Erwähnung datiert aus dem Jahre 1254, doch zeugen Siedlungsfunde aus der Jungsteinzeit, der Lengyel- und Badener Kultur, der Vucedol-Laibach-Kultur und der La-Tene-Zeit von uralter Besiedlung. Bei Grabungen wurde 1951 ein Gutshof aus der Römerzeit freigelegt. Aus dieser Zeit stammt auch die »Mithrasgrotte« an der Grenze zu Ungarn. In den Jahren 1529 und 1683 wurde der Ort von den Türken und 1704/05 von den Kuruzzen verwüstet.

Das Ortsbild wird von idyllischen langen »Hofgasseln« geprägt. Die blitzsauberen weißen, blumengeschmückten Häuser, an deren Wänden Knoblauchstränge und Kukuruz hängen, vermitteln eine südländische Stimmung. Bei oberflächlicher Betrachtung ist das System dieser Hofgassen nicht ganz ersichtlich. Gebaut wurden sie wohlüberlegt aus einer Notwehrsituation der Mörbischer Bauern. Die vielen Kriegswirren ließen diese leicht zu verteidigende Anordnung der Häuser wachsen. Gebaut wurde nach dem Schema: je zwei Achtelbauern auf einer Hofseite, sodaß die ganze Hofseite insgesamt vier Familien beherbergt. Die Innenräume der Häuser hatten alle dieselbe schematische Gliederung: vordere Stube, Küche, hintere Stube des ersten Bauern, daran anschließend vordere Stube, Küche, hintere Stube des zweiten Bauern; im gleichen Wechsel folgten dann hintereinander: Kammern, Viehställe, Schweineställe mit Misthaufen und Scheunen. Die gegenüberliegende Seite weist die gleiche Gliederung auf. Die Höfe der Viertelbauern sind einseitig verbaut, sodaß sie gleichsam »Hofzeilen« darstellen. Dadurch konnten diese Höfe gegen räuberische Überfälle kleiner Gruppen leicht verteidigt werden. Das »Vorhallenhaus« in der Hauptstraße 25 ist das schönste Beispiel dieser Architekturform.

Der Weinbau hat eine jahrhundertealte Tradition und ist die wirtschaftliche Grundlage dieser Region. Begünstigt durch Hang- und Seelagen und ein Klima, das durch den Wärmeausgleich des Sees geschaffen wird, herrschen dort ideale Bedingungen für den Weinbau. Das gesamte »Hottergebiet« (Burgenländischer Ausdruck für Gesamtfläche) von Mörbisch hat 2.806 ha. Davon wird auf 703 ha Weinbau betrieben, hauptsächlich sind Weißweinsorten ausgepflanzt. Der Grüne Veltliner ist mit 21% die Hauptsorte, gefolgt von 10% Müller Thurgau und je 6% Welschriesling, Muskat Ottonel und Neuburger. Traminer, Weißburgunder, Frühroter Veltliner und Goldburger werden nur in kleinen Mengen angebaut. Auch wachsen hervorragende Blaufränkische, Blauburger und Blauer Zweigelt in dieser Region. Einmal wöchentlich, in den Sommermonaten Juli und August, bietet der Weinbauverein Mörbisch Interessenten die Möglichkeit, an einer kommentierten Weinpräsentation teilzunehmen, bei der immer drei Weinbaubetriebe ihre besten Weine vorstellen.

Zu einem besonderen Anziehungspunkt entwickelten sich die Mörbischer Seefestspiele, die im Laufe der Jahre zu einem festen Bestandteil des burgenländischen Kulturlebens wurden. Dabei werden jährlich in den Sommermonaten Juli und August Operetten von Johann Strauß, Franz Lehar und Robert Stolz auf der romantischen Seebühne aufgeführt.

Die Mörbischer Winzer schufen gemeinsam eine eigene Weinlinie:

den »Mörbischer Opernballwein«, einen leichten, fruchtig-spritzigen Welschriesling, der als junger, primeurhafter Wein und als gereifter Jahrgang angeboten wird,
den »Mörbischer Falstaff«, ein Weißburgunder, der um ein Alkoholprozent höher liegt als der Opernballwein. Dieser Wein wird erst nach einjähriger Lagerung verkauft. Als Rotwein
den »Ochs auf Lerchenau«, einen trockenen Blaufränkischen, der nur aus den reifsten Trauben, die im Bereich von 19 °KMW gelesen werden müssen, gekeltert wird.

Jeder Mörbischer Weinbauer kann den »Opernballwein« oder den »Ochs auf Lerchenau« produzieren — wenn er sich den Produktionsbedingungen der Gemeinschaft unterwirft.

Mitgliedsbetriebe der Mörbischer Weinlinie sind:

Fiedler Gerhard, Weinzeile 2	MO	MOL	MF
Fiedler Martin, Eschengasse 11	MO	MOL	
Holzkorn Johann, Rosengasse 16	MO		
Gemeinde Keller, Hauptstraße 28	MO	MOL	
Kranix-Fischl, Steinergasse 3	MO	MOL	
Krammer Armin, Neubaugasse 26	MO	MOL	
Lang Johann, Nussau 13		MOL	
Lang Martin, Hauptstraße 99	MO	MOL	
Lang Richard, Raiffeisenstraße 1	MO	MOL	
Marx Hans, Herrengasse 4	MO	MOL	MF
Rathmann Michael, Hauptstraße 86	MO		
Scheller Gerhard, Lindengasse 5	MO	MOL	MF
Schindler Franz, Neustiftgasse 6	MO	MOL	MF
Schindler Hans, Rusterstraße 16	MO	MOL	MF
Schindler Michael, Kinogasse 9	MO		MF
Schmidt Michael, Setzgasse 17	MO		
Schmidt Richard, Hauptstraße 71	MO		
Schrauf Hans, Rosengasse 7	MO	MOL	MF
Schrauf Michael, Neustiftgasse 12	MO	MOL	MF
Sommer Albert, Siedlung 22	MO	MOL	
Sommer Franz, Dr.-J.-Wurditsch-G. 2	MO	MOL	MF
Sommer Hermann, Neubaugasse 1	MO	MOL	MF
Sommer Johann, Setzgasse 10	MO	MOL	MF
Sommer Johann, Hauptstraße 107	MO	MOL	
Sommer-Strommer, Lindengasse 18	MO	MOL	MF
Sommer Werner, Margarethnerstr. 32	MO	MOL	MF
Stoiber Friedrich, Weinberggasse 5	MO		
Tiedl Ludwig, Hauerstraße 26	MO	MOL	
Toth Johann, Brunnengasse 7	MO	MOL	
Tremmel Erich, Raiffeisenstraße 4	MO	MOL	MF
Tremmel Helmut, Kinogasse 21	MO		
Wenzl Michael, Seestraße 17	MO	MOL	MF
Wilfinger Franz, Weinberggasse 18	MO		MF
Zethner Emilie, Weinbergweg 6	MO	MOL	
Zethner Manfred, Hauptstraße 118	MO	MOL	MF

MO	Mörbischer Opernballwein
MOL	Mörbischer Ochs auf Lerchenau
MF	Mörbischer Falstaff

Der 20-Punkte-Wein

Einer der Weinbauern aus Mörbisch, der auch den bekannten Opernball-Wein produziert, ist Martin Fiedler, der einer alteingesessenen Weinbauernfamilie entstammt. »Schon mein Urgroßvater hatte Weingärten«, stellt der Landwirtschaftsmeister fest, der in seinem acht Hektar großen »Eschenhof« von seinem Sohn Manfred tatkräftig unterstützt wird.

Von den acht Hektar großen Rebflächen sind sieben Eigenbesitz, ein Hektar ist zugepachtet. »Unsere Lagen sind vom pannonischen Klima beeinflußt und bringen Jahr für Jahr beste Qualitäten«, sagt Fiedler. Allerdings ist die Arbeit in den Weingärten schon deshalb recht zeitaufwendig, weil sich die Lagen auf nicht weniger als 35 Einzelparzellen aufteilen.

Martin Fiedler hat in seinem Betrieb eine große Sortenvielfalt. Den Hauptanteil seiner Rebflächen machen die Lagen mit dem Welschriesling und dem Blaufränkischen (je 25 Prozent) aus, 15 Prozent beträgt der Anteil am Grünen Veltliner, daneben wachsen noch Neuburger, Weißburgunder, Bouvier, Sämling 88, Gewürztraminer und Blauer Zweigelt. Die besten Lagen sind die Ried Wiesler, wo der für den Opernball-Wein bestimmte Welschriesling auf einer Mittelkultur und der Neuburger auf einer Hochkultur gezogen werden, die Ried Goldberg, wo auf lehmigem Sandboden Welschriesling, Blaufränkisch und Grüner Veltiner gepflanzt sind, sowie die Rieden Seeacker, Bauackerl und Satz.

So hervorragend die klimatischen Bedingungen im Mörbischer Raum für den Weinbau auch sind, so darf man dennoch nicht vergessen, daß die intensive Sonneneinstrahlung auch ihre Probleme bringt. Die Probleme betreffen die Säurewerte der Trauben. »In extremen Sonnenjahren müssen wir den Lesezeitpunkt oft vorverlegen, um die nötige Säure zu erhalten«, erklärt Martin Fiedler, der sich zum Ziel gesetzt hat, leichte, aber säurebetonte Weine zu produzieren. Diese Charakteristika gelten in diesem Betrieb auch für die Prädikatsweine.

In der Kellerwirtschaft geht Martin Fiedler zwei Wege. Nur noch die Rotweine werden gerebelt, bei den Weißweinsorten hat er damit aufgehört, weil Fiedler davon überzeugt ist, daß beim Rebeln auch die Stiele verletzt werden und dadurch Gerbstoffe ausgelaugt werden. »Das macht dem Rotwein nichts, entspricht aber nicht meinen Geschmacksvorstellungen beim Weißwein.« Martin Fiedler verarbeitet die Weißweinsorten in einem Maischehochbehälter, aus dem der Seihmost für die besten Qualitäten gewonnen wird. Die Rotweinsorten werden in einem Rührtank üblicherweise zu zwei Drittel vergoren, ehe gepreßt wird. Der Blaufränkische für den »Mörbischer Ochs auf Lerchenau« bleibt bis zu 14

Tage auf der Maische, auch wenn die Gärung längst abgeschlossen ist.

Der Ausbau der Weine erfolgt bei Martin Fiedler ausschließlich in Holzfässern. »Ich habe dazu genügend Kapazitäten und kann es mir leisten, die Weine zu überlagern.« Der Blaufränkisch Kabinett 1985, Ried Seeacker (A: 12,0 Vol.%; S: 5,6; Z: 3,4), der als »Ochs auf Lerchenau« verkauft wird, wurde mit 18,5 ° KMW gelesen und blieb 15 Monate im Holz, bevor er gefüllt wurde. Eine absolute Spezialität konnte Martin Fiedler im Jahre 1981 auf den Markt bringen. Mit der Rebsorte Bouvier gelang ihm eine Trockenbeerenauslese, die 47 °KMW bei der Lese hatte. Über ein Jahr dauerte die Gärung. Die Analyse des Weins ergab 472 Gramm Zuckerrest, 9% Säure und 570 g/l Trockenextrakt. Dieser Prädikatswein wurde bei der burgenländischen Landesweinkost mit 20 Punkten bewertet.

Weingut Eschenhof
Martin Fiedler
Eschengasse 11
7072 Mörbisch
☎ 02685 / 8344

Keine 500 Meter von der ungarischen Grenze entfernt, haben Gerhard und Elfriede Fiedler ihren »Grenzlandhof« errichtet. »Wir haben diesen Namen gewählt, um uns von den übrigen Fiedler-Betrieben im Mörbischer Raum zu unterscheiden«, erklärt das Winzerehepaar, das über eine Rebfläche von sieben Hektar verfügt. Sechs davon stehen im Ertrag, ein Hektar ist derzeit mit einer Zwischenfrucht bebaut, um dem Boden bis zur Neuauspflanzung von Reben Erholung zu gönnen.

Das Weingut hat hervorragende Lagen, doch verzichten Gerhard und Elfriede Fiedler bewußt darauf, Riedbezeichnungen anzuführen. »Bei den 30 Einzellagen, die wir besitzen, würde das zu unübersichtlich werden und den Namen unserer Ried 'Wasser' verwenden wir ohnehin aus gutem Grund nicht«, meint Gerhard Fiedler. Die kleinen Weingartenparzellen kommen vom alten ungarischen Erbrecht, der Realteilung. Nach dieser Regelung wurde der Grundbesitz einer Familie auf alle Kinder gleichmäßig aufgeteilt. Ein großer Besitz wurde so im Laufe von zwei Generationen zersplittert. Wenn heute Weingärten in Mörbisch oder Rust verkauft werden, so sind das meistens nur drei oder vier Zeilen, die sind dafür bis zu einem Kilometer lang. Die Hauptsorten des Grenzlandhofes sind der Welschriesling, der Grüne

Veltliner und der Blaufränkische, die je 20 Prozent der Rebflächen ausmachen. Daneben hat Gerhard Fiedler noch Müller-Thurgau, Traminer, Pinot Blanc, Neuburger, Muskat Ottonel und Zweigelt stehen.

Die Linie des Grenzlandhof-Guts ist auf Qualität ausgerichtet. Gerhard Fiedler, der den Weinbau im elterlichen Betrieb gelernt hat, und seine Frau Elfriede, die die Fachschule in Eisenstadt absolvierte, keltern trockene, fruchtige Weine und haben auch einige Weinspezialitäten in ihrem Programm. Das Weingut Grenzlandhof gehört unter anderem zu jenen Mörbischer Betrieben, die einen trockenen Welschriesling als »Mörbischer Opernballwein« vermarkten. In besonderen Jahrgängen versucht das Winzerehepaar immer wieder, besondere Prädikatsweine wie Spätlesen und Auslesen in den Keller zu bekommen. »1981 ist uns eine Welschriesling-Trockenbeerenauslese gelungen. Die Trauben hatten bei der Lese 42 ° KMW.« Solche Weine sind eine Rarität. Kein Wunder, daß Gerhard Fiedler sie ausschließlich in 0,35-Liter-Flaschen füllte.

Das Ehepaar Fiedler möchte seinen Betrieb in den kommenden Jahren noch etwas ausweiten. »Unser Ziel sind rund zehn Hektar Rebflächen, und dieses Ziel werden wir verwirklichen.«

Weingut Grenzlandhof
Gerhard und Elfriede Fiedler
Weinzeile 2
7072 Mörbisch
☎ 02685 / 8276

Oggau, ein Weinort am Westufer des Neusiedler Sees gelegen, kann auf eine bewegte Geschichte zurückblicken. Zahlreiche Gräberfunde weisen darauf hin, daß die Gegend bereits von der Jungsteinzeit an besiedelt war. Seine urkundliche Erwähnung findet der Ort erstmals im Jahre 1344. Blutige Spuren hinterließen die Türkenkriege (1529, 1532, 1683), der Kuruzzeneinfall 1705 und auch die beiden Weltkriege. Außerdem wurde der Ort durch schwere Brände in den Jahren 1732 und 1843 verwüstet.

Zu den Sehenswürdigkeiten des Ortes gehört die barocke Dorfkirche, die in einem aufgelassenen, ummauerten Friedhof steht. Bei Wanderungen in der näheren Umgebung sind besonders der »Hölzlstein«, mit seinem steil abfallenden Felsen, verschiedene Kapellen und Marterln im Weinbaugebiet einer näheren Betrachtung wert.

Oggau ist ein beliebtes Erholungs- und Freizeitgebiet. Von den Höhen über dem Ort, inmitten der Weingärten, hat man einen herrlichen Blick, sowohl auf die Voralpen als auch auf die ungarische Tiefebene. Ein 2,5 km lan- ger Weinlehrpfad ermöglicht einen Überblick über die Geschichte und die wirtschaftliche Bedeutung des bur- genländischen Weinbaus. Im Verlauf des Weges wer- den, anhand verschiedener Stationen, alle Stadien der Weinherstellung von der Rebe bis zum Wein, darge- stellt. Auch eine für dieses Gebiet typische, aus Stroh gebaute Weinhüterhütte ist zu sehen. Eine große metal- lene Reblaus soll an die Reblauskrise, die im heimi- schen Weinbau schwere Schäden anrichtete, erinnern. Seit jeher wurde in Oggau Weinbau betrieben. Begün- stigt durch das pannonische Klima, mit seinem zeitigen Frühling und niederschlagsarmen Sommer und Herbst, wird hier die Voraussetzung für das Gedeihen edler Weine geschaffen. Von der Güte der Weine zeugt eine fast unübersehbare Menge von Auszeichnungen und Medaillen.

Ein alter Brauch ist das »Heiligenstriezelwünschen«. Die Kinder des Dorfes gehen am 1. November zu ihren Ver- wandten und bitten um einen Heiligenstriezel. Dieser Brauchtum ist ohne Zweifel ein gutes Geschäft für die Oggauer Bäcker, die um diese Zeit Tausende Striezeln herstellen und verkaufen.

Weinbau muß Freude machen ...

Seit 1983 bewirtschaftet Franz Thometitsch und seine Frau Gertrude ihr fünf Hektar großes Weingut in Oggau. Die Großmutter bewirtschaftete noch 40 ha Weingärten, die durch die Erbteilungen auf die heutige Rebfläche geschrumpft sind. Der Weinbau war Franz Thometitsch schon in die Wiege gelegt wor- den und so war es klar, daß er dieses Fach auch studie- ren würde. Er ging nach Klosterneuburg und lernte dort alles, was in der Weingartenarbeit und an Kellertechno- logien wissenswert war. Diese Technologien hatten Thometitsch zunächst fasziniert, heute ist er davon weniger begeistert. »Aufbesserungen, Entsäuerungen, Schönungen und dergleichen interessieren mich nicht«, stellt er klipp und klar fest, »meine Maxime sind gewachsene Weinqualität, lagen- und jahrgangsspezifisch mit individuellem Faßausbau in die Flasche zu bringen. Es liegt in der Natur der Sache, daß es große und kleine Jahrgänge bei Weinen geben muß. Ich ver- suche nicht zu nivellieren, sondern die naturgegebenen Unterschiede und da- durch die Individualität unserer Weine durch den Ausbau zu fördern.«

Franz Thometitsch, der hauptberuflich Weinbauberater in der Landwirtschafts- kammer ist, hat oft Schwierigkeiten, sei- nen Standpunkt bei anderen Weinbau- betrieben zu vertreten. Er geht eigene Wege und wurde anfangs mitunter sogar als »Spinner« bezeichnet. Seine »Spinnerei« war aber einzig, den Wein ohne viel Zutun, also ohne Kunstgriffe, in die Flasche zu bringen. »Viele haben gelächelt, als ich im Weingar- ten nicht spritzte, wenn es die Nachbarn taten, wenn ich durch selbstauferlegte Mengenbegrenzung auf Qualität schaute. Ich gin schließlich daran, die Mondphasen im Jahreslauf zu berücksichtigen und bei der Neuanlage von Weingärten erzielte ich verblüffende Ergebnisse.« Gesetzt wird nur in einer zunehmenden Mondphase, um die Austriebskräfte der Pflanze nützen zu können. »Als meine Frau und ich darangingen, selbst Weinbau zu betreiben, waren wir uns einig, daß wir keine Kom- promisse eingehen wollten«, sagt Thometitsch, »Wir wollten nicht eine bestimmte Geschmacksrichtung ein- schlagen, sondern unseren spezifischen Wein aus- bauen. Selbst auf die Gefahr hin, daß uns diesen Wein niemand abkaufen würde.« Nun, diese Gefahr hat sich für Thometitsch glücklicherweise als unbegründet her- ausgestellt. Sein Welschriesling und Chardonnay, die die Hälfte seiner Produktion ausmachen, sind genauso gefragt wie der Blaufränkische, Neuburger oder der Blaue Portugieser.

Der Chardonnay Kabinett 1987, Ried Altenberg (A: 11,7 Vol.%; S: 7,5; Z: 4,0) ist auch im Österreichischen Weinsalon 1988 vertreten.

Zu den Leuten, die ihren Wein kaufen, haben Gertrude und Franz Thometitsch ein besonderes Verhältnis. »Für uns gibt es keine Kunden«, sagen sie unisono, »für uns gibt es nur Weinfreunde.« Diese schätzen dann auch die besonderen Tropfen; wie beispielsweise den 86er Welschriesling, der zwölf Monate in einem Akazienfaß reifte, oder ein gemischter Satz, den Thometitsch als »Gemischte Fexung« vertreibt. Die Thometitsch-Weine überzeugen durch ihre Fruchtigkeit. Alle Weine haben überdurchschnittliche Trockenextrakt- werte, so hat der Welschries- ling Kabinett 1986 der Ried Pratschen 24,8 g/l und der Neuburger Spätlese 1986 sogar 27,2 g/l Extrakt. Alle Weine werden ganz trocken ausgebaut und ver- fügen über genügend Säure zur längeren Lagerung. Daß im Haus extrem sauber gearbeitet wird, erkennt man auch an den SO_2-Werten, die zwischen 20 und 30 mg liegen. »Der Weinbau macht uns Spaß, wenn das einmal nicht der Fall ist, dann hören wir auf damit.« Hoffentlich macht es der Familie Thometitsch noch sehr lange Freude.

Weingut Familie Thometitsch
Setzweg 31
7063 Oggau
☎ 02185 / 7661

Purbach

Der bekannte Ausflugs-, Bade- und Weinbauort Purbach liegt am Nordwestufer des Neusiedler Sees. Eine Siedlung, die sich bis in die jüngere Steinzeit zurückverfolgen läßt, lag an der ehemaligen Bernsteinstraße und gehörte während der Römerzeit zur Provinz Pannonien. 1270 taucht der Ort unter dem Namen »Castrum« erstmals urkundlich auf. Purbach gelangte im Jahre 1515 in den Besitz der Herrschaft Eisenstadt und entwickelte sich zu einer blühenden Weinbaugemeinde. Im 16. Jahrhundert wurde der Ort zweimal von den Türken niedergebrannt.

Aus dieser Zeit stammt eines der Wahrzeichen Purbachs, der »Purbacher Türk«. Die Überlieferung erzählt, daß einer der Türken während des Überfalls in einem Weinkeller dem Wein zu sehr zusprach und den Abzug seiner Landsleute im Rausch verschlief. Als die geflüchteten Bewohner zurückkamen, versteckte der Türke sich in einem Kamin, wo er jedoch bald entdeckt wurde. Man nahm ihn gefangen, schenkte ihm das Leben und übergab ihn dem Besitzer des Hauses als Knecht. Nach seinem Tod setzte ihm der Bauer ein Denkmal — eine steinerne Büste auf dem Schornstein. Von 1630 — 1634 wurde die Stadtbefestigung errichtet, die auch heute noch teilweise gut erhalten ist, zum Beispiel das sogenannte Türkentor, eine Doppelbefestigung mit Schießluken, Rundbogentor, Zugbrückenrollen und dahinterliegendem Zwinger. In der nahen Umgebung, am Osthang des Leithagebirges, befinden sich zwei beachtliche Fluchtburgen aus dem Mittelalter. Die erste ist eine gewaltige Anlage auf dem »Burgstall«, das zweite Schanzwerk, Grünwald oder Türkenschanze genannt, wurde auf dem »Zwickel« errichtet.

Purbach, bekannt durch seine fruchtigen, vollmundigen Weine, genießt auch den Ruf eines Gourmet-Zentrums. Zahlreiche Restaurants, wie z.B. die »Pauli's Stuben«, die »Nikolauszeche«, das »Fischerhaus« in der romantischen Kellergasse, der Gasthof »Am Spitz« bieten in geschmackvollem Rahmen eine erstklassige Küche von deftiger Hausmannskost bis zu erlesenen Spezialitäten.

Der beste Welschriesling

Das Weingut von Paul Braunstein ist auf zwei Lagen aufgeteilt. Sechs Hektar Rebflächen hat er in Purbach, zweieinhalb Hektar besitzt er in seiner Heimatgemeinde in Kleinhöflein. »Dort hatten schon meine Eltern einen Weinbaubetrieb, also war es für mich klar, daß ich einmal in ihre Fußstapfen treten würde«, sagt Braunstein, der die Landwirtschaftliche Fachschule in Eisenstadt absolvierte und dann unzählige Kurse in Klosterneuburg besuchte, um sich das für den Weinbau nötige Rüstzeug anzueignen. Damit hat es der Winzer, der der Liebe wegen nach Purbach zog, aber nicht bewenden lassen. Er bereist Jahr für Jahr Weinbaugebiete in ganz Europa, um sich da und dort noch etwas abzuschauen. »Auf meinen Reisen habe ich stets dazugelernt. Ich habe Anregungen für die Kellerwirtschaft bekommen, Ideen für die Etikettengestaltung und die Vermarktung auf meine Verhältnisse umgesetzt.«

Die Hauptsorte des Weinguts ist der Blaufränkische, den Braunstein in Kleinhöflein auf der Ried Kirchtal auf sandigem Boden mit Lehmanteil stehen hat. Ebenfalls in Kleinhöflein hat er in der Ried Mitterjoch Blauen Burgunder und Sauvignon Blanc neu ausgepflanzt. In Purbach wächst in der Ried Rosenberg in windgeschützter Kessellage auf lehmigem Boden der Welschriesling und am Leithaberg in der Ried Katterstein der Weißburgunder. Paul Braunstein baut seine Weine durchwegs leicht und trocken aus. Die Weißweine werden nach einer Maischestandzeit von rund sechs Stunden gepreßt, die Rotweinsorten werden etwa eine Woche lang offen vergoren, ehe sie in die Presse kommen und dann im Faß ausgebaut werden. Die Weißweine werden spätestens Ende April in Flaschen gefüllt, die Rotweine bleiben meist bis zur nächsten Lese im Holzfaß.

Neben dem Weinbaubetrieb führt Paul Braunstein auch noch ein Restaurant,

»Paulis Stub'n«, in Purbach. »Das ist schrittweise gegangen. Als ich hierher kam, hatten die Schwiegereltern einen kleinen Heurigen. Aus diesem machte ich zunächst ein Kaffeehaus, um es 1979 in einen Restaurantbetrieb umzubauen.« Die Hauptlast im Restaurant ruht auf den Schultern von Maria Braunstein, deren Küche einen guten Ruf genießt. Sie bemüht sich, das saisonale Angebot auf den Tisch zu bringen und wird dabei von ihrem Mann unterstützt. »Er ist Jäger«, verrät die Wirtin, »und versorgt mich im Herbst mit dem für meine Spezialitätenwochen nötigen Wildbret.« Da gibt es dann Reh und Hirsch, Wildschwein, Hase und Fasan auf der Karte. Zu den Spezialitäten des Hauses gehören aber auch die Brennesselsuppe im Frühjahr, die Spargel- und die Pilzgerichte.

Mit seinem Welschriesling 1987 (A: 10,0 Vol.%; S: 7,5; Z: 2,9) gewann der Weinhauer und Gastronom das traditionelle »Welschriesling-Turnier« 1988 der Burgenländisch-Pannonischen Weinritterschaft.

Maria und Paul Braunstein
Hauptgasse 18
7073 Purbach
☎ 02683 / 5513 oder 5913

Die Weinbauregion Neusiedler See

Das Weinbaugebiet Neusiedler See umfaßt eine ausgedehnte Rebfläche von 11.220 Hektar und ist somit das größte Weinbaugebiet Burgenlands und das zweitgrößte Österreichs. Es reicht vom Norden des Neusiedler Sees über den Seewinkel bis nach Pamhagen, das unmittelbar an der ungarischen Grenze liegt. Die größten und bekanntesten Weinbaugemeinden dieser Region sind im nördlichen Teil Weiden am See, Gols, Mönchhof und Halbturn, sowie die im weiter südlich gelegenen sogenannten Seewinkel Orte Podersdorf, Illmitz mit 117 m Seehöhe der tiefstgelegene Ort Österreichs, Apleton, Pamhagen und Andau.

Fast neunzig Prozent der Rebflächen sind mit Weißweinsorten, auf denen vorwiegend Grüner Veltliner und Welschriesling sowie Müller Thurgau, Muskat-Ottonel, Neuburger, Bouvier und Traminer, wächst. Beim Rotwein, der hier nur eine untergeordnete Bedeutung hat, sind der Blaue Zweigelt und der Blaufränkische am häufigsten anzufinden.

Am Nordende des Neusiedler Sees liegt die Stadt Neusiedl. Hier ist der Beginn der Seewinkel-Weinstraße, die in südöstlicher Richtung über Weiden, Gols, Mönchhof nach Halbturn, dann südwärts über Andau, Tadten, Wallern nach Pamhagen und wieder norwestlich über Apleton, Illmitz sowie Podersdorf führt.

Urkundliche Nennungen Neusiedls finden sich im Jahre 1209 als »villa Sumbotheil« und 1282 als »Nuisidel«. Der Ort und seine Bewohner litten schwer unter den Zerstörungen der durchziehenden Türken- und Kuruzzenhorden und blieben vor Verwüstungen nicht verschont.

Die Neusiedler können auf eine jahrhundertelange Tradition im Weinbau und Weinhandel verweisen. Sie erhielten das Privileg, ihre Fässer mit einem »N« zu kennzeichnen, und die weithin beliebten Weine fanden ihren Weg bis an die britische Hoftafel. Im Jahre 1926 wurde Neusiedl auf Grund seiner wirtschaftlich guten Stellung zur Stadt erhoben.

Sehenswert ist die katholische Pfarrkirche, die in erhöhter Lage steht. Sie enthält die bemerkenswerte Fischerkanzel mit einer Darstellung der Seepredigt. Weiters lohnt ein Spaziergang zur Turmruine »Tabor«, die auf einem Hügel über der Stadt liegt. Die ehemalige Burg wurde 1708 im Kuruzzenkrieg mit Graben, Wall und Schanze befestigt, im Laufe der Jahre aber mehrmals zerstört.

Neben dem Weinbau spielt auch der Fremdenverkehr eine große Rolle. Durch den Neusiedler See, den man über einen 2 km langen Damm durch den Schilfgürtel erreicht, sind natürlich viele Wassersportmöglichkeiten gegeben. Hier befindet sich auch das Seemuseum, das über die Fauna und Flora des Sees umfassend informiert. Auf Rad- und Wanderwegen kann die landschaftlich schöne Umgebung erkundet werden.

Weiden am See

Das Wein- und Feriendorf Weiden am See liegt am Nordostufer des Neusiedler Sees im Schutz einer sanften Hügelkette. Die Siedlungsspuren im Gemeindegebiet reichen bis in die Jungsteinzeit zurück. Zahlreiche Ausgrabungsgegenstände, die in der Umgebung von Weiden gefunden wurden, werden im Burgenländischen Landesmuseum in Eisenstadt ausgestellt.

Die älteste urkundliche Erwähnung des Ortes fällt in das Jahr 1338. Bis zum Jahre 1413 war Weiden im Besitz des Preßburger Domkapitels, danach gehörte es bis 1848 ohne Unterbrechung dem Domkapitel von Raab. Wie wir bereits wissen, verfiel die einst blühende römische Weinkultur in den Wirren der Völkerwanderungszeit, erst im 13. Jahrhundert konnte der Kultivationsprozeß der Weinrebe von den Zisterziensern wieder in Gang gesetzt werden.

In dieser Zeit entstand eine geschlossene Weinbauzone, die sich von Neusiedl über Weiden bis Mönchhof ausdehnte. Die Siedlung und die Bevölkerung wurde im 16. Jahrhundert durch die Pest und die Türkeneinfälle schwer in Mitleidenschaft gezogen. Einen Höhepunkt erreichte die Weinwirtschaft im 17. Jahrhundert, bereits 1610 wurde ein Wein besonderer Art hergestellt,

der »Weidener Ausbruch«. Die Produktion von Ausbruchweinen beschränkte sich nur auf einige seltene Jahre.

Heute werden in Weiden hauptsächlich Weißweine erzeugt. Einen Überblick über die örtliche Weinproduktion kann man sich auf der vielbesuchten »Weidener Weinwoche« verschaffen. Durch die schönsten Lagen des Weinbaugebietes führt ein lehrreicher Weinwanderweg.

Außerdem bieten sich vielfältige Wassersportmöglichkeiten an, und für aktive Landratten wurde ein 84 km langer Radwanderweg angelegt. Im mächtigen Schilfwald, der den Steppensee umgibt, nisten rund 350 seltene Vogelarten, und in den Feuchtgebieten der nahen »Zitzmannsdorfer Wiesen« findet sich eine außergewöhnliche Pflanzenwelt, also ein Paradies für Naturfreunde.

Zum bunten und lebendigen Dorfbild gehört der »Stockerlverkauf«, eine Besonderheit von Weiden. Auf Sesseln oder Stockerln, die vor dem Haus aufgestellt sind, wird von den Bauern frisches Obst und Gemüse und kunstvolle Strohgeflechte zum Verkauf angeboten. Sehenswert ist auch die Barockkirche des Ortes mit dem vom berühmten Baumeister Lucas von Hildebrandt entworfenen Hochaltar.

Rund einen Kilometer außerhalb von Neusiedl in Richtung Seewinkel liegt die Gemeinde Weiden am See, die selbst eine eigene Weinkellerei betreibt. Bürgermeister Tobias Denk, hauptberuflich Weinbauer, verwaltet mit viel Umsicht die Gemeinde, die ihre Weingärten in sogenannter Drittelpacht vergeben hat. Das heißt, die Pächter dürfen zwei Drittel der Ernte selbst vermarkten, ein Drittel müssen sie an den Gemeindekeller abliefern. Die Entscheidung, welche Zeilen aus welchem Weingarten abzuliefern sind, obliegt Kellermeister Anton Gangl. »Wir wechseln die Zeilen jedes

Jahr, damit nicht der Eindruck entsteht, wir würden uns nur die besonders guten Lagen sichern«, sagt Gangl, der aber sehr wohl darauf besteht, daß die Trauben für den Gemeindekeller separat gelesen werden. »Wir streben in jedem Jahr leichte Kabinett-Qualitäten an und lassen in guten Jahren vor der Haupternte lesen und in schwächeren Jahren die Trauben länger am Stock. In den sieben Jahren, die ich nun Kellermeister im Weingut der Gemeinde bin, habe ich nicht ein Gramm Zucker gebraucht.« In ganz besonders guten Jahren werden auch Prädikatsweine gemacht. Der 84er Welschriesling Ausbruch wurde beispielsweise bei 29° KMW gelesen.

Von den Sorten her werden der Grüne Veltliner (35%), Welschriesling (25%), Weißburgunder (15%), Muskat Ottonel (10%) und Traminer (5%) selbst verarbeitet, die Müller-Thurgau Trauben werden an die Winzergenossenschaft geliefert.

Anton Gangl, der nebenbei selbst ein 6,5 Hektar großes Weingut führt, organisiert für die Gemeinde auch kommentierte Weinkosten. Veranstaltet werden diese Kosten immer im Juli und August. Dabei werden zwölf Weine präsentiert und kommentiert. Damit aber nicht nur der Gaumen seine Freude hat, werden dabei mit einer Diaschau die Unterschiede zwischen den einzelnen Rebsorten gezeigt.

Seit 1968 ist die burgenländische Gemeinde Weiden mit der Stadt Weiden in der Oberpfalz verschwistert. »Dort wird jedes Jahr Ende Juni ein Bürgerfest gefeiert, für das wir 2.500 Liter unseres Weines liefern.« Es ist das ein Grüner Veltliner, der unter dem Namen »Weidauer Zwillingsbruder« vermarktet wird. »Der Wein hält sich dort nicht lange. Schon wenige Stunden nach der Eröffnung des Festes ist der letzte Tropfen ausgetrunken.«

Weingut der Gemeinde Weiden
Raiffeisenplatz
7121 Weiden
☎ 02167 / 7311

Gols

Gols, die größte Weinbaugemeinde Österreichs mit rund 1.800 ha Weingartenfläche, findet ihre erste urkundliche Erwähnung im Jahre 1217 als »Villa Galus« und wurde 1582 zum Markt erhoben. Wie viele andere Orte Burgenlands wurde auch Gols zweimal von den kriegerischen Türken zerstört. Die große Brandkatastrophe von 1818 vernichtete zwei Drittel des Ortes. Der Markt Gols führt in seinem Wappen einen Turm mit einer ihn umschlingenden Weinrebe. Der Weinbau hat hier eine jahrhundertelange Tradition. Die ältesten Rieden wie Altenberg, Goldberg, Ungerberg, Schafleiten und Gabarinca befinden sich an den Südwestabhängen der Parndorfer Platte, die ganz flachen Rieden wie Edelgrund, Pahlen, Fürstliches Prädium und Hochluß reichen bis an die Ufer des Neusiedler Sees. Die Bedeutung der alten Riedbezeichnung »Gabarinca« ist zwar nicht geklärt, jedoch gibt es keine Zweifel über die ausgezeichneten Weine aus dieser Lage. In der Weinbaublütezeit des 17. Jahrhunderts wurde der beliebte »Seewein«, der sich in der Österreichisch-Ungarischen Monarchie größerer Wertschätzung als der Tokayer erfreute, bis nach Mähren und Schlesien verfrachtet. Der Reblausbefall vernichtete Ende des 19. Jahrhunderts neun Zehntel der gesamten Rebfläche. Paul Vetter, ein Weinbauinspektor aus Ödenburg zeigte den Weinbauern die Verwendung reblausresistenter amerikanischer Unterlagsreben. Dafür wurde ihm 1932 in Gols ein Denkmal gesetzt.

Über die Geschichte und Arbeit in den Weingärten, über den Wein an sich, seine Kelterung und Lagerung, also über die Weinkultur im gesamten, informiert ein 2,8 Kilometer langer Weinwanderweg.

Eine Kostprobe in den Kellern der Weinbauern oder ein Besuch in den vielen gemütlichen Heurigen ist die beste Art, die bekömmlichen Golser Weine kennenzulernen. Großes Interesse findet auch das traditionelle »Golser Volksfest«, das größte seiner Art im Burgenland. Die umfangreiche Ausstellung, eine Bezirksweinkost, viel Musik und zahlreiche Veranstaltungen locken jährlich Tausende von Besuchern zu diesem beliebten Volksfest.

Getrennt arbeiten, aber gemeinsam marschieren, lautet die Devise von drei traditionsreichen Weinbaubetrieben in Gols. Hans Georg Achs, Georg Allacher und Helmut Renner haben sich Anfang 1986 zur Weingüter-Kooperation »Terra Galos« zusammengeschlossen, um ihre Spitzenweine fortan gemeinsam zu vermarkten. Jeder der drei Betriebe baut seine Weine individuell, jedoch unter strengen, bindenden Kriterien aus. Nur die besten Gewächse, die nach drei Blindverkostungen durch unabhängige Fachleute ausgewählt werden, dürfen unter dem Namen der Kooperation vermarktet werden. Mit dem Namen »Terra Galos« wollen die drei Winzer auf die lange Weinbaugeschichte von Gols hinweisen. So hieß nämlich die Weinbaugemeinde im 13. Jahrhundert.

Die drei Weinbaubetriebe haben eine Gesamtrebfläche von 50 ha auf der die Sorten Welschriesling, Grüner Veltliner, Weißburgunder, Ruländer, Bouvier, Scheurebe, Müller-Thurgau, Blaufränkisch und Zweigelt wachsen. Die Lese erfolgt durchwegs händisch, die Vergärung geschieht temperaturgesteuert. Die Rotweine werden offen vergoren, wobei die Maischestandzeit zwischen sechs und zwölf Tagen dauert. Nur die zehn besten Weine der drei Betriebe dürfen unter dem Namen »Terra Galos« vertrieben werden, die übrigen Weine werden von den drei Betrieben unabhängig davon vermarktet.

Der Hauptteil des Weinangebots besteht aus absolut trockenen Weinen. Die »Terra Galos«-Weine dürfen weder aufgebessert noch entsäuert werden (ausgenommen ist die biologische Entsäuerung bei Rotweinen) und müssen im Gesamtschwefel unter 100 mg pro Liter liegen.

Getrennt arbeiten, aber gemeinsam marschieren, soll in Zukunft auch heißen, daß man im Maschineneinsatz enger zusammenarbeiten wird. Derzeit ist es noch so, daß jeder einzelne der drei Betriebe über alle im Weingarten und im Keller nötigen Gerätschaften verfügt. »Mit ein wenig Organisation könnten wir noch viel rationeller arbeiten«, meinen die drei Winzer unisono, »es ist doch ein Unding, wenn wir von den Traktoren bis zu den Pressen alles dreifach haben.«

Terra Galos
Erste Golser Weingüter Kooperation
Obere Hauptstraße, Neubau
7122 Gols
☎ 02173 / 2259 oder 2264

Für Weinliebhaber, die etwas »Exotisches« suchen, ist Georg Stiegelmar in Gols die richtige Adresse. Dieser Winzer bringt Weine in die Flasche, die für Österreich einzigartig sind. Er hat in einem bald 200 Jahre alten Buch das Rezept für den Wein-Ausbau nach der Tokayer-Methode gefunden und setzt dieses Rezept seit 1979 gekonnt in die Praxis um.

Beim Ausbruchwein nach Tokayerart werden zunächst Trockenbeeren mit bis zu 36 Klosterneuburger Zuckergraden aus den blauen Trauben herausgelesen. Diese Beeren werden in einen Bottich geleert und mit Füßen zu einem Fruchtmus getreten. Auf diese Art bleiben die Traubenkerne unversehrt und es kommen keine Bitterstoffe in den Saft. Georg Stiegelmar gewinnt nach dieser Methode drei Qualitäten: die »Eszencia« aus dem über Nacht abgelaufenen Most, der

separat vergoren und oxydativ ausgebaut wird, den »Ausbruchwein«, bei dem die abgetropfte Maische mit Ausbruchmost aufgegossen, durch Treten durchgearbeitet und schließlich leicht abgepreßt wird, und den »Maßlasch«, für den der bereits leicht ausgepreßte Rückstand mit Auslesemost versetzt wird, um noch Restextrakt und Geschmackstoffe herauszuholen.

Seit 1984 führt Georg Stiegelmar auch Clarettweine und Barrique-Ausbauten in seinem Programm. Beim Clarett, der als »Blanc de Noir« auf den Markt kommt, handelt es sich um einen Weißwein aus Rotweintrauben, einem Cuvee aus Rotburger und Pinot Noir. Dieser Wein, säurebetont, rassig, frisch, eignet sich besonders als Ergänzung zu Meeresfrüchten. Für die Barrique-Weine verwendet Stiegelmar nur ausgesuchtes, vollreifes Lesegut. Das gilt für die Rotweinsorten Blauer Burgunder, St. Laurent, Zweigelt und Cabernet Sauvignon, für den er sich die Unterlagsreben seinem Boden entsprechend aus Bordeaux und Burgund kommen ließ, ebenso wie für den Chardonnay.

Derzeit stehen auf der Rebfläche von knapp neun Hektar noch mehr Weißwein als Rotweinsorten. »Ich bin aber gerade dabei, dieses Verhältnis durch Rodungen und Neupflanzungen zugunsten der Rotweinsorten zu verschieben«, erklärt Stiegelmar, der vorerst noch mit einem »Kunstgriff« arbeitet, um nicht vor der Zeit bei seinen Rotweinen ausverkauft zu sein. »Wer von mir Rotwein haben will, muß auch Weißwein kaufen«, stellt Stiegelmar fest, »und zwar im Verhältnis zwei Drittel Weißwein zu einem Drittel Rotwein.« Eigentlich entspricht diese Verkaufspraxis einer önologischen Nötigung. Man kann schon gespannt darauf warten, was passiert, wenn die Junganlagen zum Tragen kommen — was die Kunden dann alles kaufen müssen.

Georg Stiegelmar, dessen Familie sich in Gols bis ins 17. Jahrhundert zurückverfolgen läßt, führt mit seiner Frau Theresia auch einen Heurigenbetrieb.

Weingut Georg und Theresia Stiegelmar
Untere Hauptstraße 60
7122 Gols
☎ 02173 / 2203

Frauenkirchen

Frauenkirchen, acht Kilometer östlich vom Neusiedler See, war bereits im Jahre seiner ersten urkundlichen Erwähnung, 1335, ein vielbesuchter Wallfahrtsort. Als die Türken 1529 Ort und Kirche niederbrannten, blieb nur das Bild der Muttergottes erhalten. Dieses Bild, inmitten der Kirchenruinen, war lange Zeit Ziel zahlreicher Pilgergruppen. Als Frauenkirchen 1622 in den Besitz der Grafen Esterhàzy gelangte, war der Ort noch immer eine öde Stätte. Nach der Errichtung eines Meierhofes und eines kleinen Landschlosses durch Paul Esterhàzy nahm die Besiedlung zu, und der Ort erlangte 1668 das Marktrecht. Kurz zuvor waren die ersten Franziskaner gekommen und hatten sich neben den Kirchenruinen eine kleine klösterliche Unterkunft errichtet und halfen beim Bau der neuen Kirche. Aber bereits 1683 verwüsteten die Türken erneut den Ort, Kirche und Kloster. Die Grundsteinlegung der heutigen zweitürmigen Barockkirche erfolgte im Jahre 1695. Diese sehenswerte Wallfahrtskirche ist zu einem Wahrzeichen des Seewinkels geworden. Die aus Lindenholz geschnitzte Gnadenstatue ist ein Geschenk der Esterhàzys und befindet sich über dem Hochaltar. Das Gnadenbild, nach alter Überlieferung das ursprüngliche Bild, das die Zerstörungen der Türken von 1529 und 1683 überstanden hat, wurde 1948 restauriert. Sehenswert ist auch der neben der Kirche spiralenförmig angelegte Kreuzgang und ein malerischer, alter jüdischer Friedhof am südlichen Ortsrand.

Das »Alte Brauhaus«, ehemals das Esterhàzysche »Virths- und Brayhaus«, mit seinem wunderschönen Laubenhof kann ebenfalls auf eine über 300jährige Vergangenheit zurückblicken. Aus alten Aufzeichnungen geht die Trinkfestigkeit der früheren Gäste hervor. So wurden im Jahre 1719 insgesamt 30.510 Liter Wein und 8.012 Liter Bier ausgeschenkt. Im Rekordjahr 1728 wurden sogar 56.000 Liter Wein getrunken. Der jetzige Besitzer Paul Püspök legt jedoch mehr Wert auf die »Qualität« seiner Getränke und Speisen. In der Küche des Alten Brauhauses werden pannonische Gerichte mit starkem ungarischen Einschlag so hervorragend zubereitet, daß die Herzen der Feinschmecker höher schlagen.

Das Weingut der Familie Lass in Frauenkirchen zählt zu den burgenländischen Paradebetrieben. »Wir liegen bei den Weinprämierungen Jahr für Jahr im Spitzenfeld und sehen darin unsere Arbeit bestätigt«, sagt Karl Lass, der zwar bereits in Pension gegangen ist und den Betrieb seiner Frau Elisabeth übergab, aber noch aushilft, bis seine Tochter Margarethe den Betrieb übernehmen wird. Die hohe Qualität der Lass-Weine kommt nicht von ungefähr. »Wir sind eigentlich Tiefstapler und haben lieber eine Super-Spätlese als eine schwächere Auslese in Keller und Flasche.«

Karl Lass hat nach dem Zweiten Weltkrieg den elterlichen Betrieb übernommen und ihn aus bescheidenen Verhältnissen nach und nach zur heutigen Größe von 6,7 Hektar aufgebaut. Die Hauptsorten sind der Welschriesling (40%) und der Grüne Veltliner (25%), daneben wachsen auf den Rieden Hallebühl, Kapellenacker und Apletonerweg noch die Sorten Sämling 88, Blauer Zweigelt, Neuburger, Blaufränkisch, Traminer und Ruländer.

»Wir führen keine Tafelweine. Bei uns beginnt die Lese erst, wenn jede Sorte zumindest die Qualitätsweinstufe erreicht hat. In die Bouteillen kommt ausschließlich Kabinett-Wein.« Dementsprechend wird im Weingut Lass auch kein Most aufgebessert, was auch nicht notwendig ist, weil die natürlichen Zuckergrade ohnehin ausreichend sind. Die Trauben werden gerebelt und bleiben sortenbedingt unterschiedlich lange auf der Maische. »Die Dauer hängt davon ab, wieviel Bukett wir haben wollen. Den Welschriesling lassen wir vielleicht drei Stunden stehen, den Traminer manchmal zwölf Stunden, bevor wir pressen.« Seine Traminer zählen zu den besten Österreichs. Die Gärung erfolgt unter Zugabe von Reinhefe temperaturkontrolliert. Die Dauer der Gärung hängt von den Säurewerten ab. Bei Weinen mit höherer Säure wird auf einen längeren Gärprozeß geachtet, bei niedriger Säure wird die Gärung rasch durchgeführt und - wenn nötig - unterbrochen. »Wir wollen keine komplett durchgegorenen Prädikatsweine, weil diese im Alkohol zu hoch liegen würden. Unsere Kunden schätzen eine gewisse Restsüße im Wein«, stellt Karl Lass fest, dem auch schon Raritäten wie der 1983er Sämling-Eiswein gelungen sind. »Den haben wir bei Temperaturen von minus 14 Grad mit einem Zuckerwert von 40° KMW gelesen. 1.200 Kilo Trauben haben wir aus dem Weingarten gebracht und davon 110 Liter Eiswein gewonnen.« Bei der

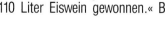

geringen Menge ist es verständlich, wenn solche Spezialitäten nur in 0,35-Liter-Flaschen gefüllt werden. Die Trockenbeerenauslesen werden mit durchschnittlich 36 bis 40° KMW gelesen.

Nicht alle Weine werden mit Restsüße ausgebaut, der trockene Welschriesling Kabinett 1987, Ried Hallebühl (A: 11,9 Vol.%; S: 6,6; Z: 1,1), ist im Österreichischen Weinsalon vertreten, der Pinot Gris Kabinett 1987, Ried Apetlonweg (A: 12,0 Vol.%; S: 7,0; Z: 1,8), wurde bei der Landesweinkost 1988 am höchsten bewertet.

Die Vermarktung der Lass-Weine erfolgt ab Hof an Privatkunden, und für jene Interessenten, die die durchwegs prämierten Weine probieren wollen, hat Karl Lass im Keller eine gemütliche Kostecke eingerichtet, in der sozusagen zum Beweis für die Qualität seiner Produkte eine Sammlung von Urkunden und Goldmedaillen an der holzgetäfelten Wand hängt. Bescheiden und zurückhaltend wie Karl Lass selbst, ist auch seine Preisgestaltung. Seine Weine, die zur österreichischen Spitzenklasse zählen, werden konsumentenfreundlich kalkuliert. Der Erfolg ist ihm nicht zu Kopfe gestiegen wie vielen anderen, die als Winzer weit weniger geleistet und erreicht haben als Karl Lass.

Weingut Familie Lass
Josefistraße 8
7132 Frauenkirchen
☎ 02172 / 2163

Konsequente Spitzenqualität

Es ist schon recht eigenartig, wie das Leben oft so spielt. Da machten sich Johann und Elisabeth Umathum, die ein sieben Hektar großes Weingut in Frauenkirchen führen, Gedanken darüber, welcher ihrer Söhne einmal den Betrieb übernehmen sollte und dann kam alles ganz anders. Der eine, der als studierter Weinbauingenieur dazu ausersehen war, Winzer zu werden, sattelte plötzlich auf Theologie um, und so sprang Sohn Josef ein, der zunächst Landschaftsarchitekt werden wollte.

»Wir sind ein reiner Familienbetrieb, in dem alle zupacken, wenn es nötig ist«, sagt Josef Umathum, der als Hospitant in Klosterneuburg den Lehrstoff von drei Jahrgängen in einem Jahr verarbeitete. »Das war ein hartes Jahr, aber ich habe gezeigt, daß es geht, wenn man sich dahinterklemmt.« Den praktischen Weinbau studierte er zuerst in einem Betrieb in Deutschland (»der war mir zu technokratisch«) und dann in Frankreich, wo er viel in Sachen naturgerechter Weingartenarbeit lernte und die dort gemachten Erfahrungen in den elterlichen Betrieb einbrachte. »Wir haben gelernt, die Natur zu beobachten, haben die Gründüngung eingeführt und verwenden zur Schädlingsbekämpfung nur noch Mittel, die den Nützlingen im Weingarten nichts anhaben.« Zur natürlichen Schädlingsbekämpfung

wurden Raubmilben in den Weingärten wiederangesiedelt.

In der Weinbereitung hat sich die Familie Umathum zum Ziel gesetzt, möglichst naturbelassene, sortenspezifische und jahrgangstypische Weine in die Flasche zu bringen. Selbst in schwächeren Jahren wird nicht aufgebessert. Diese geradlinige Haltung brachte dem Weingut das Privileg des Bischöflichen Ordinariats in Eisenstadt, Meßwein produzieren zu dürfen. Meßweine dürfen bekanntlich weder aufgebessert und entsäuert noch einer Schönung unterzogen werden. »Wir liefern die Sorten Welschriesling, Weißburgunder und Grüner Veltliner an einzelne Pfarren. Trocken und leicht ausgebaut belassen wir ihn so, wie er gewachsen ist.«

Die besten Lagen des Weinguts Umathum sind die vier Hektar große Ried Hallebühl, wo auf leicht kieseligem Boden Welschriesling, Ruländer, Sauvignon Blanc, Blaufränkisch, Blauer Zweigelt und Cabernet Sauvignon wachsen, und die Ried Stationsfeld, wo auf tiefgründigem Sand mit Lößunterlage die alten St. Laurent- und Blaufränkisch-Kulturen stehen. »Diese alten Weingärten bringen beste Qualitäten«, meint Josef Umathum, der in diesen Lagen die Laubwand eher dicht wachsen läßt und die Traubenzonen erst gegen Ende der Reifeperiode freistellt. Die Lese erfolgt händisch, dabei wird genau selektiert, welche Trauben für die Spitzenqualitäten herangezogen werden. »Bei der 87er Zweigelt-Ernte war uns ein Drittel des Ertrags dafür nicht gut genug.« Die Rotweine werden gerebelt und in Bottichen unter Zugabe von Reinzuchthefe bei genauer Temperaturkontrolle vergoren. Für Weine mit normalem Faßausbau beträgt die Maischestandzeit rund zehn Tage, bei Weinen, die für den Barrique-Ausbau vorgesehen sind, zwei Wochen. »Wir lassen die Maische komplett durchgären, ehe gepreßt wird und der Jungwein zum Ausbau ins Holz kommt, wo ein biologischer Säureabbau angestrebt wird.«

Mit den Barriqueweinen hat das Weingut Umathum schon einen hohen Standard erreicht. »Wir verwenden die Fässer aus Allier-, Limousin- oder Mannhartsberger-Eiche nur für eine einzige Füllung. Derzeit beträgt die Lagerzeit rund ein Jahr, wir streben aber eine Lagerzeit von eineinhalb bis zwei Jahren an«, sagt Josef Umathum, der selbst für die alten Barriquefässer einen Markt aufgebaut hat. »Wir schneiden sie auseinander und verkaufen sie als Blumentöpfe.« Josef Umathum ist einer der wenigen Winzer, die den Ausdruck »Barrique zaum'schnein« wörtlich nehmen (siehe Ausdrücke der Weinsprache).

In besonderen Jahrgängen werden im Weingut Umathum natürlich auch Prädikatsweine produziert, die international großen Anklang finden. So errangen die 79er Ruländer Beerenauslese und die 1981er Gewürztraminer Beerenauslese auf der Weinmesse in Laibach jeweils Großgold.

Weingut Familie Umathum
St. Andräerstraße 7
7132 Frauenkirchen
☎ 02172 / 2173

Mönchhof

Im Süden der Parndorfer Platte, im sogenannten burgenländischen Seewinkel, liegt, inmitten von Weingärten und fruchtbarem Ackerland, der Ort Mönchhof. Das heutige Mönchhof verdankt seinen Bestand den Zisterziensern von Heiligenkreuz, die 1217 hier eine Grangie, einen Klosterhof und daneben ein Bauerndorf gründeten. Sie brachten auch einige französische Rebsorten nach Österreich, zuerst nach Gumpoldskirchen und im weiteren nach Mönchhof. In der Schenkungsurkunde König Andreas II. von Ungarn an die Abtei Heiligenkreuz wurde der Ort »Leginthov« genannt, der in der weiteren Geschichte unter verschiedenen Namensformen erscheint: 1317 »Newnaigen«, 1345 »Olsoumunuhudvar«, 1410 »Minichhoffen«, 1429 »Monohodvar«, 1773 »Münichhoffen«, und erst 1808 begegnet man der heutigen Schreibform »Mönchhof«. Im Jahre 1241 brach der Mongolensturm über den Ort herein, und 1529 verwüsteten die Türken die Gegend. Nachdem 1532 der Nachbarort Halbturn, ein Besitz der königlichen Herrschaft Ungarisch-Altenburg, von den Türken niedergebrannt worden war, wurde Mönchhof zum Standort des kaiserlichen Gestüts. Aus dieser Zeit stammt auch der Ortsteil »Radschin«, der ehemalige Wohnort der Gestütsbediensteten. Im 17. und zu

Beginn des 18. Jahrhunderts hatte Mönchhof erneut durch Kriegszüge der Tataren und Kuruzzen zu leiden. Den Mittelpunkt stellt die barocke Pfarrkirche hl. Magdalena dar, die in erhöhter Lage die Landschaft beherrscht und von Karl Moispointner, einem Maurermeister aus Mönchhof, errichtet wurde.

Trotz vieler Kriegswirren bildeten die Klosterbrüder und Dorfbewohner immer eine Gemeinschaft und halfen zusammen bei der Bewirtschaftung des Ackerbodens und im Weinbau.

Es hat einige Zeit gebraucht, ehe Josef Pöckl aus Mönchhof tatsächlich sein Herz an den Weinbau verlor. Er absolvierte zwar schon mit 17 die Weinbauschule in Eisenstadt mit Vorzug, hatte aber dann, wie er selbst sagt, eine »tote Zeit.« Erst als Dreißigjähriger, zur Zeit als der unselige Weinskandal für negative Schlagzeilen sorgte, strickte er die Hemdsärmeln auf, um zu beweisen, daß es keiner Kunstgriffe bedarf, um einen erstklassigen Wein in die Flasche zu bringen. »Gerade im Hinblick auf den kommenden gemeinsamen Markt kommt der Produktion von qualitativ hochwertigen Weinen größte Bedeutung zu«, sagt der Winzer, »für Billigweine sehe ich keine Zukunft.«

Josef Pöckl konzentriert sich in erster Linie auf die Produktion von Rotweinen. Der Blaue Zweigelt, St. Laurent und der Blaufränkische sind die Hauptsorten, mit denen er bei verschiedenen Prämierungen schon bestens abgeschnitten hat. Sein Blauer Zweigelt 1986 (A: 11,4 Vol.%; S: 6,0; Z: 1,7) kam auch in den Österreichischen Weinsalon. »Untere Qualitätsstufen interessieren mich im Weinbau nicht, wann immer es geht, strebe ich Kabinett-Qualitäten oder Spätlesen an«. Seine Spätlesen baute Josef Pöckl bisher mit einer geringen Restsüße aus, doch will er auch diese Prädikate künftig trocken in die Flasche bringen, weil die Gastronomie eher diese Linie verlangt.

Die Rotweinbereitung beginnt für Josef Pöckl bereits bei der konsequenten Weingartenarbeit. »Ich schneide die Stöcke rigoros und mache zur Reifezeit noch eine Traubenauslese.« Wie etwa beim 88er-Zweigelt, von dem er nur knapp 3.000 Kilo aus einem Hektar herausbrachte. Gelesen wurden diese Trauben erst Ende Oktober, als sie einen Zuckerwert von rund 20° KMW aufwiesen. »Die Erfolge, die ich in den vergangenen Jahren mit meinem Zweigelt hatte, sind für mich Verpflichtung, wieder einen Superwein zu keltern«, erklärt Pöckl, der die Rotweine im Rototank vergärt. »Ich lasse die gerebelten Trauben unter Zugabe von Reinhefe angären, presse dann und bringe den Wein zur endgültigen Vergärung in den Tank.« Der biologische Säureabbau ist für Josef Pöckl kein Thema, weil seine Weine auf Grund der Bodenbeschaffenheit seiner

Lagen von Haus aus keine hohen Säurewerte bringen. Nach rund zwei Wochen wird der Wein kieselgurfiltriert, um ihn blank zu bekommen.

Neben den erwähnten Rotweinsorten befaßt sich Josef Pöckl in seinem 11,5 ha großen Gut auch noch mit Weißwein, wobei Müller Thurgau auf 30 Prozent der Rebfläche ausgepflanzt ist. Auf der Ried Kreuzjoch stehen auf tiefgründiger Braunerde mit einer bis zu einem Meter dicken Humusschicht Sämling 88, Goldburger, Neuburger und Welschriesling, eine Sorte, die auch noch auf der Ried Zwergacker wächst.

Weingut Josef Pöckl
Baumschulgasse 12
7123 Mönchhof

Die Weltmeister-Gemeinde

Die meistprämierteste Weinbaugemeinde Österreichs ist Illmitz. Wenn in anderen Regionen die Weine einer Ortschaft mit mehreren Goldmedaillen ausgezeichnet werden, so ist es in Illmitz fast üblich, daß die »Goldenen« mit dem Schubkarren nach Hause geführt werden. Mehrere Komponenten sind für diese Erfolge ausschlaggebend: die besondere Bodenbeschaffenheit, das pannonische Klima und die unmittelbare Nähe des Neusiedlersees. Diese Grundvoraussetzungen und das Handwerk der Winzer ermöglichten schließlich den Gewinn von über 2.000 Goldmedaillen bei regionalen und internationalen Prämierungen. Mit Prädikatsweinen der Sorte Welschriesling und Weißburgunder gewannen die Illmitzer acht Weltmeistertitel »Champion« auf der Weltweinmesse in Laibach. Für

Liebhaber von Auslesen und Trockenbeerenauslesen ist hier das wahre Paradies.

Klimatisch bedingt beginnt hier schon Mitte August die Weinlese mit den Frühsorten Bouvier und Müller Thurgau. Der »Sturm« — der naturtrübe, unvergorene Traubensaft, der ab Ende August im Handel ist — kommt meist aus dieser Region. Dieser Reifevorsprung wirkt sich auch auf die Produktion von Prädikatsweinen aus. Zu einer Zeit, wenn in anderen Regionen gerade Kabinett-Qualitäten erreicht werden, reifen im Seewinkel schon Spätlesen.

Die erste urkundliche Erwähnung eines Weingartens in Illmitz geschah 1598. Durch die Reblaus wurden die Weingärten auf 63 Hektar Gesamtfläche dezimiert. Nach der Jahrhundertwende wurden in der Ried »Obere Teilung« die ersten Weingärten auf reinen Sandböden angelegt, da diese reblausresistent waren. Im Jahre 1923 wurde der Weinbauverein Illmitz gegründet. Mit der Umstellung auf Hochkulturen (1955) begann der enorme Aufschwung in der Weinwirtschaft.

Heute wird auf einer Fläche von 1.816 ha von 579 Betrieben Weinbau betrieben. Mehr als die Hälfte dieser Betriebe bewirtschaften Flächen zwischen zwei und zehn Hektar Weingarten. Dominierend ist der Weißwein, mit den Sorten Welschriesling, Muskat-Ottonel, Bouvier, Weißburgunder und Traminer, wobei der Anteil der gekelterten Prädikatsweine, bis zu den höchsten Stufen, besonders hoch ist. Bei den Rotweinreben ist der Blaue Zweigelt vorherrschend.

Eine der kulturellen Sehenswürdigkeiten in Illmitz ist das Heimathaus mit seinem geschweiften, schilfbedeckten Barockgiebel, das in seiner ursprünglichen Form erhalten geblieben ist. In der Nähe des Heimathauses steht die »Pußtascheune«, eine zur Gänze aus Schilfrohr gebaute Kreuzscheune, in der heute eine Weinschenke untergebracht ist.

Über 800 ha des Illmitzer Gebietes sind Naturschutzgebiet. Geographisch gehört dieses Gebiet schon zur Pußtalandschaft des Ostens. Die Grenzen dieses Vollnaturschutzgebietes sind mit eigenen Tafeln gekennzeichnet. Außerhalb des reinen Naturschutzgebietes kann man jedoch sehr empfehlenswerte Entdeckungsfahrten mit dem Fahrrad, mit Pferd oder Pferdewagen machen. An die 280 verschiedene Vogelarten kann man in der näheren Umgebung beobachten, und der Vogelzug im April/Mai und im September/Oktober läßt das Herz jedes Ornithologen höher schlagen.

Die Besten unter den Illmitzer Wein-Champions sind die

Brüder
Franz und Johann Gartner
Untere Hauptstraße 57

Mit Weinen der Sorte Welschriesling Trockenbeerenauslese Jahrgang 1973, 1976 und 1978 konnten sie dreimal den Champion in der Kategorie Süßweine in Laibach gewinnen.

7,5 ha bewirtschaftet die Familie, wobei der Welschriesling mit 50% die Hauptsorte ist. Der Durchschnittsertrag beträgt 400 hl pro Hektar. Im Jahre 1984 wurde bei der burgenländischen Landesweinkost die 78er Neuburger Auslese mit 20 Punkten bewertet.

»Rosenhof«, Familie Haider Martin
Florianigasse 1

Schon die vierte Generation der Familie Haider bewirtschaftet die zehn Hektar große Weingartenfläche. Mit der Welschriesling Trockenbeerenauslese 1976 wurde Martin Haider im Jahre 1982 »Champion«. Die Familie veranstaltet auch »Pußtanächte«, die nicht nur wegen der ausgezeichneten Weine, sondern auch wegen der hervorragenden Speisen lange in Erinnerung bleiben.

Klein Rudolf
Untere Hauptstraße 37

Der Betrieb hat nahezu das gesamte Sortenprogramm auf seiner zehn Hektar großen Rebfläche stehen. Sein größter Erfolg war der Gewinn des World Champion 1985 auf der Vino 85 mit einer Weißburgunder Trockenbeerenauslese 1981. Aber auch seine fruchtigen, trockenen Kabinettweine finden eine immer größer werdende Anhängerschaft.

Heiss Johann
Obere Hauptstraße 20

Zu den Spezialitäten des Hauses Heiss gehören Traminer Auslesen und Strohwein. Die Weißburgunder Trockenbeerenauslese 1981 wurde im Jahre 1985 als der beste Süßwein befunden und mit dem Champion ausgezeichnet.

Tschida Stefan
Hauptplatz 5

Der Betrieb erreichte 1979 mit einem 20-Punkte-Wein (Muskat-Eiswein) den ersten großen Erfolg. Der bisherige Höhepunkt stellte sich im Jahre 1984 ein, als er mit einer 76er Welschriesling Trockenbeerenauslese den begehrten World Champion von Laibach nach Hause brachte.

D en überdimensionalen Erfolg, den »Goldrausch« der Illmitzer Weinbauern erklärt Franz Wüger, der in Illmitz ein elf Hektar großes Weingut führt, damit, daß die einzelnen Weingüter es trefflich verstehen, die hervorragenden natürlichen Voraussetzungen zu nutzen. »Unser Gebiet ist für den Weinbau einfach ideal. Wir sind vom Klima begünstigt und haben im Jahresschnitt eine Temperatur von 10,9 Grad, die jener von Bordeaux entspricht. Dazu kommen 250 Vegetationstage und 1980 Sonnenstunden. Der nahe

Neusiedler See und die vielen kleineren und größeren Wasserlacken dienen als Wärmespeicher und als Feuchtigkeitsspender im Frühherbst, wenn die Trauben vollreif werden. Spät- und Auslesen erreichen wir praktisch jedes Jahr, in der Regel sind alle drei Jahre die Voraussetzungen für Trockenbeerenauslesen gegeben.« Franz Wügers Hauptsorte ist der Welschriesling, er hat aber auf seinen Lagen am Sandriegel mit dem humösen Sandboden und am Römerstein auf schotterdurchzogenem Schwarzboden auch noch die Sorten Muskat Ottonel, Grüner Veltliner, Müller Thurgau, Traminer, Weißburgunder, Bouvier, Blaufränkisch und Jubiläumstraube stehen. Diese Jubiläumsrebe, eine Weißweinsorte, die aus der Kreuzung aus den Rotweintrauben Blaufränkisch und Blauer Portugieser entstand, hat die Eigenschaft, im vollreifen Zustand zu schrumpfen und erreicht oft schon Anfang Oktober hohe Zuckerwerte zwischen 25° und 30° KMW. Franz Wügers Jubiläumsrebe Beerenauslese 1987 hatte bei der Lese 31° KMW (A: 12,1 Vol.%; S: 9,7; Z: 137,0) und ist eine bernsteinfarbene Kostbarkeit, die mit einer schön ausbalancierten Säure ausgestattet ist. Die Bouvier Trockenbeerenauslese 1984 wurde am 14. Oktober mit 38°KMW gelesen (A: 10,1 Vol.%; S: 10,7; Z: 235,0) und hat eine sehr frische Note, mit viel Frucht und tiefem Abgang. Diese Weine sind mindestens 15 Jahre lagerfähig und gewinnen dabei noch an Qualität.

Franz Wüger ist bereits beim Rebschnitt recht rigoros und kann daher später im Jahr zumeist darauf verzichten, im Weingarten Trauben auszudünnen. Früher hat er noch gerebelt, seit er über einen sogenannten Lesewagen verfügt, ist das nicht mehr nötig. Er läßt auch die Weißweinsorten auf der Maische stehen, ehe er preßt. Bei Trockenbeerenauslesen beträgt die Standzeit bis zu 24 Stunden, bei Beerenauslesen kommt er mit der Hälfte der Zeit aus. Der Ausbau erfolgt im Holzfaß. Die Prädikatsweine werden Ende März in Flaschen gefüllt, die Qualitäts- und Kabinettweine um Ostern.

Weinbau Franz Wüger
Untere Hauptstraße 39
7142 Illmitz
☎ 2175 / 24283

Weinbaugebiet Mittelburgenland

In dem im Jahre 1985 neugeschaffenen Weinbaugebiet Mittelburgenland wird auf rund 2.100 Hektar Weinbau betrieben und es umfaßt alle Gemeinden des Bezirkes Oberpullendorf. Zu den bekanntesten Weinbaugemeinden zählen Neckenmarkt, Horitschon, Lutzmannsburg und Deutschkreutz.
In dieser Region ist der Rotweinanbau vorherrschend, einzige Ausnahme ist die Gemeinde Deutsch-Kreutz, wo der Anbau von Weißweinsorten überwiegt. Die Hauptrotweinsorten sind der Blaufränkische und der

Blaue Zweigelt. Beim Weißwein ist der Grüne Veltliner im Anbau dominierend, gefolgt vom Welschriesling, Müller Thurgau und Weißburgunder.

Neckenmarkt

Der südliche Teil der burgenländischen Rotweinstraße umfaßt die Ortschaften Neckenmarkt, Horitschon, Raiding, Deutsch-Kreutz, Lutzmannsburg und Kloster Marienberg.
Neckenmarkt, das im Jahre 1279 »Neckendorf« hieß, wurde 1482 zum Markt erhoben, und dementsprechend wurde der Name in Neckenmarkt umgeändert. Den bedeutenden Weinbauort schützte früher eine Burg, die allerdings im 13. Jahrhundert zerstört wurde. Bis 1424 gehörte Neckenmarkt zum Besitz der Familie Athinai, ab 1612 als ein Teil der Herrschaft Landsee der Familie Esterhàzy.
Ein heute noch lebendiger Brauch ist das »Neckenmarkter Fahnenschwingen« zu Fronleichnam, das an die Schlacht von Lackenbach, 1620, erinnern soll. Die heldenhaft gegen die aufständischen Ungarn kämpfenden Neckenmarkter Bürger bekamen damals von ihrem Grundherrn Nikolaus Esterhàzy eine Fahne verliehen.
Zu den Sehenswürdigkeiten des Ortes zählt die barockisierte katholische Pfarrkirche mit reicher Inneneinrichtung, die ursprünglich eine gotische Wehrkirche mit einem Wassergraben war. Sehenswert sind auch die vielen schönen Bildstöcke und Kapellen in und um Neckenmarkt.
Die Weinbautradition ist uralt, und wahrscheinlich wurde hier schon vor den Römern Weinbau betrieben. Im Mittelalter erlebte Neckenmarkt einen besonderen Aufschwung, und die produzierten Weine konnten bis nach Böhmen, Mähren, Schlesien und Polen exportiert werden. Heute sind die Rebflächen zu 70% mit Rotwein- und die restlichen 30% mit Weißweinkulturen bepflanzt. Die Weine sind mild, fruchtig, gehaltvoll und von hervorragender Qualität.

Stefan Wieder beschäftigt sich in seinem viereinhalb Hektar großen Weingut in Neckenmarkt hauptsächlich mit Rotwein. 80 Prozent seiner Rebfläche sind mit der Sorte Blaufränkisch bepflanzt, wobei die besten Lagen die auf einem Hügel gelegene Ried Pollersgraben und die nach Süden ausgerichtete Ried Satz sind.
Schon bei der Weingartenarbeit, in der der Weinbau- und Kellermeister von seinem Sohn Richard unterstützt wird,

achtet er auf hohe Qualität, und in der Kellerwirtschaft versucht er, möglichst ohne Eingriffe auszukommen. Die Gärung erfolgt in offenen Behältern. »Ich versuche eine reine Gärung«, sagt Stefan Wieder, »das heißt, daß ich, wenn möglich, auf den Zusatz von Reinhefe verzichte. Üblicherweise reichen die Hefestämme, die vom Garten kommen aus, um die Gärung einzuleiten.« Vergoren wird langsam, bis auf einen Zuckerrest von 6 bis 7° KMW. Weinschönungen sind fast nie nötig. Sämtliche Rotweine werden im Weingut Wieder im Holzfaß ausgebaut, wobei er bestrebt ist, den Rotwein mit möglichst wenig Kohlensäure in die Flasche zu bringen. Mit der Flaschenfüllung läßt sich Stefan Wieder Zeit. »Bei mir bleibt der Wein je nach Sorte bis zu zwölf Monaten im Faß.« Durch die längere Lagerung werden die Wieder-Blaufränkischen samtig und harmonisch. Der 86er Blaufränkisch (A: 12,5 Vol.%; S: 5,6; Z: 1,3) ist für den Österreichischen Weinsalon als Vertreter des Mittelburgenlandes ausgewählt worden..

Neben dem Blaufränkischen hat Stefan Wieder in seinen Weingärten auch die Weißweinsorten Weißburgunder, Welschriesling, Grüner Veltliner und Rheinriesling stehen, und auch diese Sorten sind, ebenso wie sein Rotwein, in der Spitzengastronomie in ganz Österreich gefragt.

Stefan Wieder
Lange Zeile 17
7311 Neckenmarkt
☎ 02610 / 2474

Horitschon

Nur zwei Kilometer südlich von Neckenmarkt liegt der bekannte Rotweinort Horitschon. Der »Blaufränkische« ist hier im Weinanbau vorherrschend. Zwei Drittel der 424 ha Weinbauflächen sind mit dieser Rebsorte bepflanzt. Der Horitschoner Blaufränkische hat ein feines intensives Aroma und ist ein besonders fruchtiger und vollmundiger Rotwein.

Der Ort fand 1389 erstmals seine urkundliche Erwähnung. Eine erste Besiedlung in der Römerzeit wird durch zahlreiche Funde aus dieser Zeit belegt. In der Ortsmitte steht die katholische Pfarrkirche hl. Margaretha. Sie wurde in den Jahren 1947-1949 errichtet, da die alte barocke Kirche am östlichen Ortsausgang 1945 völlig abbrannte. Das ehemalige Altarbild der hl. Margaretha, aus der zweiten Hälfte des 18. Jahrhunderts, wurde 1979 restauriert und ist im linken Teil des Innenraumes zu sehen.

Horitschon vermittelt einen freundlichen Eindruck, der noch durch die bunt gefärbten Giebel der Häuser verstärkt wird.

Von Horitschon aus sollte man unbedingt einen Abstecher nach Raiding machen. Raiding ist der Geburtsort von Franz Liszt. Sein Geburtshaus wurde zu einem Museum umgestaltet und beherbergt zahlreiche Gegenstände aus dem Besitz des großen burgenländischen Musikers.

Vielfach wird behauptet, daß Weinstöcke, die älter als 30 Jahre sind, keine großen Qualitäten mehr bringen. Das Weingut von Franz Weninger in Horitschon straft diese These Lügen. »Wir haben Weingärten mit Stöcken, die schon 80 Jahre alt sind und noch immer hervorragende Trauben liefern«, sagt Franz Weninger, der Besitzer des ältesten Weinguts im Ort. Die Stöcke sind zwar im Wachstum schwächer, tragen aber immer noch gut.

Diese Erfahrung hindert Franz Weninger aber nicht daran, seinen Besitz durchzuforsten. »Ich gehe beim Blaufränkischen, dessen Anteil an meiner Produktion derzeit noch 54 Prozent ausmacht, zurück und pflanze vermehrt Cabernet Sauvignon aus.« Diese Sorte umfaßt mittlerweile schon 14 Prozent der Rebfläche. Auf weiteren 13 Prozent wächst Zweigelt.

Franz Weninger, Jahrgang 1953, der schon als Bub im elterlichen Betrieb mitgearbeitet hat, dann die Weinbauschule in Eisenstadt absolvierte und die Facharbeiterprüfung machte, übernahm das Gut im Jahre 1978. »Wir hatten damals noch einen Mischbetrieb mit Viehhaltung. Ich stellte auf einen reinen Weinbaubetrieb um und erweiterte die Rebflächen von den ursprünglichen sechs auf nunmehr zehn Hektar.«

Unter der neuen Führung wuchs das Weninger-Gut bald zu einem anerkannten Betrieb. Der junge Unternehmer forcierte die Bouteillen-Qualitäten und fand seine Arbeit durch Auszeichnungen bei den verschiedensten Weinprämierungen im In- und Ausland bestätigt.

Franz Weninger ist ein Winzer, der in der Kellerwirtschaft auch neue Wege einschlägt. So verwirklicht er beim Ausbau seiner Rotweine eigene Vorstellungen. Der dabei gewonnene Wein wird unter dem Namen »Experiment« vermarktet. »Mein 'Experiment' ist ein Wein, der eine längere Maischestandzeit hat als allgemein üblich. Ich lasse die Maische zwischen zwei und drei Wochen stehen und baue den Seihmost trocken aus.« Der aus der gepreßten Maische entstandene Most wird separat verarbeitet, in Zisternen fertiggegoren und in Holzfässern ausgebaut. »Mein 86er Blaufränkisch-Kabinett-Experiment lagerte 16 Monate im Eichenfaß.« Die Weninger-Blaufränkischen sind alle sehr fruchtig und gehaltvoll, so verfügt der 87er Kabinett Ried Hochäcker, (A: 12,3 Vol.%; S: 6,2; Z: 1,2) über 26 g/l Trockenextrakt und der 86er Kabinett aus der gleichen Riede (A: 12,1 Vol.%; S: 6,0; Z: 1,3) sogar über 28 g/l.

Der Anteil bei den Bouteillen-Qualitäten beträgt im Weingut Weninger mittlerweile 70 Prozent. »In Zweiliterflaschen fülle ich nur noch, wenn von der Gastronomie vorbestellt wird.«

Franz Weninger ist mit Recht stolz auf die guten Lagen seines Weinguts. Erster Güte ist die Ried Hochäcker, wo auf mittelschwerem Lehmboden Blaufränkisch und Cabernet Sauvignon wachsen, wobei letztere Sorte erstmals 1988 im Ertrag stand. Der Blaufränkische, der in einer mittelhohen Kultur erzogen wird, bringt einen Hektarertrag zwischen 6.000 und 8.000 Kilo. Auf der Ried Kirchholz (Schottergemisch mit viel Lehm) steht ebenfalls die Sorte Blaufränkisch, auf der Ried Weingfanger (leichter Lößboden) Pinot Noir und auf der Ried Gfangerwald Zweigelt, Blauburger und Blaufränkisch. Seit 1985 beschäftigt sich Franz Weninger auch mit dem Barrique-Ausbau. »Ich habe diese Methode in Frankreich studiert und in meinem Weinkeller umgesetzt. Natürlich brauchen die Barrique-Weine Zeit zur Reife, ich habe jedoch die dafür geeigneten gehaltvollen Weine. In etwa fünf bis zehn Jahren haben sie ihren Höhepunkt erreicht.«

Franz Weninger, der mit seinem Blaufränkisch Kabinett 1985 im Rotweinguide 1987 des Gourmet-Magazins »Falstaff« die höchste Punktezahl errang, erkannte die Werbewirksamkeit solcher Auszeichnungen. 1988 waren sogar zwei Weninger-Blaufränkische unter den Klassensiegern, einmal der Baufränkisch Kabinett 1986, der zweiter wurde, und derselbe Wein, in Limousin-Eiche ausgebaut, der dritter in der Kategorie Barriquesausbau wurde. »Immer mehr Kunden kommen zu mir heraus, um meine Weine zu verkosten. Um den Andrang in Griff zu bekommen, muß ich bereits um telefonische Voranmeldungen bitten.«

Franz Weninger, Florianigasse 11
7312 Horitschon, ☎ 02610 / 2531

Schon seit Generationen betreibt die Familie Lehrner in Horitschon Weinbau, der Durchbruch zum Qualitätsbetrieb gelang im Jahre 1977. »Damals wurden auf der Weinmesse in Krems zum ersten Mal die großen Goldmedaillen vergeben, und ich konnte für meine Weine gleich zwei davon kassieren«, erinnert sich Paul Lehrner. Von diesem Zeitpunkt an ging es auch wirtschaftlich aufwärts. Der Anteil an den Bouteillen-Qualitäten stieg ständig, und wenn das Gut heute auch die Spitzengastronomie beliefert, mag das ein Beweis für die Güte der Lehrner-Weine sein.

Mittlerweile arbeitet bereits Paul Lehrner jun. im Betrieb mit. Er hat die Landwirtschaftliche Fachschule in Eisenstadt besucht und führt den vom Vater eingeschlagenen Weg fort. »Wenn man selbst vermarktet, muß man auf Qualität achten, mit Massenware ist heute kein Geschäft mehr zu machen.«

Das Weingut Lehrner umfaßt eine Rebfläche von zehn Hektar, wovon drei Hektar zugepachtet sind, 90 Prozent der Flächen sind mit der Sorte Blaufränkisch bepflanzt, fünf Prozent entfallen auf den Zweigelt, und nur die restlichen fünf Prozent sind Weißburgunder. Künftig will Paul Lehrner auch Cabernet Sauvignon in die Flasche bringen. »Wir haben unsere eigene Rebschule, in der wir Selektionen durchführen. Die nötigen Edelreiser besorgten wir uns von Anton Kollwentz, der schon seit 1981 Erfahrungen mit dieser Sorte hat.«

Das Weingut Lehrner verfügt im wesentlichen über drei Rieden. Die beste davon ist die Ried Hochäcker, die in Südlage einen schweren, lehmigen Boden aufweist. Der Ertrag beim Blaufränkischen, der dort steht, wird durch kurzen Schnitt bewußt niedrig gehalten. »5.000, manchmal 5.500 Kilo Trauben ernten wir aus einem Hektar, und das ist genug, um die gewünschte Qualität zu erzielen.« Die Sorte Blaufränkisch wächst auch noch auf der Ried Rakitsch und der Ried Hutweide.

Das Traubengut wird händisch gelesen, gerebelt und gequetscht, ehe es in einem offenen Bottich zwei bis drei Tage lang bis auf sieben oder acht Grad KMW vergoren wird. Danach wird gepreßt und im Tank fertigvergoren. Erst nach dem ersten Abzug, bei dem auch eine Filtrierung erfolgt, kommt der Wein zur Reife in Holzfässer. Regelmäßig im April wird in Flaschen gefüllt. »Für mich sind konsequenter Rebschnitt und peinliche Sauberkeit im Keller die Kriterien für einen guten Wein«, meint Paul Lehrner senior, »und nur einen guten Wein kann man auch in der Nobelgastronomie unterbringen«. Gerade die Nobelgastronomie ist das Aushängeschild jeden Winzers, und das Schild im Weingut Lehrner mit dem Spruch »Römer, Türken und Magyaren tranken Rotwein hier in Scharen«, hat nur noch historische Bedeutung.

Paul Lehrner, Hauptstraße 56
7312 Horitschon, ☎ 02610 / 2403

Das Weingut Iby in Hortischon ist ein »reinrassiger« Familienbetrieb, der nachweislich seit der Jahrhundertwende besteht. Der große Aufschwung des Gutes begann allerdings erst nach dem Zweiten Weltkrieg, als Anton Iby sen. den Weinbau forcierte, die Rebflächen erweiterte und neben Blaufränkisch auch neue Sorten, wie den St.Laurent, pflanzte. Bis Mitte der 60er Jahre umfaßte das Gut bereits eine Fläche von knapp fünf Hektar.

»Damals habe ich meinen Wein noch in Gebinden verkauft«, erinnert sich der Seniorchef, »mit der Flaschenfüllung habe ich eigentlich erst begonnen, als mich ein bekannter Wirt dazu aufgefordert hat.«

Viel hat nicht gefehlt und das Weingut Iby hätte Ende der 70er Jahre den Betrieb eingestellt. Damals mußte Anton Iby sen. aus gesundheitlichen Gründen leiser treten und Anton Iby jun., der zunächst den Weinbau überhaupt nicht im Sinn hatte, einspringen. »1983 war es, als ich in den Betrieb eingestiegen bin«, sagt der Junior, der hauptberuflich Produktionsleiter in einem Industriebetrieb ist. »Die Grundkenntnisse über den Weinbau habe ich praktisch wie die Muttermilch von Kind auf mitbekommen, das restliche Wissen habe ich mir in Gesprächen mit Experten und auf Kursen in Klosterneuburg angeeignet.«

Gleich in seinem ersten Jahr als Weinproduzent konnte Ing. Anton Iby Erfolge feiern, die ihn ermutigten, die Qualitätslinie weiterhin zu verfolgen. »Ich habe gleich erkannt, daß Qualität nur durch eine Mengenbeschränkung im Weingarten möglich ist, habe die Kulturen umgestellt und bekomme jetzt beste Trauben aus dem Garten.« Rund 80 Prozent der Rebflächen sind mit Blaufränkisch bepflanzt, zehn Prozent beträgt der Anteil an Zweigelt und je fünf Prozent Blauburgunder und Cabernet Sauvignon.

Vater und Sohn Iby haben einen reinen Rotweinbetrieb und trachten danach, möglichst Kabinett-Qualitäten zu erzielen. Sie richten sich bei der Bestimmung des Lesezeitpunkts nach dem Reifegrad der Trauben, die noch im Weingarten gerebelt und in einem Maischewagen gequetscht werden. Die vollständige Vergärung erfolgt in einem offenen Behälter, wobei die Maische — wenn nötig — auf Starttemperatur erwärmt wird. Erst nach rund fünf Tagen, wenn die Gärung abgeschlossen ist, wird gepreßt, worauf der Most zwei Wochen lang in einen Stahltank kommt und dann zur Lagerung in Holzfässer umgezogen wird. »Durch den raschen Abzug vom Geläger haben wir schon nach 36 Stunden einen spiegelblanken Wein im Faß«, freut sich Ing.Iby, der bisher stets im März nach der Lese in Flaschen gefüllt hat, künftig aber den Wein ein Jahr lang überlagern will.

Ing. Anton Iby, der auch den Barrique-Ausbau in seinem Weingut eingeführt hat, sieht seinen Wein gleichsam als Aktie. Er hat schon 1983 damit begonnen, von den guten Jahrgängen 2.000 bis 3.000 Flaschen wegzulegen und diese Raritäten erst nach einer Lagerzeit von zehn Jahren zu verkaufen.

Weingut Haus Iby
Kirchengasse 4a
7312 Horitschon
☎ 02610 / 2292

Deutsch-Kreutz

Zu den wichtigsten Weinorten des Burgenlands zählt Deutsch-Kreutz, das im südlichen Teil der burgenländischen Rotweinstraße liegt. Im Ort, der schon früh besiedelt war, wurden Funde aus der Laibach-Vucedol- und Wieselburger Kultur sowie eine aus der Römerzeit stammende »villa rustica« mit Mosaikfußböden entdeckt. Ein ebenfalls dort gefundener Bronzekopf eines Fauns ist heute im Eisenstädter Landesmuseum zu besichtigen.

Deutsch-Kreutz wird 1245 erstmals urkundlich »Bogyoszlo« genannt und war schon im Mittelalter zum Markt erhoben worden. Graf Thomas Nadasdy ließ um 1560 ein Schloß, das sich ehemals im Besitz der Familie Kanizsai befand, umbauen. Dieses Schloß wurde jedoch im Jahre 1621 verwüstet und von Paul Nadasdy im 17. Jahrhundert neu erbaut. 1676 ging es in den Besitz der Familie Esterhàzy über, und 1966 wurde der mächtige Vierflügelbau mit seinem wunderschönen, von Arkaden gesäumten Innenhof, vom Maler Anton Lehmden erworben.

Auf dem großen Weingebirge ließ die ungarische Familie Nadasdy lange Zeit ausgedehnte Weingärten bewirtschaften, zahlreiche Weingärten waren auch im Besitz von Wiener Neustädter Bürgern. Durch sehr späte Lesen erhielt der Deutsch-Kreutzer Wein eine besondere Stabilität, die ihn für lange Transportwege wie z.B. nach Polen, Schlesien oder Holland besonders geeignet machten.

Heute sind in Deutsch-Kreutz auf rund 629 Hektar hauptsächlich die Rotweinsorten Blaufränkisch, St. Laurent und Zweigelt sowie die Weißweinsorten Weißburgunder, Müller Thurgau, Grüner Veltliner und Welschriesling ausgepflanzt.

Daß Gesundheit aus Kräutern keine Zauberei ist, möchte der Deutsch-Kreutzer-Kneippverein mit einem Heilpflanzen-Lehrpfad veranschaulichen. Auf einer Länge von einem Kilometer, entlang der ungarischen Grenze, findet man mehr als 100 der wichtigsten Heil- und Gewürzpflanzen Mitteleuropas.

Wenn man bedenkt, daß Hans Igler aus Deutsch-Kreutz den Weinbau nur als Neben-erwerb betreibt, stellt sich die Frage, was er eigentlich noch besser machen könnte, wenn er seine ganze Arbeitskraft dem Weinbau widmete. Goldmedaillen sind für ihn heute schon fast Selbstverständlichkeiten, Höchstbewertungen im In- und Ausland nichts Außergewöhnliches mehr.

Im Gegensatz zu anderen Weinbauern, die elterliche Betriebe übernommen haben, begann der Disponent einer landwirtschaftlichen Genossenschaft im Jahre 1960 im wahrsten Sinne des Wortes bei Null. »Ich habe mich immer schon für Wein interessiert, und weil ich der Überzeugung war, daß gerade der Raum Deutsch-Kreutz das beste Rotweingebiet Österreichs ist, entschloß ich mich, die Sorte Blaufränkisch auszupflanzen.« Heute ist die Rebfläche auf sechs Hektar angewachsen, wovon vier Hektar Eigenbesitz sind. Neben dem Blaufränkischen hat Igler unterdessen auch Cabernet Sauvignon gepflanzt und einen kleinen Garten mit Riesling und Pinot Blanc angelegt.

»Ich kann mich noch gut erinnern, als ich Mitte der 60er Jahre meinen Wein erstmals zur Prämierung eingereicht habe und eine Bronzemedaille errang. Das war für mich das Zeichen, daß ich auf dem richtigen Weg bin«, erklärt der Winzer, der nun Goldmedaillen als Bestätigung für seine Qualitätsweine gar nicht mehr benötigt. Für ihn ist die große Nachfrage nach seinen Weinen Bestätigung genug.

Was macht eigentlich die besondere Qualität der Igler-Weine aus? »Ich habe beste Lagen«, sagt Igler, »auf der Ried Hochberg steht auf mit Schotter und Sand vermischtem Lehmboden der Blaufränkische, auf der Ried Kart auf schwerem Boden der Cabernet Sauvignon, und auf der Ried Straßenweingarten stehen die Weißweinsorten.« Aus diesen Lagen gewinnt er durch kompromißlosen Schnitt und peinliche Laubarbeit beste Trauben, die händisch gelesen werden, wobei für die Weingartenarbeit in erster Linie Iglers Frau Maria zuständig ist. Zwischen 5.000 und 7.000 l werden allein Blaufränkisch gelesen. Die Rotweinsorten werden auf der Maische vollständig vergoren, ehe mit einer Horizontalpresse abgepreßt wird. Nach etwa drei Wochen wird der Wein abgezogen, nach drei weiteren Wochen wird er mechanisch geklärt und kommt dann zur Reife in Holzfässer, wo er mindestens vier Monate bleibt. Bei seinen Barrique-Qualitäten bleibt der Wein, je nach den Umständen, zwischen acht und 14 Monaten im Holz. Seit dem historischen Besuch von Dr. Helmut Romé im Jahre 1976 wird im Hause Igler kein Wein mehr entsäuert. Damals wurden Rotweine prinzipiell aufgezuckert, Alkoholwerte von 14 Vol.% waren normal. Zusätzlich wurden die Weine bis auf vier Promille entsäuert. Iglers Blaufränkisch Jahrgang 1973 wurde bei der Österreichischen Weinmesse in Krems 1974 am höchsten bewertet. Kurz darauf wurde das Weingut von Dr. Romé und Dipl.-Kfm. Wolfgang Petzl besucht. Sie kauften gleich ein ganzes Faß Blaufränkisch und stellten dabei aber die Bedingung, daß bei diesem Wein keinerlei Eingriffe mehr vorgenommen werden dürfen, vor allem kein Entsäuern — einfach ein Jahr in Ruhe lassen. Vorerst war das Unverständnis groß, doch der Wein war bezahlt, somit ist es die Angelegenheit des Besitzers, was damit geschieht.

Die Winzer der Umgebung schüttelten verwundert den Kopf, »einen Rotwein mit 6,5 Promille Säure kann kein Mensch trinken.« Doch kaum war das Jahr um, präsentierte sich derselbe Wein fruchtig, rund und harmonisch. Mit diesem Faß Blaufränkisch begann die Wiedergeburt des österreichischen Rotweins. Alles weitere ist hinlänglich bekannt.

»Nach meiner Philosophie darf der Rotwein nicht zu schwach im Alkohol sein«, erklärt Hans Igler, »ich meine, daß ein guter Rotwein zwischen 12 und 13 Vol.% Alkohol haben sollte. Hat er weniger, ist er kein Rotwein, sondern nur ein roter Wein.«

Obwohl viele Weinbauern mehr und mehr davon abgehen, ihre Weine in Zweiliterflaschen zu füllen, hält Igler nach wie vor an den Doppelliterflaschen fest. »Die Gastronomie verlangt sie, also liefere ich. Natürlich kommt der Großteil meiner Weine in Bouteillen«, sagt Igler, dem es Freude bereitet, in besten Häusern gut zu speisen und dazu einen seiner Weine zu genießen. Er schätzt aber auch Weine aus anderen Gebieten und hat sich schon eine beachtliche Sammlung an Weinen aus dem Raum Bordeaux, aus Italien, Spanien und aus Kalifornien zugelegt. »Ein kostspieliges Hobby«, gesteht Igler, der auch aus der eigenen Produktion seit 1971 die besten Jahrgänge im Keller lagern hat.

Die Weine von Hans Igler sind also zweifelsohne eine Freude für den Gaumen, die Flaschen bieten aber auch etwas fürs Auge. Die Etiketten für die Igler-Weine entwirft Anton Lehmden, der das im Krieg völlig zerstörte Schloß Deutsch-Kreutz gekauft hat und seit den siebziger Jahren vorbildlich restauriert.

Hans Igler
Langegasse 49
7801 Deutsch-Kreutz
☎ 02613 / 365

Welche Entwicklung ein Weingut nehmen kann, wenn sich der Gutsherr der Qualität verschrieben hat, zeigt das Beispiel von Engelbert Gesellmann in Deutsch-Kreutz. Noch vor einigen Jahren war der Burgenländer, der den elterlichen Betrieb 1970 übernommen hatte, vor allem durch seine Prädikatsweine bekannt, zuletzt hat er aber dem allgemeinen Geschmackswandel Rechnung getragen und produziert auch trockene, im Alkoholgehalt leichte Weine.

Engelbert Gesellmann bewirtschaftet im Weinbaugebiet Mittelburgenland zwölf Hektar Weingärten, wovon die eine Hälfte Eigenbesitz ist und die andere zugepachtet wurde. Die Hauptsorte ist der Blaufränkische, daneben hat Gesellmann aber auch Weißweinsorten wie Chardonnay, Grüner Veltliner, Welschriesling, Rheinriesling und Pinot Blanc ausgepflanzt. Für seinen Cabernet Sauvignon hat er sich die Reben aus Ungarn geholt und mittlerweile die zweite Ernte eingebracht.

Das Weingut von Engelbert Gesellmann verfügt über ausgezeichnete Deutsch-Kreutzer Lagen. Der Blaufränkische wächst auf der Ried Hochacker auf tiefgründiger Braunerde in Ost-West-Lage, auf der Ried Fabian, die schweren Lehmboden aufweist, und auf der Ried Hochbaum, auf deren steilen Hängen kalkhältige Braunerde vorherrscht. Der Chardonnay wächst auf der Ried Steinriegel, der Weißburgunder auf der Ried Weißkreuz und der Cabernet Sauvignon auf der Ried Kart, auf steinigem Lehmboden. Die Deutsch-Kreutzer Weingärten sind rundherum durch kleine Eichenwälder

eingesäumt, die das Kleinklima positiv beeinflussen. Im langjährigen Durchschnitt regnet es 600 mm jährlich. Im Sommer kurze Regenschauer, im Herbst trocken und warm — das Zusammenspiel von Boden, Sonne und Feuchtigkeit ist geradezu ideal für den Rotweinanbau in Deutsch-Kreutz.

Auf den engagierten Winzer trifft das allgemein schon etwas abgegriffene Wort vom Hobby, das zum Beruf gemacht wurde, durchaus zu. Er ist mit viel Freude bei seinem Weinbau und überläßt nichts dem Zufall. Den Boden seiner Weingärten läßt er alle drei Jahre untersuchen, um genau zu wissen, ob seine Stöcke Düngung benötigen oder nicht. Im Rebschnitt ist Gesellmann recht radikal. »Da bin ich bin konsequent, auch wenn es mitunter weh tut, wenn man nach der Blüte noch die Trauben ausdünnt, um die gewünschte Qualität zu bekommen. Ich habe aber die Erfahrung gemacht, daß sich die Weinstöcke über Jahre auf eine gewisse Traubenmenge einstellen. Sind mehr Trauben am Stock, wird die Qualität geringer.«

Die Trauben werden im Weingut Gesellmann händisch gelesen und durchwegs gerebelt. Je nach Sorte werden zwischen 4.000 und 6.000 l geerntet. Die Weißweine werden sofort gepreßt, die Rotweinsorten je nach Verhältnissen zwischen drei und acht Tagen auf der Maische gelassen, ehe sie in die Presse kommen. »Den richtigen Zeitpunkt für das Pressen muß man im Gefühl haben. Ich glaube, daß ich es habe«, sagt Gesellmann, der für den Ausbau der Weine noch Fässer im Keller hat, die schon bald 100 Jahre alt sind. Daneben hat er aber auch ganz neue Fässer. Nicht zuletzt deshalb, weil er einen Teil der Ernte in Barriques ausbaut. »Das Eichenholz habe ich aus Frankreich kommen lassen, die Fässer selbst sind bei uns gefertigt worden.«

Die konsequente Arbeit hat ihren Niederschlag gefunden. Sein Blaufränkischer des Jahrganges 1986 wurde österreichischer Bundessieger. Weil nach Qualitätsweinen stets große Nachfrage herrscht, braucht sich Gesellmann auch keine Sorgen um den Absatz zu machen. Gut drei Fünftel seiner Produktion gehen an die gehobene Gastronomie in ganz Österreich, den

Rest verkauft er direkt ab Hof. Für jene Kunden, die zu ihm kommen, um zu probieren, hat er ein eigenes kleines Koststüberl eingerichtet, in dem auch glasweise verkostet werden kann.

Engelbert Gesellmann, dessen Sohn Albert bereits als Weinbaulehrling im Gut mitarbeitet, schaut sich auch gerne in anderen Weinbaugebieten um. Er hat schon Güter in Frankreich, Ungarn und Italien inspiziert und plant gerade eine Reise nach Kalifornien. »Wenn man immer nur zu Hause bleibt, droht die Gefahr, daß man betriebsblind wird. Man muß aber immer weiterstreben, darf sich mit dem bereits Erreichten nicht zufrieden geben...«

Weingut Engelbert und Maria Gesellmann
Langegasse 65
7301 Deutsch-Kreutz 8

Blaufränkisch und Salzstangerl

Es ist wohl nicht übertrieben, wenn man sagt, daß Josef Kacsits aus Deutsch-Kreutz vom Weinbau besessen ist. Muß er auch sein, sonst würde der hauptberufliche Vertreter nicht seine gesamte Freizeit, die Wochenenden und den Urlaub in sein zwei Hektar großes Weingut investieren.

Der Weinbau war Josef Kacsits nicht in die Wiege gelegt. Die Großeltern betrieben noch eine Schneiderei, der Vater war Landwirt und hatte nur einen kleinen Weingarten. Gerade groß genug für den Eigenbedarf. Als der Vater 1970 starb, stand Kacsits vor der Entscheidung, was er mit dem Weingarten anfangen soll. Er entschloß sich, es mit dem Weinbau zu versuchen.

Zunächst war er ziemlich ratlos. Er hatte ja keine Weinbauschule besucht, und die Versuche, sich in der Nachbarschaft Tips für die Weinbereitung zu holen, scheiterten kläglich. »Jeder, den ich um Rat fragte«, erinnert sich der mittlerweile erfolgreiche Winzer, »gab mir eine andere Antwort. Also mußte ich mir selbst helfen.« Kacsits bezog sein Wissen aus der Fachliteratur, hat sich inzwischen eine umfangreiche Bibliothek aufgebaut, und wenn er nunmehr sagen kann: »Ich glaube, daß ich im Weinbau schon ziemlich versiert bin«, dann ist das nicht übertrieben.

Natürlich ist der Nebenerwerbswinzer auf die Mithilfe seiner Frau Christine angewiesen. Als Vertreter, der viel unterwegs ist, fehlt ihm einfach die für die Weingartenarbeit nötige Zeit. Daß Christine Kacsits nebenbei auch noch einen Buschenschank betreibt, zeigt, daß auch sie der Arbeit nicht aus dem Wege geht. Der Buschenschank in der Elisabethgasse 1, von den Einheimischen »Schank'l« (Schankhaus) genannt, ist allerdings immer nur drei Wochen geöffnet, und zwar Anfang Jänner und ab Mitte August. Zahlreich sind die Freunde der Kochkunst von Schwiegermutter Maria Braunsdorfer, die die Haussulz, »Blunz'n« , »Grammelpogatscherl« nach

alten Rezepten zubereitet. Zum Knabbern gibt's die Deutsch-Kreutzer Salzstangerl, eine regionale Spezialität, die jedes Haus individuell zubereitet.

Auf der Rebfläche von zwei Hektar stehen zur Hälfte die Rotweinsorte Blaufränkisch, zu 40 Prozent Grüner Veltliner und zu zehn Prozent Müller-Thurgau. Der Blaufränkische und Grüne Veltliner wachsen auf der Ried Hochberg in bester Südlage, der Müller-Thurgau am Kogel und am Hochbaum.

»Ich habe mich vom Start weg bemüht, gute Qualitäten in die Flasche zu bringen«, sagt Kacsits, dessen Weine durchwegs trocken und leicht im Alkohol sind. Die Trauben werden allesamt gerebelt, der Rotwein wird offen vergoren und in Holzfässern ausgebaut. Die Weißweine reifen im Tank.

Josef Kacsits, der den Großteil seiner Produktion im eigenen Buschenschank absetzt, aber auch die Gastronomie beliefert, ist gerade dabei, eine Vinothek einzurichten. »Das ist natürlich eine Kosten- und Platzfrage«, meint er, »aber es lohnt sich, von den besten Jahrgängen etwas zurückzulegen.« Eine Meinung, der sich auch Sohn Mirko anschließt, der den Weinbau einmal hauptberuflich betreiben will. Er besucht bereits die Weinbauschule in Klosterneuburg.

Josef Kacsits
Postgasse 4
7301 Deutsch-Kreutz
☎ 02613 / 247

Lutzmannsburg

Das Wappen Lutzmannsburg zeigt auf rotem Schild ein Burgtor, auf dessen Zinnen ein kleines Männchen mit Keltenkappe steht, das in der einen Hand eine große Traube und in der anderen ein Rebmesser hält. Ein Hinweis auf die uralte Weinkultur und auf ein ganz in der Nähe gefundenes keltisches Rebmesser.

Die Bevölkerung ist hauptsächlich im Weinbau tätig und man sagt, daß sich die bearbeitete Weinbaufläche von rund 150 Hektar seit dem 12. Jahrhundert nicht geändert habe. Einige Nachkommen von Familien, die bereits im 16. und 17. Jahrhundert als Weingartenbesitzer erwähnt wurden, sind nach wie vor hier ansässig. Im Jahre 1156 erhielt der Ort das Marktrecht und gilt somit zu Recht als ältester Markt Burgenlands. Auf dem Kirchberg steht die katholische Pfarrkirche hl. Veit, die auf den Fundamenten der ehemaligen Komitatsburg, die im Mittelalter Sitz einer Burggespanschaft war, erbaut wurde. Die evangelische Pfarrkirche des Ortes, ein schlichter klassizistischer Bau, befindet sich auf dem Anger, wo auch der Pranger steht. Sehenswert sind auch einige spätbarocke Giebelhäuser mit schönen Laubenhöfen.

Weinbaugebiet Südburgenland

D as Südburgenland ist mit einer Rebfläche von 486 Hektar das kleinste Weinbaugebiet Burgenlands. Hier werden an den Hängen des Geschriebenensteins und im Pinkatal über sechzig Prozent Rotweinsorten gepflanzt. Die Hauptrotweinsorte dieser Region ist der Blaufränkische; beim Weißwein überwiegt der Welschriesling und der Grüne Veltliner. Die Weine besitzen fast alle einen gebietstypischen Bodengeschmack. Die bekanntesten Weinorte des Weinbaugebietes sind Rechnitz am Fuße des Geschriebenensteins, Eisenberg, Deutsch-Schützen und Heiligenbrunn im Tal der Pinka.

Rechnitz

R echnitz, der Ausgangspunkt der Pinkataler Weinstraße, liegt an den Ausläufern des Geschriebenensteins und ist die größte Weinbaugemeinde des südlichen Burgenlands. Die Pinkataler Weinstraße führt durch eine malerische Hügellandschaft von Rechnitz in Richtung Süden, immer nah an der ungarischen Grenze, über Schachendorf, Burg, Eisenberg, Kohfidisch, das westlich von Eisenberg liegt, Deutsch-Schützen, Eberau, Kulm, Gaas, Maria Weinberg und Moschendorf, dann westwärts nach Heiligenbrunn und Güssing. Diese idyllische Weinstraße erfreut sich zu Recht steigender Beliebtheit. Das Weinbaugebiet verdankt seine Bedeutung nicht der flächenmäßig großen Ausdehnung seiner Weingärten, diese erstrecken sich hier an den Süd- und Südosthängen der vielen Hügel, sondern der besonderen Qualität des gebietstypischen Weines.

Im 17. Jahrhundert erlebte Rechnitz im Besitz der Familie Batthyany eine wirtschaftliche Blütezeit. Die Familie besaß hier ihre besten Weingärten und konnte die gewonnenen Weine bis nach Polen und Schlesien exportieren. Viele Weinkeller und alte Baumpressen bezeugen die hohe Weinbaukultur dieser Zeit. Die älteste Holzpresse aus dem Jahr 1677 ist am Ortseingang zu bewundern. In den Weinbergen befindet sich eine kleine Barockkapelle, die sogenannte Weinbergkapelle, die in der ersten Hälfte des 18. Jahrhunderts erbaut wurde. Aus der viel früheren Römerzeit wurde östlich des Ortes eine Wasserleitung, die nach Szombathely (Steinamanger) führte, aufgedeckt. Im Ort stehen zwei sehenswerte Kirchen, die katholische Pfarrkirche hl. Katharina mit prachtvoller Innenausstattung und die 1783 erbaute evangelische Pfarrkirche. Vom ehemaligen Barockschloß der Batthyany, das im Jahre 1945 zerstört wurde, sind nur noch die weitläufigen Kelleranlagen und Teile des Unterbaues erhalten.

Heute werden in Rechnitz bevorzugt Welschriesling, Müller Thurgau, Grüner Veltliner, Neuburger, Blauer Burgunder, Blaufränkischer sowie Zweigelt angebaut

und die extraktreichen, milden, süffigen Weine können in vielen gemütlichen Heurigenlokalen verkostet werden.

Eisenberg und Schützen

I m Verlauf der Pinkataler Weinstraße gelangt man in die Orte Eisenberg und Deutsch-Schützen, die seit dem Jahre 1971 eine Gemeinde bilden.

Der Eisenberg wird oft als der schönste Weinberg des Burgenlandes bezeichnet. An seine Hänge schmiegen sich die kleinen Kellerhäuschen. Von seiner Höhe hat man einen weiten, überwältigenden Blick über das Land ringsum. Der Name des Berges rührt aus der keltisch-illyrischen Zeit, als hier Eisen abgebaut wurde. Die Weingärten am Eisenberg gehörten lange den ungarischen Magnatenfamilien Erdödy und Batthyany. Aber auch steirische Familien, Klöster und Bürger benachbarter Städte besaßen hier Weingärten. Eisenberger Wein wurde ob seiner guten Qualität bereits im 17. und 18. Jahrhundert ins Ausland exportiert.

Eisenberg, das am Fuß des Eisenberger Weinberges liegt, ist ein aufstrebender Fremdenverkehrsort. Sein charakteristisches Ortsbild wird durch die zahlreichen Buschenschenken, die oft ganzjährig geöffnet sind, geprägt.

H ermann Krutzler aus Deutsch-Schützen ist in Sachen Weinbau fraglos eine Autorität. Als Weintester in der burgenländischen Landwirtschaftskammer und am Weininstitut in Eisenstadt hat sein Urteil Gewicht. Er weiß aber nicht nur, wie ein guter Wein zu schmecken hat, er bringt auch selbst ausgezeichnete Weine in die Flasche. Dabei darf man das Wort »ausgezeichnet« durchaus wörtlich nehmen. Immerhin umfaßt seine Goldmedaillen-Sammlung mittlerweile schon 59 Exemplare.

Schon die Urgroßeltern von Hermann Krutzler haben sich mit Weinbau beschäftigt, den großen Aufschwung nahm der Betrieb aber erst in den 60er Jahren. Damals begann Krutzler, der auch noch eine Schweinezucht betreibt, den Weinbau verstärkt auszubauen. Er legte neue Weingärten an und erweiterte die Rebflächen nach und nach auf die heutige Größe von rund drei Hektar.

»Ich konzentriere mich auf die für das Burgenland typischen Sorten«, sagt Krutzler, dessen Hauptsorte, der Blaufränkische, etwa 70 Prozent der Produktion ausmacht. Den Blauen Portugieser hat er zugunsten des Blauburgers gerodet, dessen Anteil zehn Prozent beträgt. Sieben Prozent der Rebflächen sind mit Blauem Zweigelt bepflanzt, auf

einer Neuanlage steht Cabernet Sauvignon. Neben den Rotweinsorten hat Hermann Krutzler auch noch Weingärten mit Grünem Veltliner und Welschriesling. Die Anlagen mit dem Blaufränkischen sind durchwegs schon sehr alt. »Ich versuche, diese Gärten möglichst lang zu erhalten, weil ich aus diesen Anlagen zwar weniger Ertrag herausbringe, die Weine aber wunderbar gehaltvoll sind.«

Im Weingarten und im Keller helfen auch die drei Söhne des Winzers aus. Der älteste, Erich, studiert an der Universität für Bodenkultur Biotechnologie, Harald, der mittlere, hat gerade die Matura hinter sich gebracht, und der jüngste Sohn, Reinhold, besucht die Weinbauschule in Eisenstadt. Hermann Krutzler achtet peinlich darauf, nur gesündeste Trauben aus dem Weingarten zu bringen und richtet den Lesezeitpunkt nach dem Zucker-Säureverhältnis der Trauben.

Die Krutzler-Weine verfügen alle über eine sehr harmonische, reife Säure. »Es ist zwar viel Arbeit, aber wenn sich im Herbst die Trauben zu verfärben beginnen, werden bei uns die Traubenzonen freigestellt, damit die Trauben mehr Sonne bekommen.« Sämtliche Trauben werden gerebelt, bei den Rotweinsorten zieht der Winzer die offene Maischegärung vor, wobei der Gärkeller beheizt wird, nicht aber die Maische. »Bei der Gärung gehe ich in zwei Richtungen. Bei den Kabinett-Qualitäten lasse ich die Maische komplett durchgären, ehe gepreßt wird und der Wein ins Faß kommt. Die Qualitätsweine werden im Tank fertigvergoren und erst im Frühjahr in die Holzgebinde umgezogen.« Sein Blaufränkisch Kabinett 1987, Ried Weinberg (A: 11,8 Vol.%; S: 6,7; Z: 1,1), wurde als Vertreter des südburgenländischen Typus für den Weinsalon ausgewählt.

Hermann Krutzler hat auch schon besondere Prädikatsweine in die Flasche gebracht: so etwa eine Blaufränkisch-Spätlese oder eine Goldburger-Auslese. Eine der Spezialitäten aus dem Keller von Hermann Krutzler ist auch eine »Reserve«, die freilich nach dem Weingesetz nicht als solche vermarktet werden darf. Dieser Wein lagerte 18 Monate im Holz und dann noch zwei Monate in der Flasche, ehe er in den Verkauf gelangte. Hermann Krutzler vermarktet seine Weine zum über-

wiegenden Teil in 0,7-Liter-Flaschen an Privatkunden ab Hof, wobei er eine sehr konsumentenfreundliche Preispolitik verfolgt. Für vernünftige Preise bekommt man hier ausgezeichnete Weine. Hermann Krutzler beliefert auch die Spitzengastronomie in ganz Österreich. »Interessenten, die unsere Weine verkosten wollen, sind stets willkommen«, stellt der Winzer fest, meint aber, daß es günstig wäre, sich vorher telefonisch anzumelden.

Hermann Krutzler
7474 Deutsch-Schützen 84
☎ 03365 / 2242

Der Schützenhof

Ich laß jetzt die Jungen ran«, sagt Felix Körper aus Deutsch-Schützen, der seit dem 17. Lebensjahr den elterlichen Weinbaubetrieb führte und das sechs Hektar große Weingut »Schützenhof« nun in die Hände seiner Tochter Karin legt. Sie kann für sich in Anspruch nehmen, die jüngste Weinbau- und Kellermeisterin Österreichs gewesen zu sein. Mit der Übernahme durch Karin Körper-Faulhammer steht der Betrieb schon seit fünf Generationen im Familienbesitz.

Die Lagen, auf denen zu 60 Prozent Rotweinsorten und zu 40 Prozent Weißwein stehen, unterliegen dem pannonischen Klima. Die beste Riede des Gutes ist Ratschen, wo auf mittelschwerem Lehmboden Welschriesling, Blauburger und Blauer Zweigelt stehen. Von dieser 2,3 ha großen Riede, einem leicht geneigten Süd-Osthang, werden nicht mehr als 7.000 Liter/ha geerntet.

Die Ried Weinberg mit Rheinriesling, Scheurebe, Blaufränkisch und Merlot ist mit 15% Hangneigung für burgenländische Verhältnisse schon eine Steillage. Der Weingartacker mit einem weiteren Quartier Blaufränkisch und die Kessellage der Ried Savary mit dem Cabernet Sauvignon zählen zu den Qualitätsspitzen des Betriebes.

Kurzer, auf Qualität bedachter Rebschnitt ist selbstverständlich für Felix Körper. Angestrebt werden leichte, fruchtige und alkoholarme Weißweine, natürlich in Kabinettqualitäten, wenn dies aber jahrgangsbedingt nicht möglich ist, wird beim Weißwein auf 18 °KMW und beim Roten auf maximal 19 °KMW aufgebessert. Bei der Rotweinvinifation wird besonders auf die Säurestruktur geachtet, um eine beständige Lagerfähigkeit zu erreichen. Ausgebaut wird hauptsächlich in Eichenfässern, teilweise in Limousin-Barrique.

Karin Körper-Faulhammer will die große Tradition des Weingutes fortsetzen, das schon Prädikatsweine wie die 1979er Sämling-Trockenbeerenauslese hervorbrachte, die bei der Lese 32 ° KMW aufwies, oder die 1981er Sämling-Beerenauslese, die sechs Jahre lang im Eichenfaß lagerte. Mit der Übergabe des Betriebes

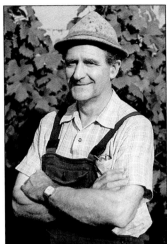

zieht sich Felix Körper freilich nicht gänzlich vom Weinbau zurück. Er wird auch weiterhin aushelfen, wenn Not am Manne ist, und wird auch weiterhin die beliebten Weingarten- und Kellerführungen sowie die kommentierten Weinkosten machen.

Weingut Schützenhof
Familie Körper
7474 Deutsch-Schützen
☎ 03365 / 2203

Viel Wein bringt Josef Wallner aus Deutsch-Schützen nicht aus seinen eineinhalb Hektar großen Weingärten. Die Qualitäten stimmen aber. Immerhin konnte Wallner, der hauptberuflich Zollwachebeamter ist und den Weinbau nur nebenbei betreibt, mit seinem 83er Blaufränkischen im Jahre 1986 bereits Falstaff-Sieger werden. Josef Wallner lehnt sich in seiner Weinbau-Philosophie eng an die Franzosen an. »Ich habe neben anderen europäischen Weinbaugebieten auch Bordeaux besucht und war von der Arbeit der dortigen Winzer begeistert. Für mich sind sie in der Rotweinbereitung das Maß aller Dinge.« Kein Wunder, daß sich Wallner auch mit dem Barrique-Ausbau beschäftigt. Doch nicht nur der Winzer macht große Reisen, ein Teil Blaufränkisch wird nach Peking an die Österreichische Botschaft geliefert.

Da sich der Zollwachebeamte nur in seiner Freizeit mit dem Weinbau beschäftigen kann, ist es ganz klar, daß auch seine Frau Anna im Betrieb ordentlich zugreifen muß. Ihr kommt vor allem die Weingartenarbeit zu,

während sich Josef Wallner mehr um die Kellerwirtschaft kümmert.

Das Weingut Wallner ist ein typischer Rotweinbetrieb. Auf rund 75 Prozent der Rebfläche wächst Blaufränkisch, auf weiteren zehn Prozent stehen die Sorten Blauer Portugieser und Blauer Zweigelt. Der Rest ist mit Müller-Thurgau und Welschriesling bepflanzt. Nach dem Rebeln werden die Rotweinsorten auf herkömmliche Art in Bottichen vergoren und kommen nach der Pressung ins Faß. Die Bouteillenware wird grundsätzlich nicht entsäuert.

Josef und Anna Wallner
7474 Deutsch-Schützen 117
☎ 03365 /2295

Der Weinbau hat in unserer Familie eine lange Tradition«, sagt Adalbert Wachter, der in Deutsch-Schützen ein drei Hektar großes Weingut führt. »Ich hab schon als Kind im Weingarten mitgeholfen und die Kellerwirtschaft von meinem Vater gelernt.« Dieses Grundwissen hat er dann, als er den Betrieb übernahm, ständig erweitert. Heute ist er soweit, beste Qualitäten in die Flasche zu bringen. Qualitäten, wie den 86er Zweigelt, mit dem er im Jahr darauf Falstaff-Sieger werden konnte.

»Solche Auszeichnungen befriedigen nicht nur den persönlichen Ehrgeiz, sie wecken auch die Neugierde der Konsumenten«, gibt Adalbert Wachter zu, der hauptsächlich Rotweine ausbaut. Rund die Hälfte seiner Rebfläche wird vom Blaufränkischen beherrscht, je zehn Prozent betragen die Sorten Blauer Zweigelt und Blauburger. Der Rest ist den Weißweinsorten Welschriesling und Grüner Veltliner vorbehalten.

In der Weinbereitung geht Adalbert Wachter traditionelle Wege. Die Maische wird in offenen Bottichen fünf bis sechs Tage lang vergoren, ehe sie abgepreßt wird. Der Ausbau erfolgt im Holzfaß.

Adalbert Wachter führt mit seiner Frau Brunhilde einen gemischten Betrieb, der sich außer mit dem Weinbau auch noch mit Schweinezucht befaßt. Darüberhinaus führen Adalbert und Brunhilde Wachter noch einen Buschenschank, in dem das Angebot durchwegs aus der eigenen Produktion stammt. Der Schinken und das Geselchte stammen aus der eigenen

Schweinezucht, sogar auch das Brot wird selbst gebacken.

Der Buschenschank ist stets gut besucht, die Gäste kommen auch aus der Steiermark. Es ist ein stimmungsvoller Buschenschank, und wenn es einmal ganz hoch her geht und ein Harmonikaspieler in die Tasten greift, schnappt sich Brunhilde Wachter auch einmal die »Teufelsgeige«, um damit den Takt anzugeben.

Adalbert und Brunhilde Wachter
7474 Deutsch-Schützen 26
☎ 03365 / 2245

Entlang der Pinkataler Weinstraße, die von Moschendorf in westlicher Richtung weiterführt, kommt man nach Heiligenbrunn.

Der Ort wird schon 1198 urkundlich genannt. In die selbe Zeit fällt auch die erste Erwähnung des Weinbaus, als der Pfarrer von Güssing dem Kloster St. Gotthard Weingärten vermachte.

Ebenfalls im Jahre 1198 schenkte der Bischof von Raab die Heiligenbrunnkapelle den Zisterziensern. Die heute an diesem Platz stehende Wallfahrtskapelle hl. Ulrich wurde 1926 erbaut. Am Triumphbogen der katholischen Pfarrkirche sieht man das Doppelwappen der Familien Batthyany und Erdödy.

Eine Besonderheit ist das Kellerviertel, das seit 1969 unter Landschaftsschutz steht. In lockerer Reihung stehen hier zwischen Obstbäumen Weinkeller, Speicher und Preßhäuser. Die niedrigen Holzblockbauten mit lehmverschmierten, weißgekalkten Wänden, dicken Strohdächern und schweren, verzapften Eichentüren sind Zeugen der jahrhundertealten Tradition des südburgenländischen Weinbaus.

Ein Original dieser Gegend, weit über die Grenzen hinaus bekannt, ist der Heiligenbrunner »Rübezahl«. Er war einer der letzten der den »Uhudler«, ein eigenwilliger erdhafter Wein, produziert hat. Das laut Weingesetz die Herstellung verboten wird, kann der über 70jährige Rübezahl nicht verstehen. Wovon er selbst täglich zwei bis drei Liter getrunken hat, kann doch nicht schädlich sein.

Wien und der Heurige

Wien ist Bundeshauptstadt, zugleich Bundesland und kleinste Weinbauregion Österreichs. Schon zur Steinzeit siedelten hier im Stromland und auf den Höhen Menschen. Einwanderer aus Skandinavien trafen auf die »Donauländische Kultur«, und aus Spanien kamen die Träger der »Glockenbecherkultur«. In der frühen Bronzezeit saßen hier die Illyrer, und aus der ehemaligen Keltensiedlung, die den Namen »Vedunia« trug, ging auch der heutige Name Wiens hervor. Die Donau bildete die Nordgrenze des Römischen Imperiums, das durch Kastelle geschützt wurde; eines davon war »Vindobona«.

Über acht Jahrhunderte wurde die Geschichte Wiens durch das Schicksal seiner beiden Herrscherhäuser, zuerst der Babenberger, die Mitte des 12. Jahrhunderts ihren Hof hierher verlegten, und dann der Habsburger, bestimmt. Zweimal wurde die Stadt von den Türken berannt. Die erste Belagerung im Jahr 1529 dauerte nur 25 Tage, da der strenge Winter die Türken zur Umkehr zwang. Während der zweiten Belagerung 1683 widerstand eine kleine Besatzung unter dem Grafen Rüdiger von Starhemberg, von den Bürgern kräftig unterstützt, acht Wochen heftigen Angriffen, Beschießung, Hunger und Ruhr. Am 12. September 1683 sammelte sich das christliche Entsatzheer, unter ihnen der junge, zwanzigjährige Prinz Eugen von Savoyen, an den Hängen des Leopolds- und Kahlenberges und stürmte gegen die belagernden Türken und besiegte diese.

Allerdings erzählt man, daß die Wiener noch einem anderen Kampfgefährten diesen Sieg zu verdanken hätten, nämlich dem »Wein«. Die anrückenden Horden aus dem Osten fanden in den Dörfern und Vorstädten große Mengen Wein, die von den Bewohnern nicht rechtzeitig versteckt oder weggeschafft werden konnten. Die Türken, deren Glaube ja den Weingenuß verbietet, konnten den Verlockungen des Weins nicht widerstehen, und viele verfielen dem Trunk. Ob

dies nun ihre Kampfmoral untergrub oder Allah, erzürnt über den Frevel, sie mit der Niederlage strafte, konnte den befreiten Wienern allerdings gleichgültig sein.

Zwei Dinge erinnern uns noch heute an diese Zeit der Türkenbelagerung; das »Wiener Kaffeehaus«, die Türken hatten den Kaffee nach Wien mitgebracht, und das »Wiener Kipferl«, eine Nachbildung des türkischen Halbmondes.

Im 16. Jahrhundert war Wien, dank der klugen Heiratspolitik der Habsburger, zum Mittelpunkt eines großen Reiches geworden. Schon bei der berühmten Doppelverlobung von Maximilians Enkeln mit den Kindern des Königs von Böhmen und Ungarn, die im Jahre 1515 im Wiener Stephansdom stattfand, und später beim Kongreß von 1814 / 1815, mit dem die Ära Napoleons abgeschlossen wurde, zeigte sich die wichtige Mittlerrolle Wiens.

Im Jahre 1857 ließ Kaiser Franz Josef I. die alten Basteien und Stadtmauern niederreißen und an deren Stelle die Ringstraße erbauen. Zu Beginn des 20. Jahrhunderts hatte die Stadt bereits 1,3 Millionen Einwohner, davon waren mehr als die Hälfte aus allen Teilen der Monarchie zugewandert.

Das Ende des Ersten Weltkrieges bedeutete auch gleichzeitig den Zerfall der Österreichisch-Ungarischen Monarchie. Nach der Ausrufung zur Republik am 12. November 1918, wurde Wien im Jahre 1921 ein eigenes Bundesland. Nach den schweren Wunden, die der 2. Weltkrieg hinterließ, wurde der Wiederaufbau der Stadt mit großer Opferbereitschaft der Bevölkerung betrieben, und bald erstrahlte Wien wieder in neuem Glanz. Die Weltstadt ist durch Lage, Klima und Boden geradezu prädestiniert für den Weinbau, der nachweislich

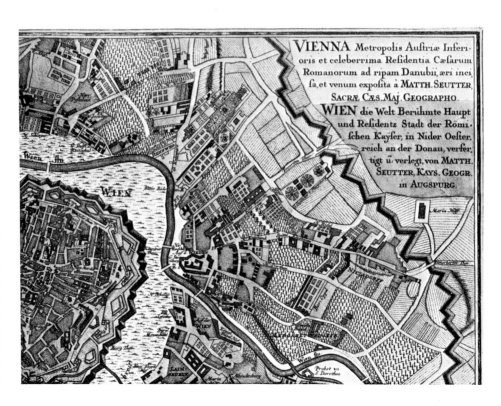

schon von den Kelten, wahrscheinlich auch von den Illyrern und später von den Römern betrieben wurde. Während der römischen Besatzung murrten die Legionäre über die schlechte Qualität des vorgefundenen Weines. Da sie jedoch Anrecht auf eine bestimmte Menge Wein täglich hatten und auf Grund der umständlichen und langwierigen Transportwege oft Versorgungsprobleme auftraten, hob der Soldatenkaiser Marcus Aurelius Probus das von Kaiser Domitian erlassene Weinanbauverbot für die Provinzen auf. Die Legionäre begannen, Weingärten anzulegen, verpflanzten italienische Reben auf die vorhandenen Unterlagen der Wild- und Kulturreben und sorgten somit auch für eine Verbesserung des Weinbaus in der Provinz.

Bis in das späte Mittelalter war die Stadt umgeben und durchzogen von ausgedehnten Weingärten, und der Weinbau bildete eine wichtige Erwerbsquelle für die Bewohner. Verheerende Folgen für die umliegenden Weinberge hatten allerdings die beiden Türkenbelagerungen. In den Weingärten von Nußdorf, Döbling, Hütteldorf, Grinzing, Heiligenstadt, Sievering, Neustift, Salmannsdorf und Pötzleinsdorf blieb kaum ein Stein auf dem anderen.

Doch bereits im 18. Jahrhundert war die Ausdehnung der Weingärten wieder so groß, daß man Neuanlagen durch Verordnungen zu hemmen versuchte. Erst gegen Ende des 18. Jahrhunderts lösten sich die zusammenhängenden Weinbaugebiete mehr und mehr in einzelne Parzellen auf. Heute hat Wien mit einer Weinanbaufläche von 704 Hektar nur einen 1,2 prozentigen Anteil am gesamtösterreichischen Weinbau.

Die Weinbauregion Wien verteilt sich auf die Gebiete Wien-West mit den berühmten Weinbauorten Kahlenbergdorf, Nußdorf, Heiligenstadt, Grinzing, Sievering, Neustift, Salmannsdorf, Dornbach und Ottakring, Wien-Nord mit den Weinbauorten Stammersdorf und Streberstorf, sowie Wien-Süd, zu dessen Gebiet die Orte Mauer, Rodaun und Oberlaa gehören.

Grüner Veltliner, Rheinriesling, Müller-Thurgau, Weißer Burgunder, Traminer, Blauburger, St. Laurent, Blauer Zweigelt und Blauer Portugieser sind die Hauptsorten in den Wiener Weingärten, die größtenteils in Hochkultur ausgepflanzt sind.

Die Weingärten rund um Wien geben nicht nur der Landschaft ihr typisches Gepräge, sondern sind ein beliebtes Naherholungsgebiet für die Wiener Bevölkerung.

Der Absatz des Weines erfolgt in Wien hauptsächlich über die Buschenschenken, die hier »Heurige« genannt werden. Der berühmte, oft besungene und in seiner Art wohl einmalige »Wiener Heurige« kann auf eine lange Tradition zurückblicken und konnte bereits im Jahre 1984 seinen offiziellen 200-jährigen Geburtstag feiern.

Einen »echten« Heurigen erkennt man an einem über dem Eingang aufgehängten Föhrenbuschen und einer eigenen Buschenschanktafel, auf der darauf hingewiesen wird, daß nur Eigenbauweine ausgeschenkt werden. Beim Heurigen ist es üblich, daß sich die Gäste die Speisen beim Buffet selbst holen, während der Wein in Henkelgläsern serviert wird. Der verkaufte Wein ist vielfach ein »gemischter Satz«, das ist ein Verschnitt aus verschiedenen Weinsorten, der diesen Weinen sein typisches Gepräge, nämlich eine erfrischende Fruchtigkeit, Spritzigkeit und Bekömmlichkeit gibt.

Das Privileg der Weinhauer, ihre Eigenbauweine ausschenken zu dürfen, ist uralt. Vermutlich brachten schon die Franken und Bayern, die sich im 8. Jahrhundert im Donauraum ansiedelten, diese Sitte mit. Eines ist gewiß: Um eine Heurigenkonzession mußte man sich damals noch nicht kümmern, da es glücklicherweise noch keinen Beamtenstaat mit seinem ausufernden Papierkrieg gab.

Einen Aufschwung erlebte nicht nur der Handel, sondern auch das Gastgewerbe, als Wien im 11. Jahrhundert für zahlreiche Kreuzritter auf dem Weg ins Heilige Land zu einem ihrer Hauptrastplätze wurde.

Die von den Bürgern eingerichteten Trinkstuben kann man als die ersten Stadtheurigen bezeichnen. Neben den Eigenbauweinen durfte zum Essen nur »Prat« (Brot), »Zwival« (Zwiebel) und »Aschleich« (Knoblauch) angeboten werden. Man nimmt an, daß sich die Bezeichnung »Stubenviertel« von diesen Trinkstuben herleitet. Ebenso waren zahlreiche Keller der Inneren Stadt als Weinkeller angelegt, in denen Wein ausgeschenkt wurde. Doch gerieten viele dieser Keller in sehr schlechten Ruf, da man dort häufig dem Glücksspiel huldigte und diese auch zunehmend zum Jagdgebiet der »Freien Töchter«, die damalige Bezeichnung für gewerbsmäßige Prostituierte, wurden. Um das allzu lockere Treiben im Untergrund zu unterbinden, hoben die moralischen Stadtväter die Institution der Weinmeister auf. Diese Maßnahme traf mit Sicherheit die Falschen und sollte sich auch nicht durchsetzen. Denn die Prostitution selbst zu verbieten hätte nur die Auflassung der Frauenhäuser, in denen diese leichten Mädchen lebten, bedeutet. Diese Frauenhäuser gehörten jedoch zum herzoglichen Dominium und wurden an verdiente Beamte vergeben, die keineswegs auf ihren sicherlich nicht geringen Nebenverdienst verzichten wollten.

Durch die »Josefinische Zirkularverordnung« von 1784 wurde erstmals eine gesetzliche Grundlage für das Heurigenwesen geschaffen. In dieser Zirkularverordnung, die am 17. August 1784 durch Kaiser Josef II. erlassen wurde, hieß es: »Ungeachtet durch mehrere Verordnungen den Grundherrschaften ausdrücklich verboten wird, ihren Unterthanen einige Naturalien, in was immer für einen Masse zum Kaufe oder Verkaufe aufzudringen, so haben sich dennoch verschiedene Fälle ereignet, welche die Ausserachtlassung dieses Gesetzes beweisen, und die Erneuerung desselben zum Schutze der Unterthanen nothwendig machen. Wir verbieten also hiemit allen Grundobrigkeiten bei schwerster Bestrafung, ihren Unterthanen, unter was immer für einem Namen und Vorwande, Lebensmittel oder Getränke, zum Kaufe, Verkaufe oder Ausschanke auf obrigkeitliche Rechnung aufzudringen, oder dieselben zu zwingen, zu einem höheren Preise, als die Obrigkeit auszuschenken; und geben hingegen jedem die Freyheit, die von ihm selbst erzeugten Lebensmittel, Wein und Obstmost zu allen Zeiten des Jahrs, wie, wann und in welchem Preise er will, zu verkaufen oder auszuschenken.« Diese Verordnung ist bis heute Grundlage des gesamten Heurigenwesens und aller späteren Buschenschankgesetze.

Das Biedermeier, das im Wien des Vormärz seine künstlerische Blüte erlebte, prägte mit seinem Lebensgefühl den Heurigen, wie wir ihn noch heute kennen. Dieses biedermeierliche Lebensgefühl unterscheidet den Wiener Heurigen von vielen Kellern und Buschenschenken anderer Weingegenden, in denen die Winzer ihre eigenen Weine ausschenken.

Wien, Wein und der Heurige inspirierten viele Künstler wie Musiker, Dichter oder Maler zu zahlreichen mehr oder weniger bekannten Werken. Und wer kennt nicht das berühmte Wiener Schrammelquartett, das von Nußdorf aus seinen Ruhm begründete und dessen Name »Die Schrammeln« bis heute weltweit als Synonym für alle Heurigen-Musiker steht.

So hat der »Heurige« seinen festen Platz in den Herzen der Wiener sicher, und welcher Besucher kann sich schon der Heurigen-Stimmung entziehen?

Der Beethoven-Heurige

Zu den Trendsettern in Sachen Weinbau in Wien zählt Ing. Franz Mayer, der mit einer Rebfläche von 30 Hektar das größte Weingut der Bundeshauptstadt bewirtschaftet. »Nur rund ein Drittel davon ist Eigenbesitz«, schränkt Mayer ein, der auch Obmann der Wiener Weinbauern und Vizepräsident der Landwirtschaftskammer ist, »der Rest ist hauptsächlich von der Stadt Wien zugepachtet.« Die Weine, die aus seinem Keller kommen, sind erster Güte, und so war es auch nicht verwunderlich, daß Ing. Franz Mayer kürzlich die Ehre zuteil wurde, zum »Winzer des Jahres« gewählt zu werden.

Was sind nun die Kriterien, nach denen Franz Mayer seinen Wein bereitet? Die Trauben werden von Hand gelesen, gerebelt und sorgfältig gepreßt; die Weine, mit Ausnahme der Auslesen, Beerenauslesen und Trockenbeerenauslesen, stets trocken ausgebaut. Die Reifung erfolgt in Eichenfässern.

»Ich habe ausgezeichnete Lagen«, meint der Winzer und nennt im speziellen die Ried Preußen auf dem Nußberg, wo der Rheinriesling steht, der meist bis zur Spätlese auf den Stöcken bleibt, die Ried Schenkenberg, wo der Grüne Veltliner durchwegs Kabinett-Qualität erreicht, und die Ried Alsegg am Südhang des Schafberges, wo durch den klimatischen Einfluß des nahen Wienerwaldes ein rassiger Rheinriesling wächst. Viel Freude hat Ing. Franz Mayer auch mit seinem Nußberger Pinot Chardonnay, der auf einem in dieser Gegend einzigartigen kalkreichen Muschelboden gedeiht. Diese Rebsorte hat in diesem Raum eine lange Tradition. Sie wurde früher von den Weinhauern als »Feinburgunder« bezeichnet. Vollkommen trocken durchgegoren, trug diese Sorte dazu bei, daß Franz Mayer seine Weine auch im Ausland absetzen kann. »Ich exportiere nach Deutschland, nach England und sogar nach Japan«, sagt der »Winzer des Jahres«, der allerdings bedauert, daß das Exportgeschäft in die USA derzeit stagniert. »Dafür war gar nicht so sehr der Weinskandal schuld«,

erklärt Mayer, »vielmehr sind wir den Amerikanern derzeit wegen des ungünstigen Dollarkurses einfach zu teuer.«

Anteilsmäßig ist der Rheinriesling mit 34 Prozent die wichtigste Sorte im Weingut von Franz Mayer. Danach folgen der Grüne Veltliner mit 25 Prozent und der Pinot Chardonnay mit 10 Prozent. Im Angebot stehen ferner Traminer (5%), Sylvaner, Neuburger, Rotgipfler und einige Rotweinsorten.

Ing. Franz Mayer führt in Heiligenstadt auch einen Heurigen, der zu einem ähnlichen Wahrzeichen für Wien geworden ist wie das Riesenrad, der Stephansdom, das Hotel Sacher oder die Sängerknaben. Das liegt aber nicht nur am geschichtlichen Hintergrund, den das Lokal am Pfarrplatz 2 aufzuweisen hat. »In unserem Haus hat Ludwig van Beethoven im Jahre 1817 gewohnt und an seinem größten Werk, der 9. Symphonie, gearbeitet, deren Schlußsatz in Schillers Ode an die Freude mündet«, erklärt Mayer, »kein Wunder, daß das Haus unter Denkmalschutz steht«. Ein Blickfang an der Fassade des Hauses ist auch die aus Holz geschnitzte Figur des heiligen Florian. Sie wurde im Jahre 1820 geweiht und hat — Aberglaube hin, Aberglaube her — das Haus seither vor Feuer beschützt.

Etwa 60 Prozent der Weinproduktion, die vom berühmten »Nußberger«, einem gemischten Satz, der aus bis zu zehn verschiedenen edlen Weinsorten stammt und sich als süffiger, spritziger und naturbelassener Wein präsentiert, bis zu den prämierten Bouteillen-Qualitäten reicht, werden direkt im Buschenschank abgesetzt. Der Rest verteilt sich auf den Export, die Belieferung der gehobenen Gastronomie und auf Privatkunden.

Mayer am Pfarrplatz
Beethovenhaus
Pfarrplatz 2
1190 Wien
☎ 0222 / 373361

Der Kommerzialrat und der Wein

Das Weingut des Kommerzialrats Ing. Hugo Reinprecht in Wien-Grinzing umfaßt eine Weinanbaufläche von fast achtzehn Hektar. Der Winzer legt großen Wert darauf seine Weine in bester Qualität sorten- und jahrgangstypisch herzustellen. Diese Bemühungen brachten Ing. Reinprecht schon diverse Goldmedaillen bei Weinprämierungen ein. Der Hauptanteil der Rebflächen in den Lagen Nußberg und Schenkenberg ist mit Grünem Veltliner und Rheinriesling zu je 30 Prozent und mit 20 Prozent Welschriesling bepflanzt; außerdem wachsen noch Weißer und Blauer Burgunder, Goldburger, Chardonnay und Gutedel.

Neben der umfangreichen Arbeit im Weingut werden vom Winzer auch noch vier Buschenschenken betrieben. Der »Heurige Reinprecht« ist das Reich von Frau Luise Reinprecht. Dieser Heurige ist in einem 300 Jahre alten Gebäude, einem ehemaligen Kloster, untergebracht. Hier können die Gäste auch eine der größten Korkenziehersammlungen Österreichs bewundern. Die weiteren Heurigen »Weinbottich«, »Hauermandl« und »Kirchenstöckl« bestechen ebenfalls durch ihre gemütliche Atmosphäre und durch ihre gute bodenständige Küche.

Weingut Komm.-Rat Ing. Hugo Reinprecht
Cobenzlgasse 22
1190 Wien
☎ 0222 / 321471

Im 19. Wiener Gemeindebezirk, in Nußdorf, steht der Buschenschankbetrieb der Familie Diem. Schon seit 1683 betreibt die Familie Weinbau. Rund 20 Hektar Rebflächen werden bewirtschaftet. Die trocken ausgebauten Weine vom Nußdorfer Rosengarten konnten bei der österreichischen Weinmesse in Krems schon große Erfolge erzielen und einige Goldmedaillen gewinnen.

Auf 46 Prozent der Rebfläche ist Grüner Veltliner ausgepflanzt, auf den restlichen Flächen wachsen Rheinriesling, Welschriesling, Weißburgunder, Neuburger, Traminer, Blauer Zweigelt und Blauburgunder. Der Verkauf der Weine erfolgt vorwiegend über den eigenen Buschenschank, der fast ganzjährig vom 5. Jänner bis 20. Dezember geöffnet hat.

Weingut Familie Diem
Kahlenberger Straße 1, 1190 Wien
☎ 0222 / 374959

Der Fuhrgassl-Huber

Ernst und Gerti Huber, die Besitzer des Weinguts »Fuhrgassl-Huber« bewirtschaften eine Weinbaufläche von 23 Hektar. Auf der Riede Nußberg mit den Lagen Burgstall, Ulm, Collin, Obere Schoß, Preussen, Langteufel und Ulm ist vorwiegend Grüner Veltliner (30 Prozent) und Gemischter Satz (25 Prozent) gepflanzt; 15 Prozent entfallen auf Rotweinsorten, und die restliche Rebfläche ist von Riesling, Traminer, Welschriesling, Riesling Sylvaner, Neuburger und Weißem Burgunder bewachsen.

Die Vermarktung der Weine, die auch in 0,7-l und 2-l Flaschen abgefüllt werden, erfolgt hauptsächlich über den angeschlossenen Buschenschank, wo man sich neben den guten Tropfen des Weingutes auch an dem reichbestückten Heurigenbuffet laben kann.

Weingut Fuhrgassl-Huber
Ernst und Gerti Huber
Neustift am Walde 68
1190 Wien
☎ 0222 / 441405

Der Feuerwehrwagner

Viele Heurige in Wien sind längst zu Institutionen herangewachsen. Aus kleinen, richtig intimen Weinlokalen sind mitunter gewaltige Betriebe entstanden. Zu diesen muß auch der »Feuerwehr-Wagner« in Grinzing gezählt werden. Knapp 500 Gäste finden dort in den verschiedenen Gaststuben Platz, nocheinmal soviele können im romantischen Arkadenhof untergebracht werden. Dennoch sieht Andreas Wagner, der den Betrieb zusammen mit seinem Bruder Franz und seinem Onkel Erich Wagner führt, seinen Heurigen nicht als Touristenlokal. »Zu uns kommen hauptsächlich Stammgäste, den größten Andrang haben wir regelmäßig an den Wochenenden.«

Der Name »Feuerwehr-Wagner« ist historisch erklärbar. »In unserer Gegend hat es eine ganze Reihe von Heurigen gegeben, deren Besitzer Wagner hießen. Um uns von diesen zu unterscheiden, haben wir uns »Feuerwehr-Wagner« genannt, eingedenk unseres Urgroßvaters, der der letzte freiwillige Feuerwehrhauptmann von Grinzing und Heiligenstadt gewesen ist.«

Die Familie der »Feuerwehr-Wagner« läßt sich urkundlich bis ins Jahr 1683 zurückverfolgen, doch weiß Andreas Wagner, daß seine Ahnen schon viel früher in der Gegend Weinbau betrieben haben. »Allein die Gewölbe in unserem Keller zeugen davon. Wir haben dort unten eine Sandsteinsäule und Kreuzgewölbe, die nachweislich gotischen Ursprungs sind.«

Das Weingut des »Feuerwehr-Wagner« umfaßt 20 Hektar Rebfläche mit Rieden auf dem Nußberg, dem Kahlenberg und in Weidling. Die Hauptsorten sind der Grüne Veltliner, Rheinriesling, Müller-Thurgau und Welschriesling, wobei der Großteil der Ernte als sogenannter gemischter Satz im Heurigen ausgeschenkt wird. »Etwa 60% unseres Weines werden im Heurigen verkauft, der Rest geht an die Gastronomie und Privatkunden«, erklärt Andreas Wagner, der als Klosterneuburg-Absolvent für die Kellerwirtschaft zuständig ist.

Im Weingarten verzichtet Andreas Wagner seit Jahren auf Mineraldüngung. »Wir kommen mit Gründüngung aus«, sagt der junge Winzer, »und nehmen zur Schädlingsbekämpfung eine Schwefel-Kupfer-Mischung.« Die Weißweintrauben werden generell gerebelt und stehen, je nach Sorte, zwischen zwölf und 24 Stunden auf der Maische. Noch vor der Gärung wird entschleimt, wenn nötig, erfolgt eine Eiweißschönung und Entsäuerung. Trotz der Größe ist der Feuerwehr-Heurige urgemütlich. Sämtliche Gaststuben sind mit Kachelöfen ausgestattet, die ausschließlich mit Holz geheizt werden. Die Beliebtheit dieses Lokals zeigt ein Blick ins Gästebuch, in das sich schon viel Prominenz verewigt hat. Besonderen

Gästen wurden eigene Tische gewidmet. So findet man dort einen Hans-Moser-Tisch, einen Paula-Wessely-Tisch und einen Robert-Stolz-Tisch.

»Unser Erfolgsrezept ist simpel«, verrät Andreas Wagner, »wir bemühen uns einfach, beste Qualitäten beim Wein und bei den Speisen auf den Tisch zu bringen, eine stimmungsvolle Atmosphäre und gute Gästebetreuung zu bieten.«

Beim Feuerwehr-Wagner wird aber nicht nur heuriger, junger Wein ausgeschenkt. »Wir haben auch eine Vinothek, in der wir eigene Weine vom Jahrgang 1963 aufwärts anbieten. Für besondere Anlässe haben wir aber auch noch Weine aus den späten dreißiger Jahren im Keller.«

Weingut Feuerwehr-Wagner
Grinzingerstraße 53
1190 Wien
☎ 0222 / 322442

Rothen wachsen, sind allerdings der Grüne Veltliner und der Riesling, die je 30 Prozent der Gesamtproduktion ausmachen; 20 Prozent entfallen auf den Gemischten Satz und je 10 Prozent auf den Weißburgunder und den Blauen Portugieser.

Die Weine des Weinbau- und Kellermeisters Hans Sirbu zeichnen sich durch einen hohen Qualitätsstandard aus und werden von ihm zu 95 Prozent im eigenen Buschenschank in der Kahlenbergstraße 210 vermarktet. Wobei besonderes Augenmerk darauf gelegt wird, daß große Autobusgesellschaften an seinem Lokal vorbeifahren und nicht einkehren, um die individuelle Note des Lokales zu erhalten.

Weinbaubetrieb Hans Sirbu
Greinergasse 39
1190 Wien
☎ 0222 / 371319

Am Kahlenberg

In den Weingärten des 3,5 Hektar großen Weinbaubetriebes von Hans Sirbu in Wien findet man noch einige Rebstöcke der in Österreich sehr selten gewordenen Sorte »Österreichisch-Weiß«. Diese kräftig wachsende Rebsorte mit großen, tief gelappten, hellgrünen und unbehaarten Blättern, mit großen Trauben und rechtwinkelig abstehenden Beerenstielen, mit runden, gelbgrünen, dickschaligen Beeren war gegen Ende des vorigen Jahrhunderts stark verbreitet. Sie wurde vorwiegend in den Orten Nußdorf, Heiligenstadt, Grinzing, Weidling und Klosterneuburg rund um den Wiener Kahlenberg gepflanzt. Die Sorte liefert meist säurereiche Weine.

Die Hauptsorten des Weinbaubetriebes, die in den besten Lagen Nußberg, Burgstall, Zeisenbügel und

Besonderen Wert legt Frau Ing. Barbara Wieninger auf die Produktion hochwertiger Qualitäts- und Prädikatsweine in der 0,75-l Flasche, obwohl das sechs Hektar große Weingut schon seit einigen Generationen vorwiegend als Heurigenbetrieb geführt wird.

Die Weingärten in den Rieden Jungenberg, Kirchberg, Hochfeld, Gabrissen und Am Bisamberg weisen eine große Sortenvielfalt auf, wobei der Grüne Veltliner mit 30 Prozent und der Weißburgunder mit 20 Prozent die Hauptrebsortenanteile ausmachen; die weiteren Sorten sind Welschriesling, Riesling und Rheinriesling, Bouvier, Blauer Zweigelt, Blauer Burgunder, Rotburger, Blauburger, Merlot sowie Cabernet Sauvignon.

Bei ihrer Arbeit im Weingarten setzt Barbara Wieninger auf eine natürliche Gründüngung mit jährlich wechselnder Zusammensetzung, und auch beim Rebschnitt wird sehr zurückhaltend gearbeitet.

Auch in der Kellerwirtschaft bevorzugt die Winzerin den natürlichen Weg. So wird auf etwaige Aufbesserungen so gut wie möglich verzichtet. Die Weine werden vorwiegend in Holzfässern ausgebaut; Rotweine durchschnittlich ein bis zwei Jahre im Holzfaß gelagert, teilweise auch im Barrique.

Barbara Wieninger beschäftigt sich auch mit der Sektproduktion, wovon allerdings nur kleine Mengen erzeugt werden.

Weingut Ing. Barbarba Wieninger
Stammersdorfer Straße 78
1210 Wien
☎ 0222 / 394106

Bis zum Jahre 1953 wurde der Weinbau von der Familie Schilling nur als Nebenerwerb zur Landwirtschaft betrieben. Dann entschloß sich Herbert Schilling sen. den Betrieb zu einem reinen Weingut mit dazugehörigem Buschenschank auszubauen. Das Weingut, das von Dipl.-Ing. Herbert Schilling geführt wird, umfaßt heute eine Weinbaufläche von 5,6 Hektar. Der Rebsortenanteil beträgt 30 Prozent beim Grünen Veltliner und 20 Prozent beim Weißburgunder; daneben sind noch Rheinriesling, Neuburger, Müller Thurgau, Muskat-Ottonel, Sauvignon blanc, St. Laurent, Zweigelt und Blaufränkischer in den Rieden Jungenberg und In den Gernen sowie in der Großlage Bisamberg angepflanzt.

Der Winzer strebt bewußt einen geringen Flächenertrag an, um möglichst auf eine Lesegutaufbesserung verzichten zu können. Das Hauptaugenmerk gilt der Verwendung von gesunden Trauben und einer schonenden Verarbeitung; die Vergärung erfolgt mittels Reinhefe. Um die Bekömmlichkeit der Weine zu erhöhen, achtet Herbert Schilling auch beim Schwefelzusatz auf äußerst sparsamen Umgang. Der Ausbau der Weißweine erfolgt in der Flasche, die Rotweine dagegen werden ausschließlich im Holzfaß ausgebaut.

Seit dem Herbst 1987 füllt Herbert Schilling alle 0,75-l Weine in Bordeauxflaschen ab. Die geschützte Markenbezeichnung »Wiener Augustin« kennzeichnet alle trockenen Qualitäts-, Kabinett- und Spätleseweine des Wiener Winzers. Mit der Weißburgunder Spätlese 1987, »Wiener Augustin«, gelang Herbert Schilling der Einzug in den Österreichischen Weinsalon 1988.

Das Weingut Schilling bietet allen Weininteressenten die Möglichkeit, die Weine des Jahrgangs im Rahmen der »Tage der offenen Kellertür«, die jeweils in der ersten Dezemberwoche stattfinden, zu verkosten.

Weingut Herbert Schilling
Langenzersdorfer Straße 54
1210 Wien
☎ 0222 / 394189

Der Niederösterreichische Winzerverband

Der größte Weinumschlagsplatz in Österreich liegt im Wiener Gartenbezirk Simmering. Dort, in der Simmeringer Hauptstraße Nr. 54, liegt die Zentrale des Verbandes Niederösterreichischer Winzergenossenschaften. Dem Verband gehören 16 niederösterreichische Winzergenossenschaften an. Insgesamt haben alle Weinkeller der Genossenschaft 280.000 hl Fassungsvermögen. Über 100.000 hl beträgt eine durchschnittliche Jahresernte.

Der Niederösterreichische Winzerverband, der auf das im Jahre 1898 gegründete »Niederösterreichische Winzerhaus« zurückgeht, verarbeitet in seinen Kellereien in Simmering und Wolkersdorf die von den Mitgliedergenossenschaften angelieferten Moste und baut sie — hauptsächlich in Edelstahlbehältern — sortenrein aus. Die Hauptsorte in der Produktpalette des Winzerverbandes ist der Grüne Veltliner aus dem Raum Falkenstein und Retz. Große Bedeutung in den Marktstrategien haben aber auch der Neuburger aus Gumpoldskirchen und der Blaue Portugieser aus Bad Vöslau oder Haugsdorf. Die Weine des

Winzerverbandes, die das volle Spektrum vom klassischen Grünen Veltliner bis zu den Spätlesen abdecken, werden vielfach unter besonderen Namen vermarktet. Wer kennt nicht die Grünen Veltliner »Poysdorfer Saurüssel« und »Herrenstein« oder den Neuburger »Badener Lumpentürl«?

Seit 1980 besitzt der Niederösterreichische Winzerverband eine der leistungsfähigsten Flaschenabfüllanlagen im Lande, die pro Stunde rund 10.000 Flaschen füllt. Der Winzerverband sorgt aber nicht nur für die Vinifizierung der angelieferten Moste. Er besorgt auch die Lagerung und hat dafür ein eigenes Zentrallager in Wolkersdorf eingerichtet und er sorgt schließlich auch dafür, daß der Wein zu den Kunden kommt. Zur problemlosen Abwicklung hat man über das ganze Bundesgebiet ein Netz von Auslieferungslagern gezogen, von denen aus die Zustellung mit einer eigenen Lkw-Flotte erfolgt. Ein Betrieb dieser Größenordnung ist natürlich längst auf den Einsatz moderner elektronischer Datenverarbeitung angewiesen.

Das Hauptabsatzgebiet für die Weine des Niederösterreichischen Winzerverbandes ist die österreichische Gastronomie und der Lebensmittelhandel. Man bemüht sich allerdings auch, den Export wieder anzukurbeln. Zu Beginn der Siebzigerjahre gab es schon interessante Ergebnisse, nach dem Gewitter des österreichischen Weinskandals brach der Export praktisch zusammen. Nunmehr zeichnet sich im Ausland wieder Interesse an österreichischen Weinen ab. »Wir bemühen uns, gehobene Qualitäten in der Flasche zu angemessenen Preisen auszuführen«, sagt dazu Direktor Dr. Manfred Veit, der Geschäftsführer des Niederösterreichischen Winzerverbandes. Ein Beweis für diese Bemühungen sind der Grüne Veltliner »Saurüssel« 1987 aus dem Weinviertel, Weißburgunder Kabinett 1987 aus Wolkersdorf und der Blaue Portugieser »Keller Krone« 1987 ebenfalls aus dem Weinviertel, die im Österreichischen Weinsalon 1988 vertreten waren.

Verband Niederösterreichischer
Winzergenossenschaften
reg.Gen.m.b.H.
Simmeringer Hauptstraße 54
1110 Wien
☎ 0222 / 741695

Besonders stolz ist Gertrude Bernreiter auf ihren »Ruländer«, ein Wein bester Qualität, der schon mit diversen Goldmedaillen ausgezeichnet wurde. Die Sorte Ruländer ist ansonsten in der Weinbauregion Wien eher eine Rarität.

Im Jahre 1961 übernahm Gertrude Bernreiter den väterlichen Weinbaubetrieb. Die Hauptsorte der 7,5 Hektar großen Weinbaufläche mit den besten Rieden Unterer junger Berg und Gabrissen, ist der Grüne Veltliner, der 40 Prozent der Gesamtproduktion ausmacht; daneben wachsen Weißburgunder, Rheinriesling, Goldburger, Zweigelt und der bereits genannte Ruländer.

Dem Weinbaubetrieb in Großjedlersdorf ist auch ein Buschenschank angeschlossen, in dem 90 Prozent der Weinproduktion abgesetzt werden.

Weinbau Gertrude Bernreiter
Amtsstraße 24
1210 Wien
☎ 0222 / 393680

Eine Reise durchs Weinland Österreich

E s wird a Wein sein, und wir wern nimmer sein«, heißt eine Zeile eines Wienerliedes, und diese Zeile trifft das Wesen des Weinbaues in Österreich ganz genau. Seit bald 2500 Jahren werden in diesem Gebiet Rebstöcke kultiviert, und im Laufe der Jahre erlebte der Weinbau alle Höhen und Tiefen. Verheerungen im Zuge unzähliger Kriegswirren, Naturkatastrophen und auch die unselige Reblaus zwangen die Weinhauer immer wieder zu einem Neubeginn. Ihrem Glauben an ihr Produkt ist es zu danken, daß der Weinbau in Österreich erhalten blieb. Und das ist gut so. Schließlich ist es doch etwas Wunderbares, ein gutes Glas Wein in die Hand zu nehmen und es zu genießen. Ganz gleich, ob im noblen Haubenlokal, beim Heurigen, im Buschenschank oder zu Hause, in den eigenen vier Wänden. Die Österreicher schätzen den Wein aus dem eigenen Land und trinken ihn selbst. Der Export von österreichischen Weinen spielt volkswirtschaftlich keine allzugroße Rolle.

Die österreichischen Weinhauer produzieren keine uniformen Weine. So unterschiedlich wie die Menschen, so unterschiedlich wie die Landschaft, so unterschiedlich sind auch die Weine, die in den landschaftlich und klimatisch verschiedenen Anbaugebieten gekeltert werden.

Der Weinbau in Österreich beschränkt sich auf die Bundesländer Niederösterreich, Wien, das Burgenland und die Steiermark und wird von rund 45.000 Weinbauern mit großteils kleinen und kleinsten Anbauflächen getragen. Der wirtschaftliche Faktor des Weinbaus in Österreich darf nicht übersehen werden. Immerhin lebt eine Viertelmillion Österreicher direkt oder indirekt von diesem Wirtschaftszweig.

Von wesentlicher volkswirtschaftlicher Bedeutung ist das Wechselspiel von Wein und Fremdenverkehr. Urlauber und Ausflugsgäste, die die Weinbaugebiete besuchen, um in der reizvollen Landschaft Erholung zu finden, kehren ja auch ein und haben dabei Gelegenheit, den einen oder anderen Wein kennenzulernen. Der nächste Besuch gilt dann oft schon ganz gezielt einem bestimmten Weinbaubetrieb oder einem ganz bestimmten Buschenschank. Das führte dazu, daß immer mehr Buschenschankbetriebe Fremdenzimmer ausbauen und auch für den Urlaub am Weinbauernhof eingerichtet sind.

Das Weinland Österreich ist ein schönes Land. Wir haben versucht, die Unterschiede der Landschaft und der dort lebenden und arbeitenden Menschen einzufangen und in farbigen Bildern aufzuzeigen.

Wein mit W, wie Wachau

Flächenmäßig ist die Wachau das kleinste Weinanbaugebiet Niederösterreichs. In ihrer Bedeutung liegt sie aber an erster Stelle. Nicht zuletzt wegen der reizvollen landschaftlichen Besonderheit, die dieses Donau-Durchbruchstal auszeichnet. Die steilen Hänge, die erst durch die Anlage von Terrassen für den Weinbau urbar gemacht wurden, sind bleibende Zeugen einer Entwicklung, die vor fast 2000 Jahren begonnen hat. Es waren die Römer, die die ersten Weinpflanzungen in Pannonien und auch im Ufernoricum anlegten. Besiedelt war dieses Gebiet freilich schon zur Altsteinzeit, als sich dort Jäger niederließen und eine beachtliche Kultur entwickelten, von der die im Jahre 1908 gefundene »Venus von Willendorf«, eine gesichtslose Frauengestalt von gewaltiger Körperfülle, Zeugnis gibt.

Während es von den Römern zahlreiche Beweise für ihre Anwesenheit in der Wachau gibt, sind von der Herrschaft der Germanen nur wenige Zeugnisse erhalten. Einzig im nach 1200 niedergeschriebenen Nibelungenlied wird dieses Tal der Donau besungen. Im einzelnen die Orte Bechelaren (Pöchlarn), Medelike (Melk) und Mutaren (Mautern).

Der Name der Wachau wurde im Jahre 860 erstmals urkundlich erwähnt: als »Uuachauua«. Im 11. und 12. Jahrhundert schlossen sich dann die Orte Weißenkirchen, Joching und St. Michael als Pfarrsitz mit Wösendorf zusammen und führten den Namen »Thal Wachau«. Klöster und Stifte wurden gegründet und im Zuge der Besiedlung und der Urbarmachung des fruchtbaren Bodens auch der Weinbau forciert; nicht nur für den Eigengebrauch und die heilige Messe, sondern auch als Handelsgut. Die Stifte Melk, Herzogenburg, Heiligenkreuz, Göttweig, Zwettl und Lilienfeld beschäftigten sich intensiv mit dem Weinbau. Bäuerliche Siedler, die zum Teil aus Bayern ins Land kamen, bewirtschafteten den Boden, der als Lehen oder Eigentum an Klöster, Bischöfe und Adel vergeben war.

Noch heute zeugen die prächtigen Stifte von ihrer großen Vergangenheit. Sie sind nicht nur als Baudenkmäler von unschätzbarem Wert, sie beherbergen auch Kulturgüter, die ihresgleichen suchen. Allein die gewaltigen Bibliotheken mit ihren tausenden Handschriften sind einen Besuch wert.

Zeugen der Vergangenheit sind in der Wachau auch die mittelalterlichen Häuser, die, aus Bruchsteinen gebaut und mit Schindeln gedeckt, die Jahrhunderte überdauerten.

Am »Eingang« zur Wachau liegt das Barockjuwel Stift Melk, das 1989 den 900jährigen Bestand feierte

Diese Häuser sind auch heute noch voller Leben und zum Teil direkt mit dem Weinbau verbunden. Viele von ihnen beherbergen Buschenschenken, in denen die Weinhauer die Produkte ihrer mühsamen Arbeit kredenzen. Das weithin sichtbare Zeichen, daß »ausg'steckt« ist, ist der Föhrenbuschen mit den roten und weißen Bändern, die signalisieren, ob Rot- oder Weißweine ausgeschenkt werden.

Zur Einkehr laden in die malerischen Orte der Wachau aber nicht nur die vielen Buschenschenken. Neben den zahlreichen bodenständigen Gasthöfen hat sich dort auch eine Nobelgastronomie etabliert, in der die zeitgemäße Kochkunst als Kontrapunkt zur urigen Brettljause angeboten wird.

Die Wachau ist ein fruchtbarer Landstrich, geprägt von den Ausläufern des pannonischen Klimas und dem Donaustrom als Feuchtigkeitsspender. Hat also die Natur die Voraussetzungen für beste Qualitäten geschaffen, so liegt es doch in der Hand des Menschen, die Trauben in Wein hinüberzuführen. Den heutigen Stellenwert der Wachauer Weine hat eine Winzerpersönlichkeit nachhaltig geprägt: Josef Jamek in Joching. Er hat in den fünfziger Jahren als einer der ersten begonnen, seine Weine trocken auszubauen und damit eine kleine Revolution in der Geschmacksentwicklung eingeleitet.

In der Wachau gedeihen aber nicht nur die Weinreben prächtig, dort stehen auch Marillen-Plantagen, die vor allem zur Baumblüte eine Attraktion ersten Ranges sind. Von weither kommen Besucher, um diese einzigartige Blütenpracht zu erleben. Daß daraus in weiterer Folge wieder Qualitätsprodukte abfallen, wirft ein gutes Licht auf die tüchtigen Bewohner der Wachau. Die Marillen-Mameladen und — nicht zu vergessen — die besonderen Marillen-Brände haben sich neben dem Weinbau zu einem wichtigen Wirtschaftszweig entwickelt.

Trotz des wirtschaftlichen Aufschwunges und dem lebhaften Tourismus in der Wachau achten die Bewohner peinlich darauf, daß die Idylle nicht gestört wird. Eine

ideale Möglichkeit, die Wachau zu erleben, bieten die Radwanderwege, auf denen man, abseits des Durchzugsverkehrs, auf Feld- oder Waldwegen die Schönheit der Natur genießen und an den lauschigen Donaubuchten Rast machen kann. Einen besseren Überblick über die Terrassenanlagen der Wachau hat man allerdings vom Wasser aus. Wenn man auf einem

Aquarell von Erich Giese

der Ausflugsschiffe der DDSG (Donaudampfschiffahrtsgesellschaft) die gar nicht mehr so blaue Donau stromauf- oder stromabwärts befährt.

Die Schiffahrt auf der Donau hatte ja seit jeher einen großen Stellenwert, weil dieser Strom ein wichtiger Handelsweg war und ist. In früheren Jahrhunderten wurde stromabwärts hauptsächlich Salz transportiert, das dann in Krems ausgeladen und mit Pferdekarren nach Böhmen gebracht wurde.

Stromaufwärts hatten die Kähne, die von Pferden gezogen wurden, auch Wein geladen. Wein, der von den Klöstern in der Wachau an die Stammklöster in Passau und Salzburg geschickt wurde.

Feste feiern, wie sie fallen

In der Wachau ist der Jahreslauf der dort arbeitenden Menschen natürlich vom Weinbau geprägt. Noch im Winter beginnt die Arbeit in den Weingärten, wenn mit dem Rebschnitt der künftige Ertrag festgelegt wird. Die Arbeit im Freien setzt sich weit in den Herbst hinein fort, bis die Trauben reif zur Lese sind. Dann zeigt es sich, ob es ein gutes Jahr war, und ob die natürlichen Voraussetzungen für einen weiteren guten Weinjahrgang gegeben sind. Die Wachauer Weine, insbesondere der Riesling, zeichnen sich durch feinen Duft und eine betont fruchtige Säurestruktur aus. Gerade dieser

höhere Säureanteil bewirkt, daß die Wachauer Weine recht lange lagerfähig sind und durch die längere Reife noch deutlich gewinnen. Die Rieslinge der Wachau im Spätlesenbereich zählen zu den besten Weinen Europas.

Die Bewohner der Wachau sind aber nicht nur ein fleißiger Menschenschlag, sie verstehen es auch, Feste zu feiern. In Spitz beispielsweise wartet man damit nicht bis zur Weinlese, dort wird schon früher, im August, der Marillen-Kirtag abgehalten. Da holen die Leute ihre seit Jahrhunderten überlieferte Festtracht hervor. Die

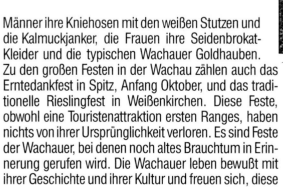

Männer ihre Kniehosen mit den weißen Stutzen und die Kalmuckjanker, die Frauen ihre Seidenbrokat-Kleider und die typischen Wachauer Goldhauben.
Zu den großen Festen in der Wachau zählen auch das Erntedankfest in Spitz, Anfang Oktober, und das traditionelle Rieslingfest in Weißenkirchen. Diese Feste, obwohl eine Touristenattraktion ersten Ranges, haben nichts von ihrer Ursprünglichkeit verloren. Es sind Feste der Wachauer, bei denen noch altes Brauchtum in Erinnerung gerufen wird. Die Wachauer leben bewußt mit ihrer Geschichte und ihrer Kultur und freuen sich, diese

Traditionsverbundenheit den Besuchern aus nah und fern zeigen zu können.
Für die Weinhauer geht aber nach den Festen gleich der Ernst des Lebens weiter. Da beginnt die Arbeit im Keller, zu der sie immer noch den »Firta«, den seit Jahrhunderten üblichen blauen Arbeitsschurz, anlegen.

Das natürliche Wahrzeichen von Spitz ist der rebenbewachsene Burgberg, viel besser bekannt unter dem Namen »Tausendeimerberg«. Dort wurden in guten Jahren stets tausend Eimer Wein, das sind rund 56.000 Liter, gelesen. Spitz selbst gefällt durch seinen alten Ortskern, in dem man auf Schritt und Tritt mit dem Weinbau konfrontiert wird. Kaum ein Haus, an dem sich nicht Weinreben emporranken. Wuchsen in früheren Jahren auf dem »Tausendeimerberg« noch die mittlerweile gerodeten Sorten wie »Seestock«, »Silberweiß«, »Heunisch« oder »Scheibkürn«, so sind heute der Grüne Veltliner und der Neuburger die Hauptsorten. Die Herkunft des Neuburgers ist geheimnisumwittert. Es heißt, daß Mitte des 19. Jahrhunderts ein Rebstock am Donauufer in Oberarnsdorf angeschwemmt wurde, den der Schiffer und Weinhauer Ferstl zusammen mit dem Weinbauern Machherndl auspflanzte. Der daraus gekelterte Wein gefiel durch seine Güte, und so war es kein Wunder, daß sich auch die Weinhauer in Spitz bald um diese Rebe bemühten und diese auf dem »Tausendeimerberg« aussetzten. Zu den Attraktionen der Wachau zählen auch das Schiffahrtsmuseum in Spitz, das im Erlahof, dem ehemaligen Wirtschaftshof des Klosters Niederaltaich, untergebracht ist und einen umfassenden Überblick über die frühere Bedeutung der Donauschiffahrt gibt, sowie das Wachaumuseum im Teisenhoferhof in Weißenkirchen.

Dürnstein nimmt in der Wachau eine besondere Stellung ein. Dieser Ort kann auf eine schillernde Geschichte verweisen. Auch in England kennt man diesen Namen zur Genüge. Schließlich wurde König Richard Löwenherz, der auf dem Heimweg vom dritten Kreuzzug durch Österreich kam, auf der Burg der Kuenringer gefangengehalten und erst nach Bezahlung eines Lösegeldes wieder freigelassen. Das Leben und die Gefangennahme des Königs fand in vielen Werken der Dichtkunst und der Musik ihren Niederschlag.

Großes Bild innen: Von der Ferdinandswarte am rechten Donauufer bietet sich ein imposanter Blick auf die Rebanlagen zwischen Dürnstein und Loiben.

Darunter fällt auch die Sage vom Sänger Blondel, der von Burg zu Burg zog, um seinen Herrn zu finden. Von der Burg der Kuenringer zeugt nur noch eine Ruine, der Ort selbst hat seinen mittelalterlichen Charakter jedoch erhalten. Die Häuser sind vorbildlich gepflegt, und auch die Barockbauten wie die Kirche des Augustiner Chorherrenstiftes oder das Kellerschlößl, das nach den Plänen von Jakob Prandtauer errichtet wurde, präsentieren sich in neuem Glanz. Der Kirchturm des Chorherrenstiftes bekam im Zuge der Generalsanierung eine neue Farbe. Die Denkmalschützer orientierten sich dabei an zeitgenössischen Stichen und ließen die gelbe Farbe des Turms blau überstreichen.

Bauherr des Kellerschlößls war übrigens Probst Hieronymus Übelbacher, der auch ein großer Freund des Kartenspiels war, wovon auch ein Wandfresko zeugt. Die Decken sind mit üppigen Stukkaturen ausgestattet, die in Allegorien den Wein verherrlichen.

Ein paar Kilometer weiter südlich liegt Loiben, eines der Qualitätszentren des Wachauer Weinbaues. Die Weingärten liegen zunächst in der Ebene, um dann in Terrassen die Berghänge aufzusteigen. Die berühmtesten Lagen sind dort der Loibner Berg, die Ried Schütt, Kreutles, Steinertal, Rothenberg und Frauenweingarten. Dort wachsen in erster Linie Riesling und Grüner Veltliner.

Sozusagen am unteren Ende der Wachau liegt die Ortschaft Stein. Schon von weitem sind die Türme der Nikolauskirche und der ehemaligen Minoritenkirche St. Ulrich zu sehen. Im Ort selbst findet man noch unzählige Häuser mit gotischer Bausubstanz. Sehenswert ist auch das alte Mauthaus von Stein, das ehemalige Wohnhaus des kaiserlichen Mauteinnehmers in der Steiner Landstraße, die parallel zur Donau verläuft. Historische Bedeutung erlangte der Ort auch dadurch, daß dort Ludwig Ritter von Köchel lebte, der durch die Archivierung der Werke Wolfgang Amadeus Mozart in die Musikgeschichte einging.

Genau zwischen Stein und Krems liegt Und. Damit ist aber nicht das Bindewort gemeint, sondern jene Ortschaft, die eine weit über die Grenzen Österreichs hinaus bekannte Institution beherbergt: Das Weinkolleg Kloster Und, das Dkfm. Erich Salomon und Helmut Alt

einrichteten und dem Besucher einen umfassenden Überblick über den Weinbau in Österreich und seine Produkte bietet. Im mehr als 1000 Quadratmeter großem Keller des Kollegs lagern über 100 der besten heimischen Gewächse. Rund 30 Boxen Grüner Veltliner verstehen sich sozusagen als »Empfangskomitee« für den Besucher, den der Weg weiter in den »Rieslingkeller« führt, wo Qualitäten vom Kabinett- bis zum Spätlesenbereich gestapelt sind. Die restlichen Weine lagern im »Kapuzinerkeller«, der im Rahmen der Revitalisierung des Klosters wiederhergestellt wurde. Dort treffen einander die Weine in Rot-Weiß-Rot zum »Chor« der Qualität, wie es so schön in der Informationsschrift des Kollegs heißt.

Der Besucher hat die Möglichkeit, sämtliche Weine zu verkosten, und bekommt dazu eine Kostschale, die er als Souvenir behalten darf.

In vielen bildlichen Darstellungen rund um den Weinbau findet man immer wieder religiöse Motive. Kein Wunder, haben doch der Weinstock und die Traube bereits im Alten Testament einen hohen Stellenwert. Schenkt man der Überlieferung Glauben, dann wurde Noah durch einen Ziegenbock zum ersten Weinbauern der Menschheitsgeschichte. Es heißt, daß Noah einst einen Ziegenbock beobachtete, der sich von der Herde getrennt hatte und abends vollgefressen und fröhlich zurückkam. Am nächsten Tag ging Noah dem Ziegenbock nach und fand ihn von Trauben naschend. Auch Noah aß von den Trauben, und da sie ihm gut mundeten, schnitt er einige ab und legte sie in einen Trog. Nach ein paar Tagen trank er vom bereits vergorenen Traubensaft und lernte so als erster die Wirkung des Alkohols kennen.

»Wer erfand den Rebstock? — Noe durch den Ziegenbock.« Die Darstellung des traubennaschenden Ziegenbocks wurde zu einem gerne verwendeten Motiv in der Volkskunst und man findet diese auf vielen geschnitzten Holzfässern. Dieses Motiv zeigt auch das Wappen der Hauerinnung von Krems-Stein und auch das Siegel der Weinhauerzeche von Retz weist den aufgerichteten Ziegenbock auf. Der Maler Johann Martin Schmidt, der »Kremser Schmidt«, verewigte Noah auf einem seiner Werke ohne Ziegenbock. Auf der Innungsfahne der Kremser Faßbinderzunft von 1778 sieht man Noah beim Pflanzen eines Rebstocks.

Auch Moses, der das jüdische Volk aus Ägypten führte, steht im Zusammenhang mit Wein. Als er das Gelobte Land erreichte, sandte er Kundschafter aus, um festzustellen, ob das Land Kanaan auch fruchtbar genug sei. Die Kundschafter brachten neben anderen Früchten auch eine Traube von ungewöhnlicher Größe zurück. Eine Begebenheit, die in der Volkskunst immer wieder als Motiv herangezogen wurde.

Krems kann auf eine lange Geschichte zurückblicken. Die Geschichte der Stadt ist seit jeher unmittelbar mit dem Weinbau verbunden, der im Raum um Krems bereits im dritten Jahrhundert, zur Zeit des römischen Kaisers Probus, betrieben wurde. Gegründet wurde Krems im Jahre 995 und als »Urbs Chremisa« erstmals urkundlich erwähnt. Wesentliche Bedeutung gewann der Weinbau im 12. Jahrhundert, als die dortigen Klöster vermehrt Weingärten anlegen ließen. Allein in der nächsten Umgebung der Stadt Krems hatten bis zum 16. Jahrhundert nicht weniger als 42 Klöster Weingärten als Stiftungen bekommen oder gekauft, 16 davon in den wenigen Jahren zwischen 1120 und 1194. Zur Zeit der Reformation wurden einige dieser Klöster aufgelöst und Mitte des vorigen Jahrhunderts ging der Weingartenbesitz im Zuge der Säkularisierung fast gänzlich in privates Eigentum über. Bemerkenswerterweise gab es im Raum Krems schon Ende des 13. Jahrhunderts neben den klösterlichen Weingartenanlagen auch beachtliche weltliche Besitzungen. So überließ Herzog Albrecht I. 20 Gefolgsleuten einen gemeinsamen Besitz in und um Weinzierl als Lehen. Zu Beginn des 18. Jahrhunderts kauften sich die Lehner frei. Von den 20 Familien, die von Herzog Albrecht I. belehnt wurden, beschäftigen sich noch drei mit dem Weinbau in Weinzierl.

Heute wird in Krems auf einer Fläche von rund 820 Hektar Weinbau betrieben. Die Hauptsorten sind der Grüne Veltliner, Müller Thurgau und Riesling. Die bedeutendsten Lagen sind der Wachtberg, die Sandgrube, der Weinzierlberg, Kremsleiten und Frechau, im benachbarten Stein stammen die besten Weine von den Gärten am Goldberg, dem Steiner Kreuzberg oder den Rieden Pfaffenberg, Hund, Kögel oder Wieden. Kulturell ist Krems wegen seines ausgezeichnet erhaltenen mittelalterlichen Stadtkerns von großer Bedeutung.

Weinbaugebiet
Kamptal-Donauland

Folgt man der Donau, erreicht man unterhalb des Durchbruchtales der Wachau das Weinbauge-
biet Kamptal-Donauland. Dieses Weinbaugebiet umfaßt hauptsächlich den Raum Krems beiderseits der Donau und dann das Kamptal bis hinauf nach Schön-berg. Am rechten Donauufer liegen die Weinbauge-meinden Mautern, Palt, Thallern, Hollenburg, Furth und Göttweig.

Mautern ist jener Ort, in dem sich der Weinbau in die-sem Gebiet am weitesten zurückverfolgen läßt. Schon in den Schriften des Eugippius aus dem Jahre 511 wird von Weingärten berichtet. Und zwar in der Lebensbe-schreibung des hl. Severin, der sich in eine entlegene Stätte, »an den Weingärten genannt« zurückzog.

Eine lange Tradition hat der Weinbau auch im Stift Gött-weig, das im Jahre 1074 gegründet wurde und seine heutige Form 1719 vom Barockbaumeister Lukas von Hildebrandt erhielt. Die Stiftskirche ist vor allem wegen ihrer Rokoko-Altäre mit den Gemälden des Künstlers Kremser Schmidt von Bedeutung. Sehenswert ist auch der beeindruckende Stiegenaufgang der Abtei.

Der Großteil des Weinbaugebietes Kamptal-Donauland liegt am linken Donauufer. Da diese Region geologisch zur Böhmischen Masse zählt, weisen die Böden haupt-sächlich Urgesteinsverwitterungsböden auf, die zum Teil von Lößschichten überlagert sind. An den Hängen in Gedersdorf wird der Weinbau auf schmalen Löß-Ter-rassen betrieben, die im Aussehen entfernt an chinesi-sche Reiskulturen erinnern.

Gleich außerhalb von Krems, in Richtung Gedersdorf, liegt Rohrendorf, eine Ortschaft, die nicht nur für den Weinbau in Österreich von großer Bedeutung ist. Dort

war Lenz Moser III. zu Hause, der mit seinen Ideen den Weinbau revolutioniert hat. Er entwickelte die sogenannte Hochkultur, die heute in vielen Weinbaugebieten dieser Erde verwendet wird.

Einer der wichtigen Weinbauorte dieses Gebietes ist Straß im Straßertal. Ein idyllischer Ort, in dem sich die niedrigen Häuser entlang einem Wasserlauf aneinanderreihen. Über den Bach führt die kleine, zweibogige Marienbrücke, die sich im träge dahinfließenden Wasser spiegelt. Auf diesem Flecken Erde scheint die Zeit stillzustehen. Die Alten des Dorfes wärmen sich an den Hausmauern sitzend in der Abendsonne und genießen die Ruhe. Sie wissen, daß der Weinbau in ihrem Ort, der eine lange Tradition besitzt, bei der jungen Weinbauerngeneration in besten Händen liegt. Die Rebflächen von Straß im Straßertal weisen hervorragenden Lagen auf. Die besten sind die Rieden Gautscher und Bleckenweg im Osten und der Gaisberg, ein Ausläufer des

bekannten Heiligensteins. Die Weingärten sind zum überwiegenden Teil mit Weißweinsorten bepflanzt. Die Qualitäten werden geschätzt und ernten bei den verschiedenen Wein-Prämierungen laufend Spitzenplätze. Nicht weit von Straß finden wir Hadersdorf am Kamp, eine Ortschaft, die schon im Neolithikum besiedelt war. Der Ort war einst ein wichtiger Handelsplatz. Dort sammelten sich die Händler, um ihre Waren, Salz, Eisen und Wein in Konvois durch das unsichere Waldland nach Norden zu führen. Noch heute zeugt der wunderschöne Marktplatz von der einst großen Bedeutung dieses Ortes, der auf Grund seines geschlossenen Ensembles unter den Schutz der Haager Konvention gestellt wurde. Einen besonderen Reiz erhält der Marktplatz mit der fast ungestörten alten Häuserfront durch den Park in der Mitte des Platzes.

Es ist noch eine relativ ruhige Gegend und nicht vom Tourismus überlaufen.

Langenlois

Langenlois ist mit seiner Fläche von 67 Quadratkilometern und einer Anbaufläche von 1.926 Hektar die größte Weinbaugemeinde Österreichs. Zum Stadtgebiet gehören seit 1972 auch die Weinbauorte Zöbing am Kamp, Gobelsburg, Mittelberg, Reith und Schiltern. Langenlois ist ein sehr geschichtsträchtiger Boden. Die anmutige Gegend war schon von der Steinzeit an und zur Bronzezeit besiedelt und auch die Römer hatten an diesem Flecken Erde Gefallen gefunden. Zahlreiche Grabungsfunde, die im Heimatmuseum ausgestellt sind, geben davon Zeugnis. Das Museum ist in einem Gebäude am Rathausplatz 9 untergebracht. Bayrische und fränkische Siedler verhalfen dem Ort zu einem wirtschaftlichen Aufschwung, und heute präsentiert sich die Stadt im sonnigen Becken an der Mündung des Loisbachs in den Kamp in einem geschlossenen Bild. Allein der Kornplatz mit seinen Bürgerhäusern aus der Zeit der Gotik, dem Barock und der Renaissance zählt zu den schönsten Plätzen von Österreich.

Die Bewohner von Langenlois geben sich recht selbstbewußt. Sie leben mit ihrer Geschichte, mit ihrem kulturellen Erbe, und sie wissen um die wirtschaftliche Bedeutung des Weinbaus für ihre Stadt. Die Stadt hat rund 7000 Einwohner, davon beschäftigen sich nicht weniger als 800 Familien mit dem Weinbau; mehr als die Hälfte davon allerdings im Nebenerwerb. Die Ernte beträgt im Jahresschnitt etwa 120.000 Hektoliter, davon entfallen rund 90 Prozent auf die Weißweinproduktion. Die Hauptsorten sind der Grüne Veltliner, Müller Thurgau, Riesling, Chardonnay, Weißburgunder, Malvasier und Welschriesling. Von den Rotweinsorten werden hauptsächlich Blauer Zweigelt und Blauer Portugieser kultiviert. Neuerdings werden auch Cabernet Sauvignon und Merlot vermehrt ausgepflanzt.

Die besten Lagen des Weinbaugebietes um Langenlois sind die Rieden Spiegel, Steinhaus, Dechant, Loiserberg und vor allem der Zöbinger Heiligenstein. Gerade die dort gezogenen Grünen Veltliner und Rieslinge zählen mit Recht zu den österreichischen Spitzenweinen. Sie werden auch bei offiziellen Anlässen immer wieder gereicht. Die Chronik berichtet, daß Langenloiser Weine schon anläßlich der Geburt von Maria Theresia im Jahre 1717 kredenzt wurden und daß Beethoven großen Gefallen am »Langenloiser« hatte. Auch den amerikanischen Präsidenten Nixon und Reagan wurde anläßlich ihrer Staatsbesuche in Österreich Wein aus Langenlois gereicht. Mit Stolz erinnern sich die Langenloiser auch an den Österreich-Besuch des Heiligen Vaters, Papst Johannes Paul II., im Jahre 1983. Auch er verkostete ihren Wein.

Zu den Attraktionen von Langenlois zählen auch zwei Weinlehrpfade, wovon sich einer direkt in Langenlois, nahe der berühmten und wunderbar renovierten Kellergasse befindet und der andere in Zöbing. Zöbing, das, wie erwähnt, seit 1972 zu Langenlois gehört, wird wegen der Qualität seiner Weine und wegen der großen Zahl von Heurigenlokalen auch als »Grinzing des Kamptales« bezeichnet. Der Ort mit seinem nierenförmigen Hauptplatz liegt am Fuße des Heiligensteines, der eine für diesen Raum geologische Besonderheit aufweist. Der Berg besteht aus verwittertem Wüstensandstein. Der Name »Heiligenstein« kommt vom »Höllenstein«, da im Sommer die Sonne so heiß wie in der Hölle auf die in ihren Weingärten arbeitenden Winzer scheint. Im Laufe der Jahrhunderte ist aus dem Höllenstein der Heiligenstein geworden.

Vom richtigen Lagern der Weine

Von den berühmten Weinbaubetrieben etwa in Frankreich weiß man, daß in den dortigen Kellern auch Weinraritäten aus den Anfängen dieses Jahrhunderts und darüber hinaus aufbewahrt werden. Die österreichischen Raritäten reichen nicht so weit zurück. Das liegt zum Teil auch daran, daß die vorhanden gewesenen Bestände im Zuge der Kriegswirren verloren gingen.

Nun sind einzelne Weinbaubetriebe wieder bestrebt, erlesene Jahrgänge in eigenen Vinotheken zu horten und zu beweisen, daß auch die heimischen Weine durchaus über Jahrzehnte haltbar sind und dabei in der Qualität noch gewinnen. Es zählt zu den besonderen Auszeichnungen, wenn der Gast zu einem Besuch in die »Schatzkammer«, ins »Allerheiligste« eines Weinbaubetriebes eingeladen wird und einen der kostbaren Altweine probieren darf. Solche Augenblicke werden regelrecht zelebriert. Geradezu andächtig nimmt der Weinhauer die mit der Patina der Jahre behaftete, ausgewählte Flasche aus dem Regal, um sie behutsam zu öffnen. Die Freude ist groß, wenn sich herausstellt, daß sich die lange Lagerung ausgezahlt hat.

Es ist ja kein Geheimnis, daß alles, was die Natur hervorbringt einem vorgezeichneten Werdegang unterliegt. Das gilt auch für den Wein. Hier können wir drei Phasen vermerken. Die Entwicklung, die Reife und schließlich den Abbau. Wann ein bestimmter Wein seinen Höhepunkt erreicht, hängt von der Sorte, der Lage, in der er gezogen wurde, und nicht zuletzt von der Qualität ab.

Die vielfach vertretene Meinung, österreichische Weine sollten am besten jung getrunken werden, stimmt nur bedingt und trifft nur auf einzelne Sorten zu. Es ist schon richtig, daß prinzipiell der Müller Thurgau, zum Teil der Grüne Veltliner, aber auch der Welschriesling und Muskateller ihren typischen Sortengeschmack in der Jugend erreichen, jedoch der Weißburgunder, der Riesling oder die Prädikatsweine benötigen schon einige Zeit der Lagerung, um ihren Höhepunkt zu erlangen.

Absolute gültige Werte gibt es nicht, aber grundsätzlich kann man sagen, daß man gute Qualitätsweine nach ein bis drei Jahren trinken sollte. Das hängt von der Sorte, der Herkunft und nicht zuletzt vom Jahrgang ab. Es sind immer wieder bestimmte Rieden, aus denen jene Weine stammen, die für eine lange Lagerung geeignet sind. Dort stimmen die natürlichen Voraussetzungen. Dort erreichen die Trauben die nötige Vollreife, also ausreichende Zuckergrade, Säure- und Extraktwerte.

Für die optimale Flaschen-Reife des Weines sind klarerweise bestimmte Lagerbedingungen einzuhalten. Der Wein soll seine Entwicklung möglichst ungestört von äußeren Einflüssen durchlaufen können. Ideal wäre dazu ein Keller mit einer konstanten Luftfeuchtigkeit von rund 70% und einer über das ganze Jahr gleichbleibenden Temperatur zwischen 10 und 13 Grad Celsius. Dort liegt das Problem. Wer hat schon solche Bedingungen bei sich zu Hause? Natürlich kann man auch

Kompromisse schließen. Auch eine dunkle Ecke in einem kühlen Zimmer eignet sich für ein kleines Flaschenlager. Ein Regal, in dem die Flaschen liegend gelagert werden sollten, um den Korken feucht zu halten, reicht in den meisten Fällen. Auch dort wird sich der Wein nicht nur »halten«, sondern auch noch ausbauen.

Relativ problemlos läßt sich auch unter diesen Voraussetzungen eine private Rotweinvinothek anlegen. Gerade die Rotweine halten auch Temperaturschwankungen zwischen 10 und 18 Grad ohne weiteres aus

und benötigen Zeit zur vollen Entwicklung. Zumindest zwei bis drei Jahre benötigen Blauer Burgunder, Blauer Zweigelt, Blaufränkisch, Cabernet Sauvignon und Merlot. Barrique-Weine beispielsweise sollte man unbedingt fünf Jahre in der Flasche lassen, ehe man sie trinkt. Dem Wissen um die meist unzulänglichen Lagermöglichkeiten im Haushalt haben zahlreiche Winzer Rechnung getragen. Sie bieten ihren Kunden an, die gekauften Weinflaschen im eigenen Weinkeller zu lagern. Das Problem für den Konsumenten: Er muß sich den Wein bei Bedarf abholen.

Das größte österreichische Weinbaugebiet mit einer Rebfläche von über 18.000 Hektar ist das Weinviertel. Die Weingärten befinden sich auf sanften Hügeln, steile Lagen findet man dort kaum. Es ist ein fruchtbares Land, in dem sich Rebkulturen mit Äckern abwechseln. Nur in den Weinbau-Zentren findet man Betriebe, die sich ausschließlich dem Weinbau widmen, ansonsten werden überwiegend Mischkulturen bewirtschaftet.

Interessanterweise unterscheidet sich das Kleinklima dieser Weinbauzentren oft wesentlich von dem der umliegenden Gebiete. Gerade dieses Kleinklima ist es aber, das zusammen mit der günstigen Bodenstruktur die natürlichen Voraussetzung

für einen guten Wein ausmacht. Vom Boden her ist der Raum Retz, Mailberg, für die Rotweinsorten Blauer Portugieser, Blauburger, Cabernet Sauvignon und Merlot wie geschaffen, im Osten, an der Brünner Straße, gedeihen vor allem die Weißweinsorten Grüner Veltliner, Welschriesling und Rheinriesling.

Wir wollen uns zunächst mit dem westlichen Teil des Weinviertels befassen. Die Weinbauzentren in diesem Teil sind Retz, Pulkau, Röschitz, Haugsdorf und Mailberg. Ziemlich in der Mitte dieses Weinbaugebietes liegt Röschitz, ein Ort, der vor allem wegen seines ausgezeichneten Grünen Veltliners einen guten Klang hat. Der »Grüne« wird dort auch »Urveltliner« genannt, wobei die Herkunft dieses Namens im Dunklen liegt. Verschiedene Lösungen stehen jedoch zur Auswahl. Eine führt den Namen auf den Urgesteinsboden zurück, durch den der Veltliner den sortentypischen fruchtig-spritzigen und würzigen Geschmack erhält. Eine andere Lösung wäre, daß der Veltliner aus Röschitz dem klassischen Typ dieses Weines am nächsten kommt, und die dritte Variante besagt, daß der Veltliner hier seinen Ursprung nahm.

Direkt im Ort, im Kellerviertel von Röschitz, liegt unter der Erde eine Sehenswürdigkeit, die in dieser Form einzigartig ist. Es handelt sich dabei um den 200 Jahre alten »Weberkeller«, dessen Wände über und über mit in den Löß geschnittenen Reliefs ausgeschmückt sind. Diese Reliefs sind der Ausdruck einer unverfälschten Volkskunst und wurden zum Großteil vom Urgroßvater des heutigen Besitzers Erich Weber mit einem Taschenmesser in den weichen Löß geschnitten. Bei der Wahl der Motive war der Hobby-Künstler nicht wählerisch. Religiöse Motive wie das »Letzte Abendmahl«, frei nach Leonardo da Vinci, finden sich gleich neben Darstellungen von Feldherren, Künstlern und Politikern, wieder andere Bilder zeigen Szenen aus der griechischen und römischen Mythologie. Erich Webers Großvater führte das Werk fort, und heute findet sich nicht ein einziges Fleckerl Wand, das nicht verziert wurde. Eines der Bilder, gleich beim Eingang, erregt bei den vielen Besuchern des Weberkellers regelmäßig Heiterkeit. Die allegorische Darstellung der Folgen des übermäßigen Weingenusses zeigt einen Winzer mit drei Tieren. Nach etwas zuviel vom köstlichen Rebensaft bekommt man erst einen Affen, danach beißt einen der Hund, und anderntags hat man einen Kater.

Die beiden kunstbeflissenen Weinhauer haben sich selbst im Weinkeller verewigt. Neben dem Eingang haben sie lebensgroße Selbstbildnisse in den Löß geschnitten.

Einer der großen österreichischen Politiker, Julius Raab, war gern gesehener Gast im Weberkeller. An seine oftmaligen Besuche erinnert noch eine Fotografie, die den Kanzler mit seiner unvermeidlichen Virginia-Zigarre und den damaligen Hausherren, Ökonomierat Ludwig Weber, zeigt.

Ein Kulturdenkmal besonderer Art ist die Wasserburg von Schrattenthal, die Mitte des 15. Jahrhunderts errichtet wurde und über eine gotische Wehrkapelle verfügt. Dort lebte zwischen 1822 und 1824 der österreichische Dichter Nikolaus Lenau. An seinen Aufenthalt erinnert eine Gedenktafel an der Schloßeinfahrt, auf der ein Ausspruch Lenaus geschrieben steht: »O Menschenherz, was ist dein Glück? Ein rätselhaft geborner und, kaum gegrüßt, verlorner, unwiederholter Augenblick!«

Am Eingang zum Pulkautal liegt Pulkau, wo jeweils am ersten Sonntag im August der Hauerkirtag abgehalten wird.

Retz

Weinbau und Weinhandel waren von alters her die wirtschaftliche Grundlage von Retz. Schon im Jahre 1057, zu einer Zeit, als die Stadt noch gar nicht bestand, wurde in der dortigen Gegend der Weinbau urkundlich bestätigt. Die Stadt, die heuer 710 Jahre alt ist, war im Laufe der Geschichte wiederholt Ziel von kriegerischen Auseinandersetzungen. Die Hussiten eroberten Retz im Jahre 1425 und machten sie dem Erdboden gleich, zur Zeit des 30jährigen Krieges war die Stadt von den Schweden besetzt und später, 1742, war im Zuge des Schlesischen Krieges auch Friedrich der Große im Weinviertel. Wie schon die Schweden vor ihm, hatte auch Friedrich großen Gefallen am Retzer Rebensaft gefunden. Als er abzog, befahl er seinen Leuten, acht Eimer davon mitzunehmen. Auch die Rote Armee sprach dem Retzer Wein recht ordentlich zu. Noch heute wird davon gesprochen, daß einige Rotarmisten in einem mit Wein überschwemmten Keller ertrunken seien.

Zu den Besonderheiten der Stadt mit dem wunderbaren Hauptplatz zählt die sogenannte »Unterwelt« von Retz: die weitverzweigten Kellergewölbe, die eine Gesamtlänge von rund 16 Kilometer aufweisen. Mit der »Oberwelt« verglichen und umgerechnet, bedeutet dies, daß die Kellergänge länger sind als das gesamte

Straßennetz der Stadt. Die in den Sandstein gegrabenen Gewölbe sind mitunter bis zu vier Stockwerke tief.

nen Galerie geht in seiner Bausubstanz auf die alte Marienkapelle zurück, deren hoher gotischer Raum Mitte des 16. Jahrhunderts horizontal unterteilt wurde. Im unteren Teil verblieb das Gotteshaus, im oberen Teil wurden der Rats- und Bürgersaal eingerichtet. Seine charakteristische Form erhielt der Turm im Jahre 1572. Gleich neben dem Rathaus befindet sich das imposante »Verderberhaus«, ein zinnengekrönter Bau mit burgähnlichem Charakter im venezianischen Stil. Sehenswert ist auch das Sgraffitohaus mit Darstellungen aus der Bibel und den griechischen Fabeln. Bemerkenswert ist ein Bild, das die »Kundschafter mit der Traube« zeigt. Darauf findet man auch den erst kurz zuvor errichteten Stadtturm.

Das obere Weinviertel ist eine Gegend, die nur wenig Niederschläge aufweist. Im Jahresschnitt nur 350 Millimeter. Das bietet die besten Voraussetzungen für den Anbau von Rotweinsorten.

Die geringen Niederschläge und die daraus resultierenden eher träge dahinfließenden Wasserläufe veranlaßten die Bevölkerung schon früh, andere Energiequellen als die Wasserkraft zu nutzen. So gab es dort eine ganze Reihe von Windmühlen, in denen die Bauern ihr Getreide mahlen ließen. Heute steht nur noch eine einzige voll betriebsfähige Windmühle im Weinviertel.

Ein interessantes Baudenkmal ist das Rathaus, das den Hauptplatz der Stadt beherrscht. Der Turm mit der offe-

Haugsdorf und Mailberg

Das Weinviertel erstreckt sich nach Norden hin bis unmittelbar an die Grenze zur CSSR. Die letzten Weinorte vor der Grenze sind Oberretzbach, Mitterretzbach und Unterretzbach, wo der Weinbau sozusagen in Blickweite der Stacheldraht-Verhaue betrieben wird. In dem Land an der Grenze ist die Bevölkerung auf die Landwirtschaft angewiesen. Weil auch der Tourismus dieses Gebiet noch nicht entdeckt hat, wirken die Orte recht verschlafen, von der Zeit vergessen. Nicht weit davon liegen an der Straße nach Znaim die Orte Jetzelsdorf und Haugsdorf, zwei Weinbaugemeinden, in denen hervorragende Rotweine gekeltert werden. Besonders der Blaue Portugieser, mit dem rund 60 Prozent der Rebflächen bepflanzt sind, erreicht dort eine Qualität, die beträchtlich über dem Niveau anderer Weinbaugebiete liegt. Die beste Lage ist fraglos die Ried Sonnen. Die Weingärten bedecken eine sanfte Hügellandschaft und wechseln sich mit Ackerflächen ab. Sieht man von der gotischen Kirche ab, hat Haugsdorf noch die berühmte Kellergasse als Attraktion zu bieten. Im benachbarten Jetzelsdorf befindet sich das größte private Jagdmuseum Österreichs.

Von Haugsdorf gelangt man über Seefeld-Großkadolz nach Mailberg, das auch wegen seines Malteser Schlosses von Bedeutung ist. Es birgt eine großartige Sammlung von Schaustücken des Souveränen Malteser Ritterordens.

Der östliche Teil des Weinviertels erstreckt sich im wesentlichen entlang der Brünner Straße. Die wichtigsten Weinbaugemeinden sind dort Falkenstein, Poysdorf und Mistelbach. Weiter im Osten sind es Zistersdorf und Matzen.

In Falkenstein befindet sich die wohl schönste und längste Kellergasse von Österreich. Falkenstein war im Mittelalter auch Sitz des »Berggerichts«, in dem alle Streitigkeiten rund um den Weinbau geschlichtet wurden. Diese Tradition haben einige Winzer aus Falkenstein wiederaufleben lassen und vermarkten ihre Weine unter dem Namen »Falkensteiner Berggericht«.

Auch die Winzer in Poysdorf haben sich eine besondere Weinmarke schützen lassen. Die »Poysdorfer Schwedenperle« soll an die Zeit erinnern, als im Dreißigjährigen Krieg schwedische Truppen vor den Toren der Stadt lagerten und die Zerstörung von Poysdorf unausbleiblich schien. Die Stadtoberen luden jedoch die Heerführer zu einem gewaltigen Umtrunk, und danach erklärten sich die Schweden bereit, die Stadt für eine Menge von 1000 Eimer Poysdorfer Wein zu verschonen.

Weinbau-Tradition und Fortschritt leben im Weinbaugebiet um Zistersdorf eng nebeneinander. Dort werden die Rebstöcke in den Weingärten von stählernen Ölförderpumpen überragt. Ein Gegensatz, der nicht unbedingt reizvoll ist, aber den wirtschaftlichen Notwendigkeiten entspricht.

Weithin sichtbar ist die Burgruine Falkenstein. Im Ort befindet sich auch die schönste Kellergasse Österreichs. In Paasdorf, einige Kilometer von Mistelbach entfernt, steht im Weinkeller der Familie Donner diese kulturhistorisch interessante Weinpresse. Sie wurde vom Bildhauer Raphael Donner geschnitzt.

Klosterneuburg

Nur durch Wien unterbrochen, erstreckt sich das Weinbaugebiet Donauland-Carnuntum von Mautern bei Krems donauabwärts bis zur Grenze der CSSR. Das geistige wie fachliche Zentrum dieser Region ist Klosterneuburg mit seiner berühmten Weinbauschule. Das nicht minder berühmte Chorherrenstift, das durch Markgraf Leopold III. gegründet wurde, war seit jeher direkt mit dem Weinbau verbunden, was auch den Spitznamen für das Stift erklärt. Noch heute wird der Bau im Volksmund als »Zum rinnenden Zapfen« bezeichnet. Beeindruckend ist auch der riesige dreigeschossige Keller, in dem sich ein gewaltiges Faß, das 1000-Eimer-Faß, befindet. Jeweils zu Leopoldi findet dort das Faßlrutschen statt, ein Brauch, dessen Ursprung sich nicht mehr genau eruieren läßt.

Östlich von Wien erstreckt sich das Weinbaugebiet am rechten Donauufer. Das ehemalige Römerlager Carnuntum am Schnittpunkt der Donau mit der Bernsteinstraße, ist der Hauptort dieses Gebietes. Während der Markomannenkriege war Petronell-Carnuntum Hauptquartier von Kaiser Marc Aurel gewesen. Historisch bedeutend sind die Ausgrabungen von Carnuntum, die einen Überblick über das Leben der römischen Besatzer in diesem Raum geben. Bedeutende Weinorte sind weiters Hainburg mit seiner einzigartigen Aulandschaft, Hundsheim, Prellenkirchen, Höflein und Göttelsbrunn. Dort gedeiht der älteste Weinstock Österreichs. Er ist über 200 Jahre alt.

Die Thermenregion

Mit den Weinen entlang der Südbahnstrecke zwischen Wien und der Gegend um Leobersdorf verbinden sich große Namen. Wolfgang Amadeus Mozart, Ludwig van Beethoven und Anton Bruckner haben sich dort bei einem Schluck Wein Anregungen für ihre berühmten Werke geholt. Bruckner war es, der der Thermenregion ein paar Zeilen ins Stammbuch geschrieben hat. Sie charakterisieren das Land und den Wein vortrefflich: »Aber Leutln — reds doch net so halbert daher! Trinkts amal in Petersdorf an einem sternhellen Juniabend in an Gartn a Viertel Grebelten, schauts auf die Glühwürmerln, horchts auf die Grillen — nachher wißts, was a Schubert-Adagio is.«
Die Zentren des Weinbaus in der Thermenregion sind Perchtoldsdorf, Gumpoldskirchen, Guntramsdorf, Baden, Sooss und Bad Vöslau. Es sind dies die beliebtesten Ausflugsziele der Wiener. Gumpoldskirchen hat auch zwei Weinspezialitäten anzubieten: den Zierfandler, der ortsüblich als »Spätroter« bezeichnet wird, und den Rotgipfler. Diese beiden Rebsorten werden nur in dieser Region kultiviert.

Im Kurort Baden, wo sich Österreichs größte Schwefelheilquelle befindet, ergänzen sich Kurbetrieb und Wein aufs trefflichste. Das gilt nicht nur für die klimatischen Voraussetzungen, die den Erholungswert in dieser Region ebenso wie den Weinbau begünstigen, das gilt auch für den Kurbetrieb mit den Trauben- und Mostkuren zur Zeit der Weinlese.
Südlich an Baden schließen die Weinbaugebiete von Sooss und Bad Vöslau an, wo hervorragende Rotweine gedeihen. Vor allem der Blaue Portugieser, den Freiherr von Fries 1772 aus Portugal mitbrachte und dort aussetzen ließ, bringt einen der ausdrucksstärksten Rotweine südlich von Wien. Der Begriff »Vöslauer« ist heute ein Synonym für diesen Wein. Vöslau ist auch die Wiege der Schaumweinerzeugung in Österreich. Mitte des vorigen Jahrhunderts gründete dort Robert Schlumberger seine Kellerei, in der er seinen Sekt nach der »methode champagnoise« bereitete. Schlumberger war es auch, der die Rebsorten Cabernet Sauvignon, Merlot und St. Laurent nach Österreich gebracht hat und in seinem Weingut am Goldeck auspflanzte.

Wien

Um Wien zu beschreiben, kommt man mit wenigen Begriffen aus. Man assoziiert mit der österreichischen Hauptstadt in erster Linie den »Steffl«, den Stephansdom, den Prater mit dem Riesenrad, und den Heurigen. Das sind jene Weinlokale in der Vorstadt, in dem der »Heurige«, der junge Wein der letzten Ernte, im, wie es so schön im Wienerlied heißt, »Glaserl mit an Henkerl« ausgeschenkt wird. Die bekanntesten Heurigenlokale liegen in Grinzing, in Sievering, in Nußdorf, in Heiligenstadt und in Neustift, an den Hängen des Kahlenbergs und des Nußbergs. Am linken Donauufer, am Bisamberg, finden wir sie in den Weinorten Stammersdorf, Strebersdorf und Jedlersdorf.

Die Heurigen sind heute zu Touristenattraktionen ersten Ranges gewachsen. Kaum ein Besucher aus dem Ausland, der seinen Aufenthalt in Wien nicht mit einem Heurigenbesuch verbindet. Es gehört einfach dazu, mit dem Fiaker nach Grinzing hinauszufahren, um dort die längst nicht mehr urtümliche Heurigenatmosphäre und die Schrammelmusik zu genießen.

Die im Heurigen ausgeschenkten Weine sind durchwegs ein gemischter Satz aus mehreren Rebsorten. Der Wein ist spritzig, von erfrischender Frucht und eher leicht im Alkohol. Das hat seinen guten Grund. Schließlich will man beim Heurigen doch mehrere Vierteln konsumieren, ohne gleich betrunken zu werden. Die Speisen werden beim Heurigen üblicherweise an einem Büffet angeboten, von dem man sich selbst bedienen muß.

232

Das Burgenland

Der Weinbau hat im Burgenland eine jahrtausendealte Geschichte und ist zusammen mit dem Fremdenverkehr heute eine der wichtigsten Einnahmequellen für die Bevölkerung.

Schon in der Hallstattzeit, rund 600 Jahre vor Christi Geburt, wurde im Gebiet des heutigen Burgenlandes Weinbau betrieben, was durch archäologische Ausgrabungen nachgewiesen wurde. In einem Hügelgrab in Zagersdorf gefundene Rebkerne beweisen, daß vor zweieinhalb Jahrtausenden schon verschiedene Rot- und Weißweinsorten gepflanzt und gekeltert worden waren. Man weiß sogar, wie der Wein geschmeckt haben mag. Aufgrund chemischer Analysen der Bodensätze von Gefäßen fand man heraus, daß der Wein geharzt, mit Honig gesüßt und mit Kräutern und Gewürzen angesetzt war.

Nach Niederösterreich liegt das Burgenland in bezug auf seine Rebflächen an zweiter Stelle des österreichischen Weinbaus. Die Weingärten erstrecken sich nahezu über das gesamte Bundesland und teilen sich in insgesamt vier Gebiete: In die Region Südburgenland mit den Zentren in Heiligenbrunn, Deutsch Schützen, Eisenberg und Rechnitz, wo in erster Linie die Sorten Blaufränkisch und Zweigelt, aber auch Welschriesling gezogen werden. In die Region Mittelburgenland um Lutzmannsburg, Deutsch-Kreutz, Unterpetersdorf, Horitschon und Neckenmarkt, die Rotweinhochburg Österreichs. Viele der dort gekelterten Blaufränkischen halten mit ihrer Fruchtigkeit und herben Würze internationalen Vergleichen stand. In die Region Neusiedlersee-Hügelland von Mörbisch, Rust, Oggau, St. Margarethen, Zagersdorf, über Eisenstadt mit den Ortsteilen Kleinhöflein und St. Georgen, Großhöflein, Donnerskirchen und Purbach, um nur die wichtigsten Orte zu nennen. Die vierte und zugleich größte Weinbauregion des Burgenlandes ist das Weinbaugebiet Neusiedlersee. Es erstreckt sich von Winden, Jois und Neusiedl am See hinunter in den Seewinkel mit den Ortschaften Weiden, Gols, Mönchhof, Halbturn, Frauenkirchen, Podersdorf, Illmitz, Appetlon, St. Andrä bis Pamhagen.

Ein Besuch der Region Südburgenland lohnt nicht nur wegen der hervorragenden Weine, sondern auch wegen der Ursprünglichkeit der dortigen Landschaft und der Häuser. Sehenswert vor allem das berühmte Heiligenbrunner Kellerviertel, in dem an die 80 historische Weinkeller stehen. Es handelt sich dabei um Blockbauten, deren Wände mit Lehm verschmiert und deren Dächer auch heute noch mit Stroh gedeckt sind. Diese Weinkeller sind zwar uralt, auf manchen Balken findet man Jahreszahlen aus dem 18. Jahrundert, aber nach wie vor in Gebrauch.

Mörbisch

Das Weinbaugebiet Neusiedlersee-Hügelland unterliegt bereits dem Einfluß des Neusiedler Sees und des ausgeprägten pannonischen Klimas mit dem schon zeitig einsetzenden Frühling, einen heißen Sommer und einem langen, milden Herbst. Fast 2000 Sonnenscheinstunden Jahr für Jahr und das Feuchtigkeitsreservoir des Sees bewirken eine optimale Traubenreife und begünstigen die für die Gewinnung von Prädikatsweinen nötige Edelfäule. Es wurden schon sensationelle Reifegrade bei den Trauben erreicht. Den absoluten Rekord stellt in dieser Hinsicht eine Ernte des Jahres 1969 dar. Damals wurden Trauben mit einem Mostgewicht von 59° KMW gelesen. Man kann sich vorstellen, daß es nicht einfach war, diesen Most zur Gärung zu bringen. Galt es lange Zeit als höchstes Ziel der burgenländischen Winzer, Prädikatsweine zu keltern, so folgen sie heute dem internationalen Trend und bauen auch fruchtige, trocken Weine aus. Beispiele dafür sind die von den Mörbischer »Opernballwein-Weinbauern« vinifizierten Nobelweine. Der »Opernballwein« ist ein leichter, fruchtiger Welschriesling vom Typ des spritzigen Primeurweins, der »Falstaff« ein voller, durch einjährige Lagerung gereifter Weißburgunder und der »Ochs auf Lerchenau« ein harmonischer, feiner Blaufränkischer, für den nur die reifsten Trauben im Bereich von 19° KMW herangezogen werden dürfen. Mörbisch hat aber nicht nur wegen seiner Weine einen guten Klang, der Ort ist auch wegen seiner Seespiele, die 1957 ins Leben gerufen wurden, eine Attraktion. Der erste »Zigeunerbaron« wurde noch von Laiendarstellern aus Mörbisch gesungen und gespielt, mittlerweile finden sich auf der Besetzungsliste der verschiedenen Operetten die Namen arrivierter Künstler. Das Publikum genießt das Spiel auf der Seebühne unter freiem Himmel und nimmt außer dem Kunstgenuß auch den einen oder anderen Gelsentippel mit nach Hause.

Das Ortsbild von Mörbisch ist historisch gewachsen und erklärt sich aus der wechselvollen Geschichte. Kuruzzen und Türken verheerten den Ort, woran heute noch der umgangssprachliche Stoßseufzer »Kruzzi Türkn« erinnert. Bedingt durch die oftmaligen Überfälle legten die Mörbischer ihre Gehöfte in einer Weise an, die eine erfolgversprechende Verteidigung ermöglichte. Die Häuser in den Hofgassen mit der breiteren Einfahrt an der Vorderfront und dem schmalen Durchschlupf an der Hinterfront geben noch Zeugnis davon. Die Häuser von Mörbisch werden von den Bewohnern vorbildhaft gepflegt. Blitzsauber weiß gestrichen leuchten sie in der Sonne und werden von üppigem Blumenschmuck geziert.

Ein Charakteristikum des Weinbaues in dieser Region wird vor allem im Raum Mörbisch und Rust deutlich. Nach dem alten ungarischen Erbrecht wurden die Weingärten jeweils zu gleichen Teilen auf alle Kinder aufgeteilt, wodurch die Besitzungen immer weiter aufgesplittert wurden. Daraus erklärt sich, daß sich heute

kaum große Rebflächen im Einzelbesitz befinden. Oft sind es nur ein Paar Zeilen, die einem Winzer im Weingarten gehören und mit denen er seine Vorstellungen vom Weinbau verwirklichen will. So reihen sich die unterschiedlichsten Sorten auf einer Rebfläche. Welschriesling wächst neben Blaufränkisch, Traminer neben Muskat Ottonel. Diese Sortenvielfalt auf engstem Raum ergibt im Herbst aufgrund der unterschied-

Großes Bild innen: Herbstlicher Weingarten-Fleckerlteppich bei Großhöflein. Charakteristisch für das Burgenland sind die zwischen den Weinstöcken gepflanzten Obstbäume.

lichen Reifezeiten und der Farbunterschiede des Weinlaubes ein einmalig buntes Bild. Wie ein Fleckerlteppich in der Natur.

Das Burgenland, speziell das Gebiet um den Neusiedler See, hat auch gastronomisch einiges zu bieten. Der Steppensee, der im Schnitt lediglich eineinhalb Meter tief ist, weist einen großen Fischreichtum auf. Aale, Hechte, Schleie und Karpfen werden als köstliche Gerichte auf den Tisch gebracht.

Ein wahres Volksfest ist die alljählich veranstaltete Seedurchquerung, bei der hunderte Teilnehmer teils watend, teils schwimmend durchs Wasser pflügen.

Rust und Oggau

Aus zweierlei Gründen hat Rust große Bekanntheit erlangt. Einmal wegen dem Wein, speziell wegen dem Ruster Ausbruch, der der Stadt zu Wohlstand verhalf, und zum anderen wegen der für die Freistadt typisch gewordenen Störche. Der Ruster Wein erfreute sich schon im 16. Jahrhundert großer Beliebtheit. Er wurde damals als »westungarischer Wein« bis an die Nordsee exportiert. Diese rege Handelstätigkeit und die daraus resultierenden Gewinne ermöglichten es den Ruster Bürgern, sich im Jahre 1681 das Privileg einer »Freistadt« zu erkaufen. Das »Erkaufen« darf man durchaus wörtlich nehmen, mußten die Ruster dafür doch 500 Eimer zu je 56 Liter Ausbruch Wein und zusätzlich noch 60.000 Golddukaten an Kaiser Leopold I. entrichten.

Ganz typisch für das Ortsbild von Rust sind die Störche bzw. die Nester auf den Rauchfängen der Häuser. Kaum ein Haus, das nicht ein Nest aufweisen kann, und Jahr für Jahr warten die Bewohner sehnsüchtig darauf, daß »ihr« Storchenpaar wohl wieder den Weg vom »Winterquartier« in Afrika zurückfindet.

Zu einem Markenzeichen von Rust ist auch die erst 1989 eröffnete Burgenländische Weinakademie geworden. Sie hat die Aufgabe, den burgenländischen Wein, den ihm zustehenden Stellenwert im In- und Ausland zu sichern.

Nur wenige Kilometer westlich von Rust liegt Oggau, wo sich ein 2,5 Kilometer langer Weinlehrpfad befindet. Auf 30 Stationen kann sich der Besucher einen Überblick über den Weinbau verschaffen. Zu den Attraktionen dieses Weinlehrpfades zählen auch eine alte Baumpresse, die noch vor kurzem in Verwendung war und eine bemerkenswerte Gläsersammlung.

Der Oggauer Wein wurde schon vielfach ausgezeichnet. Bei den Weltausstellungen in Paris (1930) und London (1932) konnte beispielsweise Andreas Kern mit seinem Blaufränkischen gegen die gesamte französische Konkurrenz Grand-Prix-Sieger werden. Diese Erfolge nahmen sich 20 Oggauer Winzer zum Vorbild. Sie bauen ihren Blaufränkischen nach besonderen Qualitätsrichtlinien aus und vermarkten ihn als »Andreaswein — Grand Prix«.

Eisenstadt, seit 1925 die Landeshauptstadt des Burgenlandes, war durch Jahrhunderte Residenz der mächtigen Adelsfamilie Esterhàzy. Ihr hat die Stadt ihren Aufschwung zu verdanken. Noch heute stehen wunderschöne Barock-Bürgerhäuser in der Stadt, die freilich vom pächtigen Schloß Esterhàzy überstrahlt werden. Ursprünglich als Wasserburg gebaut, gab der italienische Barockbaumeister Carlone dem Bau mit seinen rund 200 Zimmern und sechs Sälen sein heutiges Aussehen.

Mit dem Schloß Esterhàzy ist auch der Name Joseph Haydn untrennbar verbunden. Der Komponist, der im Jahre 1732 geboren wurde und zunächst in Wien als Vizekapellmeister des Grafen Morzin wirkte, wurde von Fürst Paul Anton Esterhàzy nach Eisenstadt verpflichtet, wo er 29 Jahre lang lebte und seine berühmtesten Werke komponierte. Eines seiner bekanntesten Werke ist die »Schöpfung«, die er damals mit folgenden Worten beschrieb: »Oft, wenn ich mit Hindernissen aller Art rang, die sich meinen Arbeiten entgegenstemmten, wenn oft die Kräfte meines Geistes und Körpers sanken und es mir schwer ward, da flüsterte mir ein Gefühl zu: Es gibt hienieden so wenige der frohen und zufriedenen Menschen, überall verfolgt sie Kummer und Sorgen, vielleicht wird deine Arbeit eine Quelle, aus welcher der sorgenvolle und von Geschäften lastende Mensch auf einige Augenblicke seine Ruhe und Erholung schöpft.«

Diese Worte, die Joseph Haydn fand, um den Sinn seiner »Schöpfung« zu verdeutlichen, stehen stellvertretend für den Charakter eines großen Weines, der nach diesem berühmten Musikwerk benannt wurde. Die »Schöpfung« als Markenname für einen Eisenstädter Wein wird von insgesamt 17 Winzern gekeltert. Es handelt sich dabei um Kabinettweine der Sorten Blaufränkisch und Weißburgunder.

Joseph Haydn ist aber nicht der einzige berühmte Komponist, der im Burgenland wirkte. Ein weiterer großer

Sohn des Burgenlandes ist auch Franz Liszt, der am 22. Oktober des Jahres 1811 in Raiding, unweit von Horitschon, zur Welt kam. Im Geburtshaus des Komponisten ist heute ein Museum eingerichtet, in dem eine Reihe von Originalpartituren sowie die Raidinger Kirchenorgel ausgestellt sind, für die Franz Liszt 1840 »etwa 100 Dukaten« gespendet hatte.

Zurück zum Schloß Esterhàzy: Zum Schloß gehört auch ein wunderschöner Park, ein Treibhaus und eine Orangerie, in der alljährlich, Ende August, Anfang September, das »Fest der 1000 Weine« gefeiert wird. Es ist dies die größte Weinkost des Landes, und sie bietet einen umfassenden Überblick über die burgenländische Weinwirtschaft.

In das Stadtgebiet von Eisenstadt wurden erst in jüngster Vergangenheit auch die Weinbauorte St. Georgen und Klein Höflein eingemeindet.

Eine bedeutende Weinbaugemeinde das Anbaugebietes Neusiedler See-Hügelland ist St. Margarethen. Dort lebt praktisch die gesamte Bevölkerung vom Weinbau. Die Ortschaft hat aber auch als Kulturzentrum einen großen Namen. Im Römersteinbruch, der eine imposante Kulisse bildet, werden alle fünf Jahre Passionsspiele aufgeführt, an denen über 500 Ortsbewohnern mitwirken. Der Römersteinbruch ist außerdem Schauplatz eines internationalen Bildhauersymposiums, das seit 1959 abgehalten wird. Alljährlich kommen Künstler aus der ganzen Welt in diesen Steinbruch, um ihre Kunstvorstellungen in den Sandstein zu meißeln. Hunderte dieser Arbeiten geben Zeugnis über die unterschiedlichsten Kunstrichtungen.

Eine Attraktion von St. Margarethen ist außerdem das farbenfrohe Erntedankfest, zu dem die Bewohner ihre Festtracht anlegen, an der man erkennen kann, daß auch dieses Gebiet lange unter ungarischem Einfluß stand.

Fährt man von St. Margarethen nordwärts, führt der Weg mitten durch die Weingärten nach Oslip, linker Hand am Goldberg vorbei nach Schützen am Gebirge,

und weiter nach Donnerskirchen. Dieses Gebiet war schon zur Hallstattzeit besiedelt, wovon die vier Hügelgräber auf dem Schönleitenberg Zeugnis geben. Dieser Ort hat aber auch Weingeschichte geschrieben. Geradezu unglaublich ist das Kapitel vom sogenannten »Lutherwein«. Es heißt, daß Fürst Paul Esterhàzy, als er im Jahre 1653 den Edelhof erwarb, im Keller ein Faß mit einer schon 1526 gekelterten Trockenbeerenauslese entdeckte. Es heißt weiter, daß die Fürsten Esterhàzy diesen Wein bis zum Jahre 1852 zu besonderen Anlässen kredenzten. Dabei habe man die entnommene Weinmenge jeweils durch Kieselsteine ersetzt, um das Faß wieder randvoll zu machen.

Etwas weiter nördlich von Donnerskirchen liegt Purbach, eine Weinbaugemeinde, die in ihrer Chronik eine amüsante Legende hat, von der ein steinerner Türke, der aus dem Rauchfang des Hauses Schulgasse 9 ragt, Zeugnis gibt. Demnach haben sich im 17. Jahrhundert türkische Truppen in Purbach niedergelassen und dem Wein recht ordentlich zugesprochen. So sehr zugesprochen, daß einer der Osmanen, volltrunken, das Anrücken des Heeres von Prinz Eugen regelrecht verschlief und dann, als er sich durch einen Rauchfang davonmachen wollte, in diesem steckenblieb. Der Überlieferung nach ist der Türke in Purbach geblieben und hat dort eine Familie gegründet.

Das Weinbaugebiet Neusiedler See

Die vierte Anbauregion des Burgenlandes ist das Weinbaugebiet Neusiedler See, in dem auch der sogenannte Seewinkel liegt. Der Weinbau in diesem Gebiet wurde wesentlich von Zisterzienser-Mönchen getragen. Sie kultivierten den Wein bis ins heutige Ungarn und brachten aus Frankreich die Burgundersorte Pinot Gris mit, den Grauburgunder, der später auch als »Grauer Mönch« bezeichnet wurde, weil die Zisterzienser-Mönche graue Kutten trugen.

Diese Sorte spielt heute keine wesentliche Rolle mehr. Die wichtigsten Rebsorten sind Grüner Veltliner, Welschriesling, Müller Thurgau, Muskat Ottonel, Neuburger, Traminer, Riesling, Weißburgunder und Goldburger.

Die fruchtbaren Böden werden auch über den Weinbau hinaus genützt. Die Bauern haben auch Gemüsefelder angelegt und verkaufen ihre Produkte zumeist gleich am Straßenrand. Ein buntes Bild, wenn auf den Tischen und Wagen verschiedenes Gemüse und Obst präsentiert werden. Darüberhinaus sind die Bewohner dieses Gebietes handwerklich sehr geschickt. Vor allem die in Weiden am See kunstvoll gefertigten Strohflechtarbeiten werden gerne als Souvenirs gekauft.

Das Weinbaugebiet Neusiedler See ist durch seine Prädikatsweine bekannt geworden. Kaum ein Winzer, der nicht eine Beerenauslese, Trockenbeerenauslese oder sogar einen Eiswein im Keller hat. Besonders die Winzer von Illmitz haben sich in diesem Zusammenhang in Szene gesetzt. Sie können stolz auf über 2000 Goldmedaillen verweisen und schafften es, mit ihren Prädikaten schon acht Mal bei der Weltweinmesse in Laibach den Weltmeistertitel »Champion« zu erringen.

Die »Weltmeister« waren eine Weißburgunder-Trockenbeerenauslese 1981, eine Welschriesling-Auslese 1981, eine Bouvier-Beerenauslese 1981, Welschriesling Trockenbeerenauslese 1976, und gleich dreimal

konnte der Weinbaubetrieb Gartner mit seinen Welschriesling Trockenbeerenauslesen 1973, 1976 und 1978
den Titel gewinnen.
Die Häufigkeit von Prädikatsweinen in diesem Gebiet
erklärt sich aus den besonderen klimatischen Verhältnissen im Seewinkel. Das dortige Klima kann fast schon
als subtropisch bezeichnet werden. Nicht weniger als
250 Vegetationstage, eine Jahresdurchschnittstempe-
ratur von rund 11 Grad, gepaart mit der durch den Neusiedler See und die unzähligen kleineren und größeren
»Lacken« bedingten hohen Luftfeuchtigkeit, bringen die
natürlichen Voraussetzungen für die Edelfäule der
Trauben.
Der Seewinkel wird geographisch bereits zur Pußta
gerechnet. Die Landschaft ist eben wie ein Bügelbrett,
was die Bearbeitung der Rebflächen, im Gegensatz zu
den Terrassen in der Wachau und dem Bergweinbau in
der Steiermark, vereinfacht.
Dieses Gebiet ist aber nicht nur wegen des Weinbaus
berühmt geworden. Der Raum um Illmitz weist auch ein

weltweit bekanntes Naturschutzgebiet auf, in dem fast
300 verschiedene Vogelarten heimisch sind. Für die
Erhaltung dieses Naturschutzgebietes hat sich auch
Prinz Philipp, der Prinzgemahl der englischen Königin
und Präsident des World Wild Life Founds eingesetzt.
Das Naturschutzgebiet ist durch besondere Tafeln
gekennzeichnet.

Die Steiermark

Wie in allen ländlichen Gebieten ist auch das Leben im steirischen Weinland vom Brauchtum bestimmt. Vom Brauchtum, in dem die Religion und die Gläubigkeit einen hohen Stellenwert haben. Es beginnt bereits im Jänner, wenn die Weinbauern am Dreikönigstag an der Tür zum Weinkeller und an den Reben im Weingarten kleine Holzkreuze aus geweihten Palmzweigen anbringen. Damit erbitten sie Gottes Hilfe für ein Jahr ohne Unwetter und für eine gute Ernte. Am Ende des Jahres, am 27. Dezember, dem Namenstag des hl.Johannes, schließt sich der Kreis. An diesem Tag wird die »Hansweinsegnung« gefeiert. Da wird der junge Wein in der Kirche gesegnet, und die Weinbauern »veredeln« damit zu Hause im Keller mit einigen Tropfen die in den Fässern lagernden Bestände.

Ein Brauch, der eine steirische Besonderheit ist, hat einen eher praktischen Ursprung. Das Aufstellen des Klapotez am Jakobitag, dem 25. Juni. Der Klapotez, ein Windrad mit einem Hammerwerk, soll durch sein Klappern zur Zeit der Traubenreife die genäschigen Vögel aus dem Weingarten vertreiben. Solche Windräder stehen auf vielen Anhöhen des steirischen Hügellandes und sind im Laufe der Jahre zu einem richtigen Markenzeichen der Steiermark geworden.

Zum Brauchtum gehören auch die vielen Feste im Land. Speziell die Weinlesefeste, wie sie jährlich in Gamlitz oder alle drei Jahre in Klöch gefeiert werden und bei denen festlich geschmückte Wagen und nicht minder festliche Erntekronen mitgeführt werden, zählen zu den Fixpunkten. Unter ihnen sei die alljährlich in Leibnitz stattfindende Weinwoche besonders hervorgehoben, in deren Rahmen auch die steirische Weinkönigin, die zwei Jahre im Amt ist, gekrönt wird. Die Weinwoche im August bietet den Winzern Gelegenheit, in geselligem Rahmen ihre Produkte der Öffentlichkeit zu präsentieren. Für die Besucher öffnet sich dort die Möglichkeit, die Palette der steirischen Weine durchzuprobieren. Und die Musi spielt dazu.

Weinlandschaft und Kellerromantik

Der Weinbau in der Steiermark, vor allem in der Südsteiermark, ist durch die einzigartige Hügellandschaft geprägt. Die Weinbauern haben ihre Werkstatt im Freien in teils steilsten Lagen, die schon seit Generationen bewirtschaftet werden. Die Arbeit in den Weingärten ist aber nicht nur Selbstzweck, sie dient auch der Erhaltung einer Landschaft, deren Schönheit an keine Jahreszeit gebunden ist. Nichts außer dem Wein könnte auf den extremen Hängen kultiviert werden.

Es zahlt sich für die Weinbauern allerdings aus, diese steilen Hänge für den Weinbau zu nützen. Es sind hervorragende Lagen, aus denen Jahr für Jahr besondere Qualitäten gewonnen werden, wobei sich die natürlichen Voraussetzungen von der Bodenstruktur bis zum idealen Kleinklima zu einer gelungenen Symbiose mit dem Können der Winzer finden.

So unterschiedlich die einzelnen Winzer in ihrer Persönlichkeit sind, so unterschiedlich sind auch die Keller, in denen ihre Weine reifen. Man findet urige Keller, wo noch die alte Kellerromantik gegenwärtig ist, genauso wie sehenswerte, moderne Keller, wie z. B. den in der landwirtschaftlichen Fachschule Haideg mit den kunstvoll geschnitzten Fässern. Man findet aber auch die, nach modernsten Gesichtspunkten eingerichteten Vinotheken.

Eines haben diese Keller aber gemein: Die dort gelagerten Weine sind von bester Qualität.

Landesausstellung 1990 zum Thema Wein

D er Steirische Wein ist das Thema der Landesausstellung im Jahre 1990. Diese Ausstellung
wird im Schloß Gamlitz stattfinden und einen umfassenden Überblick über den Weinbau im Lande und
seine vielfältigen Facetten bieten. Gleich hinter dem
Schloß wurde bereits ein Schauweingarten angelegt, in
dem sowohl die in der Steiermark kultivierten Rebsorten ausgepflanzt sind, als auch die unterschiedlichsten
Erziehungsformen gezeigt werden. Im Schloß selbst
wurden großzügige Ausstellungsflächen vorbereitet,
auf denen im einzelnen die Themenkreise »Weinbaugeschichte in der Steiermark«, »Winzer, Arbeit und
Arbeitsgerät«, »Kellerwirtschaft«, »Brauchtum«, »Arbeit
und Fest« sowie »Wein und Gesundheit« und »Essen
und Trinken« behandelt werden.

Die Landesausstellung im Schloß Gamlitz, die im Mai
eröffnet wird und bis 11. November, dem Martinitag,
zugänglich sein wird, soll dem Besucher nicht nur ein
einmaliges Erlebnis bieten, sondern vielmehr als Initial-
zündung dafür verstanden sein, wiederzukommen und
das ganze steirische Weinland zu erforschen.

Die Südsteiermark

Die südsteirische Weinstraße zwischen Berghausen und Leutschach ist einzigartig auf dieser Welt. Wo sonst könnte man auf einer Straße fahren, deren Mitte zwei Staaten mit unterschiedlichem Gesellschaftssystem trennt, auf der man mit den linken Rädern des Autos in Jugoslawien fährt, während die rechten Räder auf österreichischem Boden rollen? Das war nicht immer so. Erst nach dem Ersten Weltkrieg, als weite Teile der Steiermark an Jugoslawien abgetreten werden mußten, wurde diese Grenze gezogen. Die Grenze änderte aber in einzelnen Fällen nichts an den Besitzverhältnissen. Auch heute noch gibt es Winzer, deren Weingärten sich sowohl auf österreichischem als auch auf jugoslawischem Gebiet befinden. Diese Winzer besitzen eigene Grenzübertrittsscheine, die es ihnen erlauben, täglich zwischen sechs Uhr früh und 18 Uhr die grüne Grenze zu überschreiten, um ihre Weingärten zu bearbeiten.

Es sind steile Lagen, die die Winzer in diesem Gebiet bewirtschaften. Gute Lagen freilich, nach Süden ausgerichtet, der Sonne zu. In diesen Lagen erreichen vor allem die Burgundersorten, Sauvignon blanc und der Muskateller hervorragende Qualitäten, die durch zarte Frucht und ein harmonisches Säurespiel gefallen. Die dominierende Sorte ist allerdings der Welschriesling, der trocken ausgebaut, als Wegbereiter des steirischen Qualitätsweines angesehen werden kann.

Die Gründe für den Aufschwung des steirischen Weines liegen auf der Hand. Zum einen sind die natürlichen Voraussetzungen gegeben, zum anderen sind nun junge engagierte Winzer am Werk, die ihre fundierte Ausbildung optimal in die Praxis umsetzen können. Die Weine werden an der südsteirischen Weinstraße zum überwiegenden Teil direkt vermarktet. In den vielen Buschenschenken, die vor allem im Herbst, wenn die Natur ihr buntes Kleid anzieht, besonders stark frequentiert werden. Es ist ja auch wirklich ein Erlebnis, in der Herbstsonne unter einem Nußbaum zu sitzen und vom »Sturm«, dem jungen, noch nicht vollständig vergorenen Traubenmost, sowie den gebratenen Kastanien zu kosten.

Eine zweite Weinstraße in der Südsteiermark, die Sausaler Weinstraße, führt von Leibnitz über Kitzeck zum Demmerkogel. Kitzeck ist mit einer Seehöhe von 564 Metern der höchstgelegene Weinort Mitteleuropas. Dort oben befindet sich auch das Steirische Weinmuseum, das im Jahre 1975 eingerichtet wurde und in dem in sieben Schauräumen Exponate aus dem Weinbau, aber auch volkskundliche Ausstellungsstücke präsentiert werden.

Die Oststeiermark

Der Weinbau in der Oststeiermark hat seinen guten Ruf in erster Linie durch die ausgezeichneten Traminer. Das Gebiet um Klöch, mit seinem vulkanischen Boden, bietet gerade für diese Sorte die besten Voraussetzungen. Die Erträge sind durchwegs gering. Nicht nur, weil die Weinbauern auf bewußte Mengenbegrenzung achten, sondern auch, weil die Oststeiermark extrem hagelgefährdet ist. Kaum ein Jahr, in dem nicht Unwetter nachhaltige Schäden an den Rebkulturen hervorrufen.

Das hat viele Winzer veranlaßt, die Traminer-Kulturen zu roden und durch andere Sorten zu ersetzen. Eigentlich schade, da es unbestritten ist, daß die Klöcher Traminer zu den besten der Welt zählen und, dem allgemeinen Trend entsprechend, auch trocken ausgebaut werden. Der Sortenwechsel zum Welschriesling, Weißburgunder und Rheinriesling ist den »gestandenen« Traminer-Weinbauern ein Dorn im Auge. Sie gründeten einen »Traminer-Schutzring«, der es sich zum Ziel gesetzt hat, diese Sorte zu pflegen und Vermarktungsstrategien zu entwickeln. Der Wein verdient diese Bemühungen.

Die Oststeiermark ist, gemessen an den Rebflächen, das größte Weinbaugebiet der Steiermark. Es reicht von St. Peter am Ottersbach und Klöch entlang der Thermenlinie bis hinauf nach Hartberg. Das Gebiet wurde in den letzten Jahren auch in bezug auf den Fremdenverkehr vermehrt erschlossen. Vor allem die Thermalbäder in Bad Radkersburg, Loipersdorf und Waltersdorf wurden großzügig ausgebaut.

Die Oststeiermark ist auch als Obst- und Gemüsekammer der Steiermark bekannt. Einen besonderen Stellenwert nimmt in diesem Zusammenhang Puch bei Weiz ein. Der Ort gilt wegen seiner großen Apfelkulturen längst als »Apfeldorf«.

In der Oststeiermark werden auch Kürbisse angebaut, aus deren Kernen später das für die Steiermark typische Kürbiskernöl gepreßt wird. Eine Spezialität, die allerdings nicht jedermanns Sache ist. Ist man jedoch einmal auf den Geschmack gekommen, mag man dieses dunkle Öl nicht mehr missen.

Die Weststeiermark

Eine einzigartige Weinspezialität wird nur in der Weststeiermark kultiviert: und zwar der Schilcher, ein Roséwein, der aus der Blauen Wildbachertraube gewonnen und wie ein Weißwein ausgebaut wird. Die Farbe des Schilchers variiert je nach Art des Hauses zwischen heller Zwiebelfarbe und hellem Rot und ist ein typisches Merkmal für seine Herkunft. Die hellen Schilcher werden in der Gegend um Stainz und St. Stefan gekeltert, die roten in Deutschlandsberg. Die farblichen Unterschiede erklären sich aus der Maischestandzeit. Bei kürzerer Standzeit wird weniger Farbe aus der Beerenhaut ausgelaugt, bei längerer entsprechend mehr.

Der Schilcher ist ein Wein, der sehr jung getrunken werden soll. Nur der junge Wein hat die typische fruchtige Säure, die er bei längerer Lagerung verliert. Eine Faustregel der Schilcher-Weinbauern lautet, daß der Wein ausgetrunken sein sollte, ehe der neue Wein ins Faß kommt.

Es ist kein Geheimnis, daß der Schilcher kein Wein ist, der auf Anhieb gefällt. »Die Liebe kommt erst mit dem zweiten Schluck«, heißt es, »ab dem dritten Glas rinnt er dann schon von selbst durch die Kehle.« Er paßt vor allem ideal zu den in den Buschenschenken angebotenen Bretteljausen.

Der Anbau der Blauen Wildbacherreben ist nach dem österreichischen Weingesetz auf die Steiermark beschränkt, die optimalen Bodenverhältnisse und klimatischen Bedingungen findet diese Traube allerdings in der Weststeiermark, in der sie auch ihren Ursprung hatte. Sie stammt aus Wildbach, wovon sich auch der Name der Traubensorte ableitet.

Eine ausführliche Beschreibung der steirischen Weinbauregionen und eine Auswahl von Spitzenbetrieben finden sich im »Buch vom Steirischen Wein«, das vom gleichen Autorenteam des vorliegenden Buches geschrieben wurde.

Weinbau in der Steiermark

Sieht man von Wien ab, ist die Steiermark mit 2.843 ha das kleinste weinbautreibende Bundesland Österreichs. Das war aber nicht immer so. In der Monarchie, als die Untersteier noch nicht an Jugoslawien abgetreten war, hatte die Steiermark eine Rebfläche von rund 35.000 ha und war damit Nummer eins im Kaiserreich.

Die Rebflächen, die heute im Ertrag stehen, sind verschwindend klein und haben für die Weinbauern den Nachteil, daß sie, vor allem in der Südsteiermark, durchwegs auf extrem steilen Hängen liegen. Die 2.843 Hektar werden durchwegs von Klein- und Kleinstbetrieben bewirtschaftet. Die Statistik weist in der Steiermark 4700 Weinbaubetriebe aus, das macht im Durchschnitt nur 0,65 Hektar pro Betrieb.

Um aus diesen geradezu winzigen Flächen ein ausreichendes Einkommen erwirtschaften zu können, mußten einerseits Wege der Rationalisierung gefunden werden, andererseits eine hohe Qualität geboten werden, die einen-im Vergleich zu anderen österreichischen Weinbaugebieten-höheren Preis rechtfertigen.

Die durchschnittliche Jahresernte beträgt in der Steiermark 120.000 Hektoliter. Das sind nur vier Prozent der gesamtösterreichischen Produktion und deckt gerade ein Drittel des steirischen Bedarfs. Die Vermarktung des Weines erfolgt zu einem Fünftel über Genossenschaften oder den Handel, der größere Teil gelangt direkt vom Weinbauern zum Konsumenten. Über Flaschenabgabestellen, über die Gastronomie oder über die Buschenschenken, von denen es in der Steiermark rund 800 gibt.

Der Weinbau hat in der Steiermark eine lange Geschichte. Es scheint erwiesen, daß bereits die Kelten (400 v.Chr) die in der Gegend wildwachsenden Reben gekannt und genutzt haben. Richtig kultiviert und verbreitet wurde der Weinbau aber erst von den Römern, das man durch Funde von Weinbaugeräten und Reliefdarstellungen von Weinstöcken in der römischen Siedlung Flavia Solva belegen kann.

Diese Weinkulturen gingen freilich in den Wirren der Völkerwanderung unter und erst zur Zeit der Christianisierung um die Jahrtausendwende wurde wieder mit dem Weinbau begonnen. Einen großen Aufschwung nahm der Weinbau in der Steiermark durch das Wirken des steirischen Prinzen Erzherzog Johann, der neue Rebsorten ausplanzen ließ und neue Erziehungsformen studierte. Heute zeichnet sich die Steiermark durch eine beachtliche Sortenvielfalt aus. Eine dieser Sorten, der Blaue Wildbacher gilt als steirische Besonderheit. Den Schilcher, der aus diesen Trauben gewonnen wird, gibt es nur hier. Der Name ist geschützt. Die Steiermark ist hauptsächlich ein Weißweinland, der Welschriesling ist hier die Hauptsorte. In besonderen Lagen wachsen Traminer, Muskateller, Weißburgunder (Morillon und Klevner), Sauvignon blanc und Chardonnay die jeden internationalen Vergleich standhalten.

Steiermark

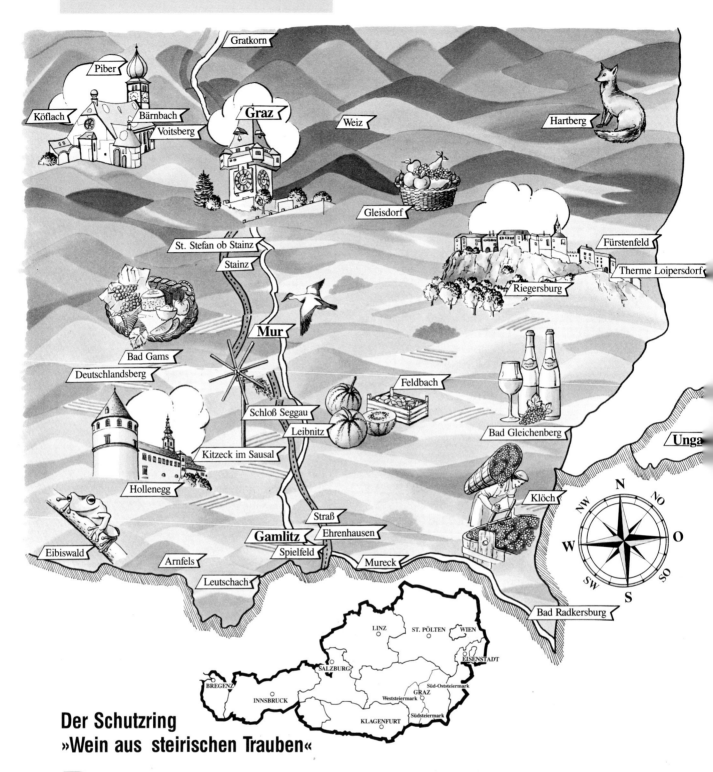

Der Schutzring
»Wein aus steirischen Trauben«

Der Schutzring für Wein aus steirischen Trauben ist eine Gemeinschaft von Weinbauern, die, nach strengen Bestimmungen, ausschließlich steirischen Wein vermarkten.

Die Bestrebungen dieses Vereines zielen vor allem auf die Erhaltung des steirischen Weinlandes. Durch die von den Weinbauern selbst auferlegte Beschränkung, nur Wein aus steirischen Trauben zu vermarkten, soll die Kultivierung von Weingärten auch in den zahlreichen steileren Lagen gewährleistet bleiben. Weiters sollen dem Verlust der Sortenvielfalt und der Qualität im steirischen Weinangebot sowie einer Verödung größeren Ausmaßes, bzw. mit dem damit verbundenen Absinken der Bevölkerungsdichte, in diesem Grenzland vorgebeugt werden. Anspruchsvolle und vor allem spätreifende Sorten wie der Welschriesling, Rheinriesling, Ruländer, Muskatsylvaner, Muskateller, Traminer, Gewürztraminer u. a. erlangen nur auf den besten Lagen eine zufriedenstellende Reife; das bedeutet auch, je steiler der Hang, umso direkter ist die Sonneneinstrahlung und desto höher die Reife.

Der »Schutzring für Wein aus steirischen Trauben« ist bemüht, der Entwicklung, nur noch die flacheren, gut mechanisierbaren Lagen mit frühen und mittelfrühen Sorten zu bepflanzen, entgegenzuwirken.

Hervorragende Schutzringweine werden durch den »Landes-Obst- und Weinbauverein Steiermark« nach vorhergehender Weinbewertung und -untersuchung mit dem »Goldenen Klapotez« ausgezeichnet.

Schutzring Mitglieder sind:

Adam Franz, 8463 Leutschach, Oberfahrenbach 32
Aldrian Franz, 8461 Ehrenhausen, Wielitsch 75
Altenbacher Rupert, 8461 Ehrenhausen, Sulztal 21
Bullmann / Brandstätter, 8461 Ehrenhausen, Ratsch 79
Dietrich Johann, 8462 Gamlitz, Eckberg 9
Dreisiebner A.u.B., 8461 Ehrenhausen, Sultal 44
Dreisiebner Josef, 8461 Ehrenhausen, Sulztal 35
Dreisiebner-Muster, 8462 Gamlitz, Grubtal 14
Dreisiebner S.u.A., 8461 Ehrenhausen, Ottenberg 15
Groß Alois, 8461 Ehrenhausen, Ratsch 10
Jaunegg Johann, 8463 St.Johann, Eichberg-Tbg 160
Kapun Alois, 8462 Gamlitz, Sernau 29
Klug Josef, 8463 Leutschach, Eichberg 18
Krenn Erhard, 8462 Gamlitz, Eckberg 28
Krivda Christine, 8461 Ehrenhausen, Ratsch 32
Krivec H.u.St., 8461 Ehrenhausen, Sulztal 42
Maier Johann, 8452 Groß-Klein, Eichberg-Tbg 102
Maitz Helmut, 8461 Ehrenhausen, Ratsch 100
Maitz Wolfgang, 8461 Ehrenhausen, Ratsch 45
Marko David, 8461 Ehrenhausen, Ottenberg 3
Mörth F.u.A., 8452 Groß-Klein, Oberfahrenbach 60
Neubauer Karl, 8471 Spielfeld, Graßnitzberg 1
Pilch Anton, 8461 Ehrenhausen, Ottenberg 34
Pilch Konrad, 8462 Gamlitz, Kranach 39
Postl Karl, 8230 Hartberg, Ring 80
Potzinger Ferdinand Ing., 8424 Gabersdorf 89
Rebenhof Krempl's Erben, 8461 Ehrenhausen, Ottenberg
Resch Raimund, 8463 Leutschach, Ehrenhausener Straße 1
Riegelnegg K.u.O., 8462 Gamlitz, Sernau 21
Rothschädl Anton, 8463 Leutschach, Eichberg 20
Schantl David Ing., 8471 Spielfeld, Graßnitzberg 93
Schigan Josef, 8461 Ehrenhausen, Ottenberg 31
Skoff August, 8462 Gamlitz, Kranach 96
Skoff Peter, 8462 Gamlitz, Kranach 49
Skoff Walter, 8462 Gamlitz, Eckberg 99
Thaller Karl, 8263 Groß-Wilfersdorf, Maierhofberg 24
Trunk Karl, 8461 Ehrenhausen, Sulztal 47
Tschermoneg Franz, 8461 Ehrenhausen, Sulztal 32
Weiss Roland, 8463 Leutschach, Glanz 28
Wratschko-Krainer, 8462 Gamlitz 9
Wratschko Rosa, 8462 Gamlitz 15
Wukonig Erich, 8463 Leutschach, Krannach 9
Zierer Wolfram Ing., 8462 Gamlitz, Eckberg 25
Zweytick Johann, 8461 Ehrenhausen, Ratsch 58

Josef Ertl, Gamlitz

Steirische Weinbaupioniere

»Steirischer Wein — der Sonne am nächsten«, so lautete jahrelang der Werbeslogan für den steirischen Wein. Wer sich nur ein wenig mit Weinbau und Weinkultur auseinandersetzt, weiß daß die Höhenlage eines Anbaugebietes für die Qualität eines Weines von entscheidender Bedeutung sein kann. Es ist aber auch bekannt, daß die Steillagen vielerlei spezifische Arbeitsmethoden mit sich bringen. Die heute im Arbeitseinsatz verwendeten Maschinen und Methoden mußten erst erfunden und jahrelangen im Kleinen erprobt werden, bevor sie vom Großteil der Weinbauern eingesetzt wurden. Diese Entwicklung begann im Wesentlichen nach 1945, als verschiedene Weinbauern der Süd- und Mittelsteiermark zur Selbsthilfe griffen. Im Jahre 1952 wurde in Leutschach unter der Leitung des Weinbauern Friedrich König die »Weinbauliche Arbeitsgemeinschaft« gegründet. Zu dieser Gruppe gehörten u.a. folgende Weinbauern:

Eduard Tscheppe, Franz Zach, Max Gschiel, Leo Hitti, Karl Grasmuck, Franz Regele, Josef Puschnig, Valentin Mahorko, Franz Kortschak, Karl Repolusk, Peter Dreisiebner, Harkamp, Dr. Helmut Heidinger, Kammerobmann Kolleritsch aus Radkersburg, Engelbert Elsnegg, Andreas Tscheppe, Josef Kaiser, Burkhardt Winkler-Hermaden.

Wesentliche Arbeitsziele der AG waren die Vereinfachung der Arbeitsbedingungen und die Entwicklung der Mechanisierung. Schon 1947 hatte der Direktor der Weinbauschule Silberberg bei Leibnitz, Michael Schlager, mit der Einführung der Drahtrahmenkultur das Tor in eine neue Weinbaugeneration geöffnet. Bisher waren die Weingärten an Pfählen nach dem System des Wanderlehrers Pirstinger angelegt worden. Eine maschinelle Bearbeitung war beim Pirstingersystem nicht möglich. Der Pirstinger-Schnitt konnte unabhängig von der Erziehungsform praktiziert werden.

Mit der durch die Einführung der Drahtrahmenkultur bedingten Verbreiterung der Zeilenabstände im Weingarten ergaben sich nun Möglichkeiten zur Entwicklung entsprechender Weingartenmaschinen.

Während für die Bearbeitung eines Weingarten nach der alten Einzelstockerziehung pro Hektar mit einem Arbeitsaufwand von 4.000 bis 4.500 Stunden gerechnet werden mußte, verringerte sich die Zahl bei der Schlager-Drahtrahmenkultur um fast 2.000 Stunden!

Ök.-Rat Friedrich König, den eine langjährige Freundschaft mit Lenz Moser verbindet, war es, der zusammen mit den Mitgliedern seiner Arbeitsgemeinschaft, die von Lenz Moser propagierte Hochkultur im steirischen Weinbau einführte. Wegen der Stammhöhe von 1,20 m und einer Zeilenbreite von ca. 3 m erzielte man eine wesentliche bessere Bearbeitbarkeit und dadurch eine weitere Senkung der ha / Arbeitsstunden auf 1.000 bis 1.200; je nach Wüchsigkeit des Bodens und Genauigkeit der Bearbeitung.

In diese Jahre fällt auch die Zusammenarbeit mit dem steirischen Weinbaudirektor Reiter, die nach anfänglichen Schwierigkeiten zu einer vollständigen Harmonisierung der Bemühungen führte. Berühmt wurde auch ein Streitgespräch zwischen Dr. Helmut Heidinger und Prof. Ritter aus Geißenheim, der Mitte der 50er Jahre einen Vortrage in der Weinbauschule Silberberg hielt. Das Thema des Vortrags war die Einführung der Hochkultur, die Prof. Ritter vehement ablehnte. Sein gewichtigstes Argument dagegen waren die hochdupierten »Farah-Diba-Frisuren« der Damen, die damals große Mode war.« Bei der Weingartenarbeit verfangen sich die Frauen immer mit der Frisur in der hohen Laubwand«, war seine Standpunkt. In einer sehr impulsiven und leidenschaftlichen Rede verdeitigte Dr. Helmut Heidinger die weinbaulichen Vorzügen dieser Erziehungsform und konnte damit Prof. Ritter überzeugen.

Ende der Sechzigerjahre brachte Ök.-Rat König von einer obstbaulichen Studienreise durch die oberitalienischen Weinbaugebiete eine neue Erziehungsform mit: die Sylvoz — Erziehung. Die Berührung mit dieser Erziehungsform in Italien erfolgte eher zufällig, doch sollte die Sylvoz — Erziehung den steirischen Weinbau nachhaltig beeinflussen. Bei dieser Erziehungsform werden durch Freistellen des Behanges die Trauben vor Fäulnisbildung geschützt.

Andreas Tscheppe aus Leutschach führte diese Entwicklung weiter und kam von der Doppel- zur Eindrahtkultur. Die Kosten für eine Anlage konnten dadurch wohl gesenkt werden, die Bearbeitung erfordert jedoch hohe Fachkenntnis. Durch die Anlage eines eigenen Versuchsweingartens in Pößnitzberg bei Leutschach konnte Weinbaudirektor Ing. Viktor Vogt viele Besucher des In- und Auslandes von den Vorteilen der Hochkultur und dem »Steirischen Bogenschnitt« überzeugen. Viktor Vogt begann auch mittels Rebselektionen und Klonenzucht für die Steiermark optimales Rebmaterial zu ermitteln. Weiters setzte er die Initiative zur Schaffung eines Weinlabors für Untersuchungen, die für die Kellerwirtschaftsberatung und Qualitätsverbesserungen notwendig waren. Auf seine Bestrebungen gehen auch die Bemühungen zurück, leichte, trockene und fruchtige Weine zu produzieren. Die steirischen Weine nach 1950 waren bekannt für ihren hohen Alkoholgehalt — er lag bei 14 Vol.% ! — und für ihren extremen Zuckerrest von 40 gr/l. Allerdings fielen die Weine der neuen Linie jahrelang bei allen Bewertungen durch, bis sich der Trend allgemein durchsetzte.

Wesentlich zur Intensivierung des steirischen Weinbaues und zur Verringerung der ha-Bearbeitungszeit hat die Entwicklung von Maschinen beigetragen, die den Erfordernissen des steirischen Bergweinbaues gerecht werden.

Die Entwicklung der Mechanisierung im Weinbau ist, wenn sie entscheidend wirken soll, absolut an die Erziehungsform gebunden. Auch die Stockkultur erlaubte gewisse mechanische Erleichterungen wie den Rückensprüher oder das Schlauchspritzen, doch blieben diese Möglichkeiten beschränkt. Alle Mechanisierungsmaßnahmen, die eine Gerätebewegung zwischen den Reben vorsehen, erfordern ausreichende Zeilenabstände.

Nach dem Ende des Zweiten Weltkrieges gab es wohl Geräte die in Verbindung mit Traktoren eingesetzt hätten werden können, doch gab es keine Maschinen mit entsprechender Geländegängigkeit. Die einzelnen Entwicklungsstufen waren tragbare Seilwinden, Traktoranbauwinden mit Umlenkrollen; handbetriebene Rückenspritzen wurden durch motorbetriebene Geräte ersetzt. Andreas Tscheppe darf als Initiator für die Entwicklung selbstfahrender Geräte bezeichnet werden. Aber auch Johann Nußmüller aus Schwanberg, muß mit seiner »Rasant«-Produktion in diesem Zusammenhang genannt werden. Er hat durch ständige Zusammenarbeit mit den Weinbauern Maschinen entwickelt, die voll den hohen Anforderungen der Bergweinbauern entsprechen:

* äußerste Funktionsgerechtheit,
* Überschaubarkeit aller Bauteile,
* höchste Betriebsicherheit durch tiefe Schwerpunktlage,
* Verwendung von Ballonreifen und ein
* Mehrfachbremssystem.

Eine weiter wesentliche Neuerung im steirischen Weinbau stellte das Mulchen dar. Ök.-Rat König hatte von dieser Möglichkeit erfahren und sie zuerst in seiner Obstanlage ausprobiert. Er selbst war sofort von den Vorteilen des Mulchen überzeugt:

* der Boden mußte nicht mehr grasfrei gehalten werden;
* das mühsame und kostspielige Weingartenhauen entfiel;
* die Humusschichte wurde durch Graswurzeln gegen Abschwemmung gesichert;
* das verrottende Gras bildet wichtigen Humus.

Das Mulchenstieß aber anfangs bei der Landbevölkerung auf starken Widerstand, weil kein Verständnis dafür vorhanden war, daß wertvolles Gras nicht als Tierfutter verwendet werden sollte. Bald ging ÖR König dazu über, auch seine Weingärten nach dem Mulchprinzip zu begrasen und zu mähen. Die Vorteile waren so offensichtlich, daß sich nach wenigen Jahren das Mulchsystem in der ganzen Steiermark durchgesetzt hatte. Wohl auch deshalb, weil bald sehr gute Mulchgeräte zur Verfügung standen. In Extremlagen muß aber auch heute noch mit der Sense gemäht werden. Weinbaudirektor Ing. Viktor Vogt erarbeitete mit der Weinbaulichen Arbeitsgemeinschaft ein Sanierungskonzept zur Erhaltung des steirischen Hangweinbaues. Dieses war die Grundlage für den 1. Steirischen Weinbauplan in den Jahren 1961 bis 1970.

Ing. Viktor Vogt, Dr. Helmut Heidinger und Ök.-Rat Friedrich König erreichten in zahlreichen Verhandlungen mit Landeshauptmann Josef Krainer sen. die Durchführung der Vorschläge. Nach Klarstellung der Grundlagen mit LH Krainer begannen die weiteren Maßnahmen der Realisierung. Der Weinbauplan sah für die Umstellung auf Hochkultur eine Subvention von S 20 000.- je ha vor. Auf Grund der veränderten Situationen wurde auch ein II. und III. Weinbauplan geschaffen, der als Schwerpunkte die Aufstockung und Erhaltung des Steilhangweinbaues zum Ziele hatten.

Zu den wichtigsten Entwicklungen der letzten Jahrzehnte kann man auch die Gründung des »Schutzring für Wein aus steirischen Trauben«, der 1971 von Johann Dreisiebner und Wolfgang Maitz mit 44 anderen Weinbauern gegründet wurde. Trauben- und Weinzukäufe zahlreicher steirischer Weinhändler und Weinbauern in anderen Bundesländern machten diesen Zusammenschluß notwendig, um geschlossen als Betriebe auftreten zu können, die ausschließlich Weine aus heimischen Trauben vermarkteten.

Zwanzig Jahre leitete Ök.-Rat Friedrich König die Weinbauliche Arbeitsgemeinschaft, 1975 wurde als Nachfolgeorganisation der Steirische Weinbauverband gegründet. Über 2.200 Mitglieder waren von Beginn an dabei, Ing. Viktor Vogt war der erste Geschäftsführer. Obmann Ök.-Rat Burkhardt Winkler — Hermaden sieht die Ziele in der Fortführung der Qualitätsbestrebungen und damit in der Sicherung von tausenden Arbeitsplätzen im steirischen Grenzgebiet.

Unter den Maßnahmen zur Sicherung des steirischen Bergweinbaues (Bergweinkataster)bei oft extremen Steillagen wären die erst kürzlich getroffene Hilfe zu erwähnen, den Weinbauern je nach Steilheit (Neigung) ihrer Rebflächen Direktzuschüsse zu gewähren. Das

Ing. Viktor Vogt

gesamte steirische Weinbaugebiet wurde systematisch nach seinen verschiedenen Hanglagen aufgegliedert und damit die Grundlage zu korrekten Beihilfemaßnahmen geschaffen.

Gemeinsam mit dem damaligen Landesrat Dipl.-Ing. Josef Riegler konnte Ing. Viktor Vogt den Gebietsschutz für den Anbau der Rebsorte Blauer Wildbacher (Schilcher) in der Steiermark durchsetzen und auch im Österreichischen Weinbaugesetz verankern.

Schilcher

Das Weinbaugebiet Weststeiermark — die »Schilchergegend«

Schilcherweingärten in Hochgrail bei St. Stefan ob Stainz

Die Schilcher-Weinbauern wissen wovon sie sprechen, wenn sie sagen, daß das erste Glaserl Schilcher kaum zu trinken ist, das zweite schon besser schmeckt und das dritte praktisch von selber durch die Kehle rinnt. Die Geschmacksnerven müssen sich halt erst an den Wein, der recht hoch in der Säure ist, gewöhnen. Aber wenn der Schilcher erst einmal schmeckt, kommt man von ihm kaum noch los.
Es ist ein Phänomen, daß man vom Schilcher immer durstiger wird, je mehr man davon trinkt. Es ist aber auch ein Phänomen, daß der Schilcher anregend wirkt. Den älteren Weinbauern sind die Raufereien, die früher bei den Schilcherfesten an der Tagesordnung standen, noch in schlechter Erinnerung. Fast immer ging es dabei um Machtkämpfe um irgendwelche Dorfschönheiten. Wenn man früher vom Schilcher als einem »Feitlzieherwein« sprach, dann war das durchaus auch im übertragenen Sinn zu verstehen. Als Phallus-Symbol, da der Schilcher auch auf die zwischenmenschlichen Beziehungen stark anregend wirkt. Ein Phänomen, über das die Schilcherbauern Bescheid wissen, das aber wissenschaftlich nicht zu belegen ist, ist die Tatsache, daß gerade in der Schilchergegend eine unglaubliche Häufung von Zwillingsgeburten aktenkundig ist. Warum, weiß keiner, bemerkenswert ist es aber doch.
Der Schilcher, der aus der Blauen Wildbacher-Rebe gekeltert wird, ist ein steirisches Unikat. Daran ändert auch nichts, daß auch schon in Friaul Weine mit der Bezeichnung »Wildbacher« auf den Markt gekommen sind. Man sagt, daß der Schilcher, der seinen Namen vom schillernden Farbenspiel zwischen heller Zwiebelfarbe und dunklem Rot hat, schon von den Kelten aus einer Wildrebenart gezogen wurde. Urkundlich erwähnt wurde dieser spezielle Wein erstmals in Kellerverzeichnissen des 16. Jahrhunderts. Urkundlich erwähnt wurde der Schilcher auch im Jahre 1782, als Papst Pius VI auf seiner Reise nach Wien am Fuße der Koralpe diesen Tropfen kredenzt bekam. Viel Freude hatte der Heilige Vater allerdings nicht damit. An die süßen, schweren Weine Italiens gewöhnt, bezeichnete er den Schilcher als »rosaroten Essig«.
Beim Blauen Wildbacher unterscheidet man drei Spielarten. Die frühreifen, mittelreifen und spätreifen Trauben, wobei die spätreifen den höchsten Säurewert mitbringen. Die unterschiedlichen Farbnuancen haben nichts mit den Trauben an sich zu tun, sondern einzig und allein mit dem Ausbau des Weines. Der Blaue Wildbacher gehört zu den Rotweinsorten, wird aber wie ein Weißwein gepreßt und ausgebaut. Das heißt, die Farbe des Weines hängt nur davon ab, wie lange das Preßgut eingemaischt ist, ehe es gepreßt wird. Erfolgt die Pressung rasch, hat der Most eine helle Farbe, läßt man die Maische über Nacht stehen, lösen sich mehr Farbpigmente aus der Traubenhaut und der Most nimmt mehr Farbe an. Sie wird umso dunkler, je länger die Maische liegen bleibt. Traditionellerweise wird der Schilcher in der Gegend um Ligist in heller Zwiebelfarbe gekeltert, im Raum St. Stefan, Greisdorf, Hochgrail und Stainz spielt der Farbton bereits ins Rosa, um dann in Deutschlandsberg und Eibiswald schon farblich nahe an die Grenze zum Rotwein anzulangen.
Womit wir auch schon bei der eigentlichen Schilcherstraße wären, die — von Graz aus gesehen — ihren Anfang in Ligist nimmt. Von dem kleinen Ort, der bereits 1464 zum Markt erhoben wurde und in einem Talkessel unterhalb des zur Ruine verfallenen alten Schlosses liegt, führt die Schilcherstraße hinauf nach Gundersdorf und von dort über Lestein und Langegg nach Greisdorf und Hochgrail. In diesem Gebiet herrscht der für den Schilcher so günstige Schieferboden vor. Opak sagen die Weinbauern dazu, das ist genau der Boden, der dem Wein zusammen mit einem speziellen Kleinklima das typische Bukett verleiht. Kein Wunder, daß gerade von dort oben jene Schilcher stammen, die bei den Weinprämierungen regelmäßig am besten abschneiden.
In Gundersdorf ist der »Florlwirt«, das Gasthaus von Josef Fuchs-Maierhofer, der wegen seiner Wildspezialitäten berühmt ist. Am anderen Hügel, in Langegg, sind die Betriebe von Stefan Langmann und Josef Lazarus erwähnenswert. In Hochgrail ist der Hiden Franz und der Betrieb von Markus Klug, vulgo Pleteri. Der zweite Klug, der einen hervorragenden Schilcher keltert ist Josef Klug in Marhof.

Der Lukas-Schilcher

Daß Schilcher und Schilcher nicht dasselbe sind, erfährt man spätestens, wenn man den Max-Lukas-Schilcher trinkt. Es ist längst kein Geheimnis mehr, daß Vater und Sohn Max Lukas aus Hochgrail bei St. Stefan ob Stainz Jahr für Jahr hervorragende Schilcher produzieren. Die beiden Maxen wissen, worum es geht. Sie verfügen über besondere Lagen mit besten Böden und einem gerade für den Schilcher begnadeten Kleinklima, und sie verstehen es ausgezeichnet, diese natürlichen Gegebenheiten bestens umzusetzen. Sie haben längst darauf verzichtet, Kunstdünger einzusetzen. Zum Düngen haben sie ihre Schafe, deren Mist einmal im Jahr ausgestreut und eingearbeitet wird. Das reicht vollkommen.

Peinlich genau sind Vater und Sohn Lukas auch in der Weingartenarbeit, die sie gemeinsam ausführen. »Den Schnitt machen wir ganz alleine«, sagt Lukas, dessen Reben aus der eigenen Selektion stammen, »das dauert zwar etwas länger, erspart uns aber dann bei der Laubarbeit viel Mühe.« So gewissenhaft die beiden Lukas im Weingarten sind, so peinlich genau wird auch im Keller gearbeitet. Die Trauben werden gerebelt und ohne Maischestandzeit schonend gepreßt. »Auch da achte ich auf Qualität«, sagt Lukas senior, »lieber verzichte ich auf ein paar Liter Most, als daß ich das Preßgut restlos ausquetsche.« Die Gärung und Reife erfolgt im Holzfaß, im Frühsommer zieht er seinen Schilcher dann in Stahltanks um, damit der Wein seine Frische behält.

Das Weingut Lukas vulgo Schwoaga umfaßt eine Rebfläche von 3,4 Hektar. Der Großteil davon ist mit Schilcherreben bepflanzt. Daneben hat er noch ein paar Zeilen mit Weißwein stehen. »Mehr als 1.000 Liter Müller Thurgau bringe ich aber nicht heraus.«

Die beiden Generationen Max Lukas können mit Recht stolz auf ihren Wein sein, für den es bei der Landesweinkost regelmäßig Großgold gibt. Dabei finden sie gar nichts Besonderes dabei, daß sie so ausgezeichnete Weine im Keller haben: »Im Weingarten mußt genau sein und im Keller sauber arbeiten«, bringen sie ihre Philosophie auf den Punkt. Bei der Qualität ihrer Weine ist es nicht verwunderlich, daß der Keller ab dem Spätsommer stets leer ist. »Dann müssen wir unsere Kunden aufs nächste Jahr vertrösten.«

Max Lukas
Hochgrail 101
8511 St.Stefan ob Stainz
☎ 03463 / 81 1 11

Vom Berg herunter führt die Schilcherstraße nach Stainz, jenem Markt am südlichen Ausläufer des Rosenkogels, der vom ehemaligen Augustiner-Chorherrenstift beherrscht wird, das 1785 säkularisiert und 1840 von Erzherzog Johann erworben wurde, der ab 1850 gewählter Bürgermeister von Stainz war. Noch heute ist das Schloß im Besitz der Nachfahren des »Steirischen Prinzen« und beherbergt in den Räumen um den kleinen Hof eine volkskundliche Sammlung für Wirtschaft, Arbeit und Nahrung des Landesmuseum Joanneum. Stainz ist auch der Ausgangspunkt des beliebten »Flascherlzuges«, der Dampf-Schmalspurbahn nach Preding, auf der auch Amateurlokführer die Pfeife betätigen dürfen.

Eine beliebte Attraktion in Stainz sind auch die »Schilchertage« im August, die von der Marktgemeinde, dem Fremdenverkehrsverein und dem Weinbauverein gemeinsam organisiert werden.

Schilcher, Weinkönigin und Weinprinzessin

Es gibt nicht viele Frauen, die die Prüfung zum Weinbau- und Kellermeister absolviert haben. Insgesamt kann man die steirischen »Weinmeisterinnen« an den Fingern einer Hand abzählen. Eine davon, die alle Prüfungen geschafft hat, ist Karin Ulz aus Stainz. Die fundierte Kenntnis vom und um den Wein war auch Voraussetzung dafür, daß Karin Ulz im Jahre 1982 zur steirischen Weinkönigin gewählt wurde und danach zwei Jahre lang für die Steiermark und für den steirischen Wein warb. Charme und ein fundiertes Wissen um den Weinbau sind Voraussetzungen für die Bewerbung zur Wahl der Weinkönigin. Edith Ulz, die jüngere Schwester, verfügt über beides und wurde deshalb auch steirische Weinprinzessin.

Karin Ulz arbeitet im elterlichen Betrieb und wird in der Weingartenarbeit auch von ihren beiden Schwestern sowie der Mutter unterstützt. Man sieht es dem Weingarten richtiggehend an, daß dort vier Frauen arbeiten. Die Anlagen sind mustergültig »aufgeräumt.« Daß aus diesem »Musterweingarten« auch ein ausgezeichneter Schilcher kommt, versteht sich fast von selber.

Alfred Ulz
8510 Stainz 22, ☎ 03463 / 2216

Folgt man dem Schilcher — kommt man bald über Bad Gams in die ursprüngliche Schilcherheimat nach Wildbach, von wo die Schilchertraube ihren Namen hat. Von dort geht es weiter nach Deutschlandsberg am Fuße der Koralpe. Ursprünglich als Burgsiedlung angelegt, wurde Deutschlandsberg schon im 13. Jahrhundert zum Markt erhoben und 1918 das Stadtrecht verliehen. Die heutige Burgruine war Stammsitz der Herrn von Lonsperch und Zentrum der weststeirischen Besitzungen der Salzburger Erzbischöfe.

Gerhard Pongratz hat in Deutschlandsberg in der Glashüttenstraße 135 seinen Bauernhof. Sein Schilcher hat schon die für Deutschlandsberg typische dunklere Farbe.

Wenn man nach Deutschlandsberg kommt, soll man sich unbedingt zum Leitinger durchfragen. Leicht ist es nicht, den Unteren Steinwandweg zu finden. Doch soll man sich die Mühe machen, denn sein Schilcher zählt zu den feinsten, die man in dieser Region zu trinken bekommt: mit dem typischen »Schilchergrasln«, aber nicht zu hoher Säure. Für die Familie Leitinger ist der Weinbau nur ein Standbein des landwirtschaftlichen Betriebes. Johann Leitinger hat auch noch eine Schweine- und Rinderzucht, die ihm das für seinen Buschenschank nötige Fleisch liefert. Praktisch alles, was dort angeboten wird, stammt aus der eigenen Produktion; nicht nur die Fleisch- und Wurstwaren, sondern auch das Brot, das die Mutter backt. Der Buschenschank ist in einem ausgebauten Kellerstöckl untergebracht, in dem noch eine alte Baumpresse steht, die freilich nur mehr der Dekoration dient. Ein wahrer Gaumen-, aber auch Augenschmaus sind die Brettljausen, die Frau Leitinger auf den Tisch zaubert. Johann Leitinger bewirtschaftet eine Rebfläche von rund eineinhalb Hektar, auf der neben dem Schilcher auch noch Weißburgunder auf einer Neuanlage wächst. Wenn der Weingarten vom Hagel verschont bleibt und alle anderen Bedingungen stimmen, können beim Schilcher bis zu 10.000 kg Trauben geerntet werden. Doch ein so optimales Jahr gab es schon lange nicht mehr. Der weinbautreibende Landwirt setzt seinen Wein zum überwiegenden Teil im Buschenschank und an Privatkunden ab, beliefert aber auch gastronomische Betriebe in Salzburg und Niederösterreich.

Johann Leitinger vulgo Klinger, Unt. Steinwandweg 12
8530 Deutschlandsberg, ☎ 03462 / 34062

Etwas außerhalb von Deutschlandsberg, in Groß-St. Florian, ist die Weinkellerei und Weingut von Günter Müller beheimatet. Auf fünf Hektar eigenen Rebflächen wird gleich unter der Burg Deutschlandsberg, in den ehemaligen Prinz Liechtenstein'schen Weingärten Blauer Wildbacher angebaut. In besten südsteirischen Lagen gedeihen Welschriesling, Pinot Gris, Weißburgunder, Traminer, Rheinriesling, Muskateller, Chardonnay und Riesling x Sylvaner. An Rotweinsorten wird Blauer Zweigelt, Blaufränkisch und St.Laurent kultiviert. Verarbeitet und ausgebaut werden alle Weine im Keller in Groß St.Florian.

Über Hollenegg, das Schloß wurde im 16. Jahrhundert an der Stelle einer mittelalterlichen Burg im Renaissancestil erbaut und ist im Besitz des Fürsten von Liechtenstein, folgt man der Schilcherstraße über Schwanberg, dessen ehemaliges Kapuzinerkloster zu einem Moorbad adaptiert wurde, das vom früheren Fußball-Nationaltorhüter Gernot Fraydl geleitet wird, nach Wies. Dort ist in Etzendorf 38 der Betrieb von Josef Lipp, der gemeinsam mit seiner Gattin Veronika seinen zwei Hektar großen Schilcher-Weingarten pflegt. Der Lipp-Schilcher zählt zu den Besten der Gegend. Wenn man einen probieren will, muß man sich schon sehr zeitig darum kümmern. Sehr gute Qualität ist sehr schnell weg.

In Wernersdorf 18 bei Wies, schön auf einer Bergkuppe gelegen, befindet sich der Buschenschank von Johann Mörth. Mit viel Liebe und Geschmack wurde das alte weststeirische Bauernhaus renoviert und findet heute als Buschenschank Verwendung. Schilcher, Landschaft und die »Brettl-Jaus'n« verschmelzen hier zu einer Einheit.

Erich Kuntner, der in Obergreith bei St. Ulrich sein Weingut führt, ist ein naturalisierter Steirer. Der gebürtige Niederösterreicher kam der Liebe wegen in die grüne Mark. Er hatte während der Ausbildung in Klosterneuburg die Schwester eines Klassenkameraden kennengelernt und später geheiratet. Nicht zuletzt aufgrund seiner Fähigkeiten als Weinbauer wurde Erich Kuntner zum Obmann des Weinbauvereines Deutschlandsberg gewählt.

Erich Kuntner beschäftigt sich in erster Linie mit dem Schilcher-Weinbau, hat auf seiner Rebfläche aber auch noch die Sorten Weißburgunder, Rheinriesling sowie Blauburgunder und Blauer Zweigelt stehen. Der »studierte« Winzer trachtet stets nach besonderen Qualitäten und schwört beim Pressen auf die sogenannte »Packpressung«. Dabei wird jeweils ein Eimer voll Trauben in ein Tuch eingeschlagen und extrem schonend ein einziges Mal ausgepreßt. Der Ausbau des Schilchers erfolgt im Tank: »Da bleibt der Wein frischer und die Kohlensäure besser erhalten.«

Erich Kuntner, Obergreith 48
8544 St.Ulrich im Greith, ☎ 03465 / 3383

Eibiswald ist eine am Fuß des Radlpasses gelegene Sommerfrische und Ausgangspunkt der nach Westen verlaufenden Koralm-Höhenstraße. Historische Bedeutung hat der Markt durch die in der Umgebung des Ortes und im Tal der Saggau gefundenen »norischen Totenhügel (Heidengräber)« sowie die prähistorischen Ausgrabungsstätten und Wehrbauten auf dem Turmbauerkogel. Literarische Bedeutung erlangte Eibiswald durch das Wirken des Steirischen Dichters Hans Klöpfer, in dessen Geburtshaus ein kleines Museum eingerichtet ist. Hans Klöpfer (»schau i in mei Schilcherglasl, ist die Welt so rot wia Bluat«) bekannte sich rückhaltlos zu diesem typischen steirischen Wein und wenn er meinte »Wenn's schon ans Bekennen geht, so möchte ich aus meiner eigenen Erfahrung eine gefahrlose Lanze einlegen für den bäuerlichen Rotwein unserer Weststeiermark, für meinen Freund dem Schilcher«, dann ist dem nichts mehr hinzuzufügen.

Heute bekennen sich mehr und mehr Weinliebhaber zum Schilcher und die weststeirischen Weinbauern sind peinlich darauf bedacht, daß die hohen Erwartungen, die in diesen Wein gesetzt werden, nicht enttäuscht werden. Darum hat sich bereits ein Schilcherverein etabliert, der sich zum Ziel gesetzt hat, durch strenge Qualitätskontrollen das hohe Niveau zu halten. Der Name »Schilcher« ist heute gesetzlich geschützt und darf ausschließlich für Weine aus dem Steirischen Anbaugebiet verwendet werden.

Bliebe noch zu erwähnen, daß der Schilcher ein typischer einjähriger Wein ist, der seinen Höhepunkt zwischen Februar und Oktober erreicht. In dieser Zeit ist er am spritzigsten. Spätestens wenn der neue Wein in den Keller kommt, muß der alte Wein draußen sein, wissen die Weinbauern, aber so lange reicht der Vorrat nur bei wenigen. Die paar Flaschen, die man zur Labung bei der Weinlese benötigt, müssen die Bauern regelmäßig bei Zeiten zur Seite schaffen.

Entscheidenden Anteil am heutigen Qualitätsstandard des steirischen Weines hat die Landesversuchsanstalt für Obst- und Weinbau, deren Direktor Ökonomierat Franz Strempfl ist. Die Schule beschäftigt sich intensiv mit Klonenversuchen, holt sich Stecklinge

Südsteiermark

von guten Sorten und veredelt sie mit verschiedenen Unterlagsreben. Für den Schilcher wurde in Hitzendorf in der Ried Reiteregg auf sandigem Lehm ein eineinhalb Hektar großer Versuchsweingarten angelegt. Der dort gewonnene Wein wird nicht nur reinsortig ausgebaut, sondern auch für einen bemerkenswerten Schilchersekt herangezogen.

Die Landesversuchsanstalt arbeitet in ihrem Bereich eng mit anerkannten Weingütern in Deutschlandsberg, St. Stefan und Greisdorf zusammen. Neben dem Schilcher-Versuchsweingarten verfügt die Anstalt auch über einen Weingarten auf dem Pößnitzberg in Leutschach, wo Versuche mit den Sorten Chardonnay, Traminer, Sauvignon, Welschriesling, Weißburgunder und Ruländer unternommen werden. Dort werden auch die Ergebnisse verschiedener Erziehungsformen verglichen.

Die Zentrale der Landesversuchsanstalt ist die Landwirtschaftliche Fachschule Haidegg in der Ragnitzstraße in Graz, wo in einem Schaukeller wunderbar geschnitzte Weinfässer lagern. Dort gibt es bereits eine Galerie von Fässern mit den Portraits der steirischen Landeshauptleute, und dort gibt es auch ein Faß mit dem Konterfei von Franz Strempfl, das ihm von seinen Mitarbeitern zum 50. Geburtstag geschenkt wurde.

Landwirtschaftsschule Haidegg
Ragnitzstraße 193
8047 Graz
☎ 0316 / 301507

Die Südsteirische Weinstraße

Tausende und abertausende Autofahrer stecken Jahr für Jahr in der Urlaubszeit in Spielfeld im Stau und warten mehr oder weniger geduldig darauf, an der Grenze nach Jugoslawien abgefertigt zu werden. Sie wissen gar nicht, daß nur wenige Kilometer rechter Hand eine der reizvollsten Landschaften der Steiermark liegt: Das südsteirische Weinland mit seiner einmaligen Weinstraße.

Die Einmaligkeit dieser Weinstraße, die auf Initiative des ehemaligen Landeshauptmannes der Steiermark, Josef Krainer, gebaut und im Oktober 1955 eröffnet wurde, liegt vor allem darin, daß die Straßenmitte streckenweise die Staatsgrenze zu Jugoslawien bildet. Theoretisch kann sich also der Fahrer eines Autos bereits auf Jugoslawischem Gebiet befinden, während der Beifahrer sozusagen »noch in Österreich« ist. Der Reiz, auf dieser »neutralen« Straße zu fahren, fasziniert vor allem Gäste aus Übersee, in deren Weltbild Jugoslawien noch hinter dem Eisernen Vorhang liegt und die dann recht verwundert sind, da sie weder Stacheldraht noch Minenfelder sehen.

Der steirische Schriftsteller Reinhard P. Gruber beschreibt eine Fahrt auf der Weinstraße prosaischer:

»Auf den engen unübersichtlichen Kurven«, schreibt er, »kann der flotte Gast aus der Stadt noch ein ursprüngliches Fahrgefühl erleben, besonders nach einigen Vierteln Wein: Ein Überlebenstraining mit vollem Risiko. Außerdem bietet das Befahren der Verkehrsstrecke ein angenehmes nostalgisches Gefühl-die Dimension der Straßenbreite entspricht den Anfängen der Motorisierung, wie wir sie aus historischen Wochenschaufilmen noch kennen.«

Tatsache ist, daß die Weinstraße ein bis dahin brachliegendes Naherholungsgebiet erschlossen hat. Hügel an Hügel, Weingarten an Weingarten reihen sich hier in einer zusammenhängenden Weinbaufläche, die mit ihrem landschaftlichen Reiz ihresgleichen sucht. Die Errichtung der Weinstraße, die man von Spielfeld, Ehrenhausen, Gamlitz und Leutschach aus erreichen kann, hatte wesentlichen Anteil daran, daß der steirische Wein Aufwind bekam. Durch die Weinstraße hatten die Ausflügler plötzlich Gelegenheit bei den verschiedenen Weinbauern einzukehren und die von ihnen gekelterten Weinsorten zu verkosten. Buschenschanken entstanden, die Nachfrage stieg und bei den Produzenten entwickelte sich ein Qualitätsbewußtsein, das wiederum dem Konsumenten zugute kam. Der Herbst ist die beliebteste Zeit für die Ausflügler. Wenn die Natur sich im bunten Kleid präsentiert, ist Sturm-Zeit. Da werden neben der Straße Kastanien gebraten und es wird dazu der trübe Sturm, der noch nicht gänzlich vergorene Jungwein, probiert.

Oben, an der Weinstraße, finden wir die Orte Berghausen, Ratsch, Sulztal, Glanz, Langegg, Schloßberg und Eichfeld-Trautenburg.

Das Weingut von Franz Strablegg in Graßnitzberg ist schon seit vier Generationen im Familienbesitz und umfaßt eine Rebfläche von sechs Hektar. »Wir versuchen, mit den Spitzensorten wie Welschriesling, Weißburgunder, Chardonnay, Sauvignon blanc, Grauburgunder (Pinot gris), Muskateller und Zweigelt nur Qualitäts- oder Kabinettweine zu gewinnen«, erklärt Franz Strablegg seine Philosophie, verschweigt natürlich aber nicht, daß er beispielsweise im Jahre 1986 auch eine Sauvignon blanc-Spätlese, die halbsüß ausgebaut wurde, in die Flasche brachte.

Franz Strableggs Weine sind in der Regel schon recht früh ausverkauft. Er behält sich aber stets ein kleines Kontingent seiner Produkte zurück, um den Besuchern seines Betriebes wenigstens die Möglichkeit zu geben, auch die Altweine der Jahrgänge von 1987 abwärts verkosten zu können. Mit seinem Sauvignon blanc Kabinett 1987 von der Ried Hochgraßnitzberg (A: 11,2 Vol.%; S: 6,4; Z: 1,3) wurde er beim Österreichischen Weinsalon 1988 Bundessieger.

Weinbau Strablegg
Graßnitzberg 58
8471 Spielfeld

266

In Graßnitzberg, schon hart an der jugoslawischen Staatsgrenze bei Spielfeld, hat Christian Kugel seinen sieben Hektar großen Weinbaubetrieb. Dort wachsen in südöstlicher Kessellage auf warmen, lehmigen und teilweise kaltsteinhältigen Böden die Sorten Weißburgunder, Morillon, Welschriesling, Müller Thurgau, Traminer und Sämling 88.

Als »Steirische Harmonie« vertreibt Christian Kugel einen gemischten Satz, der aus einem bereits im Jahre 1903 gepflanzten Weingarten stammt und sich als säurebetonter, jugendlich frischer Trinkwein präsentiert.

Christian Kugel, der zunächst das Tischlerhandwerk erlernt hatte, ist erst 1958 in den Weinbau eingestiegen, nachdem er zuvor in Silberberg den Weinbau- und Kellermeister gemacht hatte und für seine hervorragenden Studienerfolge besonders ausgezeichnet worden war.

Christian Kugel
Graßnitzberg 42
8471 Spielfeld
☎ 03453 / 2592

Zu den großen Aufsteigern unter den steirischen Winzern muß Manfred Tement aus Berghausen gerechnet werden. Er wurde als Weinbauer sozusagen ins kalte Wasser geworfen, als sein Vater zu einem Zeitpunkt starb, als der Junior noch in Klosterneuburg zur Schule ging. Damals pendelte Manfred Tement jeweils an den Wochenenden nach Hause, um seiner Mutter Edina, die den Betrieb weiterführte, zur Hand zu gehen. Das Weingut Tement, von dem man einen wunderbaren Blick bis ins benachbarte Jugoslawien genießt, umfaßt vier Hektar Rebfläche, wobei in der Ried Zieregg auf Kalkverwitterungsböden Welschriesling, Rheinriesling, Weißburgunder, Blaufränkisch, Zweigelt und Cabernet Sauvignon reifen und in der Ried Graßnitzberg auf lehmigem Boden Sauvignon blanc, Muskateller, Weißburgunder und Blaufränkisch wachsen.

In der Weinbauphilosophie setzt Manfred Tement voll und ganz auf die trockene Linie. Seine Weine begeistern durch fruchtige Säure, Reintönigkeit und ausgeprägten Sortencharakter. Obwohl die Steiermark eigentlich kein typisches Rotweinland ist, brachte Manfred Tement auch schon ausgezeichnete Rotweine in die Flasche und versucht sich seit einiger Zeit auch im Barrique-Ausbau.

Dem Weingut Tement ist auch ein Buschenschank angeschlossen, in dem man in gemütlicher Atmosphäre die Tementweine auch glasweise verkosten kann.

Manfred und Edina Tement
Zieregg 13
8461 Berghausen-Ehrenhausen
☎ 03453 / 4101

Seit Anfang dieses Jahrhunderts bewirtschaftet die Familie Gross einen landwirtschaftlichen Betrieb in Ratsch, zu dem immer schon ein Weingarten gehörte. Nunmehr umfaßt der Besitz zwölf Hektar, wovon 5,5 Hektar Rebflächen sind; Rebflächen in besten, allerdings schwer zu bewirtschaftenden, steilen Lagen in den Rieden Sulz, Nussberg und Wietscheinberg.

»Weniger Menge, höhere Qualität«, lautet der Leitspruch von Alois Gross, der sich damit bereits einen guten Namen gemacht hat. Er liefert seine Weine, die sortenrein ausgebaut werden, an die Spitzengastronomie, hat sich aber auch einen großen Privatkundenkreis geschaffen, der vor allem den Welschriesling, der im Tank ausgebaut wird, um seine fruchtige Frische zu erhalten, oder den Burgunder, Sauvignon, Blauen Zweigelt oder alle Kabinett-Qualitäten, die im Holzfaß reifen, schätzt. Als regionale Besonderheit hat Alois Gross auch noch einen alten Weingarten mit einem gemischten Satz. Zehn Sorten werden dort gemeinsam geerntet, gepreßt und ausgebaut. Das Produkt ist ein Wein, der sich durch ein besonders nuancenreiches Bukett und eine harmonische Säure auszeichnet. Eine Rarität, die es wert ist, verkostet zu werden.

Die Möglichkeit dazu besteht im Buschenschank von Alois Gross, in dem der erfolgreiche Winzer auch kommentierte Weinkosten veranstaltet.

Alois Gross
Ratsch 10
8461 Ehrenhausen
☎ 03453 / 2527

Am Beispiel der Familie Maitz in Ratsch kann man verfolgen, welchen Aufschwung ein Weingut haben kann, wenn man mit Herz und Seele bei der Arbeit ist. Als Josef und Maria Maitz das Gut »Rebenburg« vor 30 Jahren erstanden, glichen die Weingärten einem Urwald. »Im ersten Jahr konnte mein Vater gerade fünf Putten voll Trauben ernten«, erinnert sich Wolfgang Maitz, der heute die vier Hektar Rebflächen zusammen mit seiner Frau Maria bewirtschaftet. Es war ein schwerer Weg, ehe praktisch aus dem Nichts ein anerkannter Qualitätsbetrieb gewachsen war.

»Wir haben uns strikt dem Qualitätsweinbau mit selbstauferlegter Mengenbegrenzung verschrieben und bauen unsere Weine trocken und halbtrocken, wenn möglich im Kabinettbereich aus. Wenn es die äußeren Bedingungen zulassen, werden auch Prädikatstufen angestrebt.« Das Weingut »Rebenburg« von Wolfgang Maitz zeichnet sich durch eine große Sortenvielfalt aus. Auf der Ried Schusterberg, die extreme Hangneigungen bis zu 55 Prozent aufweist, wachsen der Weißburgunder, Welschriesling, Zweigelt Blau, Traminer und Müller Thurgau, auf der Ried Stermetzberg die Sorten Rheinriesling und Sauvignon Blanc. Maitz, dessen

Lieblingssorte der Rheinriesling ist, kann auf seine Lagen mit Recht stolz sein. Sie zählen sicherlich zu den besten in der Südsteiermark. Und zu den gepflegtesten. »Bei uns wird die Weingartenarbeit durchwegs händisch gemacht. Auch das Mähen der Mulchedecke geschieht von Hand«, sagt Wolfgang Maitz, der die Pflege seiner Rebflächen auch aus der Sicht des Landschaftsschutzes betrachtet.

In der Kellerwirtschaft achtet Maitz, der zwischen 1969 und 1972 Kellermeister in einem Weinbaubetrieb in Franken war und von dort einige Ideen für sein eigenes Gut mitbrachte, darauf, die Trauben rasch zu verarbeiten. Die Trauben werden entrappt, gequetscht und nach einem strengen Entschleimen in kleinen Holzgebinden zur Vergärung gebracht. Der Wein wird möglichst rasch vom Geläger abgezogen und dabei gleichzeitig filtriert. Der Ausbau der frischen, jugendlichen Weine erfolgt im Tank, alle übrigen reifen in Holzfässern. Relativ früh, zwischen April und Juni, wird in Flaschen gefüllt.

Wolfgang Maitz ist ein Weinbauer, der an seiner Arbeit Freude hat. Er widmet auch seine Freizeit den Problemen des Weinbaus. So ist er Gründungsmitglied des Schutzringes für »Wein aus steirischen Trauben«, dem ungefähr 50 steirische Weinbauern angehören, und neuerdings auch Obmann des Arbeitskreises Buschenschank. Auf diesem Gebiet konnte Maitz eine Novellierung des Buschenschank-Gesetzes durchsetzen. Demnach ist den Buschenschenken nunmehr auch der Verkauf von Mehlspeisen, Salaten, Rindfleisch und klaren, hausgebrannten Schnäpsen aus Äpfeln, Birnen und Zwetschken erlaubt.

Die Vermarktung der Weine des Gutes »Rebenburg« erfolgt zum überwiegenden Teil an Privatkunden und Gäste des Buschenschanks, der auch über komfortable Fremdenbetten verfügt. Nur rund zehn Prozent gehen an die Gastronomie.

Bei den vielen Aufgaben, die Wolfgang Maitz übernommen hat, bleibt verständlicherweise nur wenig Zeit für Hobbys. Er ist Sammler und Jäger. Seine Sammlung von Altweinen aus der ganzen Welt ist ebenso sehenswert wie seine Trophäensammlung, die er von seinen Pirschgängen nach Hause gebracht hat und nun die Wände seines Buschenschanks ziert.

Weingut Rebenburg
Wolfgang Maitz
Ratsch 45
8461 Ehrenhausen
☎ 03453 / 2153

Unten, im Tal des südsteirischen Weinbaugebietes liegen Spielfeld, Ehrenhausen, Gamlitz und Leutschach. Spielfeld ist der östlichste Ort, von dem aus man die Weinstraße erreichen kann. Die Marktgemeinde ist der wichtigste steirische Grenzübergang nach Jugoslawien. Sehenswert ist die, dem Hl. Michael geweihte, Pfarrkirche, die 1170 erstmals urkundlich erwähnt wurde. Der Westturm der Kirche weist teilweise gotische Elemente auf, der Rest wurde im 19. Jahrhundert erneuert. Auf einer kleinen Anhöhe südwestlich der Mur liegt Schloß Spielfeld: ein gewaltiger Zweiflügelbau mit markanten Ecktürmen und viergeschossigen Säulenarkaden im Hof.

Ehrenhausen, an der Mündung der Gamlitz in die Mur gelegen, wurde ursprünglich als Burguntersiedlung unterhalb des Schlosses Ehrenhausen gegründet. Der Ort wurde 1559 zum Markt erhoben und zeichnet sich heute durch ein von alten Bürgerhäusern geprägtes, gut erhaltenes Ortsbild aus. Das Schloß, ein dreigeschossiger unregelmäßiger Vierflügelbau entstand Mitte des 16. Jahrhunderts unter Einbeziehung des mächtigen, aus dem 12. Jahrhundert stammenden Bergfrieds. Etwas unterhalb des Schlosses steht das Mausoleum Ruperts von Eggenberg auf einer künstlich angelegten Terrasse. Sehenswert ist auch die Wallfahrtskirche zur schmerzhaften Mutter Maria, der Emmabrunnen am Hauptplatz mit den Steinfiguren von Veit Königer und schließlich das Georgi-Schlößl, das im historischen Stil des 19. Jahrhunderts errichtet wurde und in dem heute Günter und Pippi Wagner ihre Schloßschenke betreiben.

In der Nähe von Ehrenhausen, am Ottenberg 7, hat Ignaz Dietrich seinen Obsthof. Die Familie kultiviert Edelobst, und die besondere Spezialität des Hauses sind ein reinsortiger »Jonathan«- und ein »Golden Delicius«-Apfelsaft, die auf einigen Getränkekarten der österreichischen Spitzengastronomie zu finden sind.

Sozusagen der Mittelpunkt des südsteirischen Weinbaugebietes ist Gamlitz, wo im Jahre 1990 bei der steirischen Landesausstellung der Wein im Mittelpunkt stehen wird. Gamlitz ist die größte Weinbaugemeinde der Steiermark. Die Gegend war schon von den Römern besiedelt, was die Römersteine an der Kirche bezeugen. Zentrum der Landesausstellung wird Schloß Gamlitz sein. Bäuerliches Brauchtum wird in Gamlitz gewissenhaft gepflegt. Jeweils am Palmsonntag findet eine Gebietsweinkost statt, bei der die Weinbauern aus der Umgebung ihre Weine zur Beurteilung ausschenken. Am 1. Mai wird der Maibaum aufgestellt und am Jakobitag, dem 25. Juli, werden die Klapotez, die großen Windräder mit dem »Klapperatismus« in den Weingärten losgelassen, um die genäschigen Vögel von den Reben zu vertreiben. In der zweiten Augustwoche findet in Gamlitz das Drei-Tage-Weinfest statt und am ersten Oktoberwochenende das traditionelle Weinlesefest. Fixpunkte im Weinjahr sind ferner der Martinitag am 11. November, an dem die Klapotez wieder stillgelegt werden und der neue Wein zum ersten Mal verkostet wird, und der 27. Dezember, an dem zu Ehren des Hl. Johannes der »Hans-Wein« gesegnet wird.

Die großen Weine der Steiermark

Wirklich große Weine wachsen nur in ganz besonderen Lagen. Dort, wo der Boden und das nötige Mikroklima hundertprozentig stimmen. Schon mein Vater, mit dem ich als Bub durch die Weingärten streifte, machte mich darauf aufmerksam«, erinnert sich Ing. Siegfried Melcher, »er zeigte mir damals schon die Rieden, die die Voraussetzungen für einen edlen Tropfen hatten.

Aus diesen Gärten kommt ein Wein, der auch zehn und 20 Jahre lagerfähig ist, der sich in dieser Zeit noch ausbaut und nicht an Qualität verliert.« Siegfried Melcher weiß, wovon er spricht. Er hat ein Altweinlager im Keller, das seinesgleichen sucht. »Ich habe immer schon von den besten Jahrgängen ein paar Flaschen zurückgelegt, um die Entwicklung meiner Weine verfolgen zu können.« Heute ist das Weingut Melcher in Gamlitz einer der wenigen steirischen Betriebe, in denen man sich durch die letzten 20 Jahre kosten kann. »Viele Weinbauern wissen gar nicht, was aus ihrem Wein wird, weil sie ihn oft zu früh verkaufen.« Die Entwicklung der Melcher-Weine darf den Herrn auf Schloß Gamlitz mit Recht zufrieden sein lassen. »Ich habe kürzlich für eine spezielle Weinkost zwölf Flaschen vom 68er Muskateller aus dem Keller geholt und höchstes Lob geerntet. Der Wein war zwar recht hochfärbig, aber wunderbar im Geschmack. Ein wirklich großer Wein...«

Womit wir auch schon jene Regionen erreicht haben, denen das ganze Interesse von Siegfried Melcher gehört. »Mich interessieren Weine von überragender Qualität. Weine, die zu trinken Freude bereitet. Schließlich bedeutet Weintrinken nicht, daß man rasch ein paar Vierterln Alkohol durch die Kehle rinnen läßt, um berauscht zu werden.« Das Qualitätsdenken beginnt im Weingut Melcher im Weingarten. Siegfried Melcher, der 1954 die Weinbauschule in Klosterneuburg mit Auszeichnung absolvierte, weiß, daß die wirklich großen Weine von der Natur geschaffen werden. »Je besser die Trauben aus dem Garten kommen, desto weniger braucht man dann im Keller anzugreifen.« Dementsprechend verwenden Melcher und sein Kellermeister Josef Nekrep auch keinerlei Kunstgriffe. Die Trauben werden durchwegs rasch gepreßt, der Most temperaturgesteuert vergoren, wobei schon aus dem Weingarten ausreichend Hefe kommt, um die Gärung in Gang zu bringen.

Siegfried Melcher hat auf seinen 6,2 ha großen Weingärten die Sorten Welschriesling, Müller Thurgau, Sauvignon blanc, Rheinriesling, Muskateller und Schilcher stehen.

Die Lieblingssorte des Gutsherrn, der 1990 »Hausherr« der steirischen Landesausstellung zum Thema Weinbau ist, ist der Sauvignon. »Wenn es uns gelingt, größere Mengen dieser Sorte auf den Markt zu bringen, könnten wir damit einen ähnlichen Stellenwert erreichen, wie die Weinbauern in Chablis mit ihrem Chardonnay. Mit dem Sauvignon könnte die Steiermark weltberühmt werden.«

Im Schloß Gamlitz, das im Zuge der Christianisierung zwischen 1111 und 1131 vom Stift St. Paul in Kärnten erbaut wurde und 1904 in den Besitz der Familie von Siegfried Melcher kam, hat auch die Kultur einen hohen Stellenwert. Nicht nur die Trinkkultur, die im von März bis November geöffneten Buschenschank etwa bei kommentierten Weinkosten gepflogen wird, sondern auch die Kultur der bildenden Künste. Ing. Siegfried Melcher und seine Frau Jolanda stellen ihr Schloß im Laufe des Jahres wiederholt für Kunstausstellungen, Lesungen oder Liederabende zur Verfügung.

Schloßkellerei Gamlitz
Ing.Siegfried und Jolanda Melcher
8462 Gamlitz 32
☎ 03453 / 2363

Der »kleine Grenzverkehr« ist für die Mitglieder der Familie von Josef Lambauer, der in Eckberg bei Gamlitz ein 8,5 Hektar großes Weingut besitzt, keine große Angelegenheit. Er hat einen sogenannten Doppelbesitz, das heißt, er besitzt sowohl auf österreichischem Staatsgebiet als auch jenseits der Grenze zu Jugoslawien, die mitten durch seinen Weingarten verläuft, Rebflächen. Mit einem speziellen Grenzübertrittsschein darf er täglich ohne besondere Formalitäten zwischen sechs und 18 Uhr die Grenze überschreiten. In dieser jugoslawischen Riede Speisenegg wachsen Weißburgunder, Welschriesling, Rheinriesling, Muskat-Sylvaner, Grünsylvaner und Morillon. Eine inzwischen sehr selten gewordene Rebsorte, der Schwarzriesling, wird ebenfalls noch von Josef Lambauer angebaut.

Dem Weingut, das sich der Qualitätsweinproduktion verschrieben hat und die gesamte für die Steiermark typische Sortenpalette im Programm hat, ist auch ein Buschenschank angeschlossen. Der ganzjährig geöffnete »Bacchuskeller« wird von den Schwestern des Winzers betrieben, die neben ihrem geräucherten Lammschlögel, Hausgeselchten und den Schafkäsespezialitäten alles selbst herstellen. Außer Weinbau wird auch Edelobst kultiviert. Ein kleiner Teil davon wird zu Apfel- und Birnenbränden verarbeitet. Im Buschenschank steht auch auf jedem der Tische ein Obstkorb, aus dem man sich ungeniert bedienen kann.

»Wir versuchen frische, fruchtige und sortenreine Weine zu keltern'', erklärt Josef Lambauer jun., der, wie er sagt, zwei Leidenschaften hat, »Erstens den Weinbau, und dann kommt gleich die Jagd.«

»Bacchuskeller« Josef Lambauer
Eckberg 37
8462 Gamlitz
☎ 03453 / 2570

Josef Puschnig, der den elterlichen Betrieb in Glanz im Jahre 1983 übernahm und mittlerweile auf eine Rebfläche von fünf Hektar ausgeweitet hat, ist kein absoluter Verfechter der trockenen Weinlinie. Er baut seine Weine entgegen dem allgemeinen Trend zum Teil auch halbsüß und süß aus. Aus dem einfachen Grund, weil ihm persönlich die lieblicheren Weine besser schmecken.

Dank der hervorragenden Lagen seiner Weingärten bedeutet es für Josef Puschnig keinerlei Schwierigkeiten, Jahr für Jahr Kabinett-Qualitäten in den Keller zu bekommen. Auch Spätlesen und Auslesen sind bei ihm keine Seltenheit. Wie zum Beispiel die 86er Traminer-Auslese mit 11 Vol% Alkohol und einen Zuckerrest von 40 Gramm. Gerade von diesem Wein verspricht sich der Winzer sehr viel. »Der wird sich in den nächsten Jahren zu einem ganz großen Wein entwickeln.« Und was große steirische Weine sind weiß Josef Puschnig sen. selbst ganz gut; war er doch jahrelang in der Schloßkellerei Gamlitz Kellermeister und mit dieser Tätigkeit der »Vater« der Melcherschen Edelgewächse.

Die Hauptsorten im Weingut Puschnig sind der Müller Thurgau, Welschriesling, Sämling 88, Weißburgunder und Morillon. Daneben hat er auch noch Flächen mit Traminer, Zweigelt blau, Sauvignon blanc und Muskateller.

Josef Puschnig »leidet« unter der großen Nachfrage nach seinen Weinen. Er möchte beispielsweise seine

Rotweine zumindest ein Jahr lang im Holzfaß lagern lassen, ehe er füllt, die Nachfrage zwingt ihn aber, immer schon früher zu verkaufen. Bleibt nur zu hoffen, daß die Kunden, die sich im Puschnig-Buschenschank eindecken, auch den Rat des Winzers befolgen, der sagt, man solle etwa den Zweigelt noch zwei Jahre in der Flasche lassen, um ihm Zeit für die Reife zu geben.

Josef Puschnig
Glanz 32
8463 Leutschach
☎ 03454 / 329

Fährt man die südsteirische Weinstraße entlang, wird man praktisch auf Schritt und Tritt mit dem Namen Dreisiebner konfrontiert. Das Stammhaus der Familie ist in Sulztal 35. Angefangen hat es mit dem Großvater, der das Gut kaufte. Von seinen drei Söhnen blieb Josef am Hof, die beiden anderen heirateten weg. Georg nach Leutschach, Peter nach Steinbach. Dieses Gut in Steinbach ist jetzt im Besitz der Familie Lackner-Tinnacher.

Josef Dreisiebner und seine Frau Franziska hatten insgesamt elf Kinder. Vier Söhne, Franz, Hermann, Werner und Johann schlossen sich zu einer Betriebsgemeinschaft zusammen und führen den Stammsitz weiter. Drei weitere Söhne zogen aus. Siegfried nach Ottenberg, wo er Obst- und Weinbau betreibt, Adolf, der sich gleich in der Nachbarschaft in Sulztal niedergelassen hat und sich neben dem Obst- und Weinbau sehr für bäuerliches Kleinhandwerk engagiert, und Otto, der nach Grubtal gezogen ist, und dort am Gut Dreisiebner-Muster wirkt. In der Betriebsgemeinschaft in Sulztal 35, die in dieser Form seit 1974 existiert, hat Johann Dreisiebner das Sagen. Er hatte früher mit seinen Brüdern das »Altsteirer Trio« als Hausmusik gegründet und spielt auch heute noch in der »Leibnitzer Hochzeitsmusik« das Hackbrett.

Im Weinbau bieten die Dreisiebner-Brüder in Sulztal eine große Sortenvielfalt. »Wir wollen marktgerecht produzieren und haben nicht so sehr den absolut elitären Kundenkreis als Zielgruppe, wir wollen für jeden Geschmack etwas im Keller haben.« In diesem Keller können die Kunden dann auch in Ruhe durchprobieren, welcher Wein ihnen zum Gaumen steht. »Wir haben ganz trockene Weine ebenso wie halbtrockene und Prädikatsweine mit mehr oder weniger Restsüße.« Vermarktet wird in erster Linie Siebenzehntel-Ware. »Damit hat unser Vater schon frühzeitig begonnen und war von den übrigen Weinbauern anfangs noch belächelt worden, weil das doch eine erhebliche Mehrarbeit bedeutet. Seine Pionierarbeit ist uns später aber sehr zugute gekommen, weil wir bereits ein qualitätsbewußtes Publikum hatten.«

Im Buschenschank Dreisiebner, der ganzjährig geöffnet ist und in dem man von den Jausenspezialitäten auch Kinderportionen bestellen kann, verfügt man übrigens

über schöne Gästezimmer. Die Getränkepalette umfaßt nicht nur die Weine aus dem eigenen Keller, sondern auch Fruchtsäfte und Schnäpse aus der eigenen Produktion. Besonders gefragt sind die Weichseln im Slibowitz.

Weingut Dreisiebner
Sulztal 35
8461 Ehrenhausen
☎ 03453 / 2590

Das Obst- und Weingut Muster-Dreisiebner ist eigentlich ein Zweifamilienbetrieb. Die Familie von Josef Muster, dessen Frau Johanna sich um den Buschenschank kümmert, lebt seit drei Generationen auf dem Hof in Grubtal. Otto Dreisiebner kam erst dazu, als er eine Schwester von Josef Muster heiratete.
Der Silberbergabsolvent Dreisiebner besorgt den Weinbau und bringt ausschließlich Siebenzehntel-Ware aus dem 200 Jahre alten Gewölbekeller. »Wir arbeiten mit Händen und Füßen, um den Gast beste Produkte bieten zu können«, sagt Otto und er meint damit keinesfalls den Wein allein, den er wie seine Brüder in Sulztal nicht ausschließlich trocken ausbaut, um verschiedenen Geschmäckern gerecht zu werden. Er meint auch den ganzjährig offenen Buschenschank, in dem außer dem üblichen Fleisch- und Wurstangebot (»Wir sind stolz auf unser Geselchtes«) auch hausgebrannte Williams-Birnen und Hollunderschnäpse angeboten werden. Gerade der Birnenbrand ist von besonderer Güte.

Weingut Muster-Dreisiebner
Grubtal 14
8462 Gamlitz
☎ 03453/2300

Siegfried Dreisiebner betreibt in Ottenberg 15 einen Obst- und Weinbaubetrieb. Auf den 2,6 Hektar Weingartenfläche wachsen Müller Thurgau, Weißburgunder, Ruländer, Muskateller, Morillon, Traminer, Sämling 88, Welschriesling, Rheinriesling und Bacchus, eine schon selten gewordene Rebsorte. Auf zwei Rieden sind die Rebflächen verteilt, der Ried

»Ottenberg« mit lehmigem Boden und der Ried »Hochgraßnitzberg«, den unterschiedliche Bodenstrukturen aufweißt. Die ausgeprägte Fruchtigkeit der Weißweine wird durch eine Maischestandzeit von 12 bis 18 Stunden erreicht. Anschließend werden die Weine stark entschleimt und in Tanks vergoren. Zwischen acht und zehn Tagen dauert die Vergärung. Ab Februar wird der Wein in Flaschen gefüllt. Ein Teil der Weine wird halbtrocken ausgebaut, wodurch der Sortengeschmack noch besser hervortritt. Verkosten kann man die Weine im Flaschenschank im Hause, der ganzjährig geöffnet ist. Der Morillon und der Muskateller von Siegfried Dreisiebner zählen zu den besten Vertretern dieser Rebsorten der Südsteiermark.

Siegfried und Anna Dreisiebner
Ottenberg 15
8461 Ehrenhausen
☎ 03453 / 2122

Fährt man von Gamlitz weiter Richtung Leutschach, kommt gleich hinter dem Ortsschild die Abzweigung nach Steinbach und Sernau.
In Sernau 21 haben die Brüder Karl und Otto Riegelnegg ihren acht Hektar großen Weinbaubetrieb. Sie kultivieren Welschriesling, Müller Thurgau, Sämling 88, Muskateller, Ruländer, Rheinriesling und Blauer Zweigelt.

Im Weinbau ist Erich Jöbstl aus Badendorf bei St. Georgen an der Stiefing eigentlich ein »Spätberufener.« Der Landwirt hatte auf diesem Gebiet praktisch keine Erfahrung, als seine Frau ein Weingut in

Sernau erbte. Er bewies aber, daß man es durch Konsequenz und Arbeitswillen weit bringen kann. Heute kann Jöbstl, der bereits von seinem Sohn Johann tatkräftig unterstützt wird, schon auf eine Reihe von Erfolgen zurückblicken. Der größte in seiner Laufbahn als Winzer war wohl die Auszeichnung seines Welschriesling Kabinett 1986, der auf der Bundesweinmesse 1987 in Krems zum Sortensieger gekürt wurde.

In der 3,5 Hektar großen Ried Sernau, gleich außerhalb von Gamlitz, die eine Hangneigung bis zu 48 Prozent aufweist, gedeihen die Sorten Welschriesling, Ruländer, Muskateller und Blauer Zweigelt. »Die Lage ist besonders begünstigt«, erklärt Erich Jöbstl, »die optimale Sonneneinstrahlung und die leichten, sandigen Böden liefern beste Trauben, sodaß ich noch mit der aus dem Jahr 1849 stammenden alten Baumpresse quetsche. Daran werde ich auch nichts ändern, es ist einfach ein wunderbares Gefühl, wenn man den alten Preßbaum knarren hört und der Most zu rinnen beginnt.«

Erich Jöbstl
Badendorf 9
8413 St.Georgen a.d.Stiefing
☎ 03183 / 409

Man muß auch einmal etwas riskieren«, sagte sich Friedrich Tinnacher, Chef des Weingutes Lackner-Tinnacher in Steinbach bei Gamlitz, als ein Ruländer-Quartier, das üblicherweise als letztes seiner Lagen gelesen wird, bereits Auslese-Qualität aufwies. »Den lassen wir hängen«,sagte er, »aus dem machen wir einen Eiswein.« Die gesamte Rebfläche wurde mit Vogelschutznetzen abgedeckt und dann begann das große Zittern, ob das Wetter wohl mitspielen würde. Am ersten Dezember war es soweit. In der Nacht zuvor war das Thermometer auf minus zehn Grad gesunken und noch ehe die Sonne die gefrorenen Trauben auftauen konnte, war die Ernte eingebracht. »Bis zehn Uhr hatten wir alles beisammen.« 25 Grad Klosterneuburger muß ein Eiswein haben, Tinnachers Ruländer brachte 28 Grad.

»Sechs Stunden lang dauerte die Pressung, herausgebracht haben wir aber gerade ein Viertel der üblichen Mostmenge.« Mit einem Tauchsieder wurde der kalte Saft auf Starttemperatur zur Vergärung gebracht, und diese Vergärung erfolgte dann ganz langsam. Sie dauerte bis Anfang Februar. Das Pokern mit der Natur hat sich für Friedrich Tinnacher ausgezahlt. Der Eiswein (11.8 Vol.% Alkohol, 9,1 Grad Säure und 127,5 Gramm Zucker) ist wohlgeraten.

Friedrich Tinnacher ist aber nicht nur ein Weinbauer, der auch einmal etwas riskiert, er ist auch einer, der nicht stur vorgezeichnete Erkenntnisse nachvollzieht. Er lehnt es beispielsweise ab, sein Traubengut vor dem Pressen zu rebeln. Bei ihm werden die Trauben, die möglichst unversehrt aus dem Garten in den Betrieb kommen, in einem Gerät mit Gummiwalzen gequetscht. Der dabei gewonne Most ist für die Siebenzehntelqualität bestimmt und wird zu 80 Prozent im Faß ausgebaut. »Nur dort, wo ich die Frische brauche, lagere ich im Stahltank.«

Auf einer Rebfläche von insgesamt 10.5 Hektar findet man auf dem Lackner-Tinnacher-Gut so ziemlich alle in der Steiermark üblichen Sorten. In den Lagen mit schwerem Lehmboden wachsen Rheinriesling, Traminer und Ruländer, auf dem Gemisch aus Lehm und Sand wachsen Weißburgunder, Welschriesling, Müller Thurgau und Muskateller. Friedrich Tinnacher, der seinen Weinbaumeister in Langenlois gemacht hat, befaßt sich auch intensiv mit der Selektionierung. Für rund 80 Prozent seiner Neuauspflanzungen stammen die Edelreiser aus dem eigenen Weingarten, wobei er natürlich die Bodenverträglichkeit der einzelnen Unterlagsreben berücksichtigt.

Tinnacher hat sich beim Wein selbst eine Mengenbeschränkung auferlegt. Im Zehnjahresschnitt erntet er pro Hektar rund 5.000 Liter.

Friedrich und Wilma Lackner-Tinnacher
Steinbach 12
8462 Gamlitz
☎ 03453 / 2142

Zu den aufstrebenden Winzern in der Südsteiermark zählt Peter Skoff, der in Kranach bei Gamlitz vier Hektar Rebflächen besitzt. Leicht ist der schmucke Hof nicht zu finden, vier Kilometer hinter Gamlitz in Richtung Leutschach biegt rechter Hand eine Straße ein, doch dann gehts immer geradeaus den Berg hinauf.

»Früher war unser Gut ein Mischbetrieb, in den letzten Jahren habe ich mich aber voll und ganz auf den Weinbau konzentriert«, erklärt Skoff, der zusammen mit seiner Frau Anna Maria auch noch einen Buschenschank führt und darüberhinaus auch noch Fremdenzimmer hat. Der Silberberg-Absolvent sieht im Welschriesling die wichtigste Sorte, er hat aber auch noch Morillon, Zweigelt blau, Gewürztraminer, Sauvignon blanc, Schilcher, Müller Thurgau, Weißburgunder, Sämling 88 und

Muskateller in seinen Weingärten mit Süd- bzw. Süd-Ost-Lage stehen.

Berühmt ist der Betrieb für seinen Sauvignon blanc, Chardonnay und dem Gewürztraminer. In der Weinbereitung verzichtet Peter Skoff, der auch Schriftführer des Schutzringes für Wein aus Steirischen Trauben ist, neuerdings aufs Rebeln. »Wir quetschen die Trauben lediglich und bauen etwa den Muskateller oder Sauvignon im Holzfaß aus. Der Welschriesling reift im Tank.«

Peter Skoff
Kranach 49
8462 Gamlitz
☎ 03454 / 6104

Die Gemeinde Leutschach in der südsteirischen Weingegend ist der Mittelpunkt des Fremdenverkehrsverbandes »Rebenland«. Der Marktplatz ist in seiner ursprünglichen Anlage aus dem 16. und 17. Jahrhundert gut erhalten und zeigt zweigeschossige Häuser mit den Traufenseiten zum Platz, steile Satteldächer und teilweise gut erhaltene Fassadengliederungen mit reicher Stukkaturplastik aus der zweiten Hälfte des vorigen Jahrhunderts.

Der Betrieb von Dipl.-Ing. Roland Tscheppe steht auf zwei wirtschaftlichen Standbeinen. Dem Weinhandel in Graz, der aus den zu eng gewordenen Räumlichkeiten in der Rebengasse 25 in den Mälzerweg 11 nach Straßgang übersiedelte, und dem Weingut in Leutschach, dem größten Weinbaubetrieb der Steiermark. »Wir haben noch acht Hektar Weingärten dazugepachtet und bringen es nun auf eine Gesamttrebfläche von 38 Hektar«, sagt der Erfolgswinzer, der wesentlich dazu beigetragen hat, daß der steirische Welschriesling heute einen so guten Namen hat.

Das Weingut Tscheppe war seit jeher Vorreiter, wenn es darum ging, Neuerungen einzuführen. So hielt die Mechanisierung in der Südsteiermark zuerst in den Tscheppe-Weingärten Einzug und so waren es auch die Tscheppes, die in ihren Lagen auf dem Pößnitzberg als Erste die Hochkultur großflächig verwirklichten. Für Dipl.-Ing. Roland Tscheppe gilt der Wunsch, die Nummer eins unter den steirischen Weinbaubetrieben zu sein, aber nicht nur für die Größe der Rebfläche. »Wir wollen auch bei der Qualität als Maßstab dienen«, sagt Tscheppe, der seinen Betrieb bereits auf die Bedürfnisse des Gemeinsamen Marktes ausrichtet und danach trachtet, das noch immer vorhandene Informationsdefizit den steirischen Wein betreffend zu beheben.

Das Weingut Tscheppe hat auf seinen Rebflächen das komplette steirische Sortenprogramm stehen, wobei die besten Lagen der Pößnitzberger Römerstein und die Ried Czamillonberg aus dem Besitz des Grafen Woracziczki sind. Der Welschriesling aus den Woracziczki-Weingärten geht übrigens auf große Reise. Er wurde von den Austrian Airlines als Bordwein für die Fernost-Flüge ausgewählt.

Weingut Eduard Tscheppe
Pößnitzberg 168
8463 Leutschach
☎ 03454 / 205

Die Sausaler Weinstraße

Nach dem Weingesetz umfaßt die Großlage »Sausal« sämtliche Weinbauflächen der Gemeinden Gleinstätten, Kitzeck, Leibnitz, St. Andrä-Höch, St.Nikolai, Tillmitsch, Wildon und von der Gemeinde Heimschuh die Weinbauflächen links der Sulm. Die Sausaler Weinstraße engt dieses Gebiet ein. Sie führt von Leibnitz zunächst an den Südhängen des Sausaler Weinbaugebietes durch das Sulmtal, vorbei an Seggau und Silberberg, bis Fresing um dort rechts abzuzweigen und steil hinauf nach Kitzeck zu führen. Am Demmerkogel vorbei geht es dann wieder talwärts bis St.Andrä, dem Endpunkt der Weinstraße.

In 564 Metern Höhe gelegen gilt Kitzeck mit seiner 1000jährigen Weinbaugeschichte zu den höchstgelegenen Weinbauorten Europas. Um das Jahr 1000 hatte Kaiser Otto I. das Gebiet zwischen Sulm und Laßnitz dem Erzbistum Salzburg als Lehen übergeben. Deutsche Bauern besiedelten das unbewohnte Gebiet, rodeten die Wälder und schufen die Voraussetzung für unsere heutige Kulturlandschaft. Mit den Bauern kam auch der Weinbau ins Land, weil schon früh erkannt worden war, daß das milde Klima und die steinigen Steilhänge alle Voraussetzungen für beste Weine liefern würden. Kitzeck liegt auch auf der gleichen geographischen Breite wie Meran.

Im Jahre 1640 wurde auf der Stelle, wo heute die Pfarrkirche steht, eine Kapelle errichtet, 1789 wurde Kitzeck zur Pfarre erhoben. 1833 brannte die Kirche nach einem Blitzschlag nieder, wurde aber gleich wieder aufgebaut. Inmitten von Rebanlagen und umgeben von kleinen Gehöften grüßt die Pfarrkirche schon von weitem.

Sehenswert ist auch das erste Steirische Weinmuseum, das 1979 in der alten Winzerei des Priesterseminars mitten im Ortskern eingerichtet wurde. Das »alte Zeug«, mit dem früher gearbeitet, und das von der Zeit überholt wurde, landete aber nicht auf dem Müll, sondern wurde gesammelt und der Nachwelt erhalten. »Den Ahnen zur Ehr', der Jugend zur Lehr'« ist der Leitspruch des Museums, in dem Franz Scherzer, der im heutigen Museumsgebäude zur Welt gekommen ist, Martin Pronegg als Kustos abgelöst hat. Das Museum umfaßt sieben Räume: Im Vorhaus (Laben) sind bäuerliche Hausgeräte ausgestellt, die alte Winzerstube zeigt das Reich der Weinbäuerin von damals. Weiters finden wir eine Rauchkuchl, einen Raum, in dem Einblick in die Entwicklung des steirischen Weinbaus und seine Folklore gegeben wird, eine Abteilung, in der die harte Arbeit im Weinberg während des Jahres dargestellt wird, einem Raum, in dem dem Besucher die Kellerwirtschaft und ihre Geräte des vergangenen Jahrhunderts sowie eine Faßbinderei vor Augen geführt wird und schließlich finden wir noch eine alte Weinpresse, Preßgeräte und ein Weinfuhrwerk. Nicht zu vergessen eine Holzfigur des heiligen Rochus aus dem 16. Jahrhundert, eine Leihgabe der Pfarre Kitzeck.

Aber nicht nur im Weinbaumuseum bleibt die Geschichte lebendig, auch die alten Weinbauern in Kitzeck erzählen gerne, wie sich das Leben in den Weinbergen früher abgespielt hat. Wilfried Cramer beispielsweise hat sich mit der Materie ausgiebig befaßt. Er weiß noch genau, mit welchen Rechten und Pflichten früher die Winzer auf den Gütern leben mußten. Die Winzer waren praktisch eine Zwischenform von Pächtern und Knecht, die zwar die Weingärten bearbeiten mußten, nebenbei aber auch für den eigenen Bedarf wirtschaften durften. Jeweils am Jakobi-Tag wurde »gleichgemacht«, da stellte der Gutsherr die Frage »Weinzerl bleibst, oder Weinzerl gehst?« Entschloß sich der Weinzerl, der Winzer, zum bleiben, wurden die Verträge fürs nächste Jahr ausgehandelt.

Neben dem Weinbaumuseum ist der »Kirchenwirt«, in dem Gertrude Heber Köstlichkeiten der Steirischen Küche auf den Tisch bringt. Dazu gibts vom Gatten Alfred gekelterte Weine. Einige Schritte weiter ist gerade der Buschenschank von Wolfgang und Erika Schrotter im entstehen. Schon jetzt kann man von der zuküftigen Sitzterrasse behaupten, daß von dort der Rundblick zu den schönsten von Kitzeck zählen wird. Wolfgang Schrotter bewirtschaftet in Brudersegg zwei Hektar Weingärten und ist für seinen feinsäuerlichen Welschriesling berühmt.

Das Weingut Albert in Kitzeck ist ein traditionsverbundener Betrieb. Christian Cramer, der das Gut im Jahre 1984 vom Vater übernahm, absolvierte die Weinbauschule in Silberberg und bewirtschaftet rund zwölf Hektar Rebflächen in bis zu 80 Prozent steilen Lagen. Die Hauptsorten sind der Welschriesling, Rheinriesling, Traminer, Weißburgunder und Müller Thurgau, die von Hand gelesen, durchwegs gerebelt und in Holzfässern säurebetont und trocken ausgebaut werden. Die Traditionsverbundenheit von Christian Cramer zeigt sich auch darin, daß er seine Trauben noch immer mit einer bereits 200 Jahre alten Baumpresse preßt.

Schon Christian Cramers Vater, Ing. Wilfried Cramer, der noch in Klosterneuburg die Kunst des Weinbaus erlernte, richtete im Weingut einen Buschenschank ein. Eingedenk der Tatsache, daß eine seiner Töchter zur ersten Weinkönigin der Steiermark gekürt wurde, nannte er diesen Buschenschank »Zur ersten steirischen Weinkönigin«. Ing. Wilfried Cramer hat sich auch damit Verdienste erworben, daß er als Fremdenverkehrsobmann von Kitzeck, der höchstgelegenen Weinbaugemeinde Europas, maßgeblich an der Einrichtung des dortigen Weinbaumuseums beteiligt war.

Weingut Albert
Christian Cramer
8442 Kitzeck, Gauitsch
☎ 03456 / 2239

Günter Kappel aus Fresing hat offenbar das richtige »G'spür« gehabt, als er vor mehr 20 Jahren rasch entschlossen zugriff, als in Kitzeck ein Weingarten zum Verkauf stand. Er sanierte zunächst die heruntergekommenen Rebanlagen und schaffte sich dann mit seinen Weinen einen guten Ruf. Kappel, der aus einer Gastwirtfamilie stammt, richtete bald einen Buschenschank ein, den er später in einen vollkonzessionierten Gastronomiebetrieb umwandelte.

Der »Weinhof Kappel« in Kitzeck ist längst kein gastronomischer Geheimtip mehr. Er ist als Spitzenbetrieb bekannt und erfreut sich nicht nur wegen der wunderbaren Lage mit dem herrlichen Blick über das Sulmtal und den hervorragenden Weinen, sondern auch wegen der ausgezeichneten Küche, für die Sohn Dietmar Kappel verantwortlich zeichnet, besonderer Beliebtheit. Mittlerweile kümmert sich Dietmar Kappel nicht mehr ausschließlich um die Küchenköstlichkeiten, er ist auch schon für die Kellerwirtschaft verantwortlich. »Unsere Weine werden durchwegs trocken ausgebaut, die Qualitätsstufen reifen im Holzfaß«, sagt Kappel junior, der die Doppelbelastung Küche und Weinbau bewundernswert meistert. Kaum ist die Mittagshektik am Kochtopf vorüber, eilt er schon in die steilen Weingärten, die gleich unterhalb des Restaurants und dem Fremdenzimmer-Trakt abfallen. Wie die Küche und der Wein, so

sind auch die Zimmer für diese Region außergewöhnlich.

Das Weingut Kappel umfaßt eine Rebfläche von zweieinhalb Hektar, auf der die Sorten Welschriesling, Rheinriesling, Weißburgunder, Ruländer, Sämling 88, Muskateller und Zweigelt blau stehen. Der Paradewein des Gutes ist der Rheinriesling, der ausgerechnet in den steilsten Lagen ausgepflanzt ist. Mit diesem Wein erreichte Kappel schon bei mehreren Prämierungen die höchsten Noten. Das einzige Problem, mit dem Dietmar Kappel zu kämpfen hat, ist die große Nachfrage nach seinen Weinen. Wegen der bewußten Mengenbegrenzung, die er sich auferlegt hat, sind einzelne Sorten sind schon unter dem Jahr ausverkauft.

Weinhof Kappel
Steinriegel 25, 8442 Kitzeck
☎ 03456 / 2347

Genau zwischen Kitzeck und der Theresienkapelle am Demmerkogel liegt der Buschenschank der Familie Gerngross. Als dieses Lokal im Jahre 1954 eröffnet wurde, galt der sogenannte »gemischte Satz«, ein Wein, für den mehrere Rebsorten gemeinsam gelesen, gepreßt und gekeltert wurden, als besondere Spezialität. Heute bringt Reinhold Gerngross, der das rund dreieinhalb Hektar große Weingut bewirtschaftet, sortenreine Weine möglichst naturbelassen, trocken und säurebetont in die Flasche. Die Hauptsorten sind der Welschriesling, den er nicht nur als Qualitätswein, sondern auch als sogenannten extraleichten Bergwein mit nur 9 Volumsprozent Alkohol ausbaut, der Weißburgunder, Riesling x Sylvaner und Sauvignon blanc. Daneben hat er in seinen Gärten auch Blauer Zweigelt und Blaufränkisch sowie Schilcher stehen.

Reinhold Gerngross weiß ganz genau, was er will: »Ich bemühe mich, den von meinem Großvater und Vater eingeschlagenen Weg fortzusetzen und durch Qualität zu überzeugen.«

Reinhold Gerngross
Brudersegg 11, Demmerkogel
8441 Fresing, ☎03456 / 2922

Fresing heißt die kleine Ortschaft acht Kilometer nach Silberberg. Mitten im Ort ist die Abzweigung in Richtung Kitzeck. Gleich nach der Straßenkreuzung ist linker Hand das Weingut Wohlmuth. Das seit 1803 im Besitz der Familie Wohlmuth befindliche Weingut hat seine Weingärten in Kitzeck. Der landwirtschaftliche Betrieb umfaßt 16 Hektar, wovon 4,4 Hektar mit Reben bepflanzt sind. Weitere 1,2 Hektar, in bester Sausaler Lage, wurden erst kürzlich dazugekauft und wurde mit Sauvignon blanc und Rheinriesling bepflanzt. Die Kitzecker Weinberge zählen sicher zu den steilsten der Steiermark. Tief eingefurchte Täler mit steilen Hängen, die von Mischwäldern eingesäumt sind. Dadurch entsteht ein heißes, für den Weinbau bestens geeignetes Mikroklima. Der einzige Nachteil ist, daß ausgerechnet die besten Lagen so steil sind, »...das man im Stehen in's Gras beißen kann«, wie Johann Schwarz der Verwalter des Landesweingutes Kitzeck sagt. Viel Handarbeit ist notwendig um diese Lagen zu bewirtschaften. Wenn mit speziellen Weinbergtraktoren gearbeitet wird, dann müssen diese zusätzlich mit einem Stahlseil gesichert werden, um ein Abrutschen zu verhindern. Die Weingärten von Gerhard Wohlmuth haben alle diese Schwierigkeitsgrade, viel Idealismus und härtester körperlicher Einsatz ist notwendig, um im Herbst die Trauben Richtung Fresing zu führen. Chardonnay, Muskateller, Welschriesling und Pinot blanc sind die Hauptrebsorten. Ein kleines Quartier ist mit Blaufränkisch und Pinot Gris bepflanzt. Angestrebt werden fruchtige Weine mit wenig Alkohol, aber recht hohen Säurewerten, die eine längere Reifung benötigen. Gerhard Wohlmuth füllt auch jedes Jahr einen kleinen Teil seiner Ernte in Barriques. Wobei diese frühestens nach dreijähriger Flaschenlagerung in den Verkauf kommen. Zur Zeit gibt es gerade den Blaufränkisch 1986 Barriqueausbau zu verkosten, der einen sehr feinen Holzduft hat, ein kräftiges Bukett aber noch sehr tanninbetont ist. Bis dieser Wein in den Verkauf kommt, wird er sich gerade richtig ausgebaut haben.

Gerhard und Maria Wohlmuth
8441 Fresing 24, ☎ 03456 / 2303

Die Tatsache, daß der steirische Weinbau und der steirische Wein einen so guten Ruf genießen, ist zu einem wesentlichen Teil auf die Arbeit der Fachschule für Weinbau und Kellerwirtschaft in Silberberg zurückzuführen. Dort achtet Direktor Robert Eder auf eine solide Ausbildung seiner Schülerinnen und Schüler, die das in Silberberg angeeignete Wissen in ihren eigenen Betrieben in die Praxis umsetzen sollen.

Die rund 20 bis 30 Schülerinnen und Schüler die Jahr für Jahr in Silberberg aufgenommen werden, werden nicht allzusehr mit Theorie gequält, vielmehr wird jeder Handgriff im Weingarten ebenso wie im Keller in der Praxis geübt. Bereits in den 30 Hektar großen Weingärten wird demonstriert, worauf es im Qualitätsweinbau ankommt. Auf die durch den oft bis an die »Schmerzgrenze« gehenden Winterschnitt geförderte Mengenbegrenzung, auf die peinlich genaue Laubarbeit und auf den verantwortungsbewußt eingesetzten Schädlingsschutz.

»Die Trauben sind nur das Rohmaterial für einen guten Wein«, sagt Direktor Eder, »was wirklich daraus gemacht wird, liegt in den Händen der Kellermeister.« Dementsprechend ausführlich wird auch das Fach Kellerwirtschaft in Silberberg gelehrt. Man strebt nach besten Qualitäten. Nicht zuletzt deshalb, weil die Schule Silberberg ihre Weine selbst vermarkten muß. »Für uns ist der Weinverkauf ein wesentlicher Bestandteil unseres nicht gerade üppigen Budgets«, sagt Direktor Eder, der mit Recht drauf stolz ist, daß seine Silberberg-Weine weitum großen Anklang finden.

Die Hauptsorte ist der Welschriesling, der ebenso wie die meisten übrigen Weißweine im Stahltank vergoren und ausgebaut wird. Ins Holzfaß gelangen die Rotweine, der Traminer und die weißen Burgundersorten.

Das Weingut Silberberg wurde im Jahre 1895 vom Land Steiermark erworben und besitzt heute neben einen Schauweingarten und der Hauptanlage auf dem Kogelberg noch Güter in Kitzeck, in Remschnigg bei Arnfels und auf dem Schloßberg bei Leutschach. Der Schauweingarten der Schule in Silberberg, in dem auf steilen Hängen in Südlage die für die Steiermark typischen Sorten wie Welschriesling, Rheinriesling und Weißburgunder, aber auch Zweigelt, Merlot und Cabernet wachsen, ist öffentlich zugänglich und bietet den interessierten Wanderern einen Überblick über die unterschiedlichen Sorten und Erziehungsformen. Er bietet den Besuchern aber auch einen Überblick über die Entwicklung der Weingartenarbeit von den anfänglich geradezu primitiven Hilfsmitteln bis zu den modernen Bearbeitungsgeräten.

Keller der Steiermärkischen Landesgüter Silberberg
Kogelberg 16, 8430 Leibnitz
☎ 03452 / 2339

Gegenüber von Silberberg steht weithin sichtbar Schloß Seggau. Das Schloß wurde bereits 860 von den Salzburger Bischöfen gegründet und ist seit 1595 im Besitz des Bistums Seggau. Es beherbergt auch den größten Weinkeller der Steiermark, mit einem Fassungsvermögen von über 170.000 Liter, ausschließlich Holzgebinde.

Am Ausgang des Sulmtales ist linker Hand die Abzweigung nach Kittenberg und Kogelberg. An der höchsten Stelle des Kogelberges drohnt wie ein italienischer Herrensitz das Haus von Otto Kieslinger. Der berühmte steirische Landschaftsmaler Carl Rotky war Stammgast in diesem Haus. Eine Ansicht des Hauses, von Rotky entworfen, ziert auch die Etiketten des Weingutes. Der Buschenschank ist mit zahlreichen Bildern des Malers ausgestattet. Neben Müller Thurgau, Welschriesling, Rheinriesling, Weißburgunder und Bouvier baut Otto Kieslinger auch Gewürztraminer an. In dieser Region eher selten, ist diese Rebsorte zu den großen Weinen der Steiermark zu zählen. Hervorragend ist auch der Sauvignon blanc des Hauses.

Am Kittenberg steht das Haus von Herbert König. In diesen Weingärten hat der Vater des heutigen Besitzers Ökonomierat Friedrich König seine für die Steiermark vorbildhaften Versuche ausgeführt. Fast alle weinbaulichen Weiterentwicklungen wurden hier als erstes erprobt. Heute kultiviert Herbert König nach modernsten Anbaubedingungen 2,5 Hektar Weingartenfläche.

Östlich von Seggau liegt die Stadt Leibnitz am Zusammenfluß von Sulm und Laßnitz. In Leibnitz wird auch alljährlich, Ende August, die steirische Weinwoche abgehalten. Das ist eine gesamtsteirische Weinkost, auf der die heimischen Produzenten mit durchschnittlich 250 verschiedenen Weinen präsent sind. Die dort ausgeschenkte Weinqualität ist sehr hoch, dafür sind die Hygienebedingungen miserabel. Dem Besucher kann ich nur empfehlen ein eigenes Weinglas mitzubringen.

Die Süd-Ost-Steiermark

Das Weinbaugebiet Klöch-Oststeiermark ist mit seiner Rebfläche von rund 1.000 Hektar das zweitgrößte Anbaugebiet der Steiermark und hat mit Abstand die meisten Weinbaubetriebe (rund 3000). Kernstück und Qualitätszentrum dieses Anbaugebietes ist Klöch, wo dank des besonderen Klimas und dank des nährstoffhaltigen vulkanischen Bodens Traminer und Gewürztraminer heranreifen, die zu den feinsten der Welt zählen. Die beste Lage ist hier fraglos der Klöcher Berg, wo auf den nach Süden gerichteten Hängen besonders schöne und ausdrucksvolle Traminer gedeihen.

Die Güte der Weine findet aber nicht den gewünschten wirtschaftlichen Niederschlag. Der Geschmack des Publikums hat sich gewandelt. Es will lieber frische, fruchtige Weine und ist noch nicht soweit, einen trockenen Traminer etwa als Aperitiv zu nehmen. Nicht wenige Weinbauern haben ihre Traminer-Stöcke bereits ausgerissen und durch andere Sorten ersetzt, von denen sie sich einen besseren Absatz versprechen.

Auch Welschriesling, Weißburgunder und Ruländer gedeihen hier prächtig. Der Sortenwechsel mißfällt dem neugegründeten »Traminer-Schutzring«, der seine Aufgabe darin sieht, speziell den Traminer zu erhalten und dem Konsumenten schmackhaft zu machen. Die Probleme der Traminer-Bauern liegen aber nicht nur in der geringen Nachfrage, sie liegen auch darin, daß diese Sorte nur einen geringen Mengenertrag bringt (rund 4.000 Liter pro Hektar), und sie liegen auch darin, daß das Gebiet um Klöch extrem hagelgefährdet ist. Herfried Dirnböck beispielsweise kann ein Lied davon singen: »Seit 1975 hat mich in regelmäßigen Abständen der Hagel erwischt. In zwölf Jahren hab' ich gerade vier normale Ernten einbringen können.«

Während das Gebiet um Klöch eine recht geschlossene Anbaufläche hat, reihen sich nach Norden hin eher Weinbauinseln. Die Großlage »Steirisches Vulkanland« umfaßt die Weinbauflächen der Bezirke Fürstenfeld, Hartberg und Weiz, schließt aber noch die Weinbauflächen der Bezirke Leibnitz und Graz-Umgebung links der Mur mit ein. Neben Klöch sind die bekanntesten Weinbaugemeinden Halbenrain, Tieschen, Straden, St. Anna am Aigen, Kapfenstein, Riegersburg, Bad Gleichenberg, Ilz, Fürstenfeld, Hartberg, Stubenberg und St.Johann bei Herberstein.

Die Klöcher Weinstraße beginnt im Süden in Bad Radkersburg, zweigt in Halbenrain nach Norden ab, und führt über Klöch, St. Anna am Aigen und Kapfenstein nach Höflach, wo die Weinstraße kurz vor Fehring in die Raabtal-Bundesstraße 57 einmündet.

Der Urgroßvater war eigentlich »schuld« daran, daß Herfried Dirnböck heute vom Wein lebt. Dieser war Wachszieher und Kerzenerzeuger und investierte Mitte des vorigen Jahrhunderts, zu einem Zeitpunkt, als das Kerzengeschäft stagnierte, sein Vermögen in Weingärten. »Rund 20 Hektar hat er damals erworben, der Großteil davon lag in der Untersteiermark und ging nach dem ersten Weltkrieg wieder verloren«, erzählt Herfried Dirnböck.

Der Entschluß des Großvaters, ins Weingeschäft einzusteigen, zeigte sich als zielführend. Seine drei Söhne bauten in Mureck, gleich beim Bahnhof, die Kellerei und hatten auch einen eigenen Gleisanschluß. Das war damals wichtig, denn um die Jahrhundertwende wurde der Wein ja noch hauptsächlich faßweise verkauft, Flaschenweine galten noch als Ausnahme.

1930 erwarb der Vater von Herfried Dirnböck die Weingärten auf dem Klöcherberg, auf denen heute auf einer Rebfläche von sechs Hektar Müller Thurgau und Welschriesling, aber auch Traminer, Weißburgunder, Rheinriesling und Muskat Sylvaner im Ertrag stehen. Oben, auf dem Plateau des Klöcherbergs, gleich bei der Ried Seindl, hat Herfried Dirnböck auch seinen Buschenschank, der zwischen Mai und Ende Oktober immer nur an den Wochenenden oder an Feiertagen geöffnet ist. Es ist noch ein uriger Buschenschank, ein

Buschenschank für Individualisten, die dem Wochen-end-Massentourismus gerne aus dem Weg gehen. Der Blick reicht von dort oben bis weit hinunter über das Hügelland nach Jugoslawien, wo früher auch ein Dirn-böck-Wein wuchs.

Zwei Leute hat Herfried Dirnböck fix im Weingarten angestellt. Die braucht er auch, legt er doch auch größ-ten Wert auf exakte Laubarbeit und regelmäßiges Mul-chen. »Wir sind beim Düngen ausgesprochen spar-sam«, sagt Dirnböck, »wir haben vor zehn Jahren auf-gedüngt und brauchen seither für die Bodenbearbei-tung keine Chemie mehr. Je nach Niederschlag wird gemulcht, dazu wird noch verhexeltes Rebholz im Weingarten ausgestreut. Das bringt dem Boden alle Nährstoffe, die er braucht.« Zur Kontrolle läßt Dirnböck alle drei Jahre eine Bodenuntersuchung vornehmen. Bei der Reberziehung setzt Dirnböck auf den steiri-schen Bogenschnitt, versucht aber beim Welschries-ling jetzt die Eindrahterziehung.

In der Weinbau-Philosophie verfolgt Herfried Dirnböck die absolut trockene Linie. Selbst seine Traminer-Spät-lese wird trocken ausgebaut.

Herfried Dirnböck
Bahnhofstraße 16
8480 Mureck
☎ 03472/2103

Das Gräflich Stürgkh'sche Weingut in Klöch hat sich einen guten internationalen Ruf erworben, der sich vor allem auf seine Traminer und Gewürztrami-ner, aber auch auf deren gelegentliche Spätlesen begründet. Auch bei diesen Weinen achtet Gutsherr Cari Seyffertitz auf die trockene Note.

Cari Seyffertitz, der die Weinbauschule in Krems absol-vierte und nach Praxisjahren in verschiedenen bekann-ten österreichischen Betrieben, aber auch im Rheingau und im Elsaß, den Betrieb übernahm, bewirtschaftet rund zwölf Hektar Weingärten auf den Südost-, Süd- und Westhängen des Klöcher Berges. Etwa auf der glei-chen geographischen Breite wie Meran in Südtirol gele-gen, bietet das Weinbaugebiet um Klöch mit seinem vulkanischen Boden und dem ausgeglichenen Verhält-nis von reichlichem Niederschlag und ebenso reichli-chen Sonnentagen die natürlichen Voraussetzungen für große Weine.

Schon traditionell wird im Stürgkh'schen Weingut auf konsequente Mengenberenzung ebenso Wert gelegt wie auf den sortentypischen, reintönigen Ausbau der Weine, der ausschließlich in Holzfässern erfolgt. Die Trauben werden gerebelt und je nach Sorte einige Stun-den auf der Maische stehen gelassen, damit sich die Bukett-Stoffe besser lösen können. Da Cari Seyffertitz den Lesezeitpunkt stets möglichst spät ansetzt, ist das Aufbessern der Moste für ihn kein Thema.

Mengenmäßig ist der Welschriesling mit einem Anteil von 32 Prozent die Hauptsorte des Stürgkh'schen

Weinguts, das auch Mitglied der »Vereinigung österrei-chischer Herrschafts- und Stiftsweingüter« (Vinobili-tas) ist und sich damit einer zusätzlichen Qualitäts-kontrolle unterzieht. Traminer und Gewürztraminer machen 20 Prozent aus, vom Rheinriesling stehen 15 Prozent im Ertrag, von Sauvignon blanc zwölf Prozent, vom Müller Thurgau neun Prozent und vom Weißbur-gunder und St. Laurent je sechs Prozent.

Die Weine aus dem Keller des Gräflich Stürgkh'schen Gut wurden schon zu bedeutenden Ereignissen kre-denzt; und zwar anläßlich des Staatsbesuchs der engli-schen Königin in Österreich sowie zu offiziellen Anläs-sen der österreichischen Botschaft in Peking.

Gräflich Stürgkh'sches Weingut
8493 Klöch
☎ 03475 / 2223

Die Oststeiermark um Klöch ist für ihren ausge-zeichneten Traminer bekannt. Eine gute Adresse dafür ist das Weingut von Karl Domittner, der neben sei-ner ein Hektar großen Rebfläche auch noch den »Klö-cherhof« mitten im Ortsgebiet betreibt. Die Gaststätte ist nicht nur wegen Domittners Eigenbauweinen, vom Traminer über Rheinriesling, Müller Thurgau bis zum Welschriesling, bekannt, sondern auch als Backhendl-Station recht beliebt. In der Küche regiert Domittners Tante Barbara und seine Frau Friederike, die auch Spe-zialitäten wie eine köstliche »Kas-Suppn« in den Teller bringen.

Die Weine wachsen auf der Ried Hochwart auf Klöcher Basalt, einem vulkanischen Boden. Sorge bereitet nicht nur Domittner, sondern allen oststeirischen Weinbau-ern allerdings das Wetter. Die Jahr für Jahr auftreten-den Hagelunwetter bedingen regelmäßig Ernteausfälle, sodaß Domittner im Schnitt nicht mehr als 5.000 Kilo Trauben aus seinem Weingarten bringt.

Domittners Söhne drängen bereits in die Nachfolge. Herbert, der ältere, ist Koch, Günther, der jüngere, besucht die Weinbauschule in Silberberg.

Karl Domittner
8493 Klöch 4
☎ 03475 / 2206

Mit der Lese läßt sich Fritz Frühwirt, der in Deutsch-Haseldorf bei Klöch ein drei Hektar großes Weingut betreibt, Jahr für Jahr recht lange Zeit. »Ich will zumindest Kabinett-Qualitäten erreichen, wenn möglich, lasse ich die Trauben aber auch bis zu einer Spätlese am Stock.«

Die Hauptsorte im Weingut von Fritz Frühwirt ist ein Riesling x Sylvaner, der zusammen mit dem Sämling 88 auf vulkanischem Lehmboden in der Ried Zäpfer gedeiht. Welschriesling und Weißburgunder wachsen in den Rieden Klienzel und Kratzer, der Traminer in der Ried Hochwart und der Zweigelt schließlich im Dorfweingarten. Sämtliche Trauben werden gerebelt, der Ausbau des Rotweins bzw. des Traminers und Weißburgunders erfolgt im Holzfaß, die übrigen Sorten reifen im Stahltank.

Dem Weingut Frühwirt ist ein Buschenschank angeschlossen, der ganzjährige geöffnet ist und rund 200 Plätze aufweist. Dieser wird von Gattin Marianne betrieben, die nicht nur das Brot selbst bäckt, sondern alle Fleischspeisen selbst produziert. Eine besondere Leckerei der Hausfrau sind die »Weinstrauben«. Manchmal, wenn die Stimmung paßt, greifen Vater und Sohn Frühwirt zur Harmonika und spielen zu aller Gäste und eigenem Vergnügen auf.

Fritz und Marianne Frühwirt
Deutsch-Haseldorf 46
8493 Klöch
☎ 03475 / 2338

In der Kellerwirtschaft ist Manfred Platzer aus Pichla bei Tieschen beileibe kein Technokrat, ansonsten macht er sich aber die Vorzüge der Technik zunutze, wo immer es nur geht. Vor allem im Weingarten erleichtern ihm Maschinen, die er selbst entwickelte, die Arbeit. Ob das nun eine spezielle Mähmaschine ist, die das Gras rund um die Rebstöcke mäht, ohne sie dabei zu verletzen, ob das der sogenannte »Spritztunnel« ist, mit dem der erfinderische Winzer verhindert, daß Spritzmittel unnütz vergeudet werden, oder ob das die computergesteuerte Warnanlage im Weingarten ist, die Manfred Platzer anzeigt, wann gerade die Voraussetzungen für einen Peronospora-Befall gegeben sind. »Man muß die

Technik dort nützen, wo es sinnvoll ist«, sagt Manfred Platzer, der bei seinem Traktor längst auf Dieseltreibstoff verzichtet und Rapsöl in den Tank füllt.

Das Weingut von Manfred Platzer umfaßt drei Hektar, wobei in der Ried Aunberg auf lehmigem Sandboden und teilweise Vulkanerde Welschriesling, Weißburgunder, Müller Thurgau, Zweigelt blau und St. Laurent in Süd — Südwest-Lage stehen, und in der Ried Klöchberg Rheinriesling und Gewürztraminer auf vulkanischem Boden gedeihen.

Entgegen dem allgemeinen Trend baut Manfred Platzer seine Weine nicht ausschließlich trocken aus. Vor allem seine Prädikatsweine zeichnen sich durch eine Restsüße aus. »Ich trachte danach, meine Weinqualitäten ohne besondere Kunstgriffe zu erreichen«, sagt der Winzer, der seinen Weinen eine lange Lagerfähigkeit attestiert. Den Gewürztraminer beispielsweise kann man ohne weiteres zwanzig Jahre lang liegen lassen.

Die Familie Platzer betreibt erst seit Anfang der 50er Jahre Weinbau, hat sich aber mittlerweile einen Fixplatz unter den steirischen Spitzenqualitätsbetrieben erarbeitet. Gerade bei den Spitzenbetrieben ist die plötzliche Nachfrage nach ihren Weinen einigen Winzern zu Kopfe gestiegen. Jedes Jahr ist eine enorme Teuerung die Folge, die Kunden werden von einigen Betrieben überdimensional »geschröpft«. Leider gibt es einige »Weinexperten«, die Weinqualität nur auf Grund des hohen Preises beurteilen können. Das Endergebnis sind Preissteigerungen von 100% und mehr innerhalb der letzten drei Jahre.

Manfred Platzer ist einer der wenigen steirischen Top-Winzer, die diese überhaltene Preispolitik nicht mitmachen. Obwohl er jedes Jahr erstklassige Gewächse im Keller hat, die auch bei verschiedensten Weinvergleichskosten bestens abschneiden, ist seine Preiskalkulation »Bodenständig« geblieben. Für diese Fairnes gegenüber dem Weinliebhaber sei ihm an dieser Stelle gedankt.

Manfred Platzer
Pichla 25
8355 Tieschen
☎ 03475 / 2331

Weit im Südosten der Steiermark, nur wenige Kilometer von der jugoslawischen und ungarischen Grenze entfernt, liegt das Weingut Winkler-Hermaden, dessen Sitz auf Schloß Kapfenstein ist. Schloßherr Burkhardt Winkler-Hermaden bewirtschaftet 7,5 Hektar Weingärten, die sich auf drei Lagen gleich unterhalb des Schlosses aufteilen. Im einzelnen handelt es sich um die Rieden Winzerkogel, Schloßkogel und Kirchleiten, in denen zehn verschiedene Sorten wachsen: Welschriesling, Rheinriesling, Pinot blanc, Ruländer, Sauvignon blanc, Traminer, Müller Thurgau, Goldburger, Blauburger und Blauer

Zweigelt. 1989 vergrößerte Winkler-Hermaden die Anbaufläche. In der Ried Rosenleiten stehen je ein halber Hektar Weißburgunder und Morillon.

In der Kellerwirtschaft, für die bereits Sohn Georg Winkler-Hermaden die Verantwortung übernommen hat, trachtet man danach, die Weine mit typischem Sortencharakter in die Flasche zu bekommen. Die Weine sind meist gänzlich durchgegoren und trocken. Die Reife erfolgt in Holzfässern, die im sogenannten Löwenkeller stehen, einem ehemaligen Zehentkeller aus dem 17. Jahrhundert. Besonderes Augenmerk legt man im Weingut Winkler-Hermaden auf die Rotweinbereitung. Blauburger und Zweigelt des Jahrganges 1985 wurden ein Jahr im Barrique und eineinhalb Jahre lang im großen Eichenfaß ausgebaut.

Das Schloß Kapfenstein hat auch einen guten Namen unter den Feinschmeckern. Das Schloß-Restaurant bringt beste Qualitäten auf den Tisch.

Weingut Winkler-Hermaden
8353 Kapfenstein 1
☎ 03157 / 202

In Übersbach, nur wenige Kilometer außerhalb von Fürstenfeld in Richtung Fehring, steht der stattliche oststeirische Vierkanthof von Johann Stocker. Der Hof wurde 1777 gebaut und kam Mitte des vorigen Jahrhunderts in den Besitz der Familie, die sich seit jeher mit dem Weinbau beschäftigte. Großvater Franz Stocker erntete zur Jahrhundertwende für seine Verdienste um die Reblausbekämpfung Beachtung, und sein Vater arbeitete schon in den 30er Jahren erfolgreich auf dem Gebiet der Veredelung von Schilcherreben.

Der Vater war es auch, der Johann Stocker in die Geheimnisse des Weinbaus einführte. Heute bewirtschaftet Stocker ein 1 Hektar großes Weingut, dessen Hauptsorten der Welschriesling, Weißburgunder, Ruländer, Müller Thurgau, Goldburger, Schilcher und Blauer Zweigelt sind. Der Großteil der Weine wird in Holzfässern halbtrocken ausgebaut. Die fruchtigen Stocker-Weine mit der leichten Restsüße fanden auch schon auf der internationalen Weinmesse in Laibach,

in Krems und bei der jährlichen Landesweinkost Gefallen, wie eine beachtliche Sammlung von Goldmedaillen beweisen.

Johann Stocker führt in seinem Betrieb auch einen Flaschenschank, in dem man seine Weine verkosten kann. Seinen Buschenschank hat er wegen Arbeitsüberlastung wieder aufgegeben.

Johann Stocker
8280 Übersbach 64
bei Fürstenfeld
☎ 03382 / 3600

Einer der oststeirischen Betriebe, die lange vor den anderen ihre Weine trocken ausgebaut haben, war Rupert Neumeister in Straden. Nach seiner Fachausbildung stellte er 1949 und 1950 seine Weingärten auf die Lenz-Moser-Hochkultur um. Von anderen Weinbauern der Gegend belächelt ging er trotzdem seinen eingeschlagenen Weg weiter. Die konsequente Arbeit wurde bald belohnt. Der sichere Aufstieg zu einem der Spitzenweingütern der Oststeiermark begann. 1971 wurden weitere vier ha Weingartenfläche mit einem Winzerhaus dazugekauft. Dort wurde ein Buschenschank eingerichtet und die Selbstvermarktung begann. Im Jahre 1981 übernahm sein Sohn Albert Neumeister den Betrieb und setzte die Aufbauarbeit seines Vaters fort. 1987 wurde der Buschenschank, die »Saziani-Stub'n«, in der heutigen Form renoviert. Der Kachelofen, die massiven Tische, Bänke und Wandtäfelung sind zwar neu, aber nicht im sonst üblichen Pseudorustikal-Stil gearbeitet, sondern unter Berücksichtigung überlieferter bodenständiger Elemente gestaltet. Im Buschenschank sorgt Anni Neumeister mit selbstgebackenem Brot und hausgemachten Würsten und Geselchtem für das leibliche Wohl der Besucher.

In der Ried »Saziani«, direkt hinter dem Haus, wachsen auf sandigen, mittelschweren Böden, Rheinriesling, Welschriesling, Müller Thurgau und Ruländer. Der Traminer, für den der Betrieb berühmt ist, gedeiht in der Ried »Himberg« und »Moarfeitl«. Auf letzterer wächst

auch Weißburgunder und Sauvignon blanc. Im Weingarten versucht Albert Neumeister mit der Mulchdüngung auszukommen, die Nährstoffwerte der Böden werden alle drei Jahre kontrolliert. Wenn möglich werden Traubenreifegrade zwischen 16,5 und 17,5 °KMW angestrebt, um fruchtige und leichte Weine keltern zu können. Die Weißweine werden grundsätzlich nicht aufgebessert. Alle Weine des Hauses bestechen durch eine sehr feine Frucht und einer harmonischen, reifen Säure.

Weingut Albert Neumeister
8345 Straden 42
☎ 03473 / 308

In Kaibing, an der Wechselbundesstraße zwischen Gleisdorf und Hartberg, hat der Weinbau- und Kellermeister Karl Breitenberger seinen landwirtschaftlichen Betrieb, der auch eine Rebfläche von 1,2 Hektar aufweist. Dort, wo Mitte des 17. Jahrhunderts Abraham a Santa Clara bei einer Festpredigt ein »Lob auf die Steiermark« hielt, predigt heute Karl Breitenberger, der Obmann der steirischen Weinbaumeister, die Qualität des steirischen Weinbaus weiter zu heben.
Karl Breitenberger geht in seinem eigenen Betrieb mit gutem Beispiel voran. Er verfolgt kompromißlos die selbstgewählte Qualitätslinie und nimmt dafür auch geringere Erträge in Kauf. Die Hauptsorte in seinem Weingarten auf dem Kaiblingsberg, der einen Urgesteinsboden mit vulkanischen Einschlüssen aufweist, ist der Rheinriesling, mit dem Breitenberger schon höchste Benotungen erzielen konnte. Daneben wachsen auch noch Welschriesling, Blauer Zweigelt, Weißburgunder und etwas Müller Thurgau und Sämling 88.

Prinzipiell trachtet Karl Breitenberger danach, Qualitäts- oder Kabinettbereiche zu erlangen. Wenn die Voraussetzungen passen, scheut er sich aber auch nicht, eine Spätlese wie beim 1985er Welschriesling in die Flasche zu bekommen. Sämtliche Trauben werden gerebelt, die Weißweine nach einer kurzen Maischestandzeit abgepreßt. Den Rotwein läßt er rund vier Tage auf der Maische. Der Ausbau der Rotweine und der Burgundersorten erfolgt im Holzfaß, der der fruchtigen, säurebetonten Sorten im Tank. Der Müller Thurgau, Welschriesling und Weißburgunder werden schon zeitig im Frühjahr in Flaschen gefüllt, um die rassige Frucht besser zu erhalten.
Den überwiegenden Teil seiner Produktion setzt Karl Breitenberger im eigenen Buschenschank, der von Ostern bis Ende September geöffnet hat, und an Privatkunden ab, etwa zehn Prozent der Bouteillen gehen an die Gastronomie.

Karl Breitenberger
8221 Kaibing bei Stubenberg
☎ 03113 / 8771

Ausdrücke der Weinsprache

Ausdrücke der Weinsprache

abgebaut	Der Wein hat seinen Entwicklungshöhepunkt schon überschritten, ist meistens alt. Auch die Säure kann abgebaut haben, ist also geringer geworden
abgestanden	Der Wein ist lange im Glas oder in der geöffneten Flasche verblieben und hat leichten Luftgeschmack — schmeckt »abgestanden«
»Altl«	Altersgeschmack des Weines
abfüllen	Umziehen (siehe dort) von großen Behältern (Faß, Tank, Zisterne) in kleinere (zumeist Flaschen)
abgipfeln	Einkürzen der Haupttriebe
»ankramperln«	Krampe, Harke; Anhäufeln der Erde rund um den Weinstock
»Amper«	Eimer
Augen	Knospe des Rebstockes
Aroma	Der Duft bzw. Geschmack eines Weines
ausbrocken	Wegnehmen des alten Weinlaubes
Ausbau	Summe der chemischen und biologischen Vorgänge im Wein nach Abschluß der Gärung
ausgebaut	Behälter, in dem der Most vinifiziert wird (im Holzfaß oder im Stahltank ausgebaut)
ausgeglichen	Der Wein hat sich harmonisch (Säure, Extrakt und Zuckerrest) entwickelt
ausdünnen	Entfernen überflüssiger Triebe
Barrique »zaumschnei'n«	Nicht die Fässer (angeblich nur erstbefüllt) werden zerschnitten, sondern der Inhalt der ein-, zwei- und dreijährigen Fässer wird miteinander vermischt und wiederum auf die Fässer aufgeteilt
Beiaugen	Jede Knospe verfügt über zwei Nebenknospen, sogenannte Beiaugen, die im Bedarfsfalle (z.B. nach Abfrieren des Hauptauges) austreiben
Balg	In der Eisenberger Gegend wird die Haut der roten Trauben Balg genannt, die der weißen Trauben nennt man Haut
Baumpresse	Alte hölzerne Weinpresse
Preßbaum	Oberer Teil der Baumpresse — aus einem Stück Holz geschnitten
binden	Befestigen der Reben am Unterstützungssystem
blank	Klarer Wein, ohne Trubstoffe
Blume	Der Duft der leichtflüchtigen Bestandteile des Weines, die durch die Nase wahrgenommen werden. Die Blume ist je nach Sorte, Reife, Boden und Temperatur verschieden und kann zart, fein, edel, aber auch aufdringlich sein
Böckser	Weinfehler; Geruch nach faulen Eiern
Bodengeschmack	Erdgeschmack, oft typisch für bestimmte Rieden. Der Bodengeschmack ändert sich bei der Lagerung
brandig	Der Alkohol tritt im Geschmack stark hervor — oft stark aufgebesserte, dünne und extraktarme Weine
Bruch	Der Wein ist gebrochen (Trübung). Schwarzer, weißer und brauner Bruch sind möglich
Bukett	Duft des Weines, man unterscheidet Sorten-, Gär-, Lager- und Edelfäulebukett
Bottich	Großer Behälter zur Aufnahme von Lesegut oder Maische
Butte	Der menschlichen Rückenform angepaßter Behälter zum Transport
Charakter	Bestimmte Art (oder keine Art) des Weines. Der Charakter des Weines hängt von Sorte, Lage, Klima, aber auch von der Weinbehandlung ab
Deckwein	Zusatz von farbintensiven Mosten zur »Korrektur« der ursprünglichen Farbe
Direktträger	oder auch Selbstträger sind Kreuzungen von amerikanischen und einheimischen Reben ohne Veredelung. Sie werden ausschließlich zur Zucht verwendet. Im Burgenland wird dieser Ausdruck auch für die amerikanischen Sorten Isabella, Delaware und Othello verwendet. Der »Uhudler«, ist eine alte Direktträgersorte, die noch vereinzelt im Südburgenland zu finden ist
Daufen, auch Dauben	Die einzelnen Holzleisten eines Weinfasses
duftig	Elegante, leichte Blume
Düngung	im Weingarten »...nur natürliche Düngung, schau's, Stickstoff kommt ja eh aus der Luft...«
dünn	Körperarmer Wein, mit wenig Extrakt und Alkohol
Edelfäule	Bei trockener Witterung, aber feuchter Luft (Flüsse, Seen) entwickelt sich der Grauschimmel zur Edelfäule (Botrytis cinerea). Weine aus edelfaulen Trauben ergeben ein hervorragendes Produkt (Prädikatsweine)
elegant	Vollkommen harmonische, meist leichtere, spritzige und nicht zu milde Weine
entwickelt	Ausgebauter, reifer Wein
Essigstich	Bakterienkranker Wein, nach Essig riechend (flüchtige Säure)

Extrakt	Mineralsalze, Glyzerin, Zucker und Säuren, die im Wein gelöst sind. Je höher der Extraktgehalt, desto voller der Wein
Faßgeschmack	Geschmack nach einem unreinen Faß (siehe auch Holzgeschmack)
fehlerhaft	Weine mit nachteiligen Veränderungen, meist chemischer Natur oder durch Aufnahme weinfremder Stoffe
feurig	Weine, deren höherer Alkoholgehalt harmonisch und nicht brandig zum Ausdruck kommt. Bei Rotweinen auch zur Farbenbezeichnung verwendet
firn	Verlust der Frische bei lange gelagerten Weinen flaschenreif fertig ausgebauter Faßwein, der reif für die Flaschenfüllung ist
Fremdgeschmack	Geruch oder Geschmack, der nicht zum Wein paßt und als störend empfunden wird
fruchtig	Im Geschmack an Obst erinnernd
Fülle	Körperreicher, vollmundiger Wein
gebrochen	Fehlerhaft trüber Wein. Man unterscheidet zwischen weißem, schwarzem und braunem Bruch (siehe auch Bruch)
Gehalt	Körperreicher, voller Wein
Gelägergeschmack	Hefegeschmack
»G'mischter Sotz«	Verschiedene Rebsorten sind in einem Weingarten nebeneinander ausgepflanzt. Sie werden gemeinsam gelesen, gepreßt und ausgebaut
gerbstoffreich	Reich an bitteren Tanninen aus den Beerenhäuten und dem Holz des Fasses
geschliffen	Weine, die durch kellertechnische Behandlungsmethoden (Entsäuerung, Verschnitt usw.) harmonisch wurden
Gescheine	Erstes Stadium der künftigen Traube nach dem Austrieb im Frühjahr
gezuckert	Mit Zucker verbesserter Wein
Grasgeschmack	Geschmack nach grünen Pflanzen; kann bei Weinen von unreifen Trauben oder nach zu starkem Auspressen entstehen. Oft auch sortenbedingtes Spezifikum (z.B. Blauer Wildbacher, Sauvignon blanc)
»Gschichterl einidruckn«	Verkaufsfördernde Maßnahme im Gespräch mit Kunden und Sachbuchautoren, sozusagen »Winzerlatein«
»G'spritzter«	Mischung aus Wein und Soda
»G'staubts Achterl«	Ein Glas Wein, welches mit einem Schuß Orangensaft, Mineralwasser etc. verdünnt wird
hängengeblieben	Wein, der in der Gärung steckengeblieben ist
harmonisch	Im richtigen Verhältnis stehende Komponenten (Extrakt, Säure, Körper) des Weines
hart	Weine mit hoher, unharmonischer Säure

Haustrunk	Für den Eigenbedarf des Winzers produzierter Wein (oft gemischter Satz)
herb	Zusammenziehender Geschmack durch hohen Gerbstoffgehalt
Heuriger	Jungwein; die neue Weinernte wird zu Martini (11. November) zum Heurigen und bleibt Heuriger bis zum nächsten Martinitag. Danach wird der Heurige zum Altwein und der nächste Jahrgang tritt an seine Stelle
hinten nach	Geschmackwahrnehmung hinten am Gaumen
hochfarbig	Zu gelbe oder gelbbraune Weine. Auslesen können hochfarbig sein
Jungfernwein	Erster Ertrag einer Neupflanzung
Jungwein	Heuriger
kernig	Körperreicher Wein mit entsprechender Säure
Kieselgurgeschmack	Der erste Wein, der über Kieselgur filtriert wird, kann einen Erdgeschmack aufweisen
klar	Wein ohne Trübung (siehe auch blank)
KMW	Klosterneuburger Mostwaage; Senkwaage zur Feststellung des Zuckergehaltes im Most (siehe auch Mostgewicht)
Korkgeschmack	Im Kork lebende Bakterien können bei Flaschenweinen einen schlechten Geruch / Geschmack verursachen
Körper	Summe der Extraktstoffe
körperarm	Dünn, leicht
kurz	Wein, der nicht lange am Gaumen haften bleibt, »abreißt« (siehe auch reißt ab)
lebendig	Spritzig
leer	Dünn, leicht
lesen	Ernten der reifen Trauben
licht	Heller Wein mit wenig Farbe
Luftgeschmack	Oxidationsgeschmack; er entsteht wenn der Wein längere Zeit der Luft ausgesetzt wird (angebrochene Flaschen)
Maische	Gequetschte Trauben vor der Pressung
matt	Leer, ohne Kohlensäure
Meßwein	Naturbelassener Wein, der den kirchlichen Vorschriften entspricht
Metallgeschmack	Eigenartiger, metallischer Geschmack
mild	Säurearm
Most	Durch Pressen gewonnener Obstsaft. Im Weinbau unterscheidet man Seih- (durch Eigendruck des Lesegutes) und Preßmost

Ausdrücke der Weinsprache

Mostgewicht	Zuckergehalt des Mostes, in KMW oder Öchsle (siehe dort) angegeben	Sturm	Most in Gärung. Wird auch Federweißer oder Sauser genannt
moussierend	Stark kohlensäurehaltig (besonders bei Sekt und Schaumweinen)	spritzig	Kohlensäurehältiger Wein
muffig	Leichter Schimmelgeschmack	staubig	Junger, leicht trüber Wein (Stadium nach dem Sturm)
mulchen	Gründüngung im Weingarten	»bei der Gärung steckengeblieben«	Weine, die nicht vergoren haben und noch einen erheblichen Zuckerrest aufweisen
naturrein	Ohne Zusätze, vor allem ohne Mostaufbesserung	Stich	Kranker Wein. Essig-, Milchsäurestich
Öchsle	Vor allem in der BRD gebräuchliche Maßeinheit des Zuckergehaltes im Most (siehe auch KMW)	Strohwein	Süßer Wein, gekeltert aus Trauben, die auf Stroh getrocknet wurden
perlend	Spritziger, kohlensäurehältiger Wein	sitzengeblieben	In der Gärung steckengeblieben
pfeffrig	Pfeffriger Geschmack, der oft bei hochwertigem Grünen Veltliner auftritt	süffig	Leichter, harmonischer Wein, der sich gut trinken läßt
prickelnd	Kohlensäurehältiger Wein, der auf der Zunge prickelt	süß	Weine mit einem hohen Zuckerrest
rebeln	Entfernen der Traubenstiele und Kämme	Traubenzukauf	»...nur in schlechten Jahren, noch an stork'n Hogel, und dann nur vom Nochborn, wo i des ganze Johr hindurch sein Weingort'n anschau...«. Eine Frage, bei der die Weinbauern ein unschuldiges Leuchten in den Augen, wie ein Kleinkind unter dem Christbaum, bekommen
Refraktometer	Im Weingarten verwendetes optisches Instrument zur Bestimmung des Zuckergehaltes in den Trauben		
reintönig	Wein ohne Nebengeschmack	Treber	Preßrückstände
reißt ab	Kurz, nicht anhaltend im Nachgeschmack	trocken	Vollkommen durchgegorene Weine
reißt nicht ab	Anhaltend im Nachgeschmack	trüb	Farbfehler, nicht blanker Wein
resch	Säurereicher Wein ohne Zuckerrest	umziehen	Umfüllen von Faß zu Faß
rigolen	Umackern des Weingartens	unharmonisch	Einzelne Geschmacksformen treten unangenehm hervor
Rückgrat	Der Wein besitzt Körper und genügend Säure	verbessert	Der Most kann nach den Bestimmungen des Weingesetzes mit Zucker angereichert werden
rund	Voller, abgerundeter Geschmack. Nicht zu hoch im Alkohol, aber auch nicht zu leicht	verschnitten	Zur Erhöhung der Qualität werden zwei oder mehrere Weine vermischt
sauer	Hoher Säuregehalt ohne entsprechende Substanz	versieden	Gärstockungen bei zu starker Selbsterwärmung während der Gärung
Säureabbau	Im allgemeinen wird darunter der durch Bakterien verursachte Abbau der Apfelsäure zu Milch- und Kohlensäure verstanden	»von der Mutta abstechen«	Vom Geläger (Mutter) abziehen
schal	Leerer Wein, nicht spritzig	weich	Säurearm, mild
scharf	Hoher Kohlensäuregehalt	»Weimber«	Weintraube
Schimmelgeschmack	Geschmack nach verschimmelten Fässern oder Schläuchen	Weinheber	Glaskolben zur Entnahme einer Faßprobe
Schweif	Der Wein hat Körper und hält lange am Gaumen	würzig	Fruchtig, aromatisch
schwer	Alkoholreicher Wein mit hohem Extrakt	zart	Feiner, eleganter, nicht sehr kräftiger Wein
Spundloch	Kleine Öffnung an der höchsten Stelle des Fasses	»zaumschnei'n«	Hat nichts mit Holzarbeit zu tun, sondern bezeichnet die Füllung eines großen Fasses aus mehreren kleinen Gebinden
spundvoll	Vollgefülltes Faß		
Sortenbukett	Die Traubensorte ist im Wein deutlich zu erkennen	Zeile	Durch Rebstöcke gebildete Reihe
		Zuckerrest	Unvergorener Zucker; wird in Analysedaten mit Gramm je Liter (g/l) angegeben
Spätlese	Weine aus sehr spät gelesenen, vollreifen Trauben	Zuckerhütl	Leichter, angenehmer Zuckerrest im Wein

Namensregister

Literaturverzeichnis

Donin Richard, Dehio Niederösterreich, 1976 Verlag Schroll & Co.

Gruber Reinhard P., Aus dem Leben des Hödlmosers, 1988 dtv München

Lantschbauer Rudolf, Sepp L. Barwirsch, Das Buch vom Steirischen Wein, 1987 Vinothek Verlag

List Guido, Niederösterreichisches Winzerbüchlein, 1898 Cornelius Vetter

Maier-Bruck Franz, Das Große Sacherkochbuch, 1975 Schuler Verlag

Mehling Marianne, Knaurs Kulturführer Wachau, 1985 Droemer Knauer

Rome Helmut, Die großen Weine Österreichs, 1979 Secwald Verlag

Schmeller-Kitt, Dehio Burgenland, 1980 Verlag Schroll & Co

Sebestyen György, Das große österreichische Weinlexikon, 1978 Molden

Sinhuber Bartel F., Das große Buch vom Wiener Heurigen, 1980 Orac

Steurer Rudolf, Österreichischer Weinführer, 1989 Ueberreiter

Traxler Hans, Österreichischer Wein, 1988 Österreichisches Weininstitut

Hans Traxler, Das österreichische Weinbuch, 1962 Verlag Austria Press

1000 Jahre Kunst in Krems, Katalog zur Ausstellung 1971